U0832013

陶富源文集 第5卷

青年马克思与费尔巴哈

QINGNIAN MAKESI YU FEIERBAHA

陶富源 著

安徽师范大学出版社
·芜湖·

责任编辑:张奇才　吴顺安
谢晓博　陈　艳
装帧设计:丁奕奕
责任印制:桑国磊

图书在版编目(CIP)数据

青年马克思与费尔巴哈 / 陶富源著 .—芜湖:安徽师范大学出版社,2016.5
(陶富源文集；第5卷)
ISBN 978-7-5676-2282-1

Ⅰ. ①青… Ⅱ. ①陶… Ⅲ. ①费尔巴哈,L.(1804～1872)－哲学思想－文集 Ⅳ. ①B516.36－53

中国版本图书馆CIP数据核字(2015)第280324号

青年马克思与费尔巴哈
陶富源　著

出版发行:安徽师范大学出版社
芜湖市九华南路189号安徽师范大学花津校区　邮政编码:241002
网　　址:http://www.ahnupress.com/
发 行 部:0553-3883578　5910327　5910310(传真) E-mail:asdcbsfxb@126.com
印　　刷:浙江新华数码印务有限公司
版　　次:2016年5月第1版
印　　次:2016年5月第1次印刷
规　　格:710×1000　1/16
印　　张:24
字　　数:395千
书　　号: ISBN 978-7-5676-2282-1
定　　价:90.00元

凡安徽师范大学出版社版图书有缺漏页、残破等质量问题,本社负责调换。

出版说明

本套文集为安徽师范大学政治学院陶富源教授从事马克思主义哲学研究40多年成果的结集，按内容及篇幅共分为十卷，收入该文集的大部分作品为当年公开出版或发表过的。为了保留原作的本来面貌，除对个别文字、标点符号、部分参考文献作必要的技术处理外，对原文不作实质性改动。由于时间仓促，水平所限，在编辑过程中难免有疏漏，敬请读者海涵。

作者简介

陶富源（1944.11.3—　），江苏海安人，1969年7月毕业于北京大学哲学系，安徽师范大学政治学院教授，博士生导师。现任中国历史唯物主义学会常务理事、中国人学学会常务理事。曾任国家社会科学基金学科评审组专家。终身享受国务院特殊津贴。获全国模范教师、省级教学名师、省十大杰出教师等荣誉称号，获省“五一”劳动奖章等10多项荣誉。主持和完成国家社会科学基金项目3项，其最终成果获“良好”等级。独撰和合作出版著作、译作13部，发表论文200多篇，其中在《中国社会科学》《哲学研究》《马克思主义研究》上发表论文16篇。获省部级教学科研成果一等奖、曾宪梓教育基金会高等学校教师奖三等奖等10多项奖项。

总 序

哲学是时代的产物。

中国共产党的十一届三中全会，开启了中华民族走向经济腾飞、文化复兴的伟大时代。这是一个古老民族从挫折中总结，于艰难中奋起，不断走向昌盛的时代，是一个解放思想、继往开来、锐意革新的时代。

沐浴着时代风雨，鼓荡起哲思才情，四十多年，一路走来。作为我的哲学旅程的一些记录和反映，共独撰和合作出版了著作和译作13部，发表学术论文200余篇。在发表的论文中，有近半数的论文被《新华文摘》《光明日报》《中国人民大学报刊复印资料》《全国高等学校文科学术文摘》（现用名）等转载、摘介和被多种著作所引用。

我信奉马克思主义哲学，因为它是指引人类走向彻底解放的真理，是科学的哲学。和一切科学一样，马克思主义哲学会随着时代的变化而发展。它的某些具体结论和具体原理，有的可能有错，而被证伪；有的也会过时，而被取代，但其基本原理具有持久的生命力，是不会从根本上被驳倒，被推翻，因而是必须坚持的。当然，马克思主义哲学的基本原理也要与时俱进，要经过不断改进、补充和丰富，从而能更系统、更全面、更正确地反映不断发展着的时代精神。

我这几十年来，除对自己留意以外，确也时时想到国家，想到社会，想到自己的责任，因而对治学始终持一种认真的态度，并以能为马克思主义哲学的宣传和发展尽自己的一点微力，而感到欣慰。

承蒙学界朋友的鼓励和支持，我对多年来撰写和发表的部分文稿进行了梳理和审定，按相关专题，分成十卷出版。这十卷的书名分别是：《形上智慧论》《实践主导论》《终极关怀论》《哲学与马克思主义哲学》《青年马克思与费尔巴哈》《唯物辩证论与实践智慧》《唯物史观在当代》《政治文明的哲学观照》《精神家园的哲学守望》《学术论文写作通鉴》。

收入该文集的个别文章在发表时因各种原因删节较多，现恢复原稿，这种情况已在文中作了说明。其余文章，除个别文字校正外，未作修改，以保持原貌。有少量文章是与别人合作撰写的，对此在书中也有标明。

本文集的出版，得到了安徽师范大学领导、政治学院领导的大力支持，得到了我的学生兼好友王平、陶庭马、方芳、金承志、马和平、杨晶、张涛、黄友生、毛加兴等的帮助，得到了我的家人的关怀，也得到了安徽师范大学出版社的鼎力相助。对各方的支持，谨此致以衷心的谢意。

作　者

2015年10月20日

序　言

列宁说，19世纪是德国人的世纪。这主要是因为18、19世纪之交的德国，产生了一批具有世界历史意义的思想家。他们是康德、黑格尔、费尔巴哈、马克思和恩格斯。这批思想巨人的思想影响了19世纪以来世界历史的进程。一百多年来，这些巨人的哲学思想随着马克思主义的传播而东渐到中国[①]，也对中国的历史进程发生着重大影响。

对中国历史发生影响的上述哲学家，其中最大者，当推马克思。以马克思命名的马克思主义哲学是工人阶级的世界观，是中国共产党人领导中国人民进行革命和建设不断取得胜利的锐利思想武器。

马克思主义哲学是在德国古典哲学的沃土中产生的。它的产生是对以往哲学的革命性变革。从马克思、恩格斯思想转变的角度说，给予他们影响最大的哲学家是费尔巴哈。因此，要把握马克思主义哲学变革的实质，要坚持和发展马克思主义哲学，就必须研究德国古典哲学，特别是费尔巴哈哲学；要研究马克思主义哲学与费尔巴哈哲学的关系，特别是青年马克思与费尔巴哈的关系。关于这一点，不仅现在如此，就是对我们的后代子孙，也将是适用的。

费尔巴哈哲学是人本学唯物主义。他对黑格尔哲学的批判，终结了以黑格尔绝对理性主义为代表的一个哲学时代，并作为一个中间环节，促进了青年马克思世界观的转变。

从人出发，以实现人的幸福为最高目标，这是费尔巴哈人本学唯物主义的基本精神；把人提到哲学研究的中心位置，这是费尔巴哈哲学的一大功绩。费尔巴哈力图唯物主义地理解人、理解人的主体能动性，并从感性的人出发去说明人与宗教、思维与存在、主体与客体、

① 1894年4月上海广学会主办的《万国公报》第一次提到马克思恩格斯的名字。1903年中国报刊就有介绍和论述康德（汗德）、黑格尔（黑智尔）哲学的文章。1919年7月17日的北京《晨报》提到了费尔巴哈（霍换尔巴哈）的名字。

存在论与认识论、人的异化与复归等关系。由此决定了费尔巴哈哲学的深远影响。

这种影响富有成果的最大表现，就是促使青年马克思从对人的感性存在进展到对人的感性活动的理解，并以这种理解为基础，从人的实践活动出发，去说明社会的本质及其历史发展的基本规律，从而创立了历史唯物主义；从人的实践活动出发，去说明人的本质及其发展规律，从而创立了马克思主义人学理论；从人的实践活动出发，去说明人的认识的本质及其发展规律，从而创立了马克思主义认识学说；从人的实践活动出发，从总体上创立了实事求是、以人为本、实践主导的辩证唯物主义世界观理论。

实事求是是马克思主义哲学的科学基础原则，实践主导是马克思主义哲学的动力核心原则，以人为本是马克思主义哲学的终极关怀原则。即从现实的人出发，人民自己解放自己，实现人民当家作主，建立促进人全面自由发展的自由人联合体。

马克思一生的精力都在于科学论述以人为本或曰人的彻底解放的理论根据、历史必然、主体力量、制度安排和道路选择。

从广义来说，马克思主义哲学世界观就是以辩证唯物论为理论基础，以对人类社会，特别是资本主义社会发展规律的科学把握为前提，从现实的人出发，侧重从阶级社会中人的阶级存在出发，特别是从代表未来的无产阶级和广大人民群众的现实处境和根本利益出发，坚持人民群众在工人阶级及其政党的领导下，联合起来，共同行动，自己解放自己和发展自己，通过社会变革和社会发展消灭剥削阶级及其产生的社会根源，建立和不断完善人民当家作主的社会主义制度，不断推进环境再造和自我更新，从而不断创造条件，促进以人的全面自由发展为首要价值的共产主义的实现。

总之，马克思主义哲学是关于人的彻底解放的科学世界观。

收入本卷的论著，旨在说明青年马克思走向费尔巴哈又超越费尔巴哈，创立自己新哲学的理路历程。具体说来，包含以下三个方面。一是关于费尔巴哈哲学的研究。主要说明费尔巴哈哲学超越了黑格尔唯心主义，恢复了唯物主义的王座。但费尔巴哈唯物主义并不是回到18世纪的机械唯物主义，而是前进到人本学唯物主义。它把人视为哲学研究的中心。在这一点上，马克思既继承同时又超越了费尔巴哈。

二是关于马克思超越费尔巴哈的历程的研究。这个历程可以简单地表述为，从费尔巴哈的自然感性的人到马克思的感性活动的人。由此创立了科学的实践观，并以科学的实践观为突破口，创立了科学的人观和科学的历史观。三是对马克思超越费尔巴哈哲学的理论成果的研究。这个成果的世界观和方法论的理论形态就是实事求是、以人为本、实践主导的辩证唯物主义哲学。

作　者

2015年10月20日

目　录

青年马克思与费尔巴哈 ……1

一、如何看待恩格斯的有关论述 ……1
二、人是青年马克思与费尔巴哈的思想交汇点 ……3
三、对人的感性存在到人的感性活动的理解 ……6
四、从人的“类”本质观到人的社会本质观 ……9
五、从人的宗教异化论到人的彻底解放论 ……11

论费尔巴哈哲学中的辩证因素 ……15

一、世界统一性与多样性关系的辩证理解 ……15
二、关于物质自我运动动因的深刻探求 ……17
三、世界可知性与认识能动性关系的辩证说明 ……20
四、感性认识与理性认识关系的辩证解读 ……23

费尔巴哈宗教批判中的得失及其根源 ……28

一、宗教是人的理性本质的异化 ……28
二、所谓拯救宗教的“爱”的本质 ……32
三、费尔巴哈宗教批判不彻底的世界观原因 ……34
四、费尔巴哈宗教批判不彻底的历史观原因 ……35
五、费尔巴哈宗教批判不彻底的社会原因 ……38

关于费尔巴哈认识论的几个问题 ……40

一、消极的直观与生动的直观 ……40
二、实践的生活效用与认识的客观基础 ……43
三、费尔巴哈真理标准观的现实倾向性 ……45

四、人类命运的关心与理论的苍白无力 ……47

费尔巴哈的实践观及其历史作用 ……50

一、费尔巴哈人本主义的实践倾向 ……50
二、费尔巴哈实践观的合理性与局限性 ……53
三、马克思科学实践观形成的中间环节 ……55

马克思哲学世界观第一次转变的开端
——重读《黑格尔法哲学批判》 ……60

一、《黑格尔法哲学批判》的现实动因 ……61
二、《黑格尔法哲学批判》的思想前提 ……62
三、《黑格尔法哲学批判》的理论成果 ……64
四、重读《黑格尔法哲学批判》的几点启迪 ……70

《黑格尔法哲学批判》与费尔巴哈的“颠倒方法”
——兼评兹·罗森的有关观点 ……72

一、马克思“颠倒方法”来源的认识分歧 ……72
二、马克思“颠倒方法”不是来源于鲍威尔 ……74
三、马克思“颠倒方法”来源于费尔巴哈 ……76
四、马克思对费尔巴哈“颠倒方法”运用范围的超越 ……79

马克思主义哲学形成中的决定意义的一步
——读《〈黑格尔法哲学批判〉导言》 ……81

一、《导言》赋予“市民社会决定国家”以普遍内涵 ……81
二、《导言》为人类解放指明方向道路及主体力量 ……86
三、《导言》开始向新唯物主义和共产主义的转变 ……89

费尔巴哈的感性主体论与历史唯物论 ……92

一、费尔巴哈感性主体论的优长 ……92
二、马克思的“感性活动主体论” ……96
三、费尔巴哈“类”论的理论价值 ……101

青年马克思的宗教批判与唯物史观创立 ……105

一、唯物史观创立的一个推动力 ……105
二、从宗教异化批判到政治异化批判 ……106
三、从政治异化批判到劳动异化批判 ……109
四、超越劳动异化论创立唯物史观 ……111
五、最后的结论 ……113

《关于费尔巴哈的提纲》导读 ……115

一、马克思主义哲学的实践主导原则 ……116
二、实践是认识的基础和检验真理的标准 ……123
三、实践是环境与人及实践三者改变的共同基础 ……127
四、宗教产生的社会根源和消亡途径 ……130
五、人的本质是实践中所形成的一切社会关系的总和 ……133
六、全部社会生活的本质是实践的 ……139
七、马克思主义哲学的根本任务是改造世界 ……143

《马克思学说现实人本主题论》引言 ……146

马克思学说现实人本主题论要 ……155

一、马克思学说的主旨是实现人的全面自由发展 ……155
二、马克思学说的主线是追求人的彻底解放 ……163
三、马克思学说的主则是以人为本 ……168

马克思学说现实人本主题的逻辑形成 ……183

一、关于人的解放的宗教异化批判 ……183
二、关于人的解放的政治异化批判 ……206
三、关于人的解放的劳动异化批判 ……225
四、关于人的解放的唯物史观论证 ……252

关于《马克思学说现实人本主题论》的几个问题 ……295

一、《马克思学说现实人本主题论》要实现的理论推进 ……295

二、《马克思学说现实人本主题论》要论证的主要观点 ………296
三、《马克思学说现实人本主题论》写作的理论意义 …………297

马克思主义是关于人的彻底解放的学说
——驳所谓“后期的马克思忘记了人” …………………………299

一、马克思恩格斯毕生关注的中心 ……………………………299
二、关于人的彻底解放的主体力量和现实道路 ………………302
三、实现个性自由与自由社会的理想 …………………………304

“人的根本就是人本身”的辨析及其他 ……………………308

一、对近代以来人道主义传统的超越 …………………………308
二、“人本身本质论”是一个过渡性命题 ……………………309
三、从“人本身本质论”前进到“人的社会本质论” ………311
四、不能用“人本身本质论”为“个体本位”作论证 ………312

关于马克思主义人学的几点思考 ……………………………315

一、问题的提起 …………………………………………………315
二、人本主义的本质涵义 ………………………………………316
三、从对人本身的存在到人的社会存在的认识飞跃 …………319
四、马克思主义人学涵纳了人本主义的价值理想 ……………323
五、马克思主义人学的科学性与价值性的有机统一 …………325

人的发展是检验实践正确性的标准 …………………………331

一、真理不是判定实践正确性的尺度 …………………………331
二、人的发展是实践正确性的检验尺度 ………………………333

“以人为本”的马克思主义理解 ……………………………335

一、中国共产党执政理念的升华 ………………………………335
二、“以人为本”与“以人民为本” …………………………337
三、“以人为本”与“以人为目的” …………………………338
四、坚持以人为本的理想性与现实性的统一 …………………339
五、“以人为本”与“人类中心主义” ………………………340

以人为本视域下苏联解体的反思 ……342

一、革命暴力必要性与人道的平衡 ……342
二、民众个人利益与国家利益的兼顾 ……345
三、党的领导与人民当家作主的统一 ……348
四、承认社会差别与追求社会公平的一致 ……351

和谐社会建构与人的全面发展 ……354

一、社会和谐与中国特色社会主义 ……354
二、以人为本是构建和谐社会的核心原则 ……357
三、人的全面发展是和谐社会建设的价值指向 ……360

也谈人的全面发展的过程性 ……363

青年马克思与费尔巴哈*

青年马克思是马克思研究中的热门话题。而青年马克思与费尔巴哈的关系问题，又是其中许多纷争的一个焦点。青年马克思在世界观转变过程中，是从黑格尔出发，“自觉地踏上历史唯物主义道路的”呢，还是得益于费尔巴哈思想的影响？如果承认有这种影响，那么其程度如何？这其中是存在一个完整的费尔巴哈派阶段呢，还是一个融批判与继承于一体的中介过程？与此相联系，青年马克思是最终超越了费尔巴哈，走上了历史唯物主义道路呢，还是如西方某些作者所认为的，青年马克思是一个与老年马克思相对立的，信奉费尔巴哈哲学的人道主义者？正确回答这些问题，科学阐明青年马克思与费尔巴哈的关系，不仅有助于弄清关于马克思主义哲学的理论来源、形成过程及其思想实质等学术问题，而且还关系着当代意识形态领域的斗争，有助于捍卫马克思主义哲学的革命本质。

一、如何看待恩格斯的有关论述

关于青年马克思与费尔巴哈的关系问题，恩格斯有一系列论述。早在1845年《英国工人阶级状况》的序言中，恩格斯就指出，马克思和德国其他一些共产主义者都“是通过费尔巴哈对黑格尔哲学的克服而走向共产主义的”①。过了40多年以后，恩格斯在1888年《路德维希·费尔巴哈和德国古典哲学的终结》序言中重申了这个观点。他说：“在我们的狂飙时期，费尔巴哈给我们的影响比黑格尔以后任何其他哲学家都大。”费尔巴哈“在好些方面是黑格尔哲学和我们的观点之

* 原刊于《哲学研究》，1990（3）。

① 《马克思恩格斯全集》第2卷，279页，北京：人民出版社，1957年。

间的中间环节”[①]。

恩格斯关于费尔巴哈哲学是青年马克思世界观转变过程的中间环节的观点，对不对呢？

笔者认为，那种所谓青年马克思没有经过费尔巴哈这个“中间环节”，而是“通过密切联系社会实际生活”，“自觉地踏上历史唯物主义道路的”观点，是不能令人赞同的；另外，那种把1843—1845年春这一时期，说成是青年马克思思想转变过程中的“费尔巴哈派阶段”，“信奉的是费尔巴哈人本学唯物主义”的观点，也是不正确的。恩格斯在这个问题上的基本观点是不能否定的。即从1843—1845年春，青年马克思的世界观既不属于费尔巴哈派阶段，也不属于历史唯物主义阶段，而是属于青年马克思从黑格尔唯心主义到历史唯物主义的过渡阶段。在这个阶段中，费尔巴哈起了某种中间环节的作用。

要理解恩格斯的上述基本观点，其关键在于，要科学分析青年马克思世界观转变的真实过程。

首先，青年马克思世界观的转变，是时代的激励、工人革命斗争的推动、自然科学的巨大进步、文化遗产的批判继承，以及马克思个人进行科学探索的非凡智慧和才能等等条件的综合作用的结果。在这里，不能片面强调各种文化遗产的影响，如某些论者所特别强调的费尔巴哈的影响，因为归根到底，实践起了决定作用。同时也不能把实践的作用绝对化，因为参加实践毕竟不等于对现实的理性把握。任何新理论的创造总是离不开一定的思想前提的。换句话说，青年马克思走向历史和辩证唯物主义的道路，既是一个跟随时代前进不断进行实践探索的过程，同时也是一个批判继承人类文化遗产，有其内在逻辑的理论创造过程。

其次，就青年马克思与费尔巴哈的关系来说，青年马克思对费尔巴哈哲学的批判与继承这样两个方面，也不是截然分开，而是交织在一起的。其中，旧信念与新思想、旧形式与新内容、旧前提与新结论之间的矛盾斗争是错综复杂的。在这一过程中，我们一方面看到青年马克思对费尔巴哈的过分推崇，甚至达到迷信的程度[②]。但在另一方

① 《马克思恩格斯选集》第4卷，211、212页，北京：人民出版社，1995年。

② 参见《马克思恩格斯全集》第27卷，436、442、450页，北京：人民出版社，1972年；第42卷，46页，北京：人民出版社，1979年。

面，我们又看到，青年马克思（尽管自己在一段时期没有自觉意识到）实际上是在一步一步突破费尔巴哈哲学的局限，从而表现了鲜明的批判探索精神和自主发展的品格。可是，这样两个看似完全对立的方面，恰恰又是统一于青年马克思从1843—1845年春的世界观转变的整个过程的。在青年马克思的世界观转变过程中，若夸大前一方面，认为存在一个费尔巴哈派阶段，或只看到后一方面，认为费尔巴哈的影响无足轻重，都是片面的，有违于历史的真实。

最后，马克思在急剧变化的历史关头面前，思维敏捷过人，思想日新月异，在完成世界观的根本转变之前，几乎每一部著作都有一些火光闪烁的新论断[①]。如果不肯定这些新观点，就无法说明青年马克思是如何一步步地与旧哲学实现彻底决裂的；反之，如果离开青年马克思当时世界观的整体，把这些新观点孤立起来，用后来成熟时期的思想去附会拔高，并以此来证明马克思在离开黑格尔主义之后，就与费尔巴哈划清了界限，那也无法说明青年马克思新世界观的形成过程。

当然，从认识发展的角度来说，上述两种观点尽管在总体上都是不正确的，但也有助于启迪人们进一步去深察这样一个更为根本的问题：费尔巴哈哲学在青年马克思世界观转变过程中的中介作用，其表现和机制到底是什么？要正确回答这个问题，我认为，必须把握住费尔巴哈哲学的根本特点——人本主义。

二、人是青年马克思与费尔巴哈的思想交汇点

费尔巴哈是黑格尔以后对青年马克思最有影响的哲学家。费尔巴哈所进行的批判，破除了人们对黑格尔哲学的迷信，它标志着以黑格尔绝对理性主义为代表的一个哲学时代的终结。由此决定了费尔巴哈哲学的深远的巨大的影响。然而就这种影响的最富有成果的表现来说，就是作为一个中间环节，促进了青年马克思世界观的转变。

费尔巴哈作为开路人，不仅坚定了青年马克思对黑格尔哲学的怀疑和批判，而且为这一批判提供了一个基本的、进步的立场，即人

① 参见《马克思恩格斯全集》第16卷，409页，北京：人民出版社，1964年；《马克思恩格斯选集》第1卷，1页，北京：人民出版社，1995年。

本学唯物主义的立场。换句话说，费尔巴哈的唯物主义不是一般的唯物主义，而是人本学唯物主义；同样，费尔巴哈的人本主义也不是一般的人本主义，而是以唯物主义为前提的人本主义。用马克思的话说，费尔巴哈的唯物主义是体现“和人道主义相吻合的唯物主义”①。

从人出发，以实现人的幸福为最高目标，这是费尔巴哈人本学唯物主义的基本精神。费尔巴哈虽然像18世纪的法国唯物论那样，在时间上承认自然界的第一性，人是自然界的一部分。但费尔巴哈又认为，在“性质上”即重要性上，人是第一位的。他说，这一点就是他的新哲学与以往一切旧哲学的根本区别。费尔巴哈深察以往唯物主义的弱点，及其与唯心主义的一致性，即它们都是离开人，或在人之外去寻找最后的原因或抽象的实体。所以，他断然排斥这种实体，主张“从人出发”。费尔巴哈公开宣称，他的哲学是“作为人的哲学的新哲学”，其宗旨“主要地也是为人的哲学”②。

把人提高到哲学研究的中心位置，这是费尔巴哈哲学的一大功绩。费尔巴哈相对于以往唯物主义所具有的这一特殊本质，决定了费尔巴哈唯物主义的特殊价值和在唯物主义发展史上的特殊地位。正是费尔巴哈唯物主义的这一特殊本质——人本学，才为以人的解放为目标的历史唯物主义的创立提供了某种前提和内在根据。

因为人本身是物质和精神、思维和存在、主体和客体、自然存在和社会存在相统一的有机体，是这些关系的集中体现者。正如马克思所指出的：“人是全部人类活动和全部人类关系的本质、基础。”③所以，人的问题也就成为理解上述诸种关系的突破口。费尔巴哈以人本主义方式找到了这个突破口，这是十分可贵的。并且他通过这个突破口也在一定程度上克服了先前唯物主义的局限性，批判了宗教神学和唯心主义世界观。更为重要的是，马克思也正是通过这个突破口进一步打通走向历史唯物主义道路的。于是，人或人的问题也就成为青年马克思与费尔巴哈的思想交汇点。

---

① 《马克思恩格斯全集》第2卷，160页，北京：人民出版社，1957年。

② ［德］费尔巴哈：《费尔巴哈哲学著作选集》上卷，荣震华等译，186页，北京：商务印书馆，1984年。

③ 《马克思恩格斯全集》第2卷，118页，北京：人民出版社，1957年。

应当看到，费尔巴哈在人的问题上的思想有合理的因素，但是他对人的基本看法是抽象的，因而也是不科学的。他迈出了有价值的一步，然而却没有再前进一步。“但是，费尔巴哈没有走的一步，必定会有人走的。对抽象的人的崇拜，即费尔巴哈的新宗教的核心，必定会由关于现实的人及其历史发展的科学来代替。”[①]这个超出费尔巴哈而进一步发展费尔巴哈观点的工作，是由马克思开始并完成的。

青年马克思批判黑格尔的第一部著作《黑格尔法哲学批判》就是在费尔巴哈人本主义的启迪下写成的。马克思在书中阐述市民社会决定国家的观点时写道：“黑格尔从国家出发，把人变成主体化的国家。民主制从人出发，把国家变成客体化的人。正如同不是宗教创造人而是人创造宗教一样，不是国家制度创造人民，而是人民创造国家制度。”[②]他说：“我们的全部任务只能是赋予宗教问题和哲学问题以适合于自觉的人的形态，像费尔巴哈在批判宗教时所做的那样。”[③]不难看出，青年马克思在这里已经站到了费尔巴哈人本学唯物主义立场上了，并用这一理论在费尔巴哈所没有涉足的一个全新的领域——社会历史领域，向黑格尔唯心主义展开了挑战，从而萌生了某些历史唯物主义的思想因素。

在以后的发展中，随着青年马克思的实践探索和理论思考的不断深入，逐渐由费尔巴哈的关于人的感性存在的观点发展为关于人的感性活动的观点；从关于人的“类本质”的观点发展为关于人的社会本质的观点；从关于人的异化和复归的理论，借用其形式，不断灌注进丰富的内容，发展为关于人的彻底解放的学说。这三者之间相互联系，不断递进，从而最终导致了马克思历史唯物主义的创立。

当然，这仅仅是理论上的概括，要具体揭示其中的转换和发展机制，还必须结合马克思新世界观创立的历史行程，来分别加以说明。

---

① 《马克思恩格斯选集》第4卷，241页，北京：人民出版社，1995年。

② 《马克思恩格斯全集》第1卷，281页，北京：人民出版社，1956年。

③ 《马克思恩格斯全集》第1卷，418页，北京：人民出版社，1956年。

三、对人的感性存在到人的感性活动的理解

人是什么？在黑格尔那里，人是为绝对观念所派生的，人的本质被规定为普遍的自我意识。在批判黑格尔这种思辨主体观的过程中，费尔巴哈提出了自己的感性主体观。他认为，人不是一个纯粹精神的存在，而是一个以自然为基础的感性的存在。他说，旧哲学的出发点是这样一个命题："我是一个抽象的实体，一个仅仅思维的实体，肉体是不属于我的本质的。"新哲学则是以另一个命题为出发点："我是一个实在的感觉的本质，肉体总体就是我的'自我'，我的实体本身。"①在费尔巴哈看来，肉体属于主体自身，这就规定了主体具有感性的本质。

那么什么是感性呢？费尔巴哈的感性归纳起来有两个方面的意思。其一是说，人是"感性的对象"，作为客体，人是有血有肉的个体的存在，是一个要呼吸空气，要吃饭穿衣，具有感性需要、物质欲望的存在。所以，人可以被他人所感知。其二是说，人是感性的主体，可以以直观的形式感知其他存在物。费尔巴哈关于主体人的上述规定，给人以存在的感性根据。

但是，仅就感性而言，动物也有。费尔巴哈觉察到了这一点，并认为人的感性不同于动物的感性，人的感性渗透着理性并受理性的支配。费尔巴哈的这一认识，一般说来也是对的。但是他不懂得人的理性本身也是作为结果而存在的。因为理性背后有着更深刻的东西，这就是人所进行的感性活动。正是这一点才是人的感性与动物的感性的根本区别。

青年马克思在世界观转变过程中，对费尔巴哈的"感性"范畴进行了认真的研究。并且认为，"感性（见费尔巴哈）必须是一切科学的基础"②。马克思对感性研究的结果，认为人的感性活动，即生产劳动"是人的能动的类生活"。人的感性存在是以感性活动为基础的存在。这样，马克思就从费尔巴哈关于人的感性存在的理解进展到关于人的

① ［德］费尔巴哈：《费尔巴哈哲学著作选集》上卷，荣震华等译，169页，北京：商务印书馆，1984年。

② 《马克思恩格斯全集》第42卷，128页，北京：人民出版社，1979年。

感性活动的理解。

这一进展是马克思通过经济学的研究，借助于对黑格尔主体辩证法的批判继承，通过撰写《1844年经济学哲学手稿》（以下简称《手稿》）实现的。《手稿》指出：第一，劳动是人从自然界提升出来的手段[①]。人的本质是在“改造对象世界”的能动活动中形成的。第二，劳动是人维持肉体生存需要的手段[②]。第三，人的五官感觉的形成是劳动的产物[③]。第四，人的意识也是劳动的产物[④]。所以，劳动是人的根本特性，人首先是作为实践主体而存在的。

费尔巴哈把感性不是看作实践的、人类感性的活动，这是他的人本学唯物主义的主要缺点。但是马克思关于人的感性活动的理解，并不是对费尔巴哈关于人的感性理解的否定，而是以此为基础的发展。

首先，人的感性存在是人的感性活动的前提，纯粹的思辨主体是无所谓感性活动的。关于这一点，马克思恩格斯在《德意志意识形态》一书中给予了肯定。书中指出：“全部人类历史的第一个前提无疑是有生命的个人的存在。因此，第一个需要确认的事实就是这些个人的肉体组织以及由此产生的个人对其他自然的关系。”[⑤]这种关系就是指人作为肉体的自然存在物对自然界进行改造的生产活动。可见，人的感性存在提供了人的感性活动的现实根据，决定了人的活动是客观的物质活动。

其次，费尔巴哈从感性主体观出发，提出了生活实践的观点。他说，人既然是一个有生命的感性存在物，所以他也就是一个需要空气、食物、饮料等等生活着的人。因此，他主张把哲学和人的生活实践联系起来。正是在这个意义上，他说，新哲学在“本质上具有一种实践倾向，而且是最高意义下的实践倾向”[⑥]。他批判宗教和黑格尔唯心主义“从人身上剥夺了一切肉体上的需要和机能”[⑦]。他认

① 参见《马克思恩格斯全集》第42卷，124、125页，北京：人民出版社，1979年。

② 《马克思恩格斯全集》第42卷，96页，北京：人民出版社，1979年。

③ 《马克思恩格斯全集》第42卷，126页，北京：人民出版社，1979年。

④ 《马克思恩格斯全集》第42卷，121页，北京：人民出版社，1979年。

⑤ 《马克思恩格斯选集》第1卷，67页，北京：人民出版社，1995年。

⑥ ［德］费尔巴哈：《费尔巴哈哲学著作选集》上卷，荣震华等译，186页，北京：商务印书馆，1984年。

⑦ ［德］费尔巴哈：《费尔巴哈哲学著作选集》上卷，荣震华等译，298页，北京：商务印书馆，1984年。

为，人不是不食人间烟火的精灵，实际上，人“必须先吃饭或先能吃饭，然后思想”[1]。费尔巴哈的这些认识都是正确的。但费尔巴哈不懂得人的生活需要是通过生产获得满足的。相比较而言，生产是生活的基础，人类的生产是更为重要的。虽然如此，但费尔巴哈的生活实践的观点，也为马克思科学实践观的创立提供了一定的理论前提。

在科学实践观的形成过程中，马克思一方面吸取了黑格尔实践观的积极成果，同时又指出，黑格尔唯一知道并承认的劳动是抽象的精神的劳动。马克思说：“思辨终止的地方，在现实生活面前，正是描述人们的实践活动和实际发展过程的真正的实证科学开始的地方。”[2]这个地方就是：“人们为了能够‘创造历史’，必须能够生活。但是为了生活，首先就需要吃喝住穿以及其他一些东西。因此第一个历史活动就是生产满足这些需要的资料，即生产物质生活本身。”[3]马克思把人的生活需要、生活实践确定为“一切人类生存的第一个前提，也就是一切历史的第一个前提”[4]。这是对费尔巴哈生活实践观的肯定。很显然，若不肯定这一点，那就一定不是唯物主义，诚然仅仅肯定这一点，也不是彻底的唯物主义。因此，必须从生活实践的观点前进到生产实践的观点。

总之，在从黑格尔的思辨主体观到马克思的实践主体观的发展过程中，费尔巴哈关于以自然为基础的、感性的人的观点，是一个中间环节。马克思在世界观的转变过程中，借助于费尔巴哈的感性主体观超出了黑格尔的唯心主义，又通过对感性主体观的批判继承、前进发展，从而提出了劳动是人的根本特性的观点。这就为关于现实的人及其历史发展的科学提供了第一块理论基石。

---

① ［德］费尔巴哈：《费尔巴哈哲学著作选集》下卷，荣震华等译，587页，北京：商务印书馆，1984年。

② 《马克思恩格斯选集》第1卷，73页，北京：人民出版社，1995年。

③ 《马克思恩格斯选集》第1卷，79页，北京：人民出版社，1995年。

④ 《马克思恩格斯选集》第1卷，78页，北京：人民出版社，1995年。

四、从人的“类”本质观到人的社会本质观

如上所说，费尔巴哈把人规定为以自然为基础的感性的人。由于他过分看重了人是自然的产物这一点，因而他并不了解人的社会性、历史性。这是费尔巴哈哲学的一大缺陷。然而就是在这样一个有着重大缺陷的方面，费尔巴哈从他的感性主体观出发，也以其特有的方式，提出了一些在马克思唯物史观创立过程中加以借鉴的思想，其中最主要的是关于人的类本质的思想。

费尔巴哈认为，人是生活中的、有血有肉的现实的人。人就其现实存在来说是个体，但个体的本质体现为“类”。离开了类的孤立的、单个的人是非现实的，是神学中的独一无二的上帝和黑格尔哲学中的“绝对观念”，或是纯粹的自然物。费尔巴哈认为人不是抽象的精神，也不是纯粹自然的存在，“人是人的作品，是文化、历史的产物”①。个体的存在是以类为前提的，个体的实在性、主体性的确立是在类中实现的。费尔巴哈说：“只有许多人合在一起才成了人所应当是的和能够是的，才像人所应当是的和能够是的那样。”②

那么什么是“类”呢？在费尔巴哈那里，“类”就是人与人的统一，人与人的关系。他说：“孤立的，个别的人，不管是作为道德实体或作为思维实体，都未具备人的本质。人的本质只是包含在团体之中，包含在人与人的统一之中。”又说：“只有把人对人的关系即一个人对另一个人的关系，我对你的关系加以考察时，才能谈得上道德。”③因此，费尔巴哈得出结论，只有社会的人才是人。

费尔巴哈的这些思想是有意义的。但他所说的人与人之间的关系，并不是在生产劳动基础上所形成的社会关系，而是从他的感性主体观出发，指谓的是被个人肉体的自然需要所决定的、孤立个人之间的感情和性欲关系，即所谓友情和爱，特别是性爱。所以他实际研究

① ［德］费尔巴哈：《费尔巴哈哲学著作选集》上卷，荣震华等译，247页，北京：商务印书馆，1984年。

② ［德］费尔巴哈：《费尔巴哈哲学著作选集》下卷，荣震华等译，190—191页，北京：商务印书馆，1984年。

③ ［德］费尔巴哈：《费尔巴哈哲学著作选集》上卷，荣震华等译，185、572页，北京：商务印书馆，1984年。

的仍然是“一种抽象的——孤立的——人的个体”；他所理解的人的类本质，只是“一种内在的、无声的、把许多个人纯粹自然地联系起来的普遍性”①。

但是，能不能由此认为费尔巴哈关于人的类本质的观点是毫无理论价值的庸俗见解呢？不能。费尔巴哈关于人的“类”本质的观点包含着从人与人的相互关系、相互交往中去理解人的本质的思想，并以此批判了宗教神学及黑格尔哲学将上帝、“绝对观念”这种一般本质孤立于人的个体存在所导致的唯心主义错误，进而揭示了宗教、上帝观念都不过是人的本质的异化。关于这一点对马克思思想的启发，留待后文作详细的说明。这是第一。

第二，费尔巴哈从“类”的角度去规定人的本质的思想，相对于17、18世纪的唯物主义用自然性说明人性、人的本质，把人看成孤立存在的“社会原子”，并从纯粹个体的角度去规定人的观点，无疑也是一个进步。并且正是在这一思想的直接启发和推动下，使马克思更深入地探讨和研究人的社会关系，从而得出了关于人的本质的科学结论。

马克思在早期曾经接受了费尔巴哈关于“类”的思想，并从社会的意义上来理解“类”。马克思在《黑格尔法哲学批判》中，不仅运用了费尔巴哈所特有的术语如“类”“类本质”“类存在”等等，认为人“只有在自己的类存在中，只有作为人们”才是现实的。而且在具体论述问题时，还把家庭、市民社会、国家等等看成现实的人借以实现其现实内容的“类形式”，“社会形式”②。

马克思在《手稿》中也指出，“人不仅是自然存在物”，还是“类存在物”。马克思赞扬“费尔巴哈也使‘人与人之间的’社会关系成了理论的基本原则”，也就“创立了真正的唯物主义和实在的科学”③。

尽管马克思在这里是对费尔巴哈的过誉，尽管马克思在这时对人与人的关系所进行的经济和社会角度的分析，已经远远超过了费尔巴哈，但费尔巴哈的人与人的相互关系的观点在理解“人的本质”上的理论价值，无疑对马克思具有重大影响。

事实上，当青年马克思关于人的社会联系的思想在没有找到自己

① 《马克思恩格斯选集》第1卷，60页，北京：人民出版社，1995年。
② 参见《马克思恩格斯全集》第1卷，277页，北京：人民出版社，1956年。
③ ［德］马克思：《1844年经济学哲学手稿》，96页，北京：人民出版社，2000年。

的适当表现形式之前，是借用了费尔巴哈关于人的类本质的表达方式的。比如在《手稿》中，马克思通过对人的劳动特性的分析，认识到："劳动这种生命活动，这种生产生活本身"，就是人的"类生活"[①]，即人的社会生活。因为"活动和享受，无论就其内容或就其存在方式来说，都是社会的，是社会的劳动和社会的享受"。个人的活动即使不是共同进行的，也是"社会生活的表现和确证"。因而，"个人是社会存在物"[②]。

但是马克思这时对人的社会性的认识，在总体上还较为抽象，还较少具体的规定。直到《神圣家族》中，马克思才接近了生产的社会关系这个思想。马克思指出："对象作为为了人的存在，作为人的对象性存在，同时也就是人为了他人的存在，是他同他人的人的关系，是人同人的社会关系。"[③]他认为，自然的必然性、人的特性、利益把市民社会的成员彼此连接起来，他们之间的现实的联系不是政治生活，而是市民生活。这就是说，建立在劳动基础上的经济生活（市民生活）的现实的社会关系，是人的最本质的东西。

这样，马克思关于人的本质观就逐渐达到了一个新的飞跃，即用人的社会存在来代替人的类存在，用人的社会关系来说明人的本质。这个飞跃的最终实现是在《关于费尔巴哈的提纲》中，《提纲》指出："人的本质……在其现实性上，它是一切社会关系的总和。"[④]

由此可见，在从黑格尔的关于人的一般的抽象本质观，到马克思主义的关于现实的人的社会本质观的发展过程中，费尔巴哈关于人的类本质的观点是一个中间环节。

五、从人的宗教异化论到人的彻底解放论

在欧洲近代哲学史上，费尔巴哈第一个将异化看作人的本质异化，尤其是宗教异化。他的人本主义异化观的核心是作为个体的人与独立于个体之外的类本质的异化。他说，基督教的上帝，就是人的普

① 《马克思恩格斯全集》第42卷，96页，北京：人民出版社，1979年。
② 《马克思恩格斯全集》第42卷，121—122、123、122页，北京：人民出版社，1979年。
③ 《马克思恩格斯文集》第1卷，268页，北京：人民出版社，2009年。
④ 《马克思恩格斯选集》第1卷，60页，北京：，人民出版社，1995年。

遍本质的异化。并认为只有克服宗教异化，才能达到人的本质的复归。因此，“理想人性—人性异化—人性复归”是费尔巴哈人本主义的经典公式。

那么怎样才能克服异化呢？费尔巴哈认为，打倒上帝，把对上帝的爱变成对人的爱。这样，人也就从神学的束缚下解放出来。不难看出，费尔巴哈的这一认识是空洞的、幼稚的。

但由于费尔巴哈的异化理论所指谓的是个体与类的异化，这至少在一定程度上涉及了人与社会的矛盾。也就是说，费尔巴哈的异化理论，至少在形式上已经具有了某种社会的意义，即要求得到个人的幸福，必须克服社会上存在的那些不公平的事情。青年马克思也是这样来认识的①。因而这一理论便成为马克思历史唯物主义因素借以生长的形式。

青年马克思在批判宗教的斗争中，接受了费尔巴哈关于宗教是人的本质异化的观点②。但是，他没有以此为满足，为了探求宗教异化的根源，马克思追寻到政治异化。他说：“在我们看来，宗教已经不是世俗狭隘性的原因，而只是它的表现。”③“这个国家、这个社会产生了宗教，一种颠倒的世界意识，因为它们就是颠倒的世界。”④

马克思指出：“只有当人认识到自己的‘原有力量’，并把这种力量组织成为社会力量，因而不再把社会力量当作政治力量跟自己分开的时候，只有到了那个时候，人类解放才能完成。”⑤在马克思看来，实现人类解放的前提是消灭一切异化，尤其是政治异化。

那么为什么会发生政治异化呢？马克思通过政治经济学的研究，提出了异化劳动的理论。马克思认为，这种异化所产生的就不仅仅是精神的痛苦，它首先是物质的痛苦。所以《手稿》指出，同宗教的“内心深处”的意识异化不同，“而经济的异化则是现实生活的异化”⑥。

因此，从根本上说，马克思的劳动异化理论是对资本主义社会的

① 参见《马克思恩格斯全集》第27卷，450页，北京：人民出版社，1972年。
② 参见《马克思恩格斯全集》第1卷，418页，北京：人民出版社，1956年。
③ 参见《马克思恩格斯全集》第1卷，425页，北京：人民出版社，1956年。
④ 《马克思恩格斯选集》第1卷，1页，北京：人民出版社，1995年。
⑤ 《马克思恩格斯全集》第1卷，443页，北京：人民出版社，1956年。
⑥ 《马克思恩格斯全集》第42卷，121页，北京：人民出版社，1979年。

各种矛盾和许久以来统治人们的自发的社会力量，从经济角度所进行的具有特征性的理论概括。

由于马克思的异化理论与费尔巴哈的异化理论在性质上的不同，因而克服异化的途径和实现人性复归的社会理想也大相径庭。在费尔巴哈那里，他想建立一种爱的宗教来代替有神的宗教，从而建立一个人人相爱的社会。马克思则主张，要克服劳动异化以及由此所派生的一切异化现象，必须通过无产阶级革命，消灭私有制，实现共产主义，即实现人性的复归①。

很显然，青年马克思在上述理论的发展过程中，他的历史唯物主义思想因素的不断产生和发展，都是依赖于运用人的本质的自我异化和复归这个人本主义的基本理论，来进行哲学的论证和作为逻辑的联系的。当然，随着这些历史唯物主义思想因素的发展，又为最终冲破这个人本主义的理论框架提供了基础，为唯物史观的最后创立提供了基础。

任何理论都有其内在的发展逻辑。当马克思用异化劳动理论来说明社会中其他一切异化现象的根源时，随之而来的一个新问题也就产生了，那就是异化劳动的根源在哪里。而要回答这个问题也就必须要引导到承认劳动的内在矛盾，即青年马克思后来所揭示的生产力与生产关系的矛盾。正是由于这个矛盾的运动，才在一定阶段上产生了私有制，产生了阶级剥削和阶级压迫等一系列被马克思称之为的异化现象。并且随着生产力和生产关系的矛盾及其所派生的经济基础和上层建筑的矛盾的不断发展和不断解决，必将消灭一切异化现象，逐步实现人类的解放。历史唯物主义的创立就是从这里获得突破的。

青年马克思在理论上的这一转变，是从《神圣家族》开始的。《神圣家族》对历史发源地的探索和向生产关系思想的接近，为突破劳动异化理论的局限性，为说明阶级社会中的异化现象，提供了历史观和方法论方面的某种科学基础。

在这个基础上，马克思于1845年3月写作的《评弗里德里希·李斯特的著作〈政治经济学的国民体系〉》一文，初步揭示了生产力和生产关系的矛盾。提出了关于生产力在历史发展中的最终决定作用的

① 参见《马克思恩格斯全集》第42卷，120页，北京：人民出版社，1979年。

思想；关于生产力的发展必将冲破资本主义所有制关系的思想。并且指出，无产阶级作为新的生产力的代表者和“所体现的新的社会制度的力量”，“它们将砸碎自身的锁链，……炸毁资产者用以把它们同人分开并因此把它们从一种真正的社会联系变为（歪曲为）社会桎梏的那种锁链”[①]。这些思想表明，马克思的历史理论已经从对劳动的考察，深入到了生产力和生产关系相互关系的考察，从而“大致完成”了唯物史观的创立工作。

马克思于1945年春写作的《关于费尔巴哈的提纲》既表明了青年马克思与费尔巴哈人本主义以及一切旧哲学的彻底决裂，同时也标志着历史唯物主义的诞生。《提纲》扬弃了关于人的本质的自我异化的理论前提，确立了从人的社会实践出发去说明社会本质和人的本质的历史唯物主义理论前提。并且强调指出：“哲学家们只是用不同的方式解释世界，而问题在于改变世界。”[②]这是对马克思主义哲学的革命本质的精辟表述，同时也是无产阶级改造世界的哲学宣言。

① 《马克思恩格斯全集》第42卷，258—259页，北京：人民出版社，1979年。

② 《马克思恩格斯选集》第1卷，61页，北京：人民出版社，1995年。

论费尔巴哈哲学中的辩证因素*

费尔巴哈是德国古典哲学中一位杰出的唯物主义哲学家。他抛弃了黑格尔唯心主义，同时也抛弃了黑格尔的唯心辩证法。据此，某些论者认为，费尔巴哈是完全退回到了18世纪形而上学唯物主义的旧立场。我认为，这一认识欠妥。

对于黑格尔辩证法，费尔巴哈没有采取扬弃的态度，这是他的一个重大缺陷。但黑格尔辩证法，只是辩证法的一种形态，从逻辑上说，不能认为否定了黑格尔辩证法，就是否定了辩证法。

在近代哲学史上，18世纪的法国唯物主义因其机械论的形而上学缺陷，而被德国辩证唯心主义，特别是黑格尔辩证唯心主义所取代，作为18世纪唯物主义继承者的费尔巴哈，如果仍是停止在先前唯物主义机械论的水平上，而没有丝毫前进，那么他能够战胜（当然未能彻底战胜）当时占着统治地位的黑格尔唯心主义，从而恢复唯物主义的王座吗？显然是不可能的。

恩格斯曾评价说，费尔巴哈的人本主义“不那么机械”①。马克思恩格斯在《德意志意识形态》中也指出，费尔巴哈的唯物主义，相对于先前的唯物主义是前进了一步的，因而有着“巨大的优越性”②。

翻开费尔巴哈的哲学著作，不难发现，费尔巴哈的辩证思想还是比较丰富的。具体说来，有以下几个方面的表现。

一、世界统一性与多样性关系的辩证理解

在世界的统一性与多样性关系的问题上，18世纪法国唯物主义认

---

* 原刊于《河北学刊》，1985（4）。

① 参见《马克思恩格斯全集》第15卷，233页，北京：人民出版社，1963年。

② 《马克思恩格斯全集》第15卷，184页，北京：人民出版社，1963年。

为，世界统一于自然界，世界上的万事万物只是服从于机械法则的“物质组织的不同”[①]。在17世纪的笛卡儿那里，还只是说“动物是机器”。可到了18世纪唯物主义者拉·梅特里和霍尔巴赫那里，竟然认为“人是机器”。在此，形而上学的机械论发展到了极端。

费尔巴哈在关于世界的统一性与多样性问题的论述中，比18世纪唯物主义者高明的地方在于：用发展的观点来说明世界的统一性。他说：“有机物、地球、太阳等等的发生……也永远只是一种自然的过程。”[②]他认为，人类也是自然界发展到一定阶段的产物，“自然界这个无意识的实体……是第一性的实体”，“有意识的、属人的实体，则在其发生的时间上是第二性的”。自然界是“人的前提，为人的原因或根据，为人的产生和生存所依赖的东西”[③]。

不仅如此，自然界还是人的精神的源泉和基础。费尔巴哈指出：“既然精神是人的一种活动，不是什么自为的实体，既然精神是与肉体分不开的，而且非有器官不可，那么，可见精神只能导源于自然的本质。”[④]在费尔巴哈看来，世界上的一切，包括人和人的精神都统一于自然界。

那么什么是自然界呢？费尔巴哈回答，“我所说的自然界”是“不带意志和理智而存在和活动的……只依靠其本性的必然性而施行影响的东西”，是“一切感官都能觉知的东西”[⑤]。由此可见，费尔巴哈在自然观上，坚持了自然物质的客观实在性和可知性。他不仅在感性意义上，与机械唯物主义的自然物质观划清了界限，而且也为马克思主义物质观的形成提供了可贵的思想材料。

费尔巴哈在坚持世界的物质统一性的同时，也辩证地坚持了世界的多样性。他认为，世界的统一性正是通过多样性获得表现的。他说，“普遍的东西确实也存在着，但是，就它存在着、不是纯粹的思想

---

① ［法］拉·梅特里：《人是机器》，顾寿观译，64页，北京：商务印书馆，1959年。

② ［德］费尔巴哈：《费尔巴哈哲学著作选集》下卷，荣震华等译，677页，北京：商务印书馆，1984年。

③ ［德］费尔巴哈：《费尔巴哈哲学著作选集》下卷，荣震华等译，523页，北京：商务印书馆，1984年。

④ ［德］费尔巴哈：《费尔巴哈哲学著作选集》下卷，荣震华等译，657页，北京：商务印书馆，1984年。

⑤ ［德］费尔巴哈：《费尔巴哈哲学著作选集》下卷，荣震华等译，591页，北京：商务印书馆，1984年。

物而言，它就不是普遍的东西，而是个别的、单个的东西”，普遍的东西通过个别而存在，是“由普遍的东西导出个别的东西”，而“各个个别本性之存在……是多种的”①。因此，在费尔巴哈看来：“自然界是光，是电，是磁，是空气，是水，是火，是地，是动物，是植物，是人。”②每一自然物从基础本身起就已经是有差别的实体。“因为惟有一个确定的、差异的、个体性的东西才是一个实在的东西。”③

这个关于世界的统一性与多样性相统一的辩证思想，是费尔巴哈人本主义的理论支柱。他运用这个思想，既批判了那种离开自然基础去谈论人的唯心主义观点，也标明了与18世纪唯物主义者把人等同于自然物体的机械论的区别。费尔巴哈认为，人是从自然界发展来的，但“直接从自然界产生的人，只是纯粹自然的本质，而不是人。人是人的作品，是文化、历史的产物。”④

费尔巴哈力图从社会意义上来规定人，这已经在敲历史唯物主义殿堂的大门了，但是费尔巴哈一直没有能走进这个大门。这是因为费尔巴哈过分看重了人是自然的产物这一点，因此费尔巴哈所理解的人还是生物学、生理学上的自然的人。他并不了解人在实践中的社会历史性生成。所以费尔巴哈对人、对社会，以及对世界统一性的理解，仍然具有抽象的、形而上学的性质。

二、关于物质自我运动动因的深刻探求

在物质与运动的关系问题上，17世纪的唯物主义哲学家经常对物质和运动作漠不相干的理解。他们认为，运动只是物质的偶性，不是物质的根本属性。为了说明现实世界的运动现象，有人求助于神的第一次推动。有人在理论上否认神的推动（例如霍布斯），但又认为运动

① ［德］费尔巴哈：《费尔巴哈哲学著作选集》下卷，荣震华等译，842页，北京：商务印书馆，1984年。

② ［德］费尔巴哈：《费尔巴哈哲学著作选集》下卷，荣震华等译，591页，北京：商务印书馆，1984年。

③ ［德］费尔巴哈：《费尔巴哈哲学著作选集》下卷，荣震华等译，632页，北京：商务印书馆，1984年。

④ ［德］费尔巴哈：《费尔巴哈哲学著作选集》上卷，荣震华等译，247页，北京：商务印书馆，1984年。

是由外部导入的，至于这个外部动力源于何处，则不得而知。18世纪的法国唯物主义者力图克服17世纪流行的物质僵死被动的错误观点，从而提出了物质自己运动的理论。其中狄德罗的运动观尤为突出。他认为，“运动是物质所固有的”[①]，并且提出了运动是事物间的相互作用这一有意义的命题。

费尔巴哈继承了狄德罗的上述辩证思想，认为物质是运动发展的，这种运动发展也是“只由自己可以说明的、只从自己派生出来的”[②]。那么如何从物质自身来说明运动呢？费尔巴哈说：“自然界没有始点，也没有终点。在自然界中，一切都在交互影响，一切都是相对的，一切同时是效果又是原因，一切都是各方面的和对方面的。”[③]

众所周知，辩证法承认事物的自我运动，承认事物之间存在着相互作用。但是承认这些，还并非就是彻底的辩证法。因为承认相互作用，只是叙述了事物运动的现象，而关键在于，要揭示事物运动的本质、运动的源泉。也就是说，要说明事物之间的相互作用是怎样发生的。

18世纪的法国唯物主义者没有能正确回答这个问题。例如，霍尔巴赫认为是机械力引起了事物的相互作用，从而导致了事物的运动。他的这一回答不仅没有能真正解决事物自我运动的源泉问题，而且还导致了一个否定的结果，即自然界中的具体事物没有真正自发的运动。狄德罗也不满足于对相互作用的认识，他进一步把事物运动的原因归于每个分子内部的力，企图用这种力的吸引和抵抗两个方面来说明分子之间的相互作用，并进而去说明一切事物的自己运动。狄德罗的这一认识虽然已经孕育了两极矛盾的思想萌芽，但是用“力”来说明运动，仍然是在机械论的束缚之下的。

在揭示事物运动源泉的问题上，费尔巴哈比狄德罗有所前进。费尔巴哈在有的地方把事物的相互作用理解为互为前提、互相依赖、互相吸引、互相需要、互相产生。他说：“这个以那个为前提，那个以这

① ［法］狄德罗：《狄德罗哲学选集》，江天骥等译，11页，北京：商务印书馆，1959年。

② ［德］费尔巴哈：《费尔巴哈哲学著作选集》下卷，荣震华等译，677页，北京：商务印书馆，1984年。

③ ［德］费尔巴哈：《费尔巴哈哲学著作选集》下卷，荣震华等译，602页，北京：商务印书馆，1984年。

个为前提，这个依赖那个，那个依赖这个；一切都是有限的，一切都是彼此互相产生的。”[①]又说：“自然界事物……本是互相吸引着，你需要我，我需要你，这个没有那个就不行的，因此它们是由于自身的力量而互相联系起来。”[②]费尔巴哈在这里，猜测到了矛盾双方互相依存、互相产生，即互相转化的同一性思想。

在另一些地方，费尔巴哈又把事物的相互作用理解为事物之间的对立、冲突。他说：“单一是不能生产的，只有二元、对立、不同才是多产的。……产生水的东西也不只是一些与水本身不同的质料，而是一些彼此不同甚至相反的质料。精神、机智、聪明、判断，只是在对立中、只是在冲突之中发展和产生出来的，生命也只是在许多不同的而且相反的质料、力量和事物的冲突中产生出来。”[③]在这里，费尔巴哈实际是接触到了矛盾斗争性的思想，并且认识到从无机界到生命再到人的精神世界，都是对立斗争推动了事物的产生和发展。

可贵的是，费尔巴哈还认识到，是客观现实的矛盾引起了主观认识上的矛盾。他说：“两个对立物，……每一个都排斥另一个，因而每一个都以它的全部特质和锋芒来刺激我。”这样，“在人中间就表现出这样一种矛盾：现在这种特性——这种感觉，这种企图——充满了我，支配了我，然而现在又有一种正好相反的特性也充满了我，支配了我。”[④]

不难看出，在事物的运动包括事物的产生和发展的源泉问题上，费尔巴哈比包括狄德罗在内的法国唯物主义者要深刻一些。但也应该看到，费尔巴哈虽然讲到矛盾，并具有了同一性和斗争性的思想，然而在他那里，同一性和斗争性都还只是抽象的规定，还只是孤立的表述，即没有上升为理性的具体。也就是说，还没有作为对立统一，作为矛盾来论述。而承认不承认物质运动的源泉在于事物的内在矛盾

① ［德］费尔巴哈：《费尔巴哈哲学著作选集》下卷，荣震华等译，595页，北京：商务印书馆，1984年。

② ［德］费尔巴哈：《费尔巴哈哲学著作选集》下卷，荣震华等译，629页，北京：商务印书馆，1984年。

③ ［德］费尔巴哈：《费尔巴哈哲学著作选集》下卷，荣震华等译，453页，北京：商务印书馆，1984年。

④ ［德］费尔巴哈：《费尔巴哈哲学著作选集》上卷，荣震华等译，177—178页，北京：商务印书馆，1984年。

性，这是辩证法与形而上学的试金石。因此，在这个根本点上，费尔巴哈虽然比18世纪法国唯物主义接近了彻底的辩证法，但仍然没有能摆脱形而上学唯物主义的窠臼。

费尔巴哈关于事物运动的辩证思想，还表现在他对变革和否定思想的论述中。费尔巴哈依据自然科学的成果，指出："地球并不是一直就像现在这个样子，它只是经过一系列的发展和变革以后，才达到现在这个状况。"[①]他又认为，任何哲学都"是在一个时代里产生的……因此它本身就应当具有一种一定的、因而是有限的性质"[②]。所以他说，真正的哲学家必须适应时代的发展，实现哲学的变革。他认为："只有那种适应时代的要求，符合人类的利益的哲学变革才可能是不可避免的、真正的变革。"又说："谁有勇气做绝对的否定，谁才有力量创造新的。"[③]

费尔巴哈在坚持"否定"观点的同时，在理论上并没有把否定与继承绝对对立起来。他认为"否定形式的保留"[④]是可能的，并且认为否定只是为着积极的肯定。比如，他说：他创立新哲学的"目的绝不是一种消极的、否定的目的，而是一种积极的目的；我否定只是为着肯定"[⑤]。在费尔巴哈看来，积极的否定是进步，是促进事物发展所不可缺少的一个环节。

三、世界可知性与认识能动性关系的辩证说明

认识中主体与客体的关系问题，是近代哲学研究的重要问题之一。休谟的不可知论既否认作为认识对象的物质实体的可知，又否认作为认识主体的心灵存在的可知。康德虽然羞羞答答地承认了主体与

---

① ［德］费尔巴哈：《费尔巴哈哲学著作选集》下卷，荣震华等译，449—450页，北京：商务印书馆，1984年。

② 北京大学哲学系外国哲学史教研室编译：《西方哲学原著选读》下卷，452页，北京：商务印书馆，1982年。

③ ［德］费尔巴哈：《费尔巴哈哲学著作选集》上卷，荣震华等译，94—95页，北京：商务印书馆，1984年。

④ ［德］费尔巴哈：《费尔巴哈哲学著作选集》上卷，荣震华等译，95页，北京：商务印书馆，1984年。

⑤ ［德］费尔巴哈：《费尔巴哈哲学著作选集》下卷，荣震华等译，525页，北京：商务印书馆，1984年。

客体的存在，但又割裂了主体与客体的统一，同样陷入了不可知论。18世纪的法国唯物主义者不了解人的认识能动性，比如，爱尔维修把主体的认识活动全部归结为肉体的感受性。又比如，霍尔巴赫认为，主体是被客体决定的，在于作为主体的人“是一个物理的东西”[①]，因而必须服从机械的法则。从费希特到黑格尔则是以唯心主义的形式肯定了主体的能动作用，并都企图在能动的精神主体的基础上，求得主体与客体的同一。

费尔巴哈认为，在主客体关系问题上，不可知论是错误的。其错误在于不可知论不了解主体与客体是密切结合的，人的感官是与外界相适应的。因为有光的存在，才有眼睛；因为有空气存在，它才被呼吸。他还说，“人的感官不多不少，恰合在世界的全体中认识世界之用”。“自然界并不让自已躲藏起来，它反而是尽力自荐于人，或者可以说老着脸皮去迁就人的。……自然界的事物或属性，即算有些尚未为我们现在的感官所知觉罢，将来也是要通过相应的感官使我们知觉的。”[②]

费尔巴哈还认为，不能把个人认识的有限性当作不可知论的根据。他说：“我的知识、我的意志是有限的。但是，我的界限却并不就是别人的界限，更不是人类的界限；……我的生活被束缚于一个有限的时代，人类的生活则不然。人类之历史，正不外在于继续不断地克服在某一个特定时代里被认为是人类之界限，从而被认为是绝对而不可逾越的界限的那些界限。”[③]因此，费尔巴哈满怀信心地指出：“我们没有认识的东西，将为我们的后人所认识。”[④]“一切其解决对于人类具有价值和意义的问题，都在历史进程中寻得其解决。”[⑤]费尔巴哈坚持人的认识能力是有限与无限的统一，把人类的认识看作世世代代无限发展的，这个见解是正确的，是对不可知论的一个有力的驳斥。

---

① ［法］霍尔巴赫：《自然的体系》上册，管士滨译，165页，北京：商务印书馆，1964年。

② ［德］费尔巴哈：《费尔巴哈哲学著作选集》下卷，荣震华等译，630页，北京：商务印书馆，1984年。

③ ［德］费尔巴哈：《费尔巴哈哲学著作选集》下卷，荣震华等译，187页，北京：商务印书馆，1984年。

④ ［德］费尔巴哈：《费尔巴哈哲学著作选集》下卷，荣震华等译，635页，北京：商务印书馆，1984年。

⑤ ［德］费尔巴哈：《费尔巴哈哲学著作选集》上卷，荣震华等译，329页，北京：商务印书馆，1984年。

既然世界是可知的，客观外界“尽力自荐于人”，那么人的认识是不是外物纯粹被动地给予的呢？18世纪的法国唯物主义坚持的就是这样一种观点。对此，费尔巴哈是持批判态度的。他说：“灵魂不是蜡块，不是白板。”①作为完善的人是有思维能力的，而“思维的能力是认识的光芒”。又说：“人以宇宙为他的求知欲的对象。”②主体是能动的，人要“得到与他相适应的、肯定他的、有益于他的知识”③。这就是说，知识是根据主体的需要，通过积极探求得到的。

在费尔巴哈看来，一方面世界是可知的，客体作用于主体；另一方面主体具有能动性，在认识关系上，主体也规定着客体。他正确指出：“思维与存在的统一，只有在将人理解为这个统一的基础和主体的时候，才有意义，才是真理。”④“因为十分明显，世界的本质，它对我是什么和怎样，只取决于我本人的本质、我本人的认识能力和我本人的一般属性。”⑤费尔巴哈讲过这样一句名言，他说：“每个行星都各有自己的太阳……每个行星都在它自己的太阳中映射出它自己的本质。”⑥这就是说，不同的主体，对于同一客体，其认识关系是不同的。这种认识关系的不同是由主体的本质、属性、认识能力决定的。他举例说：“如果你对于音乐没有欣赏力，没有感情，那么你听到最美的音乐，也只是象听到耳边吹过的风、或者脚下流过的水一样。”⑦所以，费尔巴哈认为，主体对“任何外部的规定归根到底都同时是自我规定，所以对象本身不过是成为对象的自我”。因此，费尔巴哈指出：“如果一切都被归结为客体的印象，像冷酷的唯物主义和经验主义所假定的那样，那末畜类也可以成为物理学家，甚至必须成为物理学家

① 《列宁全集》第38卷，434页，北京：人民出版社，1959年。

② 北京大学哲学系外国哲学史教研室编译：《西方哲学原著选读》下卷，468—469页，北京：商务印书馆，1982年。

③ 北京大学哲学系外国哲学史教研室《西方哲学原著选读》下卷，456页，北京：商务印书馆，1982年。

④ ［德］费尔巴哈：《费尔巴哈哲学著作选集》上卷，荣震华等译，181页，北京：商务印书馆，1984年。

⑤ ［德］费尔巴哈：《费尔巴哈哲学著作选集》上卷，荣震华等译，523页，北京：商务印书馆，1984年。

⑥ ［德］费尔巴哈：《费尔巴哈哲学著作选集》下卷，荣震华等译，29—30页，北京：商务印书馆，1984年。

⑦ 北京大学哲学系外国哲学史教研室编译：《西方哲学原著选读》下卷，472页，北京：商务印书馆，1982年。

了。”[①]费尔巴哈得出结论说：“自我不仅是某种能动的东西，而且也是受动的东西。”[②]即能动与受动的统一。

要而言之，费尔巴哈在唯物主义反映论的前提下，坚持了主客体的统一性，坚持了主体的能动性，坚持了主客体相互作用、相互规定的观点。这样一来，不仅与唯心主义、与不可知论在主客体关系问题上划清了界限，而且比18世纪法国唯物主义也大大前进了一步。但也要指出的是，费尔巴哈所讲的主体能动性，是指主体的认识能动性，并不包含人通过变革客体把自己的内在本质在人之外实现出来的意思。原因在于，他不懂得实践具有革命性质，不懂得实践既改造了对象，同时也改造了人自身，包括人的认识；不懂得因为实践具有直接现实性的品格，因而它是对唯心主义和不可知论的最好驳斥。正如马克思在《关于费尔巴哈的提纲》中所指出的：“从前的一切唯物主义（包括费尔巴哈的唯物主义）的主要缺点是……不了解‘革命的’、‘实践批判的’活动的意义。”[③]因此，费尔巴哈对于不可知论的批判，虽说机智，但不深刻，他的关于主体能动性的观点也很不彻底。因而从根本上说，他还没有能摆脱旧唯物主义消极、直观反映论的羁绊。

四、感性认识与理性认识关系的辩证解读

在近代哲学中，在感性认识与理性认识的相互关系问题上，存在着经验论和唯理论两派。它们各有部分的真理，但在总体上又都是片面的。法国唯物论者力图对感性认识和理性认识的关系，作出正确的解释，这相对于17世纪西欧的经验论和唯理论哲学家是前进了一步的。但是，他们也没有能真正解决这个问题。他们所说的认识还是直观的，因而并不理解理性相对于感性的本质特点，把思维与感觉看成只有数量上的差别。因此，他们之中有些人仍然没有摆脱

① ［德］费尔巴哈：《费尔巴哈哲学著作选集》上卷，荣震华等译，89页，北京：商务印书馆，1984年。

② ［德］费尔巴哈：《费尔巴哈哲学著作选集》上卷，荣震华等译，91页，北京：商务印书馆，1984年。

③ 《马克思恩格斯选集》第1卷，54页，北京：人民出版社，1995年。

经验论的局限，认为理智能力“都一齐包括在感觉能力之中”[①]，“我们所下的判断，真正说来无非是一些感觉；人身上一切都归结为感觉”[②]。就是在认识论上，较有辩证观点的狄德罗也不懂得，理性认识是一种科学的抽象。他认为，“根本就没有什么抽象”，或者“所有的抽象都不过是一个没有观念的记号”[③]。这说明，他根本不懂得个别与一般的辩证关系，没有能从根本上克服经验论中的唯名论倾向。费尔巴哈的可贵之处在于，为克服经验论和唯理论的片面性，他进行了卓有成效的努力。

费尔巴哈重视感性在认识中的作用。认为感觉是我们认识的基础和出发点。在这个意义上，他把自己的哲学看作“感性的复兴”，“是光明正大的感性哲学”[④]。他反对以抽象理论为出发点的德国唯心论。他说他的哲学与其有“天地之别”。他认为，人的认识程序是感受在前，思维在后。“当你思想到性质之前，你先感觉到性质。感受是先于思维的。”[⑤]他说，因为“一切概念活动都以或多或少广阔的观察活动为其基础”[⑥]的，是“建筑在只有借感官活动才能经常不断地获得的材料上面”[⑦]的。

费尔巴哈在重视感性经验的同时，也看到了感性认识的局限性，从而肯定了理性认识的作用。费尔巴哈认为，感性只能感觉事物而不能用来理解事物。他说：“我们用感觉……读自然之书，但理解它却不能用感觉。”[⑧]要理解必须借助于思维。在费尔巴哈看来，“直观提供出

---

① 北京大学哲学系外国哲学史教研室编译：《十八世纪法国哲学》，236页，北京：商务印书馆，1963年。

② 北京大学哲学系外国哲学史教研室编译：《十八世纪法国哲学》，439页，北京：商务印书馆，1963年。

③ ［法］狄德罗：《狄德罗哲学选集》，江天骥等译，187页，北京：商务印书馆，1959年。

④ 北京大学哲学系外国哲学史教研室编译：《西方哲学原著选读》下卷，501页，北京：商务印书馆，1982年。

⑤ ［德］费尔巴哈：《费尔巴哈哲学著作选集》上卷，荣震华等译，107页，北京：商务印书馆，1984年。

⑥ ［德］费尔巴哈：《费尔巴哈哲学著作选集》上卷，荣震华等译，254页，北京：商务印书馆，1984年。

⑦ ［德］费尔巴哈：《费尔巴哈哲学著作选集》下卷，荣震华等译，12页，北京：商务印书馆，1984年。

⑧ ［德］费尔巴哈：《费尔巴哈哲学著作选集》上卷，荣震华等译，22页，北京：商务印书馆，1984年。

与存在直接同一的实体”，“而现实的本质是个别性”，因此，感性只能感知个别的具体的事物；相反，“理性的本质是普遍性”，因此，只有“思维”才能“从现象中分解、寻找、抽出统一的、同一的、一般的规律”，才能“提供出与存在异化了和分离了的间接本质”[①]。所以，费尔巴哈认为，要把握事物的一般本质和规律，必须使感性认识上升为理性认识。他特别强调要把感性经验提高到哲学的思维。他说，“如果这种经验没有达到哲学的思维，或者根本不想提高到哲学的思维”，那末这种经验就“是非常狭隘的、微不足道的经验”[②]。

怎样才能实现由感性认识提高到理性认识呢？费尔巴哈认为，这是一个抽象过程。他说：“如果我们想科学地掌握某一样事物，那末，我们就应当——在这一方面，逻辑概念是完全对的——把复杂的东西简单化，把夥多的东西回引到它们的统一性，对单个的东西——就其为偶然的东西而言——进行抽象，抽出其本质。”[③]费尔巴哈这一段论述，对从感性认识到理论认识是一个飞跃过程，并对实现这一飞跃过程的机制，做出了正确的说明。

费尔巴哈还辩证地指出，在现实的认识活动中，感性和理性不是截然分开的，而是相互作用、相互渗透的。首先，任何感性都离不开理性的指导。他说：“人类的感觉……不是没有头脑、没有理性和思想的感觉，因为甚至纯粹的视觉都需要思想。”[④]因此，他认为，“没有灵魂”的经验论是不对的。其次，他又认为，理性要以感性为基础。“人并不因为他把自己提高到思维的阶段，才达到另一个世界，即精神的王国，超地上的思维世界；他仍然留在原地，留在地球和感性的基地上。”[⑤]理性只有以感性为基础，它才能“无限地发

① ［德］费尔巴哈：《费尔巴哈哲学著作选集》上卷，荣震华等译，111、178、253页，北京：商务印书馆，1984年。

② ［德］费尔巴哈：《费尔巴哈哲学著作选集》上卷，荣震华等译，86—87页，北京：商务印书馆，1984年。

③ ［德］费尔巴哈：《费尔巴哈哲学著作选集》上卷，荣震华等译，360页，北京：商务印书馆，1984年。

④ ［德］费尔巴哈：《费尔巴哈哲学著作选集》上卷，荣震华等译，252页，北京：商务印书馆，1984年。

⑤ ［德］费尔巴哈：《费尔巴哈哲学著作选集》上卷，荣震华等译，254页，北京：商务印书馆，1984年。

展”，才能“永远有着思维的材料”，才能“永远是青春的”[①]。于是费尔巴哈得出结论说：“感性若无思想便等于零，思想，即理性，若无感性也同样地等于零。”[②]“因此只有存在与本质结合、直观与思维结合、被动与主动结合……才有生活和真理。”[③]费尔巴哈的这些论述，在唯物主义认识论的发展史上，无疑是一个不小的进步。但这一进步，还只是从机械论的形而上学向自觉辩证法过渡过程中的一个阶段性表现。

另外，作为过渡状况的一个特点，新生的因素又往往是伴随着旧东西的影响而存在的。例如，费尔巴哈在主张主体认识能动性的同时，又说过，人是一面镜子；他在有的地方说，理性是对感性的抽象，可在另一地方又说：“思维、精神、理性，按其内容，除了说明感觉所说明的东西而外，并未说明什么其他的东西；它不过把感觉分散地、分别地告诉我的东西，又联系地对我说明。”[④]如此等等。不过，类似这种自相矛盾的混乱现象，在理论的不成熟时期，是难免的。重要的是，这种混乱，对于费尔巴哈来说，又是一种前进中的混乱，是由于前进而引起的混乱。

总之，通过以上的论述可知，费尔巴哈既不是一个典型的形而上学论者，他的哲学中含有丰富的辩证法思想；也不是一个自觉的辩证论者，他的丰富的辩证论思想，还只是作为因素，以量的形式存在着，还没有从质上突破形而上学的藩篱。这种情况也就决定了费尔巴哈不可能对黑格尔哲学采取分析态度，从而拯救出其中的辩证法。当然也并不因为这一点，而妨碍费尔巴哈以自己的方式向自觉辩证法接近。所以，公正地评价费尔巴哈哲学，就必须承认，它是对18世纪法国唯物主义的富有辩证成果的恢复。在近代哲学史上，费尔巴哈不仅以其唯物主义，而成为黑格尔唯心辩证法过渡到马克思主义唯物辩证

① ［德］费尔巴哈：《费尔巴哈哲学著作选集》上卷，荣震华等译，87页，北京：商务印书馆，1984年。

② ［德］费尔巴哈：《费尔巴哈哲学著作选集》上卷，荣震华等译，252页，北京：商务印书馆，1984年。

③ ［德］费尔巴哈：《费尔巴哈哲学著作选集》上卷，荣震华等译，111页，北京：商务印书馆，1984年。

④ ［德］费尔巴哈：《费尔巴哈哲学著作选集》上卷，荣震华等译，252—253页，北京：商务印书馆，1984年。

法的桥梁，而且还以其辩证思想因素，成为机械唯物主义进展到辩证唯物主义的一个中间环节。因此，费尔巴哈哲学成为马克思主义哲学的一个重要的理论来源。过去，我们只是从唯物论的角度，而没有从辩证法的角度，去评价费尔巴哈哲学，及其在哲学史上的地位，这是不全面的。

费尔巴哈宗教批判中的得失及其根源*

费尔巴哈，在某种意义上，是从黑格尔到马克思之间的一个过渡人物。

凡作为思想前进链条上的过渡人物，他们都勇敢地批判旧教条，但又背着旧教条的因袭负担；他们都大力提倡新思想，却又未能实现体系上的根本突破。致使在他们的思想中，瑕瑜互见，新旧并陈，从而呈现出一幅斑斓丰富的色彩。

在这方面，费尔巴哈也不例外。这种思想上的过渡性，在费尔巴哈对宗教的批判中，表现得尤为突出。另外，宗教批判在费尔巴哈的哲学发展过程中，占有极为重要的地位。因此，透过费尔巴哈宗教批判的得失，进一步窥探费尔巴哈哲学的特点，对于我们全面认识费尔巴哈哲学对于唯物史观形成的意义，也许不无益处。

一、宗教是人的理性本质的异化

费尔巴哈是从宗教批判开始他的哲学活动的。他于1923年就学于海德堡大学神学系，次年对神学失望，转至柏林大学听黑格尔的哲学课。但他对黑格尔哲学的抽象性和它对宗教的辩护，产生了不满。

1830年他以笔名发表了《关于死与不死的思想》的小册子。在这本书里，他否定基督教教义所宣扬的“人格不朽论”。认为人的生命是有限的，人是要死的，人的理智不能离开人的肉体而存在，因而不要相信基督教所宣扬的“来世论”。他认为，人对于来世的信奉有莫大的害处，会使人不重视现实生活。费尔巴哈的这些思想，引起了宗教势力的仇恨和攻击。但费尔巴哈并没有因此而停止反神学的斗争。后

* 原刊于《安徽教育学院学报》（哲学社会科学版），1988（4）。

来，他又发表了《基督教的本质》《宗教的本质》等著作，宣扬唯物主义无神论。在这些著作中，他致力于把宗教世界归结为它的世俗基础，用人的存在来说明上帝的“存在”，巧妙地揭示了宗教产生的认识论根源。正如马克思所指出的：“费尔巴哈是从宗教上的自我异化，从世界被二重化为宗教的、想象的世界和现实的世界这一事实出发的。他做的工作是把宗教世界归结于它的世俗基础。”①

费尔巴哈的宗教批判正是从这一点出发的。他针对“上帝创造世界”的谬论，明确指出，不是上帝按照自己的形象创造了人类，而是人类按照自己的形象创造了上帝。他说，为什么上帝的相貌和我们人类一样呢？这说明上帝不过是人根据自己的形象和生活幻想出来的，因而上帝是根本不存在的。费尔巴哈进一步指出：“人之对象，不外就是他的成为对象的本质。人怎样思维、怎样主张，他的上帝也就怎样思维和主张；人有多大的价值，他的上帝就也有这么大的价值，决不会再多一些。上帝之意识，就是人之自我意识；上帝之认识，就是人之自我认识。”②由此，费尔巴哈得出结论说：“属神的本质之一切规定，都是属人的本质之规定。”③只不过是信教的人未能意识到这一点而已。可见，宗教是人的无意识的自我意识。在费尔巴哈看来，神的本质就是人的抽象本质，上帝的本质就是被异化了的人的理性本质。

那么，人为什么要把自己的本质异化为宗教呢？费尔巴哈认为，人不仅是个体，而且在个体之外形成“类”。个体的本质和类的本质是一致的。但人作为个体，其本质是有限的、不完善的；而作为类，人又有超越个体的有限和不完善，而趋于无限的、完善的本质。为了克服个体的有限性、不完善的缺陷，人们把自己类的本质理想化、全能化、拟人化，构成了人格化的神。费尔巴哈认为，宗教神是“人与自己分裂”，分裂出来以后又成为一种高于人，反过来压迫人、统治人的异己力量。“上帝是无限的存在者，而人是有限的存在者；上帝是完善的，而人是非完善的；上帝是永恒的，而人是暂时的；上帝是全能

① 《马克思恩格斯选集》第1卷，59页，北京：人民出版社，1995年。

② ［德］费尔巴哈：《费尔巴哈哲学著作选集》下卷，荣震华等译，38页，北京：商务印书馆，1984年。

③ ［德］费尔巴哈：《费尔巴哈哲学著作选集》下卷，荣震华等译，39页，北京：商务印书馆，1984年。

的，而人是无能的；上帝是神圣的，而人是罪恶的。”①人创造了神，而人又成为自己创造物的奴仆，只能匍匐在上帝脚下接受统治。

既然上帝并不存在，那么人们为什么要对人自身的本质作这种虚构的反映呢？宗教的神和上帝的观念是怎样产生的呢？费尔巴哈注意从主观上，即人的心理上去寻找宗教产生的原因。他说：“上帝并不是一个生理学的或宇宙的存在者，而是一个心理学的存在者。”②他认为：“人的依赖感是宗教的基础。”③“这种依赖，在动物和野蛮人身上，是一种不自觉的、没有考虑到的依赖；进而意识到它，表象它，崇拜它，信奉它，就是进入宗教。”④也就是说，宗教是人的依赖在心理上的表现。神的身上凝聚了人的依赖感和幸福感。人依赖于自己创造出来的对象，又利用这个对象获得自我感。即从最初的依赖感上升到幸福感。

依赖感包括恐惧、爱、感谢、尊敬等心理上的感受。首先表现在人对恐惧的感觉上，特别是对死产生恐惧心理。为了减轻灾难，人们对造成灾难的对象产生崇拜。因此，费尔巴哈说，“如果人永远活着，因而世上根本没有死这回事，那末也就不会有宗教了”⑤，又说：“只有在人类的痛苦中，上帝才有产生的场所。”⑥与害怕痛苦与死亡的心理相联系，人们对给自己带来恩惠的对象，也会产生爱、感谢、尊敬等感情。他说，例如，人们崇拜太阳，因为太阳的光和热给人和生物的生长以无限的源泉。因而“宗教……所附着的主要是足以激发人的依赖感的那些对象”⑦。一般说来，费尔巴哈的上述论述是不无道

① ［德］费尔巴哈：《费尔巴哈哲学著作选集》下卷，荣震华等译，60页，北京：商务印书馆，1984年。

② ［德］费尔巴哈：《费尔巴哈哲学著作选集》下卷，荣震华等译，335—336页，北京：商务印书馆，1984年。

③ ［德］费尔巴哈：《费尔巴哈哲学著作选集》下卷，荣震华等译，436页，北京：商务印书馆，1984年。

④ ［德］费尔巴哈：《费尔巴哈哲学著作选集》下卷，荣震华等译，437页，北京：商务印书馆，1984年。

⑤ ［德］费尔巴哈：《费尔巴哈哲学著作选集》下卷，荣震华等译，534页，北京：商务印书馆，1984年。

⑥ ［德］费尔巴哈：《费尔巴哈哲学著作选集》上卷，荣震华等译，163页，北京：商务印书馆，1984年。

⑦ ［德］费尔巴哈：《费尔巴哈哲学著作选集》下卷，荣震华等译，699页，北京：商务印书馆，1984年。

理的。

那么，人为什么会产生依赖感呢？费尔巴哈指出："追溯到依赖感背后去，并发现出宗教的最究极的主观根源乃是……属人的利己主义。"[①]所谓利己主义，在费尔巴哈那里是指一般人想自我保存的愿望。就此，费尔巴哈说，"自我感"，即"自信、满意、对后果的有把握、自由和幸福"[②]。简言之，自我感就是自我幸福感。人的依赖是宗教产生的原因，人的自我感则是宗教产生的目的。

在费尔巴哈看来，人的依赖感和自我感是对立统一的。依赖感以对象为中心，自我感以自我为中心。但二者在宗教中获得了统一。费尔巴哈认为："破除这个矛盾和对立，乃是宗教的意图和目的。"[③]费尔巴哈说："诸神，乃是相对的、依赖于人的东西，只当他们服务于人的本质时，只当他们对人有用，为人需要，适合于人时，总之即给人福利时，他们才被人当作神。"[④]又说："人希望在宗教中满足自己；宗教是他的至高的善。但是，如果上帝是一个本质上不同于人的存在者，那么，人怎能在上帝里面找到安慰和和平呢？"[⑤]他认为，正是由于人们基于自己的心理要求和精神安慰的需要。才将精神"实体"化、人格化、形象化为上帝。

正是在这个意义上，费尔巴哈说："宗教乃是所谓幸福欲的一种事情。"[⑥]也就是说，人造上帝只是手段，目的是为了获取幸福。

费尔巴哈的这一认识，揭示了宗教产生的主观认识根源，即人们可以从上帝那里获得某种程度的精神安慰。这就戳穿了宗教的神秘外衣，从而在当时反对宗教唯心主义的斗争中发挥了积极作用。但是费

① ［德］费尔巴哈：《费尔巴哈哲学著作选集》下卷，荣震华等译，556页，北京：商务印书馆，1984年。

② ［德］费尔巴哈：《费尔巴哈哲学著作选集》下卷，荣震华等译，462页，北京：商务印书馆，1984年。

③ ［德］费尔巴哈：《费尔巴哈哲学著作选集》下卷，荣震华等译，462页，北京：商务印书馆，1984年。

④ ［德］费尔巴哈：《费尔巴哈哲学著作选集》下卷，荣震华等译，555—556页，北京：商务印书馆，1984年。

⑤ ［德］费尔巴哈：《费尔巴哈哲学著作选集》下卷，荣震华等译，73页，北京：商务印书馆，1984年。

⑥ ［德］费尔巴哈：《费尔巴哈哲学著作选集》下卷，荣震华等译，701页，北京：商务印书馆，1984年。

尔巴哈并没有能揭示出宗教产生的比主观原因更为重要的客观原因，即社会阶级根源。这就导致了费尔巴哈对于宗教批判的不彻底性。

二、所谓拯救宗教的“爱”的本质

费尔巴哈虽然批判了宗教，但他并不主张从根本上废除宗教。他只赞成对宗教的洗涤、净化。他说，我对宗教的解释是重新提出宗教的基本原则，而且是从自然的和本来的现代人的观念的起源出发，来使宗教从它的现象中加以净化，这虽然是与它绝对矛盾的，但肯定不是全部加以否定。又说：“我们对宗教的态度，决不仅仅是一种否定的态度，而是一种批判的态度；我们只是把真的东西与假的东西分开来。”①

什么是宗教里真正的东西呢？费尔巴哈认为，宗教里所提倡的“爱”就是真正的东西。费尔巴哈说，基督教教义中最重要的一条，就是“你要尽心，尽性，尽意，尽力爱主你的上帝”。其次，“要爱人如己”②。于是费尔巴哈认为：“基督教的上帝，本身只是由人类的爱中抽象出来的抽象物，只是爱的一种图像。”③这个图像是宗教中虚伪的东西，是有害的，需要加以抛弃的东西。他说，如果人们祈求上帝，就是断送了人对自己的信任，要人信仰天堂生活，从此就断送了对现实生活的努力。因此，费尔巴哈说，要“从神的朋友转变为人的朋友，从信仰者转变为思想者，从祈祷者转变为工作者，从彼世的候补者转变为今世的研究者，从基督教徒……转变为人，转变为完全的人”④。

但费尔巴哈又认为，否定上帝这个爱的图像，并不是否定宗教的本质，即令他恋恋不舍的人间之爱。费尔巴哈说，人应该尊重别人

① ［德］费尔巴哈：《费尔巴哈哲学著作选集》下卷，荣震华等译，315页，北京：商务印书馆，1984年。

② ［德］费尔巴哈：《费尔巴哈哲学著作选集》上卷，荣震华等译，243页，北京：商务印书馆，1984年。

③ ［德］费尔巴哈：《费尔巴哈哲学著作选集》上卷，荣震华等译，167页，北京：商务印书馆，1984年。

④ ［德］费尔巴哈：《费尔巴哈哲学著作选集》下卷，荣震华等译，786页，北京：商务印书馆，1984年。

对幸福的追求，对己以合理的自我节制。费尔巴哈还引证孔子的“己所不欲，勿施于人”的观点，来说明人与人之间应该爱，应该相互体谅，相互帮助。费尔巴哈有时说他自己的哲学就是一种新宗教，即爱的宗教。他说：“新哲学替代了宗教，它本身包含着宗教的本质，事实上它本身就是宗教。”[①]因此，他只是反对有神的、有上帝的宗教，而主张建立无神的新宗教——“爱”的宗教。人对人的爱，就是费尔巴哈的新宗教的最高的最根本的内容。费尔巴哈说：“爱的宗教是怎样的一种心理，怎样的一种宗教呢？是这样的一种：它可以使人在爱中找到自己感情的满足，解开自己生命的谜，达到自己生命的终极目的，从而，在爱中获得那些基督教徒在爱之外的信仰中所寻求的东西。”[②]

这些东西是什么呢？费尔巴哈认为是爱情、友谊、同情心。在费尔巴哈看来，这些东西能够使大家不分性别、不分年龄、不分民族、不分阶级地联合起来。只要大家彼此相爱，随时都可以创造人间奇迹，可以克服人间的一切矛盾、一切困难，那样，人类将得到和平。因此，费尔巴哈主张：为了“造成一个更好的生活”，“我们就必须拿对人的爱当作唯一的真正的宗教，来代替对神的爱。”[③]又说：“你应该有信念，是的，应该有信念，但你的信念应该是：人类也要有真正的爱，人的心也能无限地、饶恕一切地爱着，而且相信人类的爱也可以赋有神爱的性质。”[④]

不难看出，为了实现人类和平，费尔巴哈陷入了多么真诚而又多么幼稚的“爱”的空想。对于费尔巴哈“爱”的神话，恩格斯尖锐地指出：“费尔巴哈的道德论是和它的一切前驱者一样的。它是为一切时代、一切民族、一切情况而设计出来的；正因为如此，它在任何时候和任何地方都是不适用的。”又说，“爱”的说教“在现实世界面前，

① ［德］费尔巴哈：《费尔巴哈哲学著作选集》上卷，荣震华等译，186页，北京：商务印书馆，1984年。

② ［德］费尔巴哈：《费尔巴哈哲学著作选集》上卷，荣震华等译，242—243页，北京：商务印书馆，1984年。

③ ［德］费尔巴哈：《费尔巴哈哲学著作选集》下卷，荣震华等译，785—786页，北京：商务印书馆，1984年。

④ ［德］费尔巴哈：《费尔巴哈哲学著作选集》上卷，荣震华等译，233页，北京：商务印书馆，1984年。

是和康德的绝对命令一样软弱无力的”[①]。

三、费尔巴哈宗教批判不彻底的世界观原因

费尔巴哈对基督教的批判，从尖锐地抨击宗教的非人作用开始，到提倡“爱”的宗教结束，又给予宗教以种种粉饰。造成这种前门拒狼，后门引虎的局面，不能不说是费尔巴哈在学术生涯中的一个悲剧。那么，造成费尔巴哈在宗教批判中这种进退得失的原因何在呢？

从世界观上来说，费尔巴哈批判了黑格尔的唯心主义，恢复了唯物主义的王座，特别是把人本主义和唯物主义联系起来。他从“感觉实体的人”出发，与唯心主义的精神的“自我”相对立，从尊重我的感性要求和现实生活出发，坚决批判宗教神学骗人的谎言，正确说明了神与人的关系，从而正确解决了思维与存在的关系，导致了唯物主义自然观的确立。

费尔巴哈在批判宗教与黑格尔思辨哲学的过程中，采用了“颠倒过来”的方法。在《基督教的本质》中，费尔巴哈这样写道：“诚如前面已经说过的，只要我们把宗教上的关系颠倒过来，始终把宗教设定为手段的东西理解成为目的，把宗教认为是从属的、次要的东西，把宗教认为是条件的东西，提升为主要的东西，提升为原因，这样，我们就会打破幻觉而看到真理的纯净光辉。”[②]

费尔巴哈这里讲的“颠倒”，固然是一种方法，但又不是一般的方法，而是作为一种唯物主义哲学方法论原则提出来的。费尔巴哈正是站在唯物主义立场上，即以自然为基础的人的立场上，把宗教归结为他的世俗基础，从而成就了他的批判宗教的功绩。

这种功绩一方面表现在，相对于黑格尔哲学来说，是一般唯物主义原则的确立和在宗教批判中的运用，从而揭开了宗教的神秘外衣。另一方面还表现在，相对于18世纪法国唯物主义者来说，费尔巴哈不是像他们那样，从纯粹的自然出发，运用关于自然法则或自然规律的知识，简单地把宗教宣布为愚昧和迷信的结果，而是把人作为主体，

---

① 《马克思恩格斯选集》第4卷，240页，北京：人民出版社，1995年。

② ［德］费尔巴哈：《费尔巴哈哲学著作选集》下卷，荣震华等译，320页，北京：商务印书馆，1984年。

力图从人出发，来说明宗教产生的原因。诚然，在这一点上，既是费尔巴哈比前人前进了一步的地方，同时也是费尔巴哈陷于失足的所在。

费尔巴哈把宗教归结于它的世俗基础，归结于以自然为基础的人，无疑是挣脱了黑格尔的唯心主义，坚持了唯物主义。但是在说明这种“归结”上，费尔巴哈并没有能继续坚持唯物主义，反而还运用了黑格尔的唯心主义思辨方法。关于这一点，在费尔巴哈思想的研究中，往往为人们所忽视，不少人甚至还不恰当地认为，费尔巴哈彻底批判了黑格尔的唯心主义。

实际中，费尔巴哈在说明人的自我意识如何异化为宗教观念时，他所运用的意识的自我分裂、自我异化和自我投射等概念，就是黑格尔思辨方法的核心概念。只不过，在黑格尔体系中，分裂、异化的主体是绝对精神，而在费尔巴哈那里，分裂、异化的主体是人的自我意识。费尔巴哈认为，人的自我意识，可以分为个体意识和类的意识，而类的意识的幻化、神化就产生了上帝。在这里，费尔巴哈完全是用思辨的分析代替真实的分析，用抽象的联系代替真实的联系。可见，费尔巴哈并没有摆脱黑格尔哲学的异化观念，以及以异化为基础的思维模式的格局。

这样，由于费尔巴哈对于黑格尔唯心主义批判的不彻底性，就决定了费尔巴哈不可能科学揭示宗教的本质，不可能对宗教进行彻底的批判，不仅如此，还为费尔巴哈从批判基督教，到提倡“爱”的宗教提供了过渡的桥梁。

四、费尔巴哈宗教批判不彻底的历史观原因

那么，为什么在宗教问题上，费尔巴哈批判了黑格尔的唯心主义，却又不得不运用黑格尔的思辨方法呢？这是与费尔巴哈在历史观上没有达到唯物主义，而陷于历史唯心主义相联系的。马克思恩格斯指出：“当费尔巴哈是一个唯物主义者的时候，历史在他的视野之外；当他去探讨历史的时候，他不是一个唯物主义者。在他那里，唯物主义与历史是彼此完全脱离的。”[①]

① 《马克思恩格斯选集》第1卷，78页，北京：人民出版社，1995年。

费尔巴哈在历史观上的唯心主义集中地表现在他对人与社会的相互关系的认识上，用费尔巴哈的语言来说，是个体与类的关系的认识上。费尔巴哈虽然看到了人作为个体与类的联系，认为类就是人与人的统一，并且提出了如下具有理论意义的观点："人的本质只是包含在团体之中，包含在人与人的统一之中。"[①]因此，他说，"只有把人对人的关系即一个人对另一个人的关系，我对你的关系加以考察时，才能谈得上道德"。他说："只有社会的人才是人。"[②]费巴尔哈这一思想，相对于18世纪法国唯物主义者只从个体出发来考察人的本质，无疑是一个很有意义的进步。但是这个理论观点在费尔巴哈那里还是空洞的、抽象的。

这表现在费尔巴哈把人只是看成感性的人，没有看成进行感性活动的人。很显然，如果这个"人"不进行任何历史活动，那么他必然也是离开社会和社会历史进程的人，所以，这个人不属于任何社会，也不属于任何阶级，因而是假定出来的，是费尔巴哈所设想出来的一个代表人类本质的标本。正因为费尔巴哈不把人看成感性的活动，所以费尔巴哈就不可能正确认识通过人的活动所创造的人与人之间的关系，特别是生产关系，也就不可能从社会关系，特别是生产关系的角度去认识和规定人类社会，去认识和规定人的本质，去说明人的观念，包括宗教观念的产生。

费尔巴哈不懂得人是进行活动的社会存在物。人的本质就是人的社会性。社会关系作为人的活动的创造物，一旦形成以后，它就会作为一种既得力量规定人的活动、规定人的思维，而人作为能动的社会存在物，也在实践中改变社会关系，创造新的社会关系。同时在这过程中练就新的品质、能力，改变人的思维方式和思维的内容。正是基于这种历史唯物主义的认识，马克思指出："宗教本身既无本质也无王国。在宗教中，人把自己的经验世界变成一种只是在思想中的、想象中的本质，这个本质作为某种异物与人对立着。这决不是又可以用其他概念，用'自我意识'以及诸如此类的胡言乱语来解释的，而是应

① ［德］费尔巴哈：《费尔巴哈哲学哲学选集》上卷，荣震华等译，185页，北京：人民出版社，1984年。

② ［德］费尔巴哈：《费尔巴哈哲学著作选集》上卷，荣震华等译，571-572页，北京：人民出版社，1984年。

该用一向存在的生产和交换的方式来解释的。”[①]“用这个世俗基础的自我分裂和自我矛盾来说明。”[②]

然而，费尔巴哈并不是这样去看待问题的。他虽然认识到人的本质是类的本质，但是他把这种类的本质看成一种与人的活动无关的，没有历史发展的静观的存在。这种以费尔巴哈方式所理解的人的类本质，其本身就已经具有超人的、抽象的、不可捉摸的性质。因此，费尔巴哈用这种所谓的“人的本质的”异化来说明宗教的起源，而不是用人的生产和交换方式，用社会的矛盾来说明宗教的起源，可以说，这是费尔巴哈的唯心史观所必然决定了的。这是第一。

第二，费尔巴哈在说明人的类本质的内容时，虽然讲到人与人之间的关系，但是他所说的这种关系，并不是指人在实践活动中所形成的社会关系，而是指由个人肉体的自然需要所决定的孤立个人之间的感情和性欲关系。比如费尔巴哈认为，人需要“性爱”，因而就要有爱或被爱的对象，于是就发生了“你与我的关系”；人需要友情，于是就发生了人与人之间的朋友关系。马克思恩格斯曾就此评论说：“费尔巴哈在关于人与人之间的关系问题上的全部推论无非是要证明：人们是互相需要的，并且过去一直是互相需要的。”[③]又指出：“除了爱与友情，而且是观念化了的爱与友情以外，他不知道‘人与人之间’还有什么其他的‘人的关系’。他没有批判（考察——引者注）现在的爱的关系。可见，他从来没有把感性世界理解为构成这一世界的个人的全部活生生的感性活动。”[④]

因此，费尔巴哈所说的人的类本质不是以人的社会活动和社会关系为物质内容的社会本质，而是作为“类的意识”的抽象的“理性、意志、心”。费尔巴哈说：“一个完善的人，必定具备思维力，意志力和心力。……这就是作为人的人底绝对本质。”[⑤]“心”，也就是费尔巴哈所指谓的“爱”。

由此可见，费尔巴哈提倡所谓“爱”宗教，是与他唯心主义地理

① 《马克思恩格斯全集》第3卷，170页，北京：人民出版社，1960年。
② 《马克思恩格斯选集》第1卷，55页，北京：人民出版社，1995年。
③ 《马克思恩格斯全集》第3卷，47页，北京：人民出版社，1960年。
④ 《马克思恩格斯选集》第1卷，78页，北京：人民出版社，1995年。
⑤ ［德］费尔巴哈：《费尔巴哈哲学著作选集》下卷，荣震华等译，27—28页，北京：商务印书馆，1984年。

解人的本质相联系的。当然，费尔巴哈这样主张，除了世界观方面的原因以外，也还有社会阶级的根源。

五、费尔巴哈宗教批判不彻底的社会原因

费尔巴哈从批判基督教走向了唯物主义，到提倡“爱”的宗教又陷入了唯心主义，这充分表明了他的世界观的局限性。即如恩格斯所说的：费尔巴哈“作为一个哲学家，他也停留在半路上，他下半截是唯物主义者，上半截是唯心主义者”①。他之所以会这样，也有其社会的原因。

费尔巴哈批判宗教，主张唯物主义，这种进步性来自德国资产阶级的激进阶层，是激进资产阶级政治要求的理论反映。因为在意识形态领域中，德国当时是一个宗教占绝对统治的国家。德国的封建君主政权历来把基督教作为维护自己统治的精神支柱。因此，为了反对封建统治，为了在哲学领域中为自己阶级的理想进行斗争，费尔巴哈举起了唯物主义旗帜，打倒了上帝，从根本上说明了王权起源于上帝观点的荒谬。可见，费尔巴哈对唯心主义和宗教的批判，适应了德国资产阶级激进派的反封建斗争的需要，但是德国资产阶级在这一时期还比较软弱，还不敢像法国资产阶级那样用暴力手段夺取政权。

另外，更为主要的，从时代条件来说，在19世纪上半期，资产阶级革命的最火红的时期已经过去，德国资产阶级再也不能像18世纪的法国资产阶级那样，毫无顾忌地去彻底进行反封建的斗争，因为无产阶级作为一支独立的政治力量已经从资产阶级背后站了起来。在这种时代条件和阶级关系中，费尔巴哈作为资产阶级思想家，也就不可能像法国唯物主义者那样，彻底地否定宗教。因此，费尔巴哈在批判旧宗教的同时，又抬出宣扬超阶级的“爱”的宗教来填补剥削阶级意识形态在这方面的空位。在阶级对立的社会中，正当无产阶级和劳动人民为自己的利益展开斗争时，费尔巴哈宣扬这种不分阶级的人类之爱，并把它提到宗教的地位加以颂扬，这只能起麻痹广大人民的革命斗志，妨碍无产阶级阶级斗争的消极作用。正如恩格斯所指出的，费

① 《马克思恩格斯选集》第4卷，241页，北京：人民出版社，1995年。

尔巴哈把“爱”奉为创造奇迹的神，“这样一来，他的哲学中的最后一点革命性也消失了”[①]。

但是，从总体上说，费尔巴哈作为德国古典哲学中一位杰出的唯物主义哲学家是当之无愧的。他所创立的唯物主义学说，他对人的主体地位的肯定，他的关于人的“类”的观点的提出，他把宗教幻想的根源从天堂移到人间，等等，所有这些都为真正科学地批判宗教，为唯物史观的创立提供了前提。

① 《马克思恩格斯选集》第4卷，240页，北京：人民出版社，1995年。

关于费尔巴哈认识论的几个问题*

本文的写作目的，是为了给费尔巴哈认识论的某些观点以恰当的评述，同时也是借此机会，对认识论研究中某些流行的，但却是片面的观点，谈谈个人的一些看法，以求得到学术界的指正[①]。

一、消极的直观与生动的直观

马克思在《关于费尔巴哈的提纲》中，批判了包括费尔巴哈在内的“直观的唯物主义”，而主张“实践活动的唯物主义”。那么能否认为马克思只是肯定了实践的作用，而一概否定直观的作用呢？我认为，不能作这样的理解。直观有消极的直观与生动的直观之分，对于前者无疑是要加以否定，而对于后者，则需要给予必要的肯定。

在唯物主义发展史上，费尔巴哈先前的唯物主义所理解的直观都是消极的。古代朴素的唯物主义在坚持世界的物质统一性的同时，把人纯自然化，把人的感觉、思想的产生看作外界事物飞出来的“细流”或“小体”主动地作用于人的感官的结果。17、18世纪的唯物主义哲学家也仍然把感觉者的主体看成服从机械法则的物体，从而决定了他们对外界事物的理解也是机械的、被动的。他们把人脑比喻为一块“白板”、一面“镜子”，或一张接受投影的“幕”，认为人的感觉、知觉纯粹是外界事物对人的感官“触动”的产物，主体对外物的认识也只是消极的直观。

这种消极直观性的观点，曾被黑格尔大加嘲讽。他说，“消极直观性”的认识论否认主体的能动性，这是太“谦虚”了，“它谦逊到这样

* 原刊于《青海社会科学》，1989（4）。

一种程度以致忘记了它自己的能动性”[①]。他又说：“一般人总以为这种认识过程是被动的，但事实上却是主动的。”[②]黑格尔的批判应该说是正确的。

在19世纪中期的德国，在与黑格尔唯心主义的斗争中，费尔巴哈恢复了唯物主义的王座。但费尔巴哈并不是对先前的消极直观性的唯物主义的简单重复，而是富有成果的恢复。虽然费尔巴哈也认为人们感知事物的形式是直观，但他认为直观不是纯粹被动的，而是积极的、主动的，作为完善的人是具有思维能力的，而“思维能力是认识的光芒”[③]。他认为知识是通过探求得到的，“人以宇宙为他的求知欲的对象”[④]。人对知识的探求是自觉的，不是盲目的，“他只企求得到与他相适应的，肯定他的、有益于他的知识”[⑤]。费尔巴哈认为，客体作用于主体，主体也在认识中规定客体。“因为十分明显，世界的本质，它对我是什么和怎样，只取决于我本人的本质、我自己的认识能力和我本人的一般属性。”[⑥]费尔巴哈讲过这样一句名言：“每个行星都各有自己的太阳……每个行星都在它自己的太阳中映射出它自己的本质。”[⑦]这就是说，不同的主体，对于同一客体，其认识关系是不同的。他说：“如果一切都被归结为客体的印象，像冷酷的唯物主义和经验主义所假定的那样，那末畜类也可以成为物理学家，甚至必须成为物理学家了。”[⑧]

所以费尔巴哈得出结论说：“自我”不仅“是受动的东西”，也

① ［德］黑格尔：《哲学史讲演录》第4卷，贺麟、王太庆译，153页，北京：商务印书馆，1978年。

② ［德］黑格尔：《小逻辑》，贺麟译，412页，北京：商务印书馆，1980年。

③ 北京大学哲学系外国哲学史教研室编译：《西方哲学原著选读》下卷，468—469页，北京：商务印书馆，1982年。

④ 北京大学哲学系外国哲学史教研室编译：《西方哲学原著选读》下卷，456页，北京：商务印书馆，1982年。

⑤ ［德］费尔巴哈：《费尔巴哈哲学著作选集》上卷，荣震华等译，326页，北京：商务印书馆，1984年。

⑥ ［德］费尔巴哈：《费尔巴哈哲学著作选集》上卷，荣震华等译，523页，北京：商务印书馆，1984年。

⑦ ［德］费尔巴哈：《费尔巴哈哲学著作选集》下卷，荣震华等译，29—30页，北京：商务印书馆，1984年。

⑧ ［德］费尔巴哈：《费尔巴哈哲学著作选集》上卷，荣震华等译，89页，北京：商务印书馆，1984年。

"是某种能动的东西"，"只有存在与本质结合、直观与思维结合、被动与主动结合……才有生活和真理"[①]。由此可见，费尔巴哈所理解的直观是含有主体的积极性和主动性的直观。

那么把消极的直观和生动的直观加以区分有什么意义呢？

这意义在于，在现实生活中，消极的直观是不存在的，因为那种无所用心，处于被动状态的主体，对事物只能是视而不见，而不可能获得什么认识。因此，消极直观对于认识的产生是没有多少意义的。而生动的直观，作为一种认识形式，有其相当的适用性。首先，它是人类早期直观认识阶段上认识事物的基本形式，在人类认识的发生和发展史上，起过重要作用。其次，当人类认识从直观认识阶段发展到反省认识阶段和自觉认识阶段以后，直观仍然是人们获得感性认识的一个不可缺少的基本环节。所以列宁在《哲学笔记》中，甚至用"生动的直观"[②]来表示人们获得感性认识的阶段。

当然，就生动的直观这种认识形式本身来说，它具有相当的局限性。一是它只能提供对事物表面的片面的理解，而不能揭示事物的本质和事物发生作用的条件，不能揭示事物运动的规律。二是限制了对于人的实践能动性和在实践基础上人的认识能动性的表现。所以，人们对事物的理解不能限于直观的形式，还必须发展和深化为实践的形式。这正如恩格斯所指出的，因为"人的思维的最本质的和最切近的基础，正是人所引起的自然界的变化"[③]。

要而言之，马克思批判直观的唯物主义，并非一般地否认直观在人们认识中的作用，而只是否认包括费尔巴哈在内的旧唯物主义脱离人的实践活动，"只是从……直观的形式去理解"[④]事物。即把人们对事物的理解归结为直观的理解，特别是否认把机械唯物主义归结为一种消极直观的理解。

① ［德］费尔巴哈：《费尔巴哈哲学著作选集》上卷，荣震华等译，91、111页，北京：商务印书馆，1984年。

② 《列宁全集》第38卷，181页，北京：人民出版社，1959年。

③ 《马克思恩格斯选集》第4卷，329页，北京：人民出版社，1995年。

④ 《马克思恩格斯选集》第1卷，54页，北京：人民出版社，1995年。

二、实践的生活效用与认识的客观基础

费尔巴哈脱离人的实践，仅仅从直观的形式去理解事物，但不能说，费尔巴哈不重视实践。事实上，在他那里还有不少近似马克思主义的精彩提法。例如他说："新哲学……本质上具有一种实践倾向，而且是最高意义下的实践倾向。"①又说："从理想到实在的过渡，只有在实践哲学中才有它的地位。"②他甚至认为，具有实践倾向，这是他的新哲学与宗教神学及黑格尔唯心主义的一个重要区别。可以看出，费尔巴哈对于实践是极为重视的。

既然如此，为什么费尔巴哈又没有能从实践的观点去理解事物呢？这里的原因是多方面的。其中重要的一点在于，他对于实践的生活效用与实践作为认识的客观基础之间的关系作了完全对立的理解。

费尔巴哈虽然很重视实践，但费尔巴哈所理解的实践，主要是指人的生活实践，即消费的实践。他认为，人是一个肉体的存在物，因此，人需要吃、喝、穿、住等等。他说："最实践的处世原则，是利己主义，……它给予人以一个坚定固实的生活原则"，"它使他漠视一切跟他切身利益无关的东西。"③

费尔巴哈把实践仅仅理解为生活实践，是很不够的。他不了解人的生活需要是通过生产获得满足，并随着生产的发展不断提高和丰富化的，因而生产实践是人类最基本的实践活动。不仅如此，他更不了解人们通过实践活动，不仅改造了客体世界，而且改造了主体自身，改造了人的认识能力。因此，人及人的世界和人的认识都是与人的实践活动相联系的自然历史过程的运行系统。所以马克思批评费尔巴哈"不了解'革命的'、'实践批判的'活动的意义"④。因为费尔巴哈没有能揭示实践的本质，即实践是主观见之于客观的活动，是作为主体

---

① ［德］费尔巴哈：《费尔巴哈哲学著作选集》上卷，荣震华等译，186页，北京：商务印书馆，1984年。

② ［德］费尔巴哈：《费尔巴哈哲学著作选集》上卷，荣震华等译，108页，北京：商务印书馆，1984年。

③ ［德］费尔巴哈：《费尔巴哈哲学著作选集》下卷，荣震华等译，146页，北京：商务印书馆，1984年。

④ 《马克思恩格斯选集》第1卷，54页，北京：人民出版社，1995年。

的人为着一定的需要而进行的改造现实世界的客观物质活动。他只是看到了实践的生活效用性，并孤立地从这一点出发，仅仅看到了实践的主观性。他认为："实践的立场……也即主观的立场。"[①]单纯从实践的立场出发，势必主观地而不能客观地对待自然。因此，费尔巴哈认为在实践中，人们完全以自私的态度对待事物，因而是不洁的，为利己主义所玷污的。

费尔巴哈看到实践的主观因素的参与，即实践与人的欲求、目的相联系的方面，这一点是对的，但是他把这一点夸大化，由此认为人在实践中不能如实地、客观地认识事物，则是错误的。事实上，实践不仅有主观因素参与的一面，即与人的欲求和目的相联系的一面，同时也有客观因素参与的一面，即实践的工具、对象、实践活动的规律和实践的结果都是客观的。另外，也是更为主要的，在实践的过程中，其主观性的一面又必然要依赖于客观性的一面。即为了达到人的目的，满足人的需要，因而又在本质上要求客观地认识世界。而实践作为主观见之于客观的过程，同时也是使主观获得调整以符合客观的过程。实践中不断产生主观与客观的矛盾，同时又不断解决矛盾，以达到主观与客观的统一。（注意，实践中主观因素的参与，不能因此而认为实践具有主观性。在这里不能把二者混为一谈。）由此可见，费尔巴哈用实践的主观因素的参与来排斥实践是认识的客观基础的观点，是不能成立的。

由于费尔巴哈只是从主观性的角度去看待实践，对实践加以贬斥，于是为了保证认识的客观性，他就把认识对象看作与实践无关的单纯客体。在他看来，客体只是人的感觉对象、直观对象，而不首先是人的实践对象、改造对象。他说："你所看到，且未经人的手和思想接触过的，都是自然界。"[②]他不懂得人的世界是已经深深打上了人类实践印记的世界，"是工业和社会状况的产物，是历史的产物，是世世代代活动的结果……甚至连最简单的'感性确定性'的对象也只是由于社会发展、工业

① ［德］费尔巴哈：《费尔巴哈哲学著作选集》下卷，荣震华等译，223页，北京：商务印书馆，1984年。

② ［德］费尔巴哈：《费尔巴哈哲学著作选集》下卷，荣震华等译，592页，北京：商务印书馆，1984年。

和商业交往才提供给他的”[①]。

三、费尔巴哈真理标准观的现实倾向性

有一种流行的观点认为，马克思主义以外的哲学派别都是主张真理的主观标准的。笔者认为，这一说法欠妥。比如费尔巴哈虽然没有提出关于真理的完全科学的检验标准，但他基本上是坚持了关于真理的客观标准的。

首先，费尔巴哈曾经比较明确地提出，以生活实践作为真理标准的观点。他曾经指出：“比淹博的征引更加有用到无量数倍的，却是实践，却是生活。”[②]又说“要走向生活，走向实际……理论所不能解决的那些疑难，实践会给你解决”[③]。虽然费尔巴哈所理解的实践，主要是指生活实践，但是这种理解本身是唯物主义的。

关于这一点，列宁给予了肯定。他指出：“费尔巴哈把人类实践的总和当作认识论的基础。他说，……我们要感觉，首先就得呼吸；没有空气、食物和饮料，我们就不能生存。”列宁接着说：“生活、实践的观点，应该是认识论的首先的和基本的观点。这种观点必然会导致唯物主义，而把教授的经院哲学的无数臆说一脚踢开。”[④]这里，列宁所说的生活、实践的观点，同费尔巴哈关于实践是日常生活的观点，有着本质的区别，这是否说费尔巴哈提出的上述标准也是唯心主义的呢？不能。这里需要进行一些具体分析。

一个哲学派别的真理标准观是与它的认识路线和真理观相联系的。就费尔巴哈来说，他承认物质第一性，意识第二性，认为人的认识是对客观存在的反映，真理是与认识对象相符合的认识。这是“符合说”的真理观，从而也就决定了费尔巴哈的真理标准观不可能是唯心主义的。对于感觉经验，列宁曾经做过如下分析，他说，在“感觉”后面无疑可以隐藏着两条认识路线，如果像马赫那样，认为“物

① 《马克思恩格斯选集》第1卷，76页，北京：人民出版社，1995年。

② ［德］费尔巴哈：《费尔巴哈哲学著作选集》下卷，荣震华等译，554—555页，北京：商务印书馆，1984年。

③ ［德］费尔巴哈：《费尔巴哈哲学著作选集》上卷，荣震华等译，248页，北京：商务印书馆，1984年。

④ ［俄］列宁：《唯物主义和经验批判主义》，134页，北京：人民出版社，1960年。

是感觉的复合”，那么他所坚持的就是唯心主义感觉论，如果认为感觉是对外界事物的反映，那么他所坚持的就是唯物主义感觉论。辩证唯物主义实践观同旧唯物主义实践观之间既有区别，但又存在着一定的联系。这种联系表现在，费尔巴哈的实践观和辩证唯物主义实践观都是以唯物主义为基本前提的，而后者是对前者的扬弃，前者中合理的部分作为因子包含在后者之中。既然费尔巴哈的生活实践观是唯物主义的，那么他以生活实践作为检验真理的标准，这个标准无疑也是唯物主义的。诚然，这个标准并不是彻底的唯物主义的，它并不具有唯一性。

费尔巴哈除了提出实践标准以外，还提出了关于真理的感觉经验标准。有的唯心主义也曾提出过感觉经验标准，那么能否认为费尔巴哈所坚持的就是这种唯心主义感觉论？不能。

费尔巴哈说“我们的观念起源于感觉是完全正确的”。但感觉不是纯粹主观自生的，而是感性对象作用于人的感官所产生的。他说，“一切对象都可以通过感觉而认识”[①]，费尔巴哈坚持感觉的客观性，并且坚持用这种客观性作为检验真理的标准，因此费尔巴哈所理解的感觉经验，并不是唯心主义所理解的纯粹的主观感觉，而是感性的事物、感性的经历、感性的直观，并力图以此和唯心主义的主观真理标准观划清界限。

比如，费尔巴哈在批判黑格尔关于以思维作为真理标准的观点时指出，这“仅仅是形式的，主观的标准，这个标准是不能决定思维中的真理也就是实际上的真理的。能决定这一点的唯一标准，乃是直观”[②]。又说，认识的真理性不能用和自己相同的思维来检验，而必须用有别于思维的东西来检验。“这个有别于思维的东西到底是什么？就是感性事物。”所以，费尔巴哈认为“思维是通过感性而证实的”[③]。费尔巴哈有时又把集体的感性经历作为检验真理的标准。

可以看出，费尔巴哈对感性经验的理解是多义的，但无论是指感

① ［德］费尔巴哈：《费尔巴哈哲学著作选集》上卷，荣震华等译，173页，北京：商务印书馆，1984年。

② ［德］费尔巴哈：《费尔巴哈哲学著作选集》上卷，荣震华等译，179页，北京：商务印书馆，1984年。

③ ［德］费尔巴哈：《费尔巴哈哲学著作选集》上卷，荣震华等译，165页，北京：商务印书馆，1984年。

性事物、感性经历，或是指感性直观，这些都具有客观现实性。所以，费尔巴哈用感性经验作为真理的检验标准，虽然很朴素，很肤浅，但却具有唯物主义的现实倾向性。

当然，以感觉经验作为检验真理的标准，其局限性也是很明显的。一是，感觉经验的客观性至多只能部分检验关于事物表面现象的认识之真假，在日常生活中具有一定的意义，但是不能作为任何理论的真理性的检验标准。二是感觉经验的客观性总是联系着感觉经验的主观性而存在的。因此，感觉经验的客观性程度是很有限的，因而作为检验真理的标准，其可靠性也是很有限的。因此，从总体上来说，感觉经验不能作为检验认识的真理性的尺度。

四、人类命运的关心与理论的苍白无力

马克思《关于费尔巴哈的提纲》最后一条指出："哲学家们只是用不同的方式解释世界，而问题在于改变世界。"[①]有人把这一条提纲的意思理解为，一切旧哲学家只是空谈理论，不务实践，只有马克思主义哲学家是既重视理论，又重视实践的。这种理解不够全面。

拿费尔巴哈来说，他主要是在理论上，而主要又是在哲学领域中为自己阶级的理想进行战斗的。但是绝不能由此认为费尔巴哈对政治和实践问题漠不关心。不是这样。

费尔巴哈对当时直接而且迫切的政治现实问题是很关心的。他反对"一切以专制君主的慈悲和专横为转移"的封建国家，宣称它是"不道德的国家"，并主张建立资产阶级民主制。由于对1848年革命的不理解，他没有参加这个革命。但是在这一时期，他针对法兰克福议会对于封建专制制度的妥协态度的尖锐批评，证明了他比资产阶级自由主义者和激进主义者高出一头。他号召召开新议会，用新人物代替旧官僚，否则"安宁就不会到来，稳定的政府就不会出现"[②]。在1848年革命失败以后，当大多数资产阶级活动家都跑到反革命营垒并感到怡然自得的时候，费尔巴哈作为德国资产阶级激进的民主分子仍然坚

① 《马克思恩格斯选集》第1卷，61页，北京：人民出版社，1995年。

② ［德］费尔巴哈：《费尔巴哈哲学著作选集》上卷，荣震华等译，3页，北京：商务印书馆，1984年。

持不妥协的立场。他揭露说："欧洲是监狱。自由人和囚徒的差别纯粹是量的问题。因为欧洲只是空间略微大一点的监狱而已。"①

此外，作为费尔巴哈一生的主要方面的理论活动，也是为达到使人摆脱封建的规范和束缚而服务的。他说，他是为着促进人类的自由、独立、爱情和幸福而去认识宗教的，他号召说："倘若我们不是信仰一个更好的生活，而是要求一个更好的生活，而且不是单人独力去要求，而是合群聚众去要求，那么我们也将可以造成一个更好的生活。"②费尔巴哈在批判黑格尔颠倒思维和存在的关系时也指出："关于存在的问题，正是一个实践的问题，一个涉及我们的存在问题，一个关于生死的问题。"③因此不能说，费尔巴哈只是空谈理论而不务实践。

需要指出的是以往的哲学家，包括费尔巴哈在内的不少人，虽然都想把自己的哲学理论作为改造世界的指南，但是这种愿望总不能实现。造成两者脱节的原因，不是在于这些哲学家的主观好恶，而是旧哲学所固有的弊病使然。所以《关于费尔巴哈的提纲》的最后一条并不是针对旧哲学家讲的，而是针对旧哲学家们的旧哲学理论讲的，是说这些旧的哲学理论只能用来解释世界，而不能用来改造世界。

就费尔巴哈的主观愿望来说，他立志要用意志和努力去改革人生现有的种种不公平和祸害，从而争取人类有一个美好的生活。但他的哲学理论并不能用来指导人们的行动。这是因为：

第一，费尔巴哈没有建立起科学的实践观，他把人的客观环境看成与人的感性活动无关的静观的存在，他完全忽视了人的革命实践及其意义。

第二，他只是自然观上的唯物主义，而在历史观上陷入了唯心主义，所以他的哲学理论不能指导人们去正确认识社会的本质及其发展规律。

第三，费尔巴哈哲学不可能指出改造世界的正确途径。他虽然提

① ［德］费尔巴哈：《费尔巴哈哲学著作选集》上卷，荣震华等译，3、4页，北京：商务印书馆，1984年。

② ［德］费尔巴哈：《费尔巴哈哲学著作选集》下卷，荣震华等译，785页，北京：商务印书馆，1984年。

③ ［德］费尔巴哈：《费尔巴哈哲学著作选集》上卷，荣震华等译，159页，北京：商务印书馆，1984年。

出了关于未来社会的理想，但是他把这种理想的实现归结为认识问题，或道德问题。比如，他说，只要揭露宗教神学的欺骗，人们就能从宗教中解放出来；又说，人类社会种种不公不平的事情，只要提倡人类之爱就可以得到解决。不难看出，费尔巴哈陷入了多么善良而又多么幼稚的空想！在人类思想史上，只有马克思主义哲学才能科学地说明世界，并指导人们正确地改造世界。

费尔巴哈的实践观及其历史作用*

在世界观的总体上，费尔巴哈是直观的唯物主义者，而非实践的唯物主义者。但费尔巴哈也有其实践观。费尔巴哈的实践观虽然有其局限性，但也有其合理的方面。这些合理的方面也不是偶然的思想闪光，就其基本点来说，恰恰是其在哲学活动中深思熟虑的产物。在历史的联系中，费尔巴哈的实践观是作为从黑格尔的实践观到马克思实践观的中介环节而存在的。

一、费尔巴哈人本主义的实践倾向

主张把哲学与人的生活实践紧紧联系起来，这是费尔巴哈人本学唯物主义的基本精神。费尔巴哈说："新哲学……本质上具有一种实践倾向，而且是最高意义下的实践倾向。"①费尔巴哈所理解的实践是什么呢，就是人的生活。费尔巴哈在论述问题时，往往就是在与实践相同的意义上使用生活这一概念的。比如费尔巴哈在谈到理论证明与实践证明的关系时就说过："比淹博的征引更加有用到无量数倍的，却是实践，却是生活。"②再如费尔巴哈批判思辨哲学导致理论与实践的对立时指出："在理论中，否定我们在生活中，在实践中肯定的东西；把我们在实践中宣布为本质的东西，在理论上又仅仅当成现象，把在生活中对我们是同一的本质，分解为两个异种的本质，这不是明显的矛盾吗？"③

---

* 原刊于《延安大学学报》(社会科学版)，1990 (1)。

① [德] 费尔巴哈：《费尔巴哈哲学著作选集》上卷，荣震华等译，186页，北京：商务印书馆，1984年。

② [德] 费尔巴哈：《费尔巴哈哲学著作选集》下卷，荣震华等译，554—555页，北京：商务印书馆，1984年。

③ [德] 费尔巴哈：《费尔巴哈哲学著作选集》上卷，荣震华等译，210页，北京：商务印书馆，1984年。

那么，费尔巴哈为什么如此重视哲学与生活实践的联系呢？这是由费尔巴哈人本主义的根本出发点所决定的。费尔巴哈说："新哲学将人连同作为人的基础的自然当作哲学唯一的，普遍的，最高的对象。"[①]所以他认为，"必须从人的本质出发，以人的本质为基础"[②]，必须为争取人的幸福生活而努力。因此，他公开宣称：他的"新哲学"是"人的哲学"，"是为人的哲学"[③]。

费尔巴哈还认为，坚持从人出发，为人的幸福而努力，这是他的人本主义与宗教神学及黑格尔唯心主义相区别的根本点。

费尔巴哈说，宗教神学所宣扬的爱人，即用所谓上帝来拯救人类，实际它对人"只是虚假地加以重视，只是用抽象和否定来加以重视"[④]。他一针见血地指出："那产生彼世的爱，拿彼世来安慰受苦人的爱，乃是在病人死后来医治人，在人渴死以后给人饮料，在人饿死后给人食品。"[⑤]基督教关于彼世的许诺，实际是"从人身上剥夺了一切肉体上的需要和机能"[⑥]。宗教就是对人的现实生活的否定，对人的否定，"神就是世界和人类的无"[⑦]。

因此，费尔巴哈说，他对宗教本质的揭示，"不仅仅是基于理论的或思辨的理由，而且还在很大程度上基于实践的理由"，"即为着促进人类的自由、独立、爱情和幸福而去认识宗教"[⑧]。他说："否定彼世就导致肯定今世，否认天上将有一个更好的生活，就必然要求改善地上的生活，必然将更好的未来生活从那袖手静待的信仰对象转变为义

① ［德］费尔巴哈：《费尔巴哈哲学著作选集》上卷，荣震华等译，184页，北京：商务印书馆，1984年。

② ［德］费尔巴哈：《费尔巴哈哲学著作选集》上卷，荣震华等译，248页，北京：商务印书馆，1984年。

③ ［德］费尔巴哈：《费尔巴哈哲学著作选集》上卷，荣震华等译，186页，北京：商务印书馆，1984年。

④ ［德］费尔巴哈：《费尔巴哈哲学著作选集》上卷，荣震华等译，298页，北京：商务印书馆，1984年。

⑤ ［德］费尔巴哈：《费尔巴哈哲学著作选集》下卷，荣震华等译，785页，北京：商务印书馆，1984年。

⑥ ［德］费尔巴哈：《费尔巴哈哲学著作选集》上卷，荣震华等译，298页，北京：商务印书馆，1984年。

⑦ ［德］费尔巴哈：《费尔巴哈哲学著作选集》下卷，荣震华等译，783页，北京：商务印书馆，1984年。

⑧ ［德］费尔巴哈：《费尔巴哈哲学著作选集》下卷，荣震华等译，524—525页，北京：商务印书馆，1984年。

务，转变为人类积极活动的一个对象。”[1]这在当时宗教气氛弥漫的德国，费尔巴哈这样说是需要勇气的。在这里表现了他的令人称道的人道精神。

正是在这种精神的指引下，费尔巴哈对人类的未来充满信心。他说：“放开死人，而仅关心于活人的事情罢！倘若我们不是信仰一个更好的生活，而是要求一个更好的生活，而且不是单人独力去要求，而是合群聚众去要求，那么我们也将可以造成一个更好的生活。”[2]

费尔巴哈对宗教神学的批判，触及了黑格尔唯心主义。他说：“黑格尔哲学是神学最后的避难所和最后的理论支柱。”[3]费尔巴哈认为，黑格尔哲学与宗教神学只是表现形式不同，但其实质都是贬低人、否定人，不关心人的生活的。费尔巴哈还指出：“旧哲学……是自为的，不关心人的真理。”[4]思辨哲学以抽象的精神为最高原则，从精神出发，最终归回到精神，从而使“我们将永远处于理论和实践之间的纠葛中，……在生活的任何一步中，我们都处于哲学之外，在任何哲学思想中，我们都处于生活之外”[5]。

在费尔巴哈看来，思维不是与生活无关的东西，恰恰相反，“真理并不存在于思维之内，并不存在于自为的认识之内，真理只是人的生活和本质的总体”[6]。不是思维派生存在，而是存在派生思维。而“关于存在的问题，正是一个实践的问题，一个涉及我们的存在的问题，一个关于生死的问题”[7]。

正是基于上述认识，费尔巴哈从人本主义出发，“既坚决地反对哲

---

① ［德］费尔巴哈：《费尔巴哈哲学著作选集》下卷，荣震华等译，784页，北京：商务印书馆，1984年。

② ［德］费尔巴哈：《费尔巴哈哲学著作选集》下卷，荣震华等译，785页，北京：商务印书馆，1984年。

③ ［德］费尔巴哈：《费尔巴哈哲学著作选集》上卷，荣震华等译，115页，北京：商务印书馆，1984年。

④ ［德］费尔巴哈：《费尔巴哈哲学著作选集》上卷，荣震华等译，186页，北京：商务印书馆，1984年。

⑤ ［德］费尔巴哈：《费尔巴哈哲学著作选集》上卷，荣震华等译，99页，北京：商务印书馆，1984年。

⑥ ［德］费尔巴哈：《费尔巴哈哲学著作选集》上卷，荣震华等译，185页，北京：商务印书馆，1984年。

⑦ ［德］费尔巴哈：《费尔巴哈哲学著作选集》上卷，荣震华等译，159页，北京：商务印书馆，1984年。

学的抽象的非人性，又坚决地反对宗教的幻想的、虚无缥缈的人性”[①]。主张进行“符合人类的利益的哲学变革”[②]。

总之，哲学必须同人的生活实践相联系，为实现人的幸福生活而奋斗。这对费尔巴哈来说，绝不是灵机一动的产物，也不是孤立存在的个别判断，而是他的人本学唯物主义的本质要求，是他对宗教神学和黑格尔唯心主义进行批判的一个根本指导原则，是他进行的哲学变革所要追求的目标。费尔巴哈关于哲学要与人的实践相结合的思想是极有价值的。但是，他并没有能提出科学的实践观，并没有能做到哲学与实践的真正统一。这又是他在这个问题上的根本缺陷。

二、费尔巴哈实践观的合理性与局限性

如上所说，费尔巴哈在批判宗教神学和唯心主义时，大量使用了实践概念，并且在论述与实践有关的一些问题时，也提出了某些接近马克思主义的观点。但在理论上，费尔巴哈并没有对实践范畴下过明确的定义，对实践范畴的实际运用，一方面过于宽泛，另一方面也显得肤浅，因而缺乏科学性。尽管如此，费尔巴哈这样一点却是十分明确，并且是一以贯之的。即实践不是人的抽象的精神活动，也不仅仅是指人的道德行为，而是指人的现实的物质活动，人的生活、行为，诸如吃、喝、交往等等。

费尔巴哈把实践理解为人的日常生活活动的观点，这是有其合理性的一面的。

这种合理性就在于，他唯物地认为，人是有生命的自然存在物，是感性的对象，是需要空气、食物、饮料等生活着的人。虽然不能把实践仅仅局限于人的生活活动，然而满足人的衣食需求，维持人的生活却是实践的出发点。固然，肯定这一点，不一定必然导致彻底的唯物主义，费尔巴哈自己就是不彻底的，但若否定这一点，那就一定不是唯物主义。

---

① ［德］费尔巴哈：《费尔巴哈哲学著作选集》下卷，荣震华等译，515页，北京：商务印书馆，1984年。

② ［德］费尔巴哈：《费尔巴哈哲学著作选集》上卷，荣震华等译，94页，北京：商务印书馆，1984年。

关于这一点，列宁在《唯物主义和经验批判主义》中指出："费尔巴哈把人类实践的总和当作认识论的基础。他说，当然唯心主义者在实践中也承认我们的自我和他人的你的现实性。不过在唯心主义者看来，这个观点只适合于生活而不适合于思辨。但是，这种和生活矛盾的思辨，把死和脱离肉体的灵魂的观点当作真理的观点的思辨，乃是僵死的、虚伪的思辨。我们要感觉，首先就得呼吸；没有空气、食物和饮料，我们就不能生存。"列宁接着说："生活、实践的观点，应该是认识论的首先的和基本的观点。这种观点必然会导致唯物主义，而把教授的经院哲学的无数臆说一脚踢开。"[①]可见，费尔巴哈关于生活实践的观点是马克思主义所肯定的。

但是，费尔巴哈把实践理解为人的日常生活又是极为肤浅的。

人要生存，固然需要吃、住、穿等等。但是，这些需要的满足是通过生产来获得的。马克思恩格斯指出："就一个主体来说，生产和消费表现为一个行为的两个要素……在这个过程中，生产是实际的起点，因而也是起支配作用的要素。消费，作为必需，作为需要，本身就是生产活动的一个内在要素。但是生产活动是实现的起点，因而也是实现的起支配作用的要素，是整个过程借以重新进行的行为。"[②]

可是费尔巴哈离开生产实践只讲生活实践、消费的实践，或如他所说的"饮食"的实践。他只看到人作为肉体组织要饮食男女，认为这就是人的现实的感性活动。他不懂得不能抽象地谈论人的自然需要。因为人的这些需要是通过生产出来的物品来获得满足的。所以，问题不在于人是否要生活，而在于人怎样才能生活，在于人占有什么样的物质生活条件，这才是对人有决定意义的东西。

费尔巴哈从他的唯物主义自然观出发，承认人是有生命的自然存在，他的唯物主义也就到此止步了。他没有看到人不仅是一个自然存在物，而且还是一个从事实践的能动的社会存在物。他没有看到人的实践不仅是一种自然性的生活活动，更是一种能动地改造客观世界的社会性活动。而正是这种革命的、实践的、批判的活动构成了人和人的世界的基础。所以，马克思批评费尔巴哈"不了解'革命的'、'实

① ［俄］列宁：《唯物主义和经验批判主义》，134页，北京：人民出版社，1960年。

② 《马克思恩格斯选集》第2卷，12页，北京：人民出版社，1995年。

践批判的'活动的意义"[①]。

当然，费尔巴哈也说过，一切信神的人在实践中都是不信神的。他说，人不能不在实践中采取非信仰的态度，因为只有不依赖于神，而依赖于自己的工作和努力，才能有一切进步、创造和发明。相反，凡是将自己交付全能的神的人，永远不会消除社会的缺陷。费尔巴哈说，"根据人生现有的种种不公平和祸害，只能做出一个必然的结论，即唯一用意志和努力去改革它们，而不是去信仰一个彼世"[②]。

费尔巴哈关于通过实践改造自然和社会的观点，列宁认为，这是具有历史唯物主义因素的积极思想。但是，正如马克思恩格斯在评价费尔巴哈实践观时所指出的："对实践的唯物主义者即共产主义者来说，全部问题都在于使现存世界革命化，实际地反对并改变现存的事物。如果在费尔巴哈那里有时也遇见类似的观点，那么它们始终不过是一些零星的猜测，而且对费尔巴哈的总的观点的影响微乎其微，以致只能把它们看作是具有发展能力的萌芽。"[③]

正因为费尔巴哈只把人看作感性存在，只看到人的生活实践活动，而"不了解'革命的'、'实践批判'的活动的意义"，即不了解改造客观世界的革命实践所具有的意义，特别是社会历史意义，所以，费尔巴哈哲学只能停留在直观的唯物主义上面，并陷于历史的唯心主义。

三、马克思科学实践观形成的中间环节

每一个时代的理论思维都是一种历史的产物。在不同的时代具有不同的形式和不同的内容。因此，我们评价一个哲学家的功绩，不是根据他有没有提供现代所要求的东西，而是根据他比他的前辈提供了什么新的东西，根据他为他的后辈提供了可以借之进一步发展的东西。即要从历史联系的角度去认识他的地位和作用。对于费尔巴哈实践观的评价，也必须坚持这种历史的观点。这样，才能做到实事求

① 《马克思恩格斯选集》第1卷，58页，北京：人民出版社，1995年。

② ［德］费尔巴哈：《费尔巴哈哲学著作选集》下卷，荣震华等译，784—785页，北京：商务印书馆，1984年。

③ 《马克思恩格斯选集》第1卷，75页，北京：人民出版社，1995年。

是，恰如其分。

在近代德国哲学发展史上，马克思是从黑格尔唯心主义走向费尔巴哈人本学唯物主义，又进一步走向实践唯物主义。实践是马克思主义哲学的基本范畴，科学实践观的建立为实践唯物主义的创立奠定了基础。从理论来源来说，马克思的科学实践观是在批判继承了黑格尔的思辨实践观，以及吸取和深化了费尔巴哈的生活实践观的基础上，继续前进而确立起来的。长期以来，在理论界不少人只看到黑格尔实践观对马克思科学实践观形成的影响，而忽视费尔巴哈实践观的作用，这是片面的，不对的。

德国唯心主义的集大成者黑格尔在唯心主义的发展史上，极大地丰富和发展了关于人的能动性，特别是人的实践能动性的思想。黑格尔把实践理解为人的有目的的活动，视实践为达到真理的整个认识过程的一个环节。

他说："认识的过程一方面由于接受了存在着的世界，使进入自身内，进入主观的表象和思想内，从而扬弃了理念的片面的主观性，并把这种真实有效的客观性当作它的内容，借以充实它自身的抽象确定性。另一方面，认识过程扬弃了客观世界的片面性，反过来，他又将客观世界仅当作一假像，仅当作一堆偶然的事实、虚幻的形态的聚集。它并且凭借主观的内在本性，……以规定并改造这聚集体。前者就是认知真理的冲力，亦即认识活动本身——理念的理论活动。后者就是实现善的冲力，亦即意志或理念的实践活动。"①

在这里，黑格尔把实践理解为主观规定和改造客观的活动，使人扬弃客观世界的片面性，去追求善的活动。黑格尔还指出："这种观念（指善的观念——引者注）比上述认识的观念更高级，因为这种观念不仅具有普遍东西的品格，而且具有单纯现实东西的品格。"②

黑格尔在这里所表现的高明和深刻之处在于，他在本质上指出，实践观念高于理论观念。因为实践观念相对于理论观念既体现了理论的普遍性，又可以促使理论直接向现实转化，因而具有现实性。不仅如此，黑格尔还认为，实践的过程，同时也就是人的自我生成和发展。主体意味着活动。在黑格尔看来，"人的真正存在是他的行为"，

① ［德］黑格尔：《小逻辑》，贺麟译，410—411页，北京：商务印书馆，1980年。
② 转引自［俄］列宁：《哲学笔记》，230页，北京：人民出版社，1974年。

“有什么样的行为就有什么样的个人”[①]。黑格尔的这些思想都是很深刻的。

但是，黑格尔唯一承认的实践，是抽象的精神活动，而不是人的感性活动。正因为如此，所以黑格尔的实践观从实际效用来说，只是作为一个环节对于构造他的唯心主义体系是有用的。在他的世界观中所包含的某些合理因素，被马克思改造以后，才得以发挥，从而成为马克思科学实践观的一个理论来源。

马克思哲学活动的最初出发点是黑格尔哲学。但是黑格尔哲学对当时的政治现实所采取的妥协态度，使青年马克思极为不满。他在《博士论文》中认为，哲学的出路应该“面向世界”，使哲学“变成实践的力量”，成为改造世界的工具。但是马克思在这里所表达的实践观点，基本上没有超出黑格尔哲学的立场。他说：“哲学的实践本身就是理论的。”[②]可见，这时候，马克思所理解的实践在实质上仍然是一种理性的活动。但是，随着马克思日益投身于群众的斗争活动，这种对实践的唯心主义理解与在这种理解中所日趋增长的现实倾向性之间的矛盾，愈来愈不可调和了，一时间甚至成为马克思所苦恼的一个问题。

正是在这时候，费尔巴哈在批判黑格尔唯心主义的斗争中，向唯物主义实现了可贵的飞跃，从而给马克思以巨大影响。

费尔巴哈在这个问题上的主要功绩就在于，他肯定人的存在的客观性和人的生活实践活动的客观性，从而把对人的理解，对人的生活的理解，从抽象的理性王国降落到有血有肉的现实的人间。

费尔巴哈认为，理性不是人的基础，人的活动也不是纯理性的活动。相反，人才是理性的基础，人首先是一个感性的存在，“我是一个实在的感觉的本质，肉体总体就是我的自我，我的实体本身。”[③]人的活动首先是感性的生活活动，在这个基础上才能进行理性活动。费尔巴哈说：“我必须先吃饭或先能吃饭，然后思想，而不是先思想，然后

① ［德］黑格尔：《精神现象学》上卷，贺麟、王玖兴译，213页，北京：商务印书馆，1983年。

② 《马克思恩格斯全集》第40卷，258页，北京：人民出版社，1982年。

③ ［德］费尔巴哈：《费尔巴哈哲学著作选集》上卷，荣震华等译，169页，北京：商务印书馆，1984年。

吃饭。”[①]费尔巴哈讽刺说：“唯心主义者……在哲学和神学的讲坛上竭力谩骂科学的唯物主义，而在公共餐桌上实地运用最粗俗的唯物主义”，“这种和生活矛盾的思辨，把死和脱离了肉体的灵魂的观点当作真理的观点的思辨，乃是僵死的、虚伪的思辨。”[②]

如前所述，费尔巴哈把实践理解为生活活动的观点无疑是十分肤浅的。但是它立足于生活实践所进行的批判，对黑格尔唯心主义不失为一个沉重打击。这种批判尽管还不深刻，但他却为这种批判的彻底进行奠定了初步的基础，为科学实践观的创立提供了一定的前提。

在科学实践观的形成过程中，马克思一方面指出，黑格尔辩证法的主要成果是“作为推动原则和创造原则的否定性的辩证法”，肯定他关于把否定性理解为人的劳动活动，理解为主体自我实现的过程的思想。认为他抓住了劳动的本质。另一方面又指出，“黑格尔唯一知道并承认的劳动是抽象的精神的劳动”[③]，是唯心主义的。马克思说：“在思辨终止的地方，在现实生活面前，正是描述人们的实践活动和实际发展过程的真正的实证科学开始的地方。”[④]这个科学开始的地方就是：“人们为了能够‘创造历史’，必须能够生活。但是为了生活，首先就需要吃喝住穿以及其他一些东西。因此第一个历史活动就是生产满足这些需要的资料，即生产物质生活本身。”[⑤]马克思把人的生活需要、生活实践确定为“一切人类生存的第一个前提，也就是一切历史的第一个前提”[⑥]。这是对费尔巴哈生活实践观的肯定，但同时又由此指出，生活需要，生活活动，不是实践的最基本的内容，生产活动才是实践的最基本的内容。所以，生活活动只是历史的前提，生产活动才是历史的基础。由此也就必然发生两方面的关系，即马克思所指出的：“这样，生命的生产……就立即表现为双重关系：一方面是自然关系，另一方面是社会关系。”[⑦]

① ［德］费尔巴哈：《费尔巴哈哲学著作选集》下卷，荣震华等译，587页，北京：商务印书馆，1984年。

② 转引自［俄］列宁：《唯物主义和经验批判主义》，134页，北京：人民出版社，1960年。

③ 《马克思恩格斯全集》第42卷，163页，北京：人民出版社，1979年。

④ 《马克思恩格斯选集》第1卷，73页，北京：人民出版社，1995年。

⑤ 《马克思恩格斯选集》第1卷，79页，北京：人民出版社，1995年。

⑥ 《马克思恩格斯选集》第1卷，78页，北京：人民出版社，1995年。

⑦ 《马克思恩格斯选集》第1卷，80页，北京：人民出版社，1995年。

在马克思看来，实践既不是黑格尔所认为的纯粹的精神活动，也不能归结为费尔巴哈所理解的日常生活活动，实践在本质上是人们为满足自己的需要而进行的能动地改造世界和人本身的、社会历史性的客观物质活动，马克思这样来规定实践，也就为构建历史唯物主义的理论体系提供了逻辑的基础。

总之，费尔巴哈建立在人本学唯物主义基础上的关于生活实践的观点，是有价值的。它既是批判宗教神学和黑格尔思辨哲学的重要武器，同时它又逻辑地为青年马克思从黑格尔的思辨实践观转变到科学实践观提供了中介性的环节。

马克思哲学世界观第一次转变的开端*

——重读《黑格尔法哲学批判》

马克思早期哲学思想的发展，是从黑格尔哲学开始，经过费尔巴哈，最后形成历史（和辩证）唯物主义的过程。

在这一过程中，马克思哲学世界观发生过两次重大转变。一是从黑格尔唯心主义转到一般唯物主义，从革命民主主义转到一般社会主义；二是从一般唯物主义和社会主义转到历史（和辩证）唯物主义和科学社会主义。

如何看待这两次转变的关系？二者是截然有别，甚至存在认识论上的断裂，还是相互衔接，有机统一？费尔巴哈在其中的作用如何？在青年马克思思想转变过程中，是否存在一个“费尔巴哈派阶段”，还是费尔巴哈的作用无足轻重，马克思是“通过密切联系社会生活实际”，“自觉地踏上历史唯物主义道路的”？另外，历史唯物主义与马克思主义哲学世界观的关系如何？能否认为马克思主义哲学世界观就是历史唯物主义，因而否认辩证唯物主义是对马克思主义哲学世界观的科学概括？为了有助于这些问题的解决，重读马克思的《黑格尔法哲学批判》（以下简称《批判》），是很有必要的。

《批判》是马克思于1843年3月到9月底在克罗茨纳赫写下的一部篇幅巨大的未完成的手稿。该手稿对黑格尔《法哲学原理》阐述国家问题的部分作了全面的批判性分析。其中对第257至260节的批判部分散失了。现存手稿从261节开始至313节中断。“黑格尔法哲学批判”这个标题是1927年苏共中央马克思列宁主义研究院首次发表时加上的。

---

* 原刊于《高校理论战线》，2006（12）。

一、《黑格尔法哲学批判》的现实动因

1843年夏天以前，马克思作为青年黑格尔派的一员是黑格尔哲学的信奉者。《批判》是马克思批判黑格尔哲学的第一部著作，是马克思离开黑格尔唯心主义，实现哲学世界观第一次转变的开始。

青年马克思走上批判黑格尔哲学的道路，绝不是内心激动的产物，也不是纯粹理性推演的结果，而是如《马克思恩格斯传》的作者法国学者奥古斯特·科尔纽所说的："到1848年为止，马克思和恩格斯的思想发展……是由他们要评说的、摆在他们面前的政治和社会问题决定的。"①

科尔纽的这一概括是切合实际的。对于为什么要写《批判》，马克思曾经有一个说明。

马克思在1859年的《〈政治经济学批判〉序言》中解释说："1842-1843年间，我作为《莱茵报》的编辑，第一次遇到要对所谓物质利益发表意见的难事。""为了解决使我苦恼的疑问，我写的第一部著作是对黑格尔法哲学的批判性的分析。"②

引起马克思"苦恼"的所谓"难事"，是指《莱茵报》时期马克思所目睹的社会现实与自己头脑中黑格尔理性信仰的矛盾。

在黑格尔看来，在人类历史上起支配作用的是精神力量，即黑格尔所谓的世界观念。因此，国家、法律都应受理性规律的支配。但是，马克思在《莱茵报》工作期间看到，莱茵省议会的立法过程不是如此，在整个立法过程中，是土地所有者、森林所有者的利益占了上风。立法者根本不是从理性出发去立法，而是从地主、资本家的利益出发去立法。在这过程中，理性显得软弱无力，束手无策。

这一矛盾的发生，对青年马克思原先的哲学信仰的冲击是巨大的。然而要摆脱当时占统治地位的黑格尔哲学这股巨大的精神力量绝非易事，特别是当它已成为支配他思想的基本信念时，要与之决裂，就更为困难。对此，马克思曾经说："至于掌握着我们的意识、支配着

① 中国社会科学院哲学研究所马克思主义哲学史研究室、《哲学译丛》编辑部编译：《马克思哲学思想研究译文集》，249页，北京：人民出版社，1983年。

② 《马克思恩格斯选集》第2卷，31—32页，北京：人民出版社，1995年。

我们的信仰的那种思想（理性把我们的良心牢附在它的身上），则是一种不撕裂自己的心就不能从其中挣脱出来的枷锁。”[①]很显然，《莱茵报》时期的马克思还没有找到打开黑格尔哲学枷锁的钥匙。

为了弄清使自己苦恼的问题，马克思于1843年3月退出了《莱茵报》编辑部，并由此开始了创立自己新哲学的探索历程。《批判》就是这种探索的第一个重大成果。

二、《黑格尔法哲学批判》的思想前提

《批判》的写作是得益于费尔巴哈的影响，还是得益于马克思自己的独立探索，抑或二者兼而有之，学术界历来存在不同认识。这个问题只有放到马克思哲学世界观第一次转变的具体历史进程中，才能获得正确说明。

费尔巴哈作为青年黑格尔派的一员，早在1839年8月30日至9月9日在《哈雷年鉴》上发表的《黑格尔哲学批判》一文，就标志着他同黑格尔思辨哲学公开的、彻底的决裂。随后，他于1841年发表了《基督教的本质》，特别是1843年2月发表的《关于哲学改造的临时纲要》（以下简称《纲要》）更加明确地表述了自己的唯物主义观点。

《纲要》写道：“思维和存在的关系只是这样的：存在是主体，思维是宾词。思维是从存在而来的，然而存在并不来自思维。”[②]因此，“我们只要经常将宾词当作主词，将主体当作客体和原则，就是说，只要将思辨哲学颠倒过来，就能得到毫无掩饰的、纯粹的、显明的真理。”[③]

费尔巴哈的这一唯物主义颠倒方法对马克思写作《批判》是否发生过影响呢？应该说，这是毫无疑义的。

1843年2月，费尔巴哈的《纲要》一发表，马克思就读到了它。这可以从1843年3月13日马克思致卢格的信得到证明。在信中马克思

① 《马克思恩格斯全集》第1卷，134页，北京：人民出版社，1956年。

② ［德］费尔巴哈：《费尔巴哈哲学著作选集》上卷，荣震华等译，115页，北京：商务印书馆，1984年。

③ ［德］费尔巴哈：《费尔巴哈哲学著作选集》上卷，荣震华等译，102页，北京：商务印书馆，1984年。

对《纲要》作了如下评价："费尔巴哈的警句只有一点不能使我满意，这就是：他过多地强调自然而过少地强调政治。然而这一联盟是现代哲学能够借以成为真理的唯一联盟。结果大概像在十六世纪那样，除了有醉心于自然的人以外，还有醉心于国家的人。"①

从信的上述内容不难断定：（1）马克思对《纲要》中的唯物主义基本思想，包括费尔巴哈的颠倒方法是肯定的。这从马克思谨慎地使用着与费尔巴哈分歧的限制词——"只有一点"可以看出。另外，就是对于这"一点"分歧，马克思也用为费尔巴哈辩护的口吻作了说明。（2）指出了费尔巴哈的缺陷，即他没有像关注人的自然方面那样去关注人的政治方面。（3）确立了自己哲学的研究方向：致力于社会历史领域的研究，去建立自然和政治的联盟。《批判》的写作，可以说就是马克思上述三点认识的具体贯彻和最初体现。因此，不能排除《纲要》所阐述的颠倒方法对《批判》写作的影响。

关于这一点，还可以从《批判》的有关内容得到直接的证明。《批判》在论述市民社会决定国家时写道："黑格尔从国家出发，把人变成主体化的国家。民主制从人出发，把国家变成客体化的人。正如同不是宗教创造人，而是人创造宗教一样，不是国家制度创造人民，而是人民创造国家制度。"②那么是谁把宗教意识中神和人的关系颠倒过来的呢？马克思在这里没有说明。但在写作《批判》的过程中，即马克思于1843年9月给卢格的一封信中写道："我们的全部任务只能是赋予宗教问题和哲学问题以适合于自觉的人的形态，像费尔巴哈在批判宗教时所做的那样。"③

由上可知，马克思在批判黑格尔法哲学时，确实是以费尔巴哈为榜样，运用其所创造的颠倒方法，在费尔巴哈所没有涉足的一个全新的领域——社会历史领域，向黑格尔唯心主义发起了挑战。

但是在承认费尔巴哈影响的同时，也不能走向另一个片面，即认为马克思在《批判》中把费尔巴哈的颠倒方法运用于社会历史领域，只是一种哲学的推导、形式的类比。这种认识是不妥的。

事实上，把颠倒方法运用于社会历史领域是以马克思在《克罗茨

① 《马克思恩格斯全集》第27卷，442—443页，北京：人民出版社，1972年。
② 《马克思恩格斯全集》第3卷，40页，北京：人民出版社，2002年。
③ 《马克思恩格斯全集》第1卷，418页，北京：人民出版社，1956年。

纳赫笔记》（以下简称《笔记》）中通过独立探索所获得的思想成果为基础的。颠倒方法的革命意义是在这个基础上获得确认的。不然，是难以想象的。

《笔记》写于1843年7月至10月。直接可以确定的内容有5册，共有255页。主要是马克思以法国大革命为主线的历史学摘要资料。焦点是国家、法与私有财产的关系问题。在《笔记》中通过对相关历史资料的研究，马克思初步形成了如下的观念。

第一，国家的现实存在决定国家的观念。《笔记》写道："因此，当黑格尔把国家观念的因素变成主语，而把国家存在的旧形式变成谓语时——可是，在历史真实中，情况恰恰相反：国家观念总是国家存在的形式的谓语——他实际上只是道出了时代的共同精神，道出了时代的政治神学。"

第二，所有制决定国家和法。马克思发现在上古史中，"土地所有制总是德国制度的基础"。同时，他注意到"英国的代议制建立在地产的基础上。地产的巩固是立宪君主制的基础"[①]。另外，马克思还意识到资产阶级"议会的成员不是人民的代表，大部分是他们自己利益的代表"[②]。

由此可见，马克思通过《笔记》的写作所获得的上述思想成果和以此为基础对费尔巴哈颠倒方法的确认，是马克思写作《批判》的思想前提。

三、《黑格尔法哲学批判》的理论成果

（一）唯物主义世界观的基本确立

1843年夏天以前，马克思的一些著作中已经形成了一些新论断，但马克思当时还未摆脱黑格尔唯心主义。正是通过《批判》的写作，说明他已经开始从唯心主义转向唯物主义，初步确立起了唯物主义世界观的基本立场。

黑格尔哲学是关于绝对观念发展的理论体系。在他看来，逻辑

① 转引自张一兵：《回到马克思》，151页，南京：江苏人民出版社，1999年。

② 转引自张一兵：《马克思哲学的历史原像》，116页，北京：人民出版社，2009年。

学、自然哲学、精神哲学是绝对观念“正、反、合”发展的三个阶段。精神哲学又经历了主观精神、客观精神、绝对精神三个阶段的发展。其中，客观精神的发展又分为三个阶段：抽象法、道德、伦理。在伦理阶段，黑格尔系统地阐述了他的国家学说。他认为：“国家是伦理理念的现实。”[①]作为普遍理念的国家先于家庭和市民社会，而作为“有限理论要素”的家庭和市民社会从国家中分化出来，又是作为过渡环节，使国家返回自身的工具。

针对黑格尔这种“逻辑的、泛神论的神秘主义”，马克思批判说：“观念变成了主体，而家庭和市民社会对国家的现实的关系被理解为观念的内在想像活动。”[②]马克思进而指出：不仅黑格尔的国家观是唯心主义的，而且他整个哲学世界观也是唯心主义的。马克思说：“重要的是黑格尔在任何地方都把观念当作主体，而把本来意义上的现实的主体……变成谓语。”[③]他“不是从对象中发展自己的思想，而且按照自身已经形成了的并且是在抽象的逻辑领域中已经形成了的思想来发展自己的对象”。马克思认为：“这是露骨的神秘主义。”[④]

不难看出，马克思在《批判》中已经形成了唯物主义基本立场。具体说来有三：第一，现实是主体，观念是谓语，必须把被黑格尔弄颠倒的关系重新颠倒过来；第二，现实事物依靠自身而发展，其发展的根据不是在抽象的思想，相反，只能从对象中发展自己的思想；第三，如果从抽象的思想来发展自己的对象，那么只能走向神秘主义。

（二）新矛盾观的初步形成

在《批判》中，马克思肯定了“黑格尔的深刻之处，正是在于他处处都从各种规定……的对立开始，并且强调这种对立”[⑤]。在黑格尔看来，市民社会中必然出现等级差别以及各等级的对立和冲突；国家和市民社会的分裂也是一种矛盾；君主、行政、立法、等级等，彼此也处在相互矛盾之中。但是如何解决矛盾以达于统一呢？黑格尔不是

① ［德］黑格尔：《法哲学原理》，范扬等译，253页，北京：商务印书馆，1979年。
② 《马克思恩格斯全集》第3卷，10页，北京：人民出版社，2002年。
③ 《马克思恩格斯全集》第3卷，14页，北京：人民出版社，2002年。
④ 《马克思恩格斯全集》第3卷，18—19页，北京：人民出版社，2002年。
⑤ 《马克思恩格斯全集》第3卷，69—70页，北京：人民出版社，2002年。

着眼于现实矛盾的分析和解决，而总是把现实的矛盾，任意地变成理念中的矛盾，把矛盾对立双方说成逻辑理念发展中的具体环节，并按照“目的论”原则，将矛盾双方最终融合于理念之中。

对此，马克思指出，矛盾是“两极相通”[①]。既然矛盾是对立的两极，所以矛盾就不能调和，而只有通过斗争才能使矛盾双方达于统一。矛盾双方之所以能达于统一，也只是因为矛盾是两极相通。然而黑格尔却回避斗争，幻想在观念中实现矛盾双方的抽象统一。马克思说，在这里，“黑格尔的主要错误在于：他把现象的矛盾理解为观念中、本质中的统一”[②]。

马克思进而指出，黑格尔之所以这样做，是因为黑格尔“把现实对立面的鲜明性以及这些对立面之形成为极端看作必须尽可能加以阻止的事情或有害的事情”[③]。而这又是由黑格尔的保守政治立场所决定的。因为黑格尔看到了君主、政府与人民之间“包含着敌对反抗的可能性”，“因此，他现在必须构思一种既‘是反抗的不可能性’又是‘谐和一致的现实性’的要素。”[④]这是黑格尔在政治上庸俗性的一面所在，作为一个重要原因，也是黑格尔哲学一度作为普鲁士官方哲学的原因所在。

马克思指出，黑格尔这样做，并不是对现代国家制度的真正哲学的批判。在马克思看来：“对现代国家制度的真正哲学的批判，不仅揭露这种制度中存在着的矛盾，而且解释这些矛盾，了解这些矛盾的形成过程和这些矛盾的必然性。这种批判从这些矛盾的本来意义上来把握矛盾。……在于把握特有对象的特有逻辑。”[⑤]马克思在这里的论述表明，他这时已经初步形成了关于从实际出发，把握矛盾的特殊性，以及通过斗争来解决矛盾的新矛盾观，并为解决现代国家制度中的矛盾，从哲学上指明了方向。

① 《马克思恩格斯全集》第3卷，110页，北京：人民出版社，2002年。
② 《马克思恩格斯全集》第3卷，114页，北京：人民出版社，2002年。
③ 《马克思恩格斯全集》第3卷，111—112页，北京：人民出版社，2002年。
④ 《马克思恩格斯全集》第3卷，114—115页，北京：人民出版社，2002年。
⑤ 《马克思恩格斯全集》第3卷，114页，北京：人民出版社，2002年。

（三）历史唯物主义的最初萌芽

在黑格尔看来，国家是绝对自由自觉的理性的东西，是最初的东西，由它派生出有限的理念要素——家庭和市民社会。因此，黑格尔认为，在家庭、市民社会和国家三者关系中，国家作为整体决定家庭和市民社会。针对黑格尔的这一观点，马克思指出："家庭和市民社会使自身成为国家。它们是动力。"[①]"这就是说，政治国家没有家庭的自然基础和市民社会的人为基础就不可能存在。它们对国家来说是必要条件。"[②]

马克思不仅明确肯定了市民社会决定国家的观点，而且在论述政治国家、长子继承权与私有财产的关系时，还提出了私有财产支配政治国家的思想。按照黑格尔唯心主义国家观，国家代表普遍利益，它统治私有财产，使之服从整体的普遍利益，并以长子继承制为例来证明政治国家对私有财产的支配权。马克思指出，长子继承制不能证明政治国家对私有财产的支配权，恰恰相反，长子继承制是土地占有制本身的结果，是硬化了的私有财产。而且，凡存在长子继承权的地方，总是私有财产支配国家制度。也就是说，"国家制度在这里就成了私有财产的国家制度。"[③]并认为："在中世纪，政治制度是私有财产的制度，但这只是因为私有财产的制度就是政治制度。"[④]在这里，"私有财产支配国家制度"虽然还是一个特殊命题，但是它比市民社会决定国家的命题又前进了一步，因为它涉及市民社会的最重要内容——所有制问题。

《批判》中关于"市民社会决定国家"思想的提出，对马克思后来走向历史唯物主义有重大意义。它实际是后来形成的经济基础决定政治上层建筑理论的雏形。

关于这一点，马克思曾总结说："我的研究得出这样一个结果：法的关系正像国家的形式一样，既不能从它们本身来理解，也不能从所谓人类精神的一般发展来理解，相反，它们根源于物质的生活关系，

① 《马克思恩格斯全集》第3卷，11页，北京：人民出版社，2002年。
② 《马克思恩格斯全集》第3卷，12页，北京：人民出版社，2002年。
③ 《马克思恩格斯全集》第3卷，135页，北京：人民出版社，2002年。
④ 《马克思恩格斯全集》第3卷，42—43页，北京：人民出版社，2002年。

这种物质的生活关系的总和，黑格尔按照18世纪的英国人和法国人的先例，概括为‘市民社会’”。[①]

对马克思的这一理论成果，恩格斯也曾作了概括性的阐述。他说：“马克思从黑格尔的法哲学出发，得出这样一种见解：要获得理解人类历史发展过程的锁钥，不应当到被黑格尔描绘成‘大厦之顶’的国家中去寻找，而应当到黑格尔所那样蔑视的‘市民社会’中去寻找。”[②]

由此可见，“市民社会决定国家”是马克思对黑格尔国家学说的批判所取得的主要成果。从此，一个唯物地理解社会历史发展的理论方向开辟出来了。

（四）人民主权民主制思想的发端

黑格尔的最高政治理想是君主立宪制。他主张把人民主权和君主主权结合起来。又主张，君主权是最后决断权，是“君主立宪制的顶峰和起点”[③]。为了抬高王权的地位，黑格尔还把君主神化，认为“君主是天生注定的”，“是通过直接自然的方式，是由于肉体的出生”[④]。可见，黑格尔不仅主张君主至上论，而且还鼓吹君主世袭制。

马克思从人的活动的角度考察国家，批判了黑格尔关于君主世袭制的所谓证明。马克思指出，国家是人的本质的实现。而人的本质“不是它的胡子、它的血液、它的抽象的肉体，而是它的社会特质”[⑤]。在马克思看来，人成为国家的某种职能的承担者，不是根据他的肉体特性，而只能从他的社会特质去加以说明。因为“国家的职能等等只不过是人的社会特质的存在方式和活动方式”[⑥]。所以，马克思批评黑格尔从君主的出生来证明君主的世袭，这种证明是可笑的，是站不住脚的。

马克思又指出，国家作为人的本质的实现，这里的人不是个别人，而是多数人。马克思说：“主权，国家的理想主义，作为人、作为

① 《马克思恩格斯选集》第2卷，32页，北京：人民出版社，1995年。
② 《马克思恩格斯全集》第16卷，409页，北京：人民出版社，1964年。
③ ［德］黑格尔：《法哲学原理》，范扬等译，287页，北京：商务印书馆，1961年。
④ ［德］黑格尔：《法哲学原理》，范扬等译，301页，北京：商务印书馆，1961年。
⑤ 《马克思恩格斯全集》第3卷，29页，北京：人民出版社，2002年。
⑥ 《马克思恩格斯全集》第3卷，29页，北京：人民出版社，2002年。

‘主体’而存在，自然是作为许多人、作为许多主体而存在的。”[①]因此，在马克思看来，“主权这个概念本身不可能有双重的存在”。因此，黑格尔推崇所谓君主主权与人民主权的结合是“愚蠢”的[②]。

同反对两种主权论相关联，马克思坚决反对黑格尔关于君权至上的君主立宪制观点，而主张民主制。他指出：“在君主制中，整体，即人民，从属于他们的一种存在方式，即政治制度。在民主制中，国家制度本身只表现为一种规定，即人民的自我规定。在君主制中是国家制度的人民；在民主制中则是人民的国家制度。民主制度是一切形式的国家制度的已经解开的谜。”[③]

于是《批判》中提出了建立民主制的主张，但这里的民主制是人民当家作主的民主制，而不是政治国家与市民社会相分离的资产阶级民主制。马克思指出，资产阶级革命使人民“在他们的政治世界的天国是平等的，而在社会的尘世存在中却不平等”[④]。如何消除市民社会与政治国家的分离，如何使人民不仅在政治生活中，而且在经济生活中享有平等呢？马克思就此提出了一个大胆的也是根本的原则，即“必须使国家制度的实际承担者——人民成为国家制度的原则”[⑤]。

那么这个原则的根据何在呢？在此，马克思不是用一般的人性来说明，而是诉诸劳动的说明。由此，马克思提出了一个十分重要的思想：“丧失财产的人们和直接劳动的即具体劳动的等级，与其说是市民社会中的一个等级，还不如说是市民社会各集团赖以安身和活动的基础。”[⑥]这里的论述已经清楚地表明：这时马克思已经初步认识到了劳动人民的社会地位和历史作用。如何实现人民主权的原则呢？马克思认为：“要建立新的国家制度，总要经过一场真正的革命。”[⑦]

由上可见，马克思关于人民主权民主制的论述，已经超出激进的民主主义，而转向了社会主义。

① 《马克思恩格斯全集》第3卷，32页，北京：人民出版社，2002年。
② 《马克思恩格斯全集》第3卷，38页，北京：人民出版社，2002年。
③ 《马克思恩格斯全集》第3卷，39页，北京：人民出版社，2002年。
④ 《马克思恩格斯全集》第3卷，100页，北京：人民出版社，2002年。
⑤ 《马克思恩格斯全集》第3卷，72页，北京：人民出版社，2002年。
⑥ 《马克思恩格斯全集》第3卷，100—101页，北京：人民出版社，2002年。
⑦ 《马克思恩格斯全集》第3卷，72页，北京：人民出版社，2002年。

四、重读《黑格尔法哲学批判》的几点启迪

重读《批判》，会给人多方面的启迪。

（一）从现实生活过程出发来发展马克思主义哲学

由上可知，《莱茵报》时期的现实政治问题所引发的苦恼，是马克思批判黑格尔法哲学的最初动因。从此，马克思走上了创立自己新哲学的道路。马克思主义哲学思想出场的这一路径表明，马克思主义哲学不仅是按一种内在的哲学逻辑发展的，而且主要是在关注对现实问题的追问和解决的过程中发展的。这是马克思主义哲学的根本特性所在，也是它的旺盛生命力和巨大威力所在。

今天，我们要坚持和发展马克思主义哲学，就必须立足于当代的人类实践，特别是立足于中国人民所进行的改革开放和社会主义建设的伟大实践，在全球文明走向的问题上，特别是在推进中国社会主义文明建设的问题上，提供面向实践的科学认识论和方法论，在改变当代人类命运和中国人命运的斗争中，来丰富和发展马克思主义哲学，来表现马克思主义哲学的真理性、现实性和力量。

（二）从世界观总体的角度来把握马克思主义哲学

《批判》直接针对的是黑格尔法哲学，但是《批判》并不局限于此，而是提升到哲学世界观高度的批判。也就是说，《批判》是以对黑格尔法哲学的批判为突破口，来批判整个黑格尔哲学的。因为黑格尔法哲学是黑格尔哲学的构成部分，它是以黑格尔的世界观为根本支撑的。因此，要批判黑格尔法哲学，就必须联系黑格尔的整个哲学来进行批判。马克思在批判中实现了世界观上的第一次转变。在以往对《批判》的研究中，比较看重《批判》中历史唯物主义的思想萌芽，忽视了从世界观总体上去肯定《批判》是马克思世界观转变历程中的第一座里程碑。受此影响，有的论者甚至认为马克思主义哲学就是历史唯物主义，而否认辩证唯物主义是对马克思主义哲学世界观的科学概括。《批判》启示我们，这种观点是片面的、错误的。脱离了唯物主义世界观基本立场的确立和新矛盾观的初步形成，不要说历史唯物主

义，就是其思想萌芽也是不可能产生的。

（三）充分肯定《批判》所体现的探索精神和自主发展品格

《批判》是马克思对黑格尔哲学的第一次扬弃，这种扬弃之所以能成功实现，既得益于费尔巴哈的积极影响，更得益于对费尔巴哈的某种超越。

所谓得益于费尔巴哈的积极影响，一是费尔巴哈作为开路人，为青年马克思批判黑格尔起到了某种榜样作用；二是费尔巴哈为青年马克思批判黑格尔法哲学提供了一个基本的立场，即通过其颠倒方法所体现的人本学唯物主义立场。

所谓更得益于对费尔巴哈的某种超越，是因为费尔巴哈的人本学唯物主义把人理解为离开社会的纯自然存在物，而这一观点对马克思在社会历史领域批判黑格尔唯心主义是没有任何意义的。因此，马克思必须超越费尔巴哈。

在《批判》中，这种超越的主要之点有三。一是人的特性不是费尔巴哈所看重的人的肉体特性，而是人的社会特质。二是人与人的关系不是费尔巴哈所理解的由于人的自然属性所引发的生理和情感等关系，而是社会性的关系。家庭、市民社会和国家都是人的存在的社会形式、社会关系，是人的本质的实现。三是人不是纯粹的个人，也不是费尔巴哈所理解的抽象的类。作为国家主体的人是多数人，是人民。现实的人民是国家的“现实基础”。

由于马克思这时还没有开始对政治经济学的研究，因而他对人的本质的理解、对社会关系的理解、对市民社会的理解还比较抽象。但是尽管如此，还是应该承认，正是由于有了上述这三点超越，才显露出了马克思不同于费尔巴哈人本主义的新趋向。也正因为有这三点超越，才使马克思得出了一些有着重大发展意义的新论断，从而在此基础上，开辟了他的哲学探索的新境界。可见，《批判》所体现的探索精神和自主发展的品格，不仅表现于对黑格尔哲学的批判中，而且也表现在对费尔巴哈哲学的某种超越上。

《黑格尔法哲学批判》与费尔巴哈的“颠倒方法”*

——兼评兹·罗森的有关观点

一、马克思“颠倒方法”来源的认识分歧

《黑格尔法哲学批判》的写作，标志着青年马克思离开黑格尔唯心主义，而向历史（和辩证）唯物主义的转变。研究这本书的写作与费尔巴哈的“颠倒方法”的关系，对于正确说明费尔巴哈在马克思世界观转变中的作用，是很有意义的。

在这个问题上，有两种具有代表性的观点：一种观点认为，马克思受到费尔巴哈的“颠倒方法”的启迪，作为一个原因，从而开始了对黑格尔法哲学的批判，并逐渐走上了创立历史唯物主义的道路；另一种观点认为，马克思在受到费尔巴哈的影响以前，就从鲍威尔那里接受了颠倒方法，并在《博士论文》中运用这个方法批判了宗教神学和柏拉图的观点。

前一种观点以苏联哲学家梁赞诺夫为代表。

早在1972年出版的《马克思恩格斯全集》历史考证版第一卷德文版序言中，梁赞诺夫第一个宣称，马克思就是在这个需要把主体颠倒为谓语，把谓语颠倒为主体的基础上，即受到了费尔巴哈的《关于哲学改造的临时纲要》（以下简称《纲要》）的影响下，写作《黑格尔法哲学批判》。“梁赞诺夫认为，马克思对黑格尔的政治哲学的批判是费尔巴哈方法的一种表现。”[①]从此以后，梁赞诺夫的观点流行开来，逐渐被大家所接受，我国一些研究马克思早期思想的学者也是这样认识的。

---

* 原刊于《安徽大学学报》（哲学社会科学版），1989（4）。

① 中国社会科学院哲学研究所马克思主义哲学史研究室、《哲学译丛》编辑部编译：《马克思哲学思想研究译文集》，235—236页，北京：人民出版社，1983年。

后一种观点以波兰哲学家兹·罗森为代表。

罗森在1977年发表的《鲍威尔与马克思》一书英文版第六章中认为，颠倒的方法“对鲍威尔的典型性至少不亚于对费尔巴哈的典型性，至少在涉及宗教的领域是这样”。罗森引证鲍威尔如下的一段话加以证明。鲍威尔说，他“不希望象上帝，他愿意是自我，只是自我，并且达到无限、自由和自足——这一切都是亵渎神圣的——并且享有这一切。这个哲学不需要任何神或多神，象没有宗教信仰的人那样。它只是对人，对自我意识感兴趣……”[①]

罗森还从马克思的《博士论文》中摘引了两段话，以此来证明青年马克思早就有了颠倒的思想。一句是，在宗教意识中，“总是存在现存的、被思维从主体分离出来的谓语。所有哲学家都用谓语做主体”。第二句是，“柏拉图用下述观点表达他自己对现实的态度：理念的独立王国翱翔于现实之上（这个彼岸的领域是哲学家自己的主观性）并模糊地反映于现实中。”[②]

罗森还认为，《博士论文》时期的马克思和鲍威尔的关系极为亲密，在“宗教批判”上，在“对国家和国家制度的批判”上，他们具有共同的“更为坚实的基础”[③]。因此，“鲍威尔和马克思还在他们个人的接触中和书信的交往中有机会就这个问题交换意见，而马克思和费尔巴哈之间缺乏任何接触，却阻碍了这样的意见交换。”[④]

另外，罗森还针对梁赞诺夫的观点，从时间的反差上来加以反驳。他指出：“马克思在费尔巴哈的《关于哲学改革的临时纲要》出版前整整一年就开始写作他的关于黑格尔法哲学批判的文章，这一点可以从马克思1842年3月5日写给卢格的信推断出来。”[⑤]

据此，罗森得出结论说，马克思的颠倒方法只能来自鲍威尔的启迪，而不可能来自费尔巴哈的影响。

① 中国社会科学院哲学研究所马克思主义哲学史研究室、《哲学译丛》编辑部编译：《马克思哲学思想研究译文集》，237页，北京：人民出版社，1983年。

② 《马克思恩格斯全集》第40卷，69页，北京：人民出版社，1982年。

③ 中国社会科学院哲学研究所马克思主义哲学史研究室、《哲学译丛》编辑部编译：《马克思哲学思想研究译文集》，241页，北京：人民出版社，1983年。

④ 中国社会科学院哲学研究所马克思主义哲学史研究室、《哲学译丛》编辑部编译：《马克思哲学思想研究译文集》，237—238页，北京：人民出版社，1983年。

⑤ 中国社会科学院哲学研究所马克思主义哲学史研究室、《哲学译丛》编辑部编译：《马克思哲学思想研究译文集》，244页，北京：人民出版社，1983年。

在这一问题上存在的分歧，至今似尚未得到解决。鉴于此，笔者在这里作一试探。

二、马克思“颠倒方法”不是来源于鲍威尔

笔者认为，罗森对上述鲍威尔和马克思论述的引证，不能说明鲍威尔和《博士论文》时期的马克思已经具有了费尔巴哈式的颠倒方法。

从上述的引述中不难发现，鲍威尔所说的人，就是自我意识，青年马克思在《博士论文》中所讲的主体也是自我意识，即“哲学家自己的主观性”。尽管他们已经使用了主体、谓语等术语，但如果不是停留在抽象的词句上，而是就其思想实质来说，上述引文所表述的，就是要以作为主体的自我意识为出发点，其他的一切，包括宗教和绝对观念等等，都要围绕着自由的自我意识这个中心轴来转动，而不能像宗教意识和柏拉图所主张的那样，用谓语做主体。鲍威尔和《博士论文》时期的马克思，在批判宗教的斗争中，在形式上把黑格尔所谓的绝对精神的能动性，转化成了作为人的象征的自我意识的能动性，这在一定程度上淡化了黑格尔哲学原有的思辨色彩，给予人在历史上的地位和作用以某种肯定，这是有意义的。他们认为，自我意识在发展中异化为宗教，因而必须克服宗教异化，实现人的本质，即自我意识的复归。如果说，这里体现了某种颠倒的方法，所指谓的也只是，要把自我意识从宗教的从属地位，颠倒过来，使之上升为主体的地位。

但是鲍威尔和这时的马克思作为其哲学出发点的自我意识仍然是一种抽象的精神。也就是说，他们这时所具有的颠倒方法，仍然是以唯心主义为基础的。这是绝不能与费尔巴哈在唯物主义基础上所提倡的颠倒方法相提并论、混为一谈的。如果是那样，不仅否定了费尔巴哈运用颠倒方法对宗教神学和黑格尔唯心主义进行批判所具有的巨大的唯物主义意义，而且也在客观上模糊了青年马克思运用这个方法批判黑格尔法哲学所开始实现的世界观转变的革命性质。

众所周知，黑格尔哲学是从康德以来德国唯心主义哲学的完成和发展的顶峰。费尔巴哈之所以能对黑格尔哲学进行具有重大历史意义的批判，是由于他抓住了黑格尔哲学的唯心主义的本质，创造性地应

用了哲学基本问题上所实现的"颠倒"这一唯物主义哲学方法论的基本原则。因而它对黑格尔唯心主义和一切唯心主义都有着摧毁性的威力。

也正是在这个意义上，马克思肯定说："费尔巴哈完成了对宗教的批判，因为他同时也为批判黑格尔的思辨以及全部形而上学拟定了博大恢宏、堪称典范的纲要。"①因此可以说，费尔巴哈的人本学唯物主义虽然有着相当的局限性，但他所创立的颠倒方法则有着普遍的、基本的意义。

费尔巴哈在1839年批判黑格尔唯心主义时就明确指出，黑格尔关于绝对精神异化和复归的理论，显示出来的只是"思想与思想本身亦即内在思想的关系"②。费尔巴哈的这一批判对于鲍威尔和《博士论文》时期的马克思也是同样适用的。他们关于自我意识异化和复归的理论，也只是以精神为出发点的"思想与思想本身亦即内在思想的关系"的唯心主义观点。

费尔巴哈的颠倒方法所指谓的，不是鲍威尔和《博士论文》时期的马克思所说的不同思想之间的颠倒，而是要把唯心主义的以思想的东西为出发点，颠倒为唯物主义的以物质的东西为出发点。他说，黑格尔"把第二性的东西当作第一性的东西，而对真正第一性的东西或者不予理会，或者当作从属的东西抛在一边"③。费尔巴哈指出："自然……不是一个派生的、设定的东西，而是一个第一性的、独立的东西。"④人是自然界发展的最高产物，"思辨和宗教，……就是人类的意念——人从他自己的王国那里得来的意念。"⑤

在这一思想的指导下，费尔巴哈在《基督教的本质》一书中指出："只要我们把宗教上的关系颠倒过来，始终把宗教设定为手段的东西理解成为目的，把宗教认为是从属的、次要的东西，把宗教认为是

① 《马克思恩格斯文集》第1卷，342页，北京：人民出版社，2009年。

② ［德］费尔巴哈：《费尔巴哈哲学著作选集》上卷，荣震华等译，53页，北京：商务印书馆，1984年。

③ ［德］费尔巴哈：《费尔巴哈哲学著作选集》上卷，荣震华等译，77页，北京：商务印书馆，1984年。

④ ［德］费尔巴哈：《费尔巴哈哲学著作选集》上卷，荣震华等译，72页，北京：商务印书馆，1984年。

⑤ 中国社会科学院哲学研究所马克思主义哲学史研究室、《哲学译丛》编辑部编译：《马克思哲学思想研究译文集》，239页，北京：人民出版社，1983年。

条件的东西，提升为主要的东西，提升为原因，这样，我们就会打破幻觉而看到真理的纯净光辉。”[①]这里，费尔巴哈明确地、毫不含糊地运用颠倒的方法批判了宗教。

接着，费尔巴哈于1843年2月发表的《纲要》，再次运用了颠倒的方法批判了黑格尔关于思维派生存在的唯心主义观点。他指出：“我们只要经常将宾词当作主词，将主体当作客体和原则，就是说，只要将思辨哲学颠倒过来，就能得到毫无掩饰的、纯粹的、显明的真理。”[②]

由此可见，费尔巴哈的颠倒方法与鲍威尔和《博士论文》时期的马克思所运用的颠倒方法在哲学的根本性质上是完全不同的。罗森在这个问题上的失误就在于，他完全没有顾及上述二者在性质上的根本区别，而把它们等同起来，并在时间先后上，抽象地进行比较，因而是不妥的，不足为据的。

三、马克思“颠倒方法”来源于费尔巴哈

青年马克思开始运用唯物主义的颠倒方法，是在写作《黑格尔法哲学批判》时。马克思在书中批判了黑格尔关于国家决定市民社会的观点，他说，黑格尔把国家这一现实的理念“变成了独立的主体，而家庭和市民社会对国家的现实的关系被理解为观念的内在想象活动”，并指出，实际上，“家庭和市民社会都是国家的前提，它们才是真正的活动着的；而在思辨的思维中，这一切却是颠倒的。”[③]马克思认为应该把这个被颠倒的关系重新颠倒过来。他明确指出：“政治国家没有家庭的自然基础和市民社会的人为基础就不可能存在。”[④]青年马克思用市民社会来说明国家、法律，这标明这时他已经开始具有了历史唯物主义的思想因素。正如普列汉诺夫所指出的：“马克思阐明他的唯物主

① ［德］费尔巴哈：《费尔巴哈哲学著作选集》下卷，荣震华等译，320页，北京：商务印书馆，1984年。

② ［德］费尔巴哈：《费尔巴哈哲学著作选集》上卷，荣震华等译，102页，北京：商务印书馆，1984年。

③ 《马克思恩格斯全集》第3卷，10页，北京：人民出版社，2002年。

④ 《马克思恩格斯全集》第3卷，12页，北京：人民出版社，2002年。

义历史观是从批判黑格尔的法权哲学开始的。”①

马克思在《黑格尔法哲学批判》中运用的唯物主义颠倒方法，既然不可能是来自鲍威尔，那么是受谁的影响呢？我认为，这种影响只能来自费尔巴哈。那么如何解释罗森所指出的时间反差呢？我认为，罗森所说的这个时间反差实际上是不存在的。

如前所说，早在1843年以前，费尔巴哈于1839年、1841年就已经多次表述和应用过颠倒的方法。虽然现在还没有资料说明马克思当时是否读过费尔巴哈于1839年发表的《黑格尔哲学批判》，但从1842年3月20日马克思给卢格的信得知，对于1841年费尔巴哈发表的《基督教的本质》一书，马克思在它发表后不久就熟悉了它的内容，并接触到关于颠倒的思想。有的学者指出，马克思当时还是黑格尔式的唯心主义者，对于《基督教的本质》这本书，马克思当时所欣赏的主要是费尔巴哈所表述的无神论观点，而不是他在该书中所宣扬的唯物主义及其颠倒方法。我认为，这一认识是有道理的。因为当时的马克思还处于黑格尔唯心主义的影响之下，所以他这时虽然接触了，但没能接受费尔巴哈的颠倒方法，这是可能的。那么能否由此认为，一年以后，当青年马克思通过《莱茵报》时期的实践，对黑格尔哲学的信仰已经动摇，并已准备着手进行批判的时候，还没有接受费尔巴哈的颠倒方法呢？我认为不能。推理的前提既然已经变了，结论自然也就不能成立了。

何况，从1841年到《纲要》发表以前这一段时间，费尔巴哈又在《论哲学的开端》《哲学改造的必然性》两篇文章中，对颠倒的方法进一步从理论上进行了论证。因此，也就不能排除，早在《纲要》发表以前，青年马克思就受到了费尔巴哈颠倒方法的影响。

再则，马克思于1842年3月5日给卢格的信，只能证明马克思这时已经打算批判黑格尔的法哲学，但是真正动手写作《黑格尔法哲学批判》还是在1843年2月费尔巴哈的《纲要》发表之后。即马克思于1843年5月至10月在移居克罗茨纳赫，在研究了大量的历史著作，并写下了厚厚的五本笔记的基础上，撰写《黑格尔法哲学批判》的。

① ［俄］普列汉诺夫：《马克思主义的基本问题》，张仲实译，10页，北京：生活·读书·新知三联书店，1961年。

《纲要》一发表，马克思马上就读到了它。这可以从1843年3月13日马克思致卢格的信得到证明。在信中马克思对《纲要》作了如下评价："费尔巴哈的警句只有一点不能使我满意，这就是：他过多地强调自然而过少地强调政治。然而这一联盟是现代哲学能够成为真理的唯一联盟。如果大概像在十六世纪那样，除了醉心于自然的人以外，还有醉心于国家的人。"①罗森在文章中也引用了这一段话，但他在理解中偏重于马克思所讲的他同费尔巴哈之间的分歧，进而以此为论据说明这时的马克思与费尔巴哈之间仍缺乏共同的思想基础，因而不可能接受《纲要》中的颠倒的方法。我认为罗森缺乏对马克思这段话的全面理解，因而不足为据。

在我看来，马克思在这里讲了三层意思：

(1) 对《纲要》的思想作了基本肯定，他赞同《纲要》对黑格尔哲学的批判，这从马克思谨慎地使用着表示同费尔巴哈分歧的限制词——"只有一点"可以看出。另外，就是对于这"一点"分歧，马克思也用为费尔巴哈辩护的口吻作了说明。(2) 指出了费尔巴哈的重大缺陷，即他没有像注意人的自然方面去注意人的政治方面。(3) 确立了自己的哲学研究的方向——致力于社会历史领域的人的研究，建立自然和政治的联盟。

由此可见，《纲要》的思想对马克思的影响是巨大的，它坚定了马克思对黑格尔的批判，提供了这一批判的基本立场——人的立场，并帮助他确立了哲学的发展方向。我认为，《黑格尔法哲学批判》就是马克思的上述三点认识在理论探索中的具体贯彻和最初产物。所以不能排除《纲要》所阐述的颠倒方法对写作《黑格尔法哲学批判》的影响。

关于这一点，我们还可以从《黑格尔法哲学批判》的内容本身来得到证明。在《黑格尔法哲学批判》中，马克思不仅运用了费尔巴哈所特有的术语如"类""类本质""类存在"等等，而且在阐述市民社会决定国家的观点时写道："黑格尔从国家出发，把人变成主体化的国家。民主制从人出发，把国家变成客体化的人。正如同不是宗教创造人，而是人创造宗教一样，不是国家制度创造人民，而是人民创造国家制度。"②那么是谁把宗教意识中神和人的关系颠倒过来的呢？青年

① 《马克思恩格斯全集》第27卷，442—443页，北京：人民出版社，1972年。

② 《马克思恩格斯全集》第3卷，40页，北京：人民出版社，2002年。

马克思在这里虽然没有说明，但显然是指费尔巴哈。

因为当时只有费尔巴哈是用人本主义的观点批判宗教的。这里，我们还可以从如下的一个事实得到佐证。即马克思在写作《黑格尔法哲学批判》的过程中，曾于1843年9月给卢格的一封信中写道："我们的全部任务只能是赋予宗教问题和哲学问题以适合于自觉的人的形态，像费尔巴哈在批判宗教时所做的那样。"①

从以上的论述可以看出，马克思在批判黑格尔的法哲学时，显然已经站到费尔巴哈人本主义的立场上了。已经在运用费尔巴哈所创造的"颠倒方法"，在费尔巴哈唯物主义所没有涉足的一个全新的领域——社会历史领域，向黑格尔唯心主义进行了挑战。

四、马克思对费尔巴哈"颠倒方法"运用范围的超越

当然，承认费尔巴哈的颠倒方法对写作《黑格尔法哲学批判》的影响，也不能走向另一个片面，即认为马克思在《黑格尔法哲学批判》中只是把费尔巴哈的颠倒方法简单地运用到社会历史领域。新托玛斯主义的著名代表人物哥斯夫·威特尔就是这样认识的。他在解释马克思早期著作时，断言马克思丝毫没有超出费尔巴哈的观点，只是"把费尔巴哈人本主义原理，从宗教范围移到社会理论范围"②。这种认识显然是片面的，不正确的。

事实上，把颠倒的方法运用于社会历史领域的研究，不仅标志着马克思与黑格尔哲学的脱离，而且也标志着马克思开始对费尔巴哈哲学的超越。它预示着青年马克思关于哲学研究的一个新方向——历史唯物主义方向的开辟。

而这个新的方向的确立是以马克思在《莱茵报》时期的实践和思考，"克罗茨纳赫"时期的历史研究，特别是对法国大革命的研究为基础的。在"克罗茨纳赫"的笔记中，马克思已经初步形成了"现实"决定"观念"，"事物"决定"逻辑"的唯物主义思想。马克思在笔记中指出："黑格尔这样把国家观念的要素变为主词，而把国家存在的旧

① 《马克思恩格斯全集》第1卷，418页，北京：人民出版社，1956年。

② 中国社会科学院哲学研究所马克思主义哲学史研究室、《哲学译丛》编辑部编译：《马克思哲学思想研究译文集》，241页，北京：人民出版社，1983年。

形式变为宾词，——但是在历史现实中情况恰好相反：国家观念始终都是国家存在的那些[旧]形式的宾词。”[①]可见，没有上述的这些实践和认识做基础，马克思也是不会写出《黑格尔法哲学批判》的。

总之，费尔巴哈的颠倒方法对《黑格尔法哲学批判》的作用，既不能忽视，也不能估计过高。《黑格尔法哲学批判》的写作，是由于费尔巴哈的榜样作用，是受他的颠倒方法的影响，与马克思在实践探索和理论思考基础上所产生的内在要求相结合的产物。当然，前者只是促进，后者才是基础。对于这二者关系的认识，既不能把它们绝对对立起来，也不能把主次加以颠倒。不然，都会有违于历史的真实。

① 参见中共中央马克思恩格斯列宁斯大林著作编译局《马列著作编译资料》编辑部：《马列著作编译资料》第12辑，36页，北京：人民出版社，1980年。

马克思主义哲学形成中的决定意义的一步*

——读《〈黑格尔法哲学批判〉导言》

《〈黑格尔法哲学批判〉导言》（以下简称《导言》），在马克思主义哲学的形成过程中，是一部有着十分重要意义的著作。它和同时发表的《论犹太人问题》一起，标志着马克思已经从唯心主义转变到唯物主义，从革命民主主义转变到共产主义。这篇文章是马克思站在无产阶级立场上，向德国现存制度发出的一篇革命的战斗檄文，它论述了向德国现存制度开火和批判黑格尔法哲学的必要性，阐明了理论和实践相统一的原理，第一次指明了无产阶级的历史使命，得出无产阶级是实现社会革命的决定力量这一重要结论，提出了暴力革命是无产阶级革命的根本途径的思想。同时它同《论犹太人问题》一起，在几个生长点上，即对宗教、哲学、政治、国家等社会现象产生根源的说明上，开始了向辩证唯物主义和历史唯物主义的过渡。

一、《导言》赋予"市民社会决定国家"以普遍内涵

历史唯物主义的最基本原理是社会存在决定社会意识的原理。作为向历史（和辩证）唯物主义转变的早期马克思，他的理论是不可能形成处于成熟时期的这些科学概念的，当然更没有可能对这些概念进行具体的规定。但是，尽管如此，在《导言》中社会存在决定社会意识这一原理还是以它早期的不成熟的形态获得了表现，并被运用于一系列问题的论述中，从而开始了哲学史上一场最深刻的变革。

如果向前追溯，应该说，早在《导言》以前的《黑格尔法哲学批判》一书中，社会存在决定社会意识的原理，就已经以它的个别形态被马克思所发现。马克思的《黑格尔法哲学批判》揭示了黑格尔在国

---

* 原刊于《江西师范大学学报》（哲学社会科学版），1984（4）。

家和法的问题上的本末倒置的唯心主义，从而“得出这样一个结果：法的关系正像国家的形式一样，既不能从它们本身来理解，也不能从所谓人类精神的一般发展来理解，相反，它们根源于物质的生活关系，这种物质的生活关系的总和，黑格尔按照18世纪的英国人和法国人的先例，称之为‘市民社会’”[①]。市民社会这一概念在这里可以说是后来提出的经济基础这一概念的雏形，或者是它的近似的表述。不是国家决定市民社会，而是市民社会决定国家，这个原理意味着：国家并不像以前黑格尔所认为的，只是人类理性的产物，国家乃是一定物质利益的产物和表现。社会发展的基础也不能像费尔巴哈那样到人的类本质中去寻找，而应该到人们的物质生活条件中去寻找。

因此，国家以市民社会为前提这个结论，（随费尔巴哈之后）不仅给了唯心主义以决定性的打击，同时也克服了费尔巴哈不研究人与社会的关系的缺陷，而且还明显地铺设了通向唯物主义历史观的道路。正如普列汉诺夫所指的：“马克思阐明他的唯物主义历史观是从批评黑格尔的法权哲学开始的。”[②]

不过，需要指出的是，“市民社会决定国家”这一命题，作为社会存在决定社会意识的个别形态表现，只是从这一命题的未来发展趋势来说的；而从现实状况来说，这一命题还是从费尔巴哈的观点出发的，即在总体上还是处于人本主义框架中的。这表现在他把家庭、市民社会、国家这些人的存在的社会形式，仍然看作是人的本质的实现，是主体内部所固有质的一种外在投射。

马克思在世界观转变中获得的上述成果，在《导言》中获得了重要的发展和深化。如果不是从理论形式，而是从现实的内容来看，社会存在决定社会意识的原理在《导言》中已经从“市民社会决定国家”这一个别性的表述，上升成为一个带有某种普遍性的思想，从而被运用来说明社会现象和指导社会问题的解决。这表现在：

第一，科学指明了宗教产生的社会根源。

《导言》指出，颠倒了的世界产生了宗教这种颠倒了的世界观。因此，必须把对天国的批判，进一步引向对尘世的批判。

① 《马克思恩格斯全集》第13卷，8页，北京：人民出版社，1962年。

② ［俄］普列汉诺夫：《马克思主义的基本问题》，张仲实译，10页，北京：生活·读书·新知三联书店，1959年。

宗教是德国封建社会的精神支柱。从青年黑格尔派到费尔巴哈都把斗争的锋芒指向宗教。但他们对宗教的批判，无一例外都是站在唯心主义立场上的。拿费尔巴哈来说，他认为，人创造了宗教，上帝是人的本质的异化。但费尔巴哈所理解的人的本质，就是人的理性、意志和爱。因此，费尔巴哈主张，要从崇拜上帝的宗教那里解放出来，只有靠发扬人的本质的情爱的宗教。由此可见，费尔巴哈因为没有能找到宗教产生的真正根源，所以他也就不可能彻底地批判宗教。

与费尔巴哈相反，马克思虽然原则上肯定了费尔巴哈关于“人创造了宗教”这一观点，但马克思认为，人的本质并不是费尔巴哈所理解的生物学上的类的本质，而是社会本质。马克思说：“人不是抽象的蛰居于世界之外的存在物。人就是人的世界，就是国家，社会。”①因此，宗教产生的根源不应当从人的类本质中去寻找，而应该到社会现实中去寻找。

马克思指出，是“这个国家、这个社会产生了宗教”，“是颠倒的世界”“产生了宗教，一种颠倒的世界意识”②。这就是说，宗教产生的社会根源在于旧的国家制度和旧的社会制度，即宗教是剥削制度和压迫制度的产物。对剥削阶级占统治地位的旧世界来说，“宗教是这个世界的总理论”，是“它借以求得慰藉和辩护的总根据”③。对于苦难的劳动人民说来，“宗教是被压迫生灵的叹息，是无情世界的心境”，“宗教是人民的鸦片”，是装饰“锁链上”的“虚构的花朵”④。

因此，马克思认为，“反宗教的斗争间接地就是反对以宗教为精神抚慰的那个世界的斗争”⑤，是反对旧国家、旧社会的斗争。所以，必须把反宗教与反对旧的社会制度的斗争结合起来，必须把对“天国的批判变成对尘世的批判”⑥。因为“宗教里的苦难……是现实的苦难的表现”⑦，所以只有在现实社会中根除苦难的根源，才能

① 《马克思恩格斯选集》第1卷，1页，北京：人民出版社，1995年。
② 《马克思恩格斯选集》第1卷，1页，北京：人民出版社，1995年。
③ 《马克思恩格斯选集》第1卷，1页，北京：人民出版社，1995年。
④ 《马克思恩格斯选集》第1卷，2页，北京：人民出版社，1995年。
⑤ 《马克思恩格斯选集》第1卷，2页，北京：人民出版社，1995年。
⑥ 《马克思恩格斯选集》第1卷，2页，北京：人民出版社，1995年。
⑦ 《马克思恩格斯选集》第1卷，2页，北京：人民出版社，1995年。

根除宗教产生的根源。人们只有在现实世界中找到幸福，才能最终从宗教幻想的束缚下解放出来。这里所说的，实现“人民的现实的幸福”①，也就是马克思早期关于要实现共产主义的不明确的表述。

第二，指明了经济政治制度是国家哲学和法哲学的“原本”。

《导言》指出，德国的经济、政治制度是“原本”，为原本辩护并要求对它进行改良的德国国家哲学和法哲学是“副本”。因此，必须把对原本的批判与副本的批判结合起来。

在原本与副本的关系上，原本决定副本，副本依赖于原本。马克思认为，经济、政治制度是原本，国家和法的观念是副本。这个关于原本与副本的内容的具体规定，也是青年马克思在早期对社会存在决定社会意识这一思想又一生动的表述。

马克思在《导言》中说，《黑格尔法哲学批判》“开始并不是针对原本，而是针对副本——德国的国家哲学和法哲学”的。之所以如此，马克思说，这是因为德国的社会制度低于历史水平。德国的制度是封建制度，而当时的世界历史进程已经进入了否定资本主义制度的阶段。德国在历史上虽然没有达到资本主义阶段，但却是本世纪思想上和哲学上的同时代人，即在思想上哲学上参与了世界现实问题的活动。以黑格尔为代表的德国哲学，就是反映了当时德国资产阶级要求改变封建制度和发展资本主义的愿望，同时也“表现了现代国家（指资本主义国家——引者）的未完成，表现了现代国家的机体本身的缺陷”②。

所以，马克思指出，我们不能站在资产阶级立场上去批判德国的封建制度，不然就“要犯时代错误”，也不能像“法的历史学派”那样，站在封建阶级立场上，去批判资本主义制度，去以昨天的卑鄙行为来为今天的卑鄙行为进行辩护③。而必须站在“人的解放”的立场，即共产主义立场上，把对德国的法哲学和国家哲学的批判同对现存制度的批判结合起来。

马克思指出：“德国的法哲学和国家哲学是唯一与正式的当代现实保持在同等水平上的德国历史。因此，德国人民必须把自己这种梦想

① 《马克思恩格斯选集》第1卷，2页，北京：人民出版社，1995年。

② 《马克思恩格斯选集》第1卷，9页，北京：人民出版社，1995年。

③ 参见《马克思恩格斯选集》第1卷，3页，北京：人民出版社，1995年。

的历史一并归入自己的现存制度，不仅批判这种现存制度，而且同时还要批判这种制度的抽象继续"，因为"他们的未来既不能局限于对他们现实的国家和法的制度的直接否定，也不能局限于他们观念上的国家和法的制度的直接实现"①。

在文章中马克思还批判了"实践派"和"理论派"两种错误倾向。

实践派要求否定哲学，主张实干。但是他们仅仅局限于提出问题，并没有认真实行，他们放弃对旧哲学的批判，即放弃对黑格尔法哲学和国家哲学的批判，那就必然要落后于整个世界历史的进程，就不可能把握"当代的焦点"②。因为"德国的法哲学和国家哲学是唯一与正式的当代现实保持在同等水平上的德国历史"。这里是指"德国人……是当代哲学的同时代人，而不是当代的历史同时代人。"③所以放弃对反映资产阶级要求的黑格尔法哲学和国家哲学的批判，那么在实践方面他们只能充当资产阶级革命的附庸。

与"实践派"相反，理论派认为，只要否定现存的哲学，现实世界就能改变，因此他们放弃实际斗争，只主张进行思想批判。他们离开现实到德国史前的"原始森林"，即纯粹思想领域去寻找自由，崇尚空谈，不务实际，结果是一事无成。马克思指出，他们"没有想到迄今为止的哲学本身就属于这个世界，而且是这个世界的补充，虽然只是观念的补充"④。

可见，实践派和理论派从两个不同角度割裂了理论与实践的统一，因而都是错误的。

鉴于《黑格尔法哲学批判》一书是针对"副本"的批判，所以马克思在《导言》中突出地强调了对"原本"的批判，即对德国现存制度的批判。马克思号召"向德国制度开火，一定要开火"⑤！要揭露统治阶级内部的一切卑鄙的行为，要揭露旧制度的一切罪恶。目的是制造舆论，"激起人民的勇气"，展开"搏斗式的批判"⑥。

第三，社会存在决定社会意识原则的多方面体现。

---

① 《马克思恩格斯选集》第1卷，7页，北京：人民出版社，1995年。
② 参见《马克思恩格斯选集》第1卷，3页，北京：人民出版社，1995年。
③ 《马克思恩格斯选集》第1卷，7页，北京：人民出版社，1995年。
④ 《马克思恩格斯选集》第1卷，8页，北京：人民出版社，1995年。
⑤ 《马克思恩格斯选集》第1卷，4页，北京：人民出版社，1995年。
⑥ 《马克思恩格斯选集》第1卷，4、5页，北京：人民出版社，1995年。

《导言》在不少问题的论述中，都体现了社会存在决定社会意识的思想原则。比如，在论述德国的国民经济学与英国法国的政治经济学的区别时，也是从它们经济发展的不同水平来加以说明的；在对旧制度进行物质批判和思想批判的关系问题上，《导言》强调了物质批判的重要性，同时也辩证地指明了思想批判的巨大作用；在革命的需要与物质基础的关系问题的论述中，《导言》也认为，革命“需要物质基础。理论在一个国家实现的程度，总是决定于理论满足这个国家的需要的程度”①。

总之，在上述这一系列问题的论述中，《导言》都体现了社会存在决定社会意识这一基本思想。

二、《导言》为人类解放指明方向道路及主体力量

马克思说：“哲学家们只是用不同的方式解释世界，而问题在于改变世界。”②马克思在《导言》中运用社会存在决定社会意识这个思想来说明社会现象的同时，也运用这个思想，为改造世界，为人类解放指明了方向、道路和途径，从而鲜明地表现了无产阶级革命性这一马克思新哲学的显著特点。

第一，关于全人类解放的方向。

《导言》提出了体现共产主义性质的“彻底革命”的思想，从而为人类的解放指明了方向。

马克思在《导言》和《论犹太人问题》中，以社会存在决定社会意识的思想为指导，指出，要实现全人类的解放，就不能依靠“纯政治的革命”，即不能依靠资产阶级革命，因为这种革命是“毫不触犯大厦支柱的革命”③。旧社会大厦的支柱就是市民社会，就是私有制。马克思在这里深刻揭示了资产阶级革命的本质特点，即它不是要消灭私有制本身，而是以资本主义私有制代替封建主义私有制。而私有制是形成市民社会和旧的国家的基础，因此，也是人民苦难的根源。所以，要实现人类的解放，要使人民从宗教压迫、政治压迫和其他社会

① 《马克思恩格斯选集》第1卷，11页，北京：人民出版社，1995年。
② 《马克思恩格斯选集》第1卷，61页，北京：人民出版社，1995年。
③ 《马克思恩格斯选集》第1卷，12页，北京：人民出版社，1995年。

压迫下解放出来，就必须进行“彻底革命”，即从根本上“否定私有财产”[①]，使“这个世界制度……实际解体”[②]。就是说，“必须推翻那些使人成为被侮辱、被奴役、被遗弃和被蔑视的东西的一切关系”[③]。不难看出，马克思上述“彻底革命”的思想，从哲学上来说，是运用社会经济决定社会政治的理论所必然得出的结论。从政治上来说，这一思想已经突破了民主主义的范畴，而具有共产主义的性质了。

不过，需要指出的是，这里的思想在内容上是现实的，但在思想内容的表现形式上仍然是费尔巴哈人本主义的。上述推翻一切异化东西的依据，还是“人是人的最高本质”这样一种学说，是从这种学说中所引申出来的一条“绝对命令”。

第二，关于全人类解放的道路。

《导言》第一次提出了暴力革命的思想，从而指明了无产阶级社会革命的道路。

以什么形式进行彻底革命，对此，《导言》第一次作了深刻的分析。如上所述，由于马克思掌握了社会存在决定社会意识这一根本思想，所以他主张，革命不仅仅要在社会意识范围内进行，更为重要的是要改变社会的现实存在，要改变旧的政治、经济制度。而要改变旧的社会制度，“只有用一个办法即实践才能解决”，即“鼓舞物质力量去实行政治暴力”[④]来解决。马克思明确指出，批判的武器当然不能代替武器的批判，物质力量只能用物质力量来摧毁”。

当然作为无产阶级革命理论家的马克思，对先进理论给予革命地改造社会的巨大指导作用也是充分肯定的。但先进理论的作用也只是表现在它被群众掌握以后，能够转化为一种物质力量。正如马克思所指出的，“理论一经掌握群众，也会变成物质力量”[⑤]。这就是说，马克思之所以十分重视思想批判的作用，是因为思想批判能为从物质上批判旧世界提供服务。

由此可见，暴力革命的思想在《导言》中已经作为无产阶级革命

① 《马克思恩格斯选集》第1卷，15页，北京：人民出版社，1995年。在这里，私有财产是马克思当时对私有制的一种表述——作者注。

② 《马克思恩格斯选集》第1卷，15页，北京：人民出版社，1995年。

③ 《马克思恩格斯选集》第1卷，10页，北京：人民出版社，1995年。

④ 《马克思恩格斯选集》第1卷，9、13页，北京：人民出版社，1995年。

⑤ 《马克思恩格斯选集》第1卷，9页，北京：人民出版社，1995年。

的一个根本思想提出来了。

第三，关于全人类解放的主体。

《导言》第一次论证了关于无产阶级历史使命的思想。

当时的德国是一个集新旧制度一切缺陷之大成的落后国家。那么实现人类解放的可能性何在呢？马克思指出："就在于形成一个被戴上彻底的锁链的阶级，一个非市民社会阶级的市民社会阶级，形成一个表明一切等级解体的等级"，"就是无产阶级这个特殊等级。"[①]

马克思分析了无产阶级的特点，指出无产阶级所受的苦难是具有普遍性的，它不仅受到封建阶级的压迫，而且受到资产阶级的压迫。这个阶级不要求享受任何一点特殊权利，只要求人类的解放。这个阶级不解放其他一切阶级，就不能使自己获得解放，而且随着工业的发展和旧社会的急剧解体过程，无产阶级队伍会获得不断扩大的力量源泉。

因此，马克思认为，无产阶级是能真正运用革命学说并把它付诸实践的社会力量。他说："哲学把无产阶级当作自己的物质武器，同样，无产阶级也把哲学当作自己的精神武器。"无产阶级是人类解放的"心脏"[②]。这是马克思对无产阶级伟大历史使命的最初阐述。

列宁说："马克思学说中的主要的一点，就是阐明了无产阶级作为社会主义社会创造者的世界历史作用。"[③]因此可以说，青年马克思对无产阶级的上述分析，已经在这个主要点上表明了他在自己的新哲学的形成过程中，已经跨出了有决定意义的一步。列宁对此作了很高的评价。他指出，马克思在《德法年鉴》上"发表的文章表明他已经是一个革命家。他主张'对现存的一切进行无情的批判'，尤其是'武器的批判'；他诉诸群众，诉诸无产阶级"[④]。这说明青年马克思在《德法年鉴》时期，在几个生长点上，已经开始向历史（和辩证）唯物主义和共产主义的立场转变。

① 《马克思恩格斯选集》第1卷，14、15页，北京：人民出版社，1995年。
② 《马克思恩格斯选集》第1卷，15、16页，北京：人民出版社，1995年。
③ 《列宁专题文集·论马克思主义》，61页，北京：人民出版社，2009年。
④ 《列宁专题文集·论马克思主义》，4页，北京：人民出版社，2009年。

三、《导言》开始向新唯物主义和共产主义的转变

如何评价青年马克思在《德法年鉴》时期的哲学思想，在马克思主义哲学形成过程中的作用，这在国内外的研究者之间还是存在着很大分歧的。

有一种观点认为，马克思在《德法年鉴》时期的哲学思想就其性质而言，是处于从黑格尔式唯心主义向费尔巴哈式人本主义的过渡阶段。其理由概括起来有两点：一是马克思在这一时期的哲学思想还有着黑格尔、费尔巴哈哲学的浓厚影响；二是马克思在这一时期的哲学新观点还没有得到充分的论证和科学的表述。

我认为，这样两点理由是不能说明上述观点的。限于篇幅，下面只想从方法论的角度来谈两点看法。

第一，用过程论来说明青年马克思世界观的转变。

青年马克思世界观的转变是经历了一个过程的。我们必须用过程的观点来研究马克思在《德法年鉴》时期的哲学思想的性质。

青年马克思是从黑格尔走向费尔巴哈，又从费尔巴哈转向历史（和辩证）唯物主义的。推动这个过程的，当然不是纯哲学的兴趣，而是不断尖锐的思想和政治斗争的现实，以及马克思对“为人类服务”这一崇高理想的追求。正是上述原因决定了青年马克思在开始时虽然是从黑格尔唯心主义出发的，但同时又对黑格尔唯心主义采取了某种批判态度。在这个批判中，马克思一方面接受了费尔巴哈的启发和帮助而转到了唯物主义，但另一方面他又超出费尔巴哈继续前进，一步步走向历史（和辩证）唯物主义。

正因为这个转变是一个完整的过程，所以其中的每一个阶段，既有其质的规定性，同时又都是与前、后阶段相联系而存在的，就是说不是纯粹的。它既包含旧阶段的残迹，也会在自身孕育着向新阶段发展的因素。特别是当马克思转变到历史（和辩证）唯物主义的初期，存在着旧哲学的影响，甚至明显的影响，应该说是不难理解的。例如，用旧的术语来表述新的内容，从旧的前提出发，引出新的结论，以及新旧观点的某种界限不清，而造成的前后表述不等情况，都是存在的。

这种情况的存在是与这一场哲学变革的深刻性所决定的新哲学形

成过程的特别艰巨性，以及与马克思当时政治经济学的知识不足相联系的。因此，不能因为上述旧哲学影响的存在，也不能因为马克思创立的新哲学还没有最终形成，而否认马克思的哲学思想在《德法年鉴》时期已经在根本立场上开始向历史（和辩证）唯物主义的转变。

第二，用过程论来说明马克思哲学理论体系的创立。

马克思从转变到历史（和辩证）唯物主义的根本立场，到创立这一哲学的科学形态的理论体系，也是经历了一个过程的，所以也必须用过程的观点来分析作为这一过程的开始阶段——马克思在《德法年鉴》时期的哲学思想。

我们不能设想，马克思一旦转变到历史（和辩证）唯物主义，其哲学就具有了科学的成熟的形态。因为这是不现实的。《导言》作为马克思转变到历史（和辩证）唯物主义的起点，如前所述，也只是就主要点，即根本观点或根本立场而言的。不言而喻，作为新哲学创立过程的开始阶段，这些观点还不明确，还有待深化，还有待作充分的论证，这些观点的内在联系也还没有形成完整的体系而获得科学的表述，因此这时候，它还是不成熟的，不完善的。但不能因此而否认马克思这一时期的哲学思想已经从根本立场上开始了向历史（和辩证）唯物主义的转变。

在讨论中，有人把列宁关于马克思主义哲学形成问题上的两段论述对立起来，我以为也是不妥的。

一段是列宁1914年在《卡尔·马克思》一文的参考书目中所讲的一段话："1842年，马克思在'莱茵报'（科伦）上发表的一些文章……从这些文章，可以看出马克思开始从唯心主义转向唯物主义，从革命民主主义转向共产主义。1844年在巴黎出版了马克思和阿尔诺德·卢格主编的《德法年鉴》，上述的转变在这里已彻底完成。"①另一处是列宁1915年写的《哲学笔记》中的一段。列宁说："马克思在1844—1847年离开黑格尔走向费尔巴哈，又进一步从费尔巴哈走向历史（和辩证）唯物主义。"②

这前后两段在表述上是有某些不一致的地方，但能否如有的论者所认为的，后一段论述才代表了列宁的本意，并以此为理论根据来否

① 《列宁专题文集·论马克思主义》，39页，北京：人民出版社，2009年。

② ［俄］列宁：《哲学笔记》，386页，北京：人民出版社，1960年。

认马克思于1844年在根本立场已经开始向历史（和辩证）唯物主义转变呢？我认为，不能做这种猜测和引申。

在我看来，上述两段论述只是表述上的不一致，在论述的具体内容上是没有什么不一致的。

前一段论述实际是针对马克思已经初步具有了无产阶级革命家和理论家的根本立场而言的，这一点我们可以从上文所引的《卡尔·马克思》一文中，列宁关于《德法年鉴》时期青年马克思思想的评论得到证明。

后一段论述则是就马克思开始形成了科学形态的历史（和辩证）唯物主义的基本观点而言的。

事实也是这样。马克思在1844年实现了上述根本立场的转变以后，到1845—1846年写的《德意志意识形态》一书，他们的历史唯物主义理论体系才得以形成。而作为这个理论体系的第一次科学表述，则是马克思于1847年7月发表的《哲学的贫困》中实现的。关于这一点，马克思说："我们见解中有决定意义的论点，在我的1847年出版的为蒲鲁东而写的著作《哲学的贫困》中第一次作了科学的……表述。"[①]可见，列宁把获得科学表述的历史（和辩证）唯物主义基本观点形成的下限时间划在1847年，也是正确的。

所以，就具体内容来说，列宁的上述两段论述还是一致的，不矛盾的。

总之，以《导言》为标志，青年马克思在根本立场上开始了向历史（和辩证）唯物主义和共产主义的转变，这是马克思在马克思主义哲学整个形成过程中，迈出的具有重要意义的一步。

① 《马克思恩格斯全集》第13卷，10页，北京：人民出版社，1962年。

费尔巴哈的感性主体论与历史唯物论*

一、费尔巴哈感性主体论的优长

费尔巴哈哲学是马克思历史（和辩证）唯物主义的一个理论来源，这是公认的定论。但是在谈及费尔巴哈的什么哲学思想被马克思加以批判继承这一问题上，看法便不尽相同了。

有一种观点认为，马克思批判继承的是费尔巴哈哲学中的唯物主义。不可否认，这种观点相当流行，并且在总的方向上有其道理。但是答案过于笼统，因为它没有反映唯物主义在费尔巴哈哲学中的特点。而恰恰是由于这个特点，作为一个因素，才促使马克思进一步走向了历史（和辩证）唯物主义。

费尔巴哈哲学的唯物主义，不是一般的唯物主义，而是人本学唯物主义，用马克思恩格斯的话说，是“体现了和人道主义相吻合的唯物主义”①。它的根本内容就在于，承认人是一个感性的主体。诚然，费尔巴哈在历史观上陷入了唯心主义，但是，他却以他的感性主体论，不仅体现了自然观上的唯物主义，而且也为历史唯物主义，即“关于现实的人及其历史发展的科学”②的创立，提供了一定的理论基础。

以自然为基础的人，这是费尔巴哈的感性主体论的立论根据和首要的内容。费尔巴哈认为自然界是有形的、物质的，是不依赖于任何精神而独立存在的。人依赖于自然界，是自然界发展到一定阶段的产物。他说：“自然界这个无意识的实体……是第一性的实体”，“有意识

---

* 原刊于《安徽省委党校学报》，1988（2）。

① 《马克思恩格斯文集》第1卷，327页，北京：人民出版社，2009年。

② 《马克思恩格斯选集》第4卷，241页，北京：人民出版社，1995年。

的、属人的实体，则在其发生的时间上是第二性的。”自然界是“人的前提，为人的原因或根据，为人的产生和生存所依赖的东西”①。

不仅如此，自然界还是人的精神的源泉和基础。费尔巴哈指出：“既然精神是人的一种活动，不是什么自为的实体，既然精神是与肉体分不开的，而且非有器官不可，那么，可见精神只能导源于自然的本质。”②在费尔巴哈看来，人是与自然相联系的、感性的、具体的存在。他公开宣称：“我憎恶那种把人同自然界分割开来的唯心主义，我并不以我依赖于自然界为可耻。”③

费尔巴哈的哲学就是以自然为基础的关于“人”的学说。把以自然为基础的人提高到哲学研究的中心位置，这是费尔巴哈的一大理论功绩。

在唯物主义发展史上，17、18世纪的唯物主义是从纯粹自然的角度来看待世界和规定人的，把人纯自然化，把人看成服从机械法则的物体，或是把人局限于动物之一员的见解。费尔巴哈并不满意先前唯物主义的观点。

他说，自然是人的本质和基础，但是他不能像生理学家、像狭义的自然科学家如摩莱肖特那样看待人，他坚决反对那些想“从同一源泉中引出自然规律和人类规律”的人。费尔巴哈认为，在根源上，人来自自然界，人是自然界的一部分，但人又是与一般存在物有区别的存在物，人在地位上，是比自然界更重要的④。自然界规定人，人作为主体反过来也规定自然界。

这样，费尔巴哈把人道主义和唯物主义紧密结合起来，也就在一定程度上扬弃和超越了先前“敌视人”的机械唯物主义，因而有着“巨大的优越性”⑤。费尔巴哈说：“观察自然，观察人吧!在这里你们可

① ［德］费尔巴哈：《费尔巴哈哲学著作选集》下卷，荣震华等译，523页，北京：商务印书馆，1984年。

② ［德］费尔巴哈：《费尔巴哈哲学著作选集》下卷，荣震华等译，657页，北京：商务印书馆，1984年。

③ ［德］费尔巴哈：《费尔巴哈哲学著作选集》下卷，荣震华等译，537页，北京：商务印书商，1984年。

④ 参见［德］费尔巴哈：《费尔巴哈哲学著作选集》下卷，荣震华等译，523页，北京：商务印书馆，1984年。

⑤ 参见北京大学哲学系哲学史组编：《马克思恩格斯列宁斯大林论德国古典哲学》，467页，北京：商务印书馆，1972年。

以看到哲学的秘密。”[①]又说：“新哲学将人连同作为人的基础的自然当作唯一的，普遍的，最高的对象。”[②]他公开宣称，他的哲学是“作为人的哲学的新哲学”，其宗旨“主要地也是为人的哲学”[③]。

费尔巴哈的关于“以自然界为基础的人”这一思想，马克思恩格斯曾经给予了高度的评价。他们指出：“只有费尔巴哈才立足于黑格尔的观点之上而结束和批判了黑格尔的体系，因为费尔巴哈消解了形而上学的绝对精神，使之变为‘以自然为基础的现实的人’，费尔巴哈完成了对宗教的批判，因为他同时也为批判黑格尔的思辨以及全部形而上学拟定了博大恢宏、堪称典范的纲要。”[④]

费尔巴哈在对宗教的批判中，从尊重人的感性要求和现实生活出发，认为不是上帝按照自己的形象创造了人类，而是人类按照自己的形象创造了上帝。他说：“人之对象，不外就是他的成为对象的本质。人怎样思维、怎样主张，他的上帝也就怎样思维和主张；人有多大价值，他的上帝也就有这么大的价值，决不会再多一些。”[⑤]因此费尔巴哈得出结论说：“属神的本质之一切规定，都是属人的本质之规定。”[⑥]神的本质就是人的抽象本质，上帝的本质就是被异化了的人的理性本质。

费尔巴哈把宗教世界归结为它的世俗基础，归结为以自然为基础的人，这就戳穿了宗教的神秘外衣。并且，费尔巴哈还从人的心理的角度揭示了宗教产生的认识论根源。费尔巴哈号召人们不要去祈求上帝，不要信仰天堂生活，否则，就是断送了人对自己的信任，断送了人对现实生活的努力。因此，费尔巴哈说，要“从神的朋友转变为人的朋友，从信仰者转变为思想者，从祈祷者转变为工作者，从彼世的

① ［德］费尔巴哈：《费尔巴哈哲学著作选集》上卷，荣震华等译，115页，北京：商务印书馆，1984年。

② ［德］费尔巴哈：《费尔巴哈哲学著作选集》上卷，荣震华等译，184页，北京：商务印书馆，1984年。

③ ［德］费尔巴哈：《费尔巴哈哲学著作选集》上卷，荣震华等译，186页，北京：商务印书馆，1984年。

④ 《马克思恩格斯文集》第1卷，342页，北京：人民出版社，2009年。

⑤ ［德］费尔巴哈：《费尔巴哈哲学著作选集》下卷，荣震华等译，38页，北京：商务印书馆，1984年。

⑥ ［德］费尔巴哈：《费尔巴哈哲学著作选集》下卷，荣震华等译，39页，北京：商务印书馆，1984年。

候补者转变为今世的研究者，从基督教徒……转变为人，转变为完全的人”[①]。

费尔巴哈从以自然界为基础的人出发，不仅批判了宗教，打倒了上帝这个神圣的主体，而且批判了黑格尔的唯心主义，否定了黑格尔主张的思辨主体。费尔巴哈说，黑格尔式的抽象思维，是独立于存在的思维，“是超越的思维，是被看成在人以外的人的思维”[②]。按照黑格尔的观点看来，思维是主导的东西，而事物、存在不过是从属的东西。费尔巴哈针对这一观点指出：“思维和存在的真正关系只是这样的：存在是主体，思维是宾词。思维是从存在而来的，然而存在并不来自思维。存在是从自身、通过自身而来的——存在只能为存在所产生。存在的根据在它自身中。”[③]在费尔巴哈看来，思维与存在的统一，不是抽象的形式的统一，不是黑格尔所认为的，存在被扬弃又回复到它的原始基础——思维之内，而是现实的具体的统一，这个统一的主体是什么呢？费尔巴哈认为就是人。他说：“思维与存在的统一，只有在将人理解为这个统一的基础和主体的时候，才有意义，才是真理。”[④]

由此可见，费尔巴哈从以自然为基础的人出发，对宗教和黑格尔唯心主义进行批判，其目的是为了肯定人的主体地位。正如他自己所说，是为了“将哲学从‘僵死的精神’境界重新引导到有血有肉的、活生生的精神境界，使它从美满的神圣的虚幻的精神乐园下降到多灾多难的现实的人间”。他说：“为了达到这个目的，哲学不需要别的东西，只需要……用一种纯粹而真实的人的态度去思想，去说话，去行动。”[⑤]

尽管费尔巴哈过分看重了人是自然界的产物这一点，基本上是用

---

① ［德］费尔巴哈：《费尔巴哈哲学著作选集》下卷，荣震华等译，786页，北京：商务印书馆，1984年。

② ［德］费尔巴哈：《费尔巴哈哲学著作选集》上卷，荣震华等译，103页，北京：商务印书馆，1984年。

③ ［德］费尔巴哈：《费尔巴哈哲学著作选集》上卷，荣震华等译，115页，北京：商务印书馆，1984年。

④ ［德］费尔巴哈：《费尔巴哈哲学著作选集》上卷，荣震华等译，181页，北京：商务印书馆，1984年。

⑤ ［德］费尔巴哈：《费尔巴哈哲学著作选集》上卷，荣震华等译，120页，北京：商务印书馆，1984年。

自然观上的唯物主义来规定人，因而他并不了解人的社会性和历史性。但是从历史的角度看，把人作为哲学研究的对象单独提出来，把人看作以自然为基础的感性实体，确认人的主体地位，等等，这在唯物主义的发展史上还是第一次。

如上所说，费尔巴哈不仅以其感性主体论，划清了与宗教的神圣主体论，以及黑格尔哲学的思辨主体论的界限，重新恢复了唯物主义的王座，而且用感性人的观点取代了先前唯物主义的机械人的观点，从而更加接近了历史唯物主义。

在唯物史观形成的过程中，正是因为受到费尔巴哈对人的感性理解的影响，才使马克思脱离黑格尔对人的思辨的理解，转而开始对人的现实的理解。即从费尔巴哈把人理解为感性的存在，发展到把人理解为感性的活动；进一步发展到透过感性活动去揭示人的社会联系、社会关系，从而形成了马克思主义的关于人的社会本质观和关于社会的实践本质观。费尔巴哈的感性主体论不仅为马克思主义的社会实践主体论的形成提供了一定的基础，而且在马克思对人的现实性认识的每一步深化的过程中，费尔巴哈也以某些有价值的思想，给予了马克思以必要的启迪。关于这一点，本文在下面将做详细的说明。

二、马克思的“感性活动主体论”

费尔巴哈认为人是主体，主体的根本特性是感性。正是从这个意义上，费尔巴哈说：“新哲学是光明正大的感性哲学。”他说，旧哲学的出发点是这样一个命题：“我是一个抽象的实体，一个仅仅思维的实体，肉体是不属于我的本质的”；新哲学则是以另一个命题为出发点：“我是一个实在的感觉的本质，肉体总体就是我的‘自我’，我的实体本身。”[①]在费尔巴哈看来，肉体属于主体自身，这就规定了主体具有感性的特性。

那么什么是感性呢？费尔巴哈所谓的感性归纳起来有两方面的意思。其一是说，人是“感性的对象”。即人是可以被他人感知的存在物。其二是说，人可以感知其他存在物。费尔巴哈说，我对于我来说

① ［德］费尔巴哈：《费尔巴哈哲学著作选集》上卷，荣震华等译，169页，北京：商务印书馆，1984年。

是现实的实体，即身体。因此，“我对我自身是心理学的对象，而对他人则是生理学的对象”①。我对我本人是我，同时对别人就是“你”，我对我的感性来说，是感性的主体；我对他人的感性来说，又是感性的客体。在费尔巴哈看来，作为感性的对象，我是一个有血有肉的个体的存在，是一个要呼吸空气，要吃饭穿衣，具有感性需要、物质欲望的存在。那么，作为感性主体的人，感知其他存在物的方式是什么呢？是直观。他说：“直观是生活的原则”，“直观提供本质、真理、现实……直观的成效，是货真价实的。”②

可见，在费尔巴哈看来，主体人是感性的存在，他能被别人所感知，也能用直观去感知他物。费尔巴哈关于主体人的这一规定，也就给了人以存在的感性根据。

但是仅就感性而言，动物也有，费尔巴哈觉察到了这一点，那么怎样去说明人的感性与动物感性的区别呢？为了解答这个问题，费尔巴哈用了很大的篇幅来论证人的感性不同于动物的感性。他认为，虽然人和动物都有感性，但是人作为人具有动物所没有的东西，二者有着根本的区别。他说，人的感性是渗透着理性并受理性支配的。费尔巴哈的这一认识，一般说来，也是对的。但是他不懂得人的理性本身也是作为结果而存在的。因为在理性背后有着更深刻的东西。正是这一点，才是人的感性与动物的感性最根本的区别。

这一点是什么呢？就是人所进行的感性活动。正如马克思恩格斯在《德意志意识形态》中所指出的：“可以根据意识、宗教或随便别的什么来区别人和动物。一当人开始生产自己的生活资料的时候，这一步是由他们的肉体组织所决定的，人本身就开始把自己和动物区别开来。”③

可见，费尔巴哈只是注意到了人与动物的感性的不同，只是看到了这种不同的某种表现，而没有找到这种不同的内在根据。

青年马克思在思想转变过程中，对费尔巴哈的“感性”范畴，进

---

① ［德］费尔巴哈：《费尔巴哈哲学著作选集》上卷，荣震华等译，194页，北京：商务印书馆，1984年。

② ［德］费尔巴哈：《费尔巴哈哲学著作选集》上卷，荣震华等译，111、270页，北京：商务印书馆，1984年。

③ 《马克思恩格斯选集》第1卷，67页，北京：人民出版社，1995年。

行过认真的研究。他把感性看作人自己本质力量的确证，并且指出："感性（见费尔巴哈）必须是一切科学的基础。"[①]马克思对感性研究的结果，是从人的感性存在，进展到"感性的活动"。他把劳动看作人的根本特性。

这一进展是马克思通过对经济学的研究，借助于对黑格尔主体性辩证法的批判继承，通过撰写《1844年经济学哲学手稿》（以下简称《手稿》）实现的。《手稿》指出，生产劳动"是人的能动的类生活"。人的感性存在，是以感性活动为基础的存在，人的本质是在"改造对象世界"的能动活动中形成的。人本身就是他活动的产物，劳动的产物，只有劳动才使人成为人。

"首先，劳动本身"是"维持肉体生存的需要的一种手段"[②]。人要生存，就要吃、住、穿，等等，要满足这些需要，就要进行生产。离开生产，人就不能生存，那也就谈不上人的感性存在。而费尔巴哈只看到人作为肉体组织，要饮食男女，在他看来，这样的人就是有血有肉的现实的人。他不懂得不能抽象地谈论人的自然需要。因为人的这些需要是通过生产出来的物品获得满足的。所以，人的根本特性不取决于消费，而取决于生产。

其次，劳动是人从自然界提升出来的手段，是人的本质力量的现实的生成和现实化。劳动指的是人的体力与智力的一般支出。在劳动过程中，人的种种本质力量才被唤醒起来，激发起来，从而使人远远超出于动物之上。并且通过劳动，使人的本质力量现实化为一个人为的世界。马克思指出："随着对象性的现实在社会中对人来说到处成为人的本质力量的现实，成为人的现实，因而成为人自己的本质力量的现实……因此，人不仅通过思维，而且以全部感觉在对象世界中肯定自己。"[③]

再次，人的"五官感觉"的形成，是劳动的产物，是"以往全部世界历史的产物"。马克思说："一方面为了使人的感觉成为人的，另一方面为了创造同人的本质和自然本质的全部丰富性相适应的人的感觉，无论从理论方面还是从实践方面来说，人的本质的对象化都是必

---

① ［德］马克思：《1844年经济学哲学手稿》，89页，北京：人民出版社，2000年。

② ［德］马克思：《1844年经济学哲学手稿》，57页，北京：人民出版社，2000年。

③ ［德］马克思：《1844年经济学哲学手稿》，86—87页，北京：人民出版社，2000年。

要的。”①

最后，不仅人的感觉是劳动的产物，而且人的意识也是劳动的产物。马克思认为：“宗教……法、道德、科学、艺术等等，都不过是生产的一些特殊的方式，并且受生产的普遍规律的支配。”②又说：“普遍意识是现实生活的抽象”，“我的普遍意识的活动……也是我作为社会存在物的理论存在。”③

总之，马克思从费尔巴哈关于人的感性存在的理解，进展到对人的感性活动的理解。这是马克思对关于现实的人的科学的一大贡献。当然，这一贡献本身不是对费尔巴哈关于人的感性理解的否定，而是以此为基础的发展。

首先，人的感性存在是人的感性活动的前提，纯粹精神的所谓“主体”是没有感性活动的，只有感性的主体才有感性的活动。

关于这一点，马克思恩格斯在《德意志意识形态》一书中给予了肯定。书中指出：“全部人类历史的第一个前提无疑是有生命的个人的存在。因此，第一个需要确认的事实就是这些个人的肉体组织以及由此产生的个人与其他自然的关系。”④这种关系也就是指人们改造自然界的生产活动。可见，人的感性存在提供了人的感性活动的现实根据。反过来也可以说，感性活动又进一步深化和确证了人的感性存在。在劳动中，人自身作为感性的主体和感性的对象发生作用，正是这种活动，这种连续不断的感性劳动和创造，这种生产，才是整个现存感性世界、感性的人，及其全部认识活动和意识活动的非常深刻的基础，是对它们的现实的说明。

其次，费尔巴哈以其感性主体论，批判了先前唯物主义关于人的纯粹被动论的观点，肯定了人的认识能动性，并萌生了关于人的实践能动性的某些闪光的思想，从而为马克思关于人的感性活动的理解提供了一定的条件。

18世纪的法国唯物主义认为，人是一个被动的存在，人的认识也是纯粹被动地由外物给予的。对此，费尔巴哈持批判的态度。他认为

① ［德］马克思：《1844年经济学哲学手稿》，88页，北京：人民出版社，2000年。
② ［德］马克思：《1844年经济学哲学手稿》，82页，北京：人民出版社，2000年。
③ 《马克思恩格斯文集》第1卷，188页，北京：人民出版社，2009年。
④ 《马克思恩格斯选集》第1卷，67页，北京：人民出版社，1995年。

主体不是纯粹被动的。他曾特别指出："灵魂不是蜡块，不是白板。"[①]人对知识的探求是自觉的，不是盲目的，"他只企求得到与他相适应的、肯定他的、有益于他的知识"[②]。费尔巴哈认为，客体作用于主体，主体也在认识上规定客体："因为十分明显，世界的本质，它对我是什么和怎样，只取决于我本人的本质、我本人的认识能力和我本人的一般属性。"[③]所以，费尔巴哈得出结论说：自我不仅"是受动的东西"，而且也"是某种能动的东西"[④]。

当然，费尔巴哈所承认的，只是主体的认识能动性，并不包含人通过改革客体把自己的内在本质在人之外实现出来的意思。但也绝不是说，费尔巴哈没有注意到实践。

事实上，在他那里还有不少近似马克思主义的精彩提法。例如他说，新哲学在"本质上具有一种实践倾向，而且是最高意义下的实践倾向"[⑤]。费尔巴哈也说过，一切信神的人在实践中都是不信神的。他说，人不能不在实践中采取非信仰的态度，因为只有不依赖于神，而依赖于自己的工作和努力，才能有一切进步、创造和发明。相反，凡是将自己交付于神的全能的人，永远不会消除自然和社会的缺陷[⑥]。费尔巴哈关于通过实践改造自然和社会的观点，马克思认为，这是具有历史唯物主义因素的积极思想，"是具有发展能力的萌芽"[⑦]。这些合理因素被马克思加以吸取，从而成为马克思科学实践观的一个来源。

最后，马克思从费尔巴哈的关于人的感性存在的理解，进展到关于人的感性活动的理解，从而为说明主体的社会历史性提供了现实的基础。而这一点正是费尔巴哈哲学的最根本的缺陷。但是就是在这样

---

① 转引北京大学哲学系哲学史组编：《马克思恩格斯列宁斯大林论德国古典哲学》，436页，北京：商务印书馆，1972年。

② ［德］费尔巴哈：《费尔巴哈哲学著作选集》上卷，荣震华等译，326页，北京：商务印书馆，1984年。

③ ［德］费尔巴哈：《费尔巴哈哲学著作选集》上卷，荣震华等译，523页，北京：商务印书馆，1984年。

④ ［德］费尔巴哈：《费尔巴哈哲学著作选集》上卷，荣震华等译，91页，北京：商务印书馆，1984年。

⑤ ［德］费尔巴哈：《费尔巴哈哲学著作选集》上卷，荣震华等译，186页，北京：商务印书馆，1984年。

⑥ 参见黄枬森：《〈哲学笔记〉注释》下册，31页，北京：北京大学出版社，1981年。

⑦ 《马克思恩格斯选集》第1卷，75页，北京：人民出版社，1995年。

一个有着根本缺陷的方面，费尔巴哈从他的感性主体论出发，也还以其特有的方式，提出了一些在马克思唯物史观创立过程中加以借鉴的闪光的思想。这也就是下文要论述的内容。

三、费尔巴哈“类”论的理论价值

在哲学界，有人持有这样一种看法，认为费尔巴哈把人的本质归结为自然的本质。如果是就费尔巴哈关于人的本质观的实质来说，这一评判是对的。但是如果就费尔巴哈的主观愿望来说，他恰恰是反对把人的本质归结为自然本质的人。

费尔巴哈写道：“能够把人从自然界抽出来吗？不能!但直接从自然界产生的，只是纯粹自然的本质（德文中‘本质’与‘存在’是同一个词，中文译著中翻译为‘本质’，在这里，如译为‘存在’，似更贴切一些。——引者注），而不是人。人是人的作品，是文化、历史的产物”。①

费尔巴哈的这一正确认识，是从这样一个事实出发的，即人是以“类”为前提的。费尔巴哈说：“只有许多人合在一起才构成了‘人’，只有许多人合在一起才成了人所应当是的和能够是的。”②在费尔巴哈看来，人是不能孤立存在的，人的每个个体都生活在一定的时代和国度，他的整个生活和全部存在，只能寄托在那个时代和国度，寄托在那个群体之中。他说，人的个体总是有限的，而人的“类”却是无限的。费尔巴哈指出：“摆脱了诸个体的界限的无限存在者，却正不外就是类，因为类在无限多的和无限多样的个体中实现自己，并且在这种实现里面显示其本质之无限性。”③

在费尔巴哈那里，个体的有限性是指个体知识的有限性；“类”的无限性是指人类世代所积累的知识的无限丰富性。费尔巴哈说，“我的

① ［德］费尔巴哈：《费尔巴哈哲学著作选集》上卷，荣震华等译，247页，北京：商务印书馆，1984年。

② ［德］费尔巴哈：《费尔巴哈哲学著作选集》下卷，荣震华等译，190—191页，北京：商务印书馆，1984年。

③ ［德］费尔巴哈：《费尔巴哈哲学著作选集》下卷，荣震华等译，193页，北京：商务印书馆，1984年。

知识、我的意志是有限的”[①]，而无限丰富的知识，“乃是人类之力量，而不是单个人的力量，乃是文化之产物，人类社会之产物”[②]。因为费尔巴哈认为，人作为个体要依赖于“类”，要吸取人类的丰富的知识，才能成长起来，故而他认为，人是文化、历史的产物。

那么什么是“类”呢？在费尔巴哈那里，“类”就是人与人的统一，人与人的关系。他说：“孤立的，个别的人，不管是作为道德实体或作为思维实体，都未具备人的本质。人的本质只是包含在团体之中，包含在人与人的统一之中。”[③]又说“被思考为自身独立存在的个人的道德是毫无内容的虚构”。“只有把人对人的关系即一个人对另一个人的关系，我对你的关系加以考察时，才能谈得上道德。”因此，费尔巴哈得出结论说：只有社会的人才是人[④]。

费尔巴哈的这些思想都是有意义的，他反对孤立地研究人的本质，这是对的。但是这种良好的主观愿望并没有能真正实现，他所实际研究的，仍然是孤立的人的个体。

正如马克思所指出的，费尔巴哈在对人的本质的了解上，主要错误有两点：“（1）撇开历史的过程，把宗教感情固定为独立的东西，并假定有一种抽象的——孤立的——人的个体；（2）因此，他只能把人的本质理解为‘类’，理解为一种内在的、无声的、把许多个人纯粹自然地联系起来的普遍性。”[⑤]

费尔巴哈把人只看成感性的人，而没有看成感性活动的人，因而费尔巴哈所说的人，是不进行任何历史活动的，离开社会和社会历史进程的人。所以，这个人不属于任何社会，也不属于任何阶级，因而是抽象的，是费尔巴哈假定出来的。正是因为费尔巴哈不是把人看作感性的活动，所以他就不可能正确认识通过人的活动所创造的人与人之间的社会关系，特别是生产关系。因而也就不可能认识人的社会本

① ［德］费尔巴哈：《费尔巴哈哲学著作选集》下卷，荣震华等译，187页，北京：商务印书馆，1984年。

② ［德］费尔巴哈：《费尔巴哈哲学著作选集》下卷，荣震华等译，113页，北京：商务印书馆，1984年。

③ ［德］费尔巴哈：《费尔巴哈哲学著作选集》上卷，荣震华等译，185页，北京：商务印书馆，1984年。

④ ［德］费尔巴哈：《费尔巴哈哲学著作选集》上卷，荣震华等译，571、572页，北京：商务印书馆，1984年。

⑤ 《马克思恩格斯选集》第1卷，60页，北京：人民出版社，1995年。

质和社会的实践本质。

虽然费尔巴哈也讲到人与人之间的关系，但是他所说的这种关系，并不是在生产劳动基础上所形成的社会关系，而是从他的感性主体论出发，所指的是被个体肉体的自然需要所决定的、孤立个人之间的感情和性欲关系。

比如，费尔巴哈认为，人需要性爱，因而就要有爱和被爱的对象，于是就发生了“你和我的关系”；又如，人需要友情，于是就发生了人与人之间的朋友关系。可见，费尔巴哈在这里所讲的人与人之间的关系，只是表现为单个人的生理和情感的需要，在“类”的角度的抽象，是他的感性主体论在“类”的角度的引申和表现。

正如马克思恩格斯所指出的：“除了爱与友情，而且是观念化了的爱与友情以外，他不知道‘人与人之间’还有什么其他的‘人的关系’。他没有批判（考察——引者注）现在的爱的关系。可见，他从来没有把感性世界理解为构成这一世界的个人的全部活生生的感性的活动。”①他不可能了解人的本质在其现实性上是一切社会关系的总和。

但是，能不能由此认为费尔巴哈关于人的“类”的观点是毫无理论价值的庸俗见解呢？不能。费尔巴哈关于“类”的观点包含着人与人之间相互依赖、相互联系的思想，包含着从类的角度去规定人的本质的思想，相对于17、18世纪的唯物主义把人看成孤立存在的“社会性原子”，并从纯粹个体的角度去规定人的本质的观点，无疑是一个进步，并且正是在这一思想的直接启发和推动下，使马克思去更深入地探讨和研究人的社会关系，从而得出了关于人的本质的科学结论。

马克思在早期曾经接受了费尔巴哈关于“类”的思想，认为考察人，不能着眼于个体，而应着眼于“类”。“类”就是社会。正是在这个意义上，马克思在《黑格尔法哲学批判》中，把家庭、市民社会、国家等称之为现实的人借以实现其现实内容的“类形式”或“社会形式”。在《手稿》中马克思也仍然是以费尔巴哈的关于“人的类存在”来批判黑格尔关于把人的本质归结为自我意识的观点的。马克思指出：“人不仅仅是自然存在物，而且是人的自然存在物，就是说，是自为地存在着的存在物，因而是类存在物。”②也是在《手稿》中，马克

① 《马克思恩格斯选集》第1卷，78页，北京：人民出版社，1995年。

② 《马克思恩格斯文集》第1卷，211页，北京：人民出版社，2009年。

思赞扬道："费尔巴哈也使'人与人之间的'社会关系成了理论的基本原则"，也就"创立了真正的唯物主义和实在的科学。"[①]

当然，马克思没有停留在这个基础上，而是汲取了费尔巴哈的思想，并逐渐超越了费尔巴哈从而架起了通往自己思想的桥梁。这个转变过程中的关键是马克思把生产活动看作"类"的活动。再往后，马克思通过对人的劳动特性的进一步分析，发现了生产关系的概念，从而扬弃了费尔巴哈关于"类"的思想，提出了人的本质是实践中所形成的一切社会关系总和的著名论断，以及生产劳动对社会历史的决定作用的思想。到《关于费尔巴哈的提纲》和《德意志意识形态》，马克思形成了自己的新的世界观。这样，费尔巴哈的感性主体论，作为一种历史上的理论现象，它对马克思的使命已经结束了。

在从黑格尔的思辨主体到马克思的现实主体，以及从机械唯物主义的"自然人"到马克思主义的能动的社会人的发展过程中，费尔巴哈的以自然为基础的、感性的、相互间有着感情联系的人，是一个中间环节。马克思借助于感性主体论超出了黑格尔唯心主义和机械唯物主义，又通过对感性主体论的批判继承、前进发展，从而揭示了人、劳动、社会三者的有机联系和辩证发展规律，创立了历史唯物主义。因此，费尔巴哈的以感性主体论为根本内容的人本学唯物主义是马克思历史唯物主义的一个理论来源。

---

① ［德］马克思：《1844年经济学哲学手稿》，96页，北京：人民出版社，2000年。

青年马克思的宗教批判与唯物史观创立*

一、唯物史观创立的一个推动力

唯物史观是马克思恩格斯在总结西欧工人革命斗争经验的基础上，在批判继承先辈和同辈人的哲学理论、社会历史理论、经济理论的基础上创立的。这些都已成定论，无须赘述。然而有一点尚未引起理论界应有的重视，即青年马克思对宗教神学的批判，也是唯物史观创立的一个理论前提，一个重要的推动力。因此，深入研究青年马克思所进行的宗教批判与唯物史观创立的关系，对于全面正确地理解马克思历史唯物主义思想的演进和最后形成，是有重要意义的。

马克思诞生于封建专制的德国。它是一个宗教占统治地位的国家。德国的封建君主历来把基督教当作维持自己统治的精神支柱。著名诗人海涅曾经指出，在德国，基督教和旧政权结成了不可分解的同盟。只要基督教对人民还发生影响，那么旧政权就不可能被打碎。因此，必须透过全部宗教观念和意识形态的批判分析，才能澄清德国当时的各种社会现实问题。

在近代历史上，德国反对封建统治的资产阶级革命，是从宗教问题上拉开斗争序幕的，德国哲学的发展，也是与对宗教神学的不断深入的批判相联系的。施特劳斯、布鲁诺·鲍威尔等人对基督教的批判，使主张与神学调和的黑格尔学派的解体成为现实。费尔巴哈对宗教的批判，促使他脱离唯心主义走向了唯物主义。马克思对宗教的不断深入的批判，作为一个因素推动他脱离了黑格尔唯心主义，继而脱离了费尔巴哈人本主义，而达到了历史观的一个崭新的高度——历史

* 原刊于《阜阳师院学报》(社会科学版)，1990 (3)。

唯物主义。

关于这一点，马克思曾经指出："由于费尔巴哈揭露了宗教世界是世俗世界的幻想……在德国理论面前就自然而然产生了一个费尔巴哈所没有回答的问题：人们是怎样把这些幻想'塞进自己头脑'的？这个问题甚至为德国理论家开辟了通向唯物主义世界观的道路。"①

恩格斯也指出："费尔巴哈没有走的一步，必定会有人走的。对抽象的人的崇拜，即费尔巴哈的新宗教的核心，必定会由关于现实的人及其历史发展的科学来代替。"②这个超出费尔巴哈而进一步发展费尔巴哈观点的工作，是由马克思完成的。

下面让我们从这个角度来探索一下，马克思是如何通过对宗教的不断深入的批判，而一步步开辟通向历史唯物主义道路的。

二、从宗教异化批判到政治异化批判

青年马克思一开始作为青年黑格尔派的一员，是站在无神论的立场上反对宗教的。马克思在《博士论文》的序言中公开宣称，哲学反对"一切天上的和地上的神灵，因为这些神灵不承认人的自我意识具有最高的神性。不应该有任何神灵同人的自我意识并列"③。马克思指出："上帝存在的证明或者不外是对于本质的人的自我意识的存在的证明，自我意识的存在的逻辑说明。"④马克思在这里把作为人的象征的自我意识置于神灵之上，这是对人在历史上的地位和作用的肯定，是对文艺复兴以来，人道主义传统的继承。

在这个问题上，马克思和鲍威尔持有相同的观点，即上帝是人的本质的表现，宗教是人的自我意识的异化。马克思说，在宗教意识中，"总是存在现存的、被思维从主体分离出来的谓语。所有哲学家都用谓语做主体"⑤。所以，马克思认为，必须把自我意识从宗教的从属地位颠倒过来，使之上升为主体的地位，必须克服宗教异化，实现精

① 《马克思恩格斯全集》第3卷，261页，北京：人民出版社，1960年。
② 《马克思恩格斯选集》第4卷，241页，北京：人民出版社，1995年。
③ ［德］马克思：《博士论文》，贺麟译，3页，北京：人民出版社，1961年。
④ ［德］马克思：《博士论文》，贺麟译，94页，北京：人民出版社，1961年。
⑤ 《马克思恩格斯全集》第40卷，93页，北京：人民出版社，1982年。

神的解放和自由。在他看来，“哲学研究的首要基础是勇敢的自由的精神”[①]。

那么如何克服宗教异化呢？在这个问题上，马克思与鲍威尔发生了分歧。

鲍威尔主张，只要一切人放弃宗教，这样也就作为公民得到了解放，换句话说，也就从教徒变成了公民；另一方面，国家与宗教脱离，从政治上废除宗教，这样宗教也就消灭了[②]。

马克思不赞成鲍威尔的这一主张。通过《莱茵报》时期的斗争，马克思认识到：“宗教本身是没有内容的，它的根源不是在天上，而是在人间，随着以宗教为理论的被歪曲了的现实的消灭，宗教也将自行消灭。”[③]因此，马克思认为，单凭无神论这个大胆而可怜的结论是不够的，宗教不是通过口头宣布就能消灭的，必须要“更多地联系着对政治状况的批判来批判宗教，而不是联系着对宗教的批判来批判政治状况”[④]。

在这里，马克思已经具有了某种历史唯物主义的倾向性，即试图用社会的政治状况来说明宗教的存在。

马克思在后来《德法年鉴》时期的著作中，进一步贯彻了上述基本思想，并深入社会关系的内部进行了较为具体的分析。马克思说：“在我们看来，宗教已经不是世俗狭隘性的原因，而只是它的表现。”[⑤]“这个国家、这个社会产生了宗教，一种颠倒的世界意识，因为它们就是颠倒的世界。”[⑥]在这个颠倒了的世界里，劳动者苦难重重，备受欺凌，于是他们把自己的希望寄托于幻想的世界，因而“宗教里的苦难既是现实的苦难的表现，又是对这种现实的苦难的抗议。宗教是被压迫生灵的叹息，是无情世界的心境……宗教是人民的鸦片”[⑦]。劳动人民企图在这种精神的麻醉中，暂时摆脱心灵上的痛苦。

另外，统治阶级让劳动人民吸食这种精神鸦片，就是要人民丧失

① 《马克思恩格斯全集》第40卷，112页，北京：人民出版社，1982年。
② 参见《马克思恩格斯全集》第1卷，423页，北京：人民出版社，1956年。
③ 《马克思恩格斯全集》第27卷，436页，北京：人民出版社，1972年。
④ 《马克思恩格斯全集》第27卷，436页，北京：人民出版社，1972年。
⑤ 《马克思恩格斯全集》第1卷，425页，北京：人民出版社，1956年。
⑥ 《马克思恩格斯选集》第1卷，1页，北京：人民出版社，1995年。
⑦ 《马克思恩格斯选集》第1卷，2页，北京：人民出版社，1995年。

斗志，不要反抗，从而使剥削阶级的统治得以维持。因此，“宗教是这个世界的总理论，是它的包罗万象的纲要，它的具有通俗形式的逻辑，它的唯灵论的荣誉问题……它的狂热，它的道德约束，它的庄严补充，它借以求得慰藉和辩护的总根据”①。

所以，要消灭宗教，就要改造宗教产生的世俗基础。“人的自我异化的神圣形象被揭穿以后”，就要去“揭露具有非神圣形象的自我异化”，即政治的异化。要把“对天国的批判”，“变成对尘世的批判”，把“对神学的批判”，“变成对政治的批判”②。马克思认为，这个批判不仅是理论的，而且也是实践的。要在革命实践中排除世俗社会的自我分裂和自我矛盾，要“推翻那些使人成为被侮辱、被奴役、被遗弃和被蔑视的东西的一切关系”③。

马克思的这些论述初步揭示了宗教产生的社会政治原因，并由此得出了社会革命的结论。这表明青年马克思向历史唯物主义进一步接近了。但是，马克思当时对社会关系的理解还是比较抽象的，虽然对社会本身的矛盾和对立的分析，有不少精彩的论述，但在总体上，还没有突破个人生活与类生活相对立的传统理解。

他说：“政治国家的成员之所以信奉宗教，是由于个人生活和类生活、市民社会生活和政治生活的二元性。”④在马克思当时看来，在市民社会中，人过着私人生活，而在政治生活中，人才作为社会存在物过着社会生活。而宗教的产生正是由于社会力量作为政治力量，与市民社会脱离了，反过来统治“市民社会”，成为压抑个人的异己力量。所以马克思说：“政治国家的彼岸存在无非就是要确定它们这些特殊领域的异化。政治制度到现在为止一直是宗教的领域，是人民生活的宗教，是同人民生活现实性的人间存在相对立的人民生活普遍性的上天。”⑤换句话说，社会的政治异化是产生宗教的原因。

那么，为什么会产生政治异化呢？马克思通过对政治经济学的研究，进一步追本溯源，发现政治异化不能从政治本身去寻找原因，而

① 《马克思恩格斯选集》第1卷，1页，北京：人民出版社，1995年。
② 《马克思恩格斯选集》第1卷，2页，北京：人民出版社，1995年。
③ 《马克思恩格斯选集》第1卷，10页，北京：人民出版社，1995年。
④ 《马克思恩格斯全集》第1卷，434页，北京：人民出版社，1956年。
⑤ 《马克思恩格斯全集》第1卷，283页，北京：人民出版社，1956年。

必须从经济中，从私有财产的产生及其根源——劳动异化中去寻找原因。

三、从政治异化批判到劳动异化批判

从政治异化进一步探究劳动异化，这是青年马克思关于宗教批判的有重大意义的发展，也是马克思创立唯物史观过程中的一个有重要意义的环节。

这一发展是在《1844年经济学哲学手稿》（以下简称《手稿》）中实现的。马克思说："我们从国民经济学本身出发，用它自己的话指出，工人降低为商品，而且降低为最贱的商品；工人的贫困同他的产品的力量和数量成反比；竞争的必然结果是资本在少数人手中积累起来，也就是垄断的更惊人的恢复；最后……整个社会必然分化为两个阶级，即有产者阶级和没有财产的工人阶级。"①

在这里，马克思第一次分析了社会本身的矛盾和对立，特别是从经济关系上、阶级关系上分析了无产阶级和资产阶级的矛盾和对立。并且在《手稿》中马克思还指出，这种矛盾和对立是私有制和"异化劳动"的结果。

马克思的劳动异化理论是从这样"一个当前的经济事实"出发的。这个事实就是资本主义的经济剥削。在资本主义社会中，劳动者生产的财富越多，他的产品的力量和数量越大，他就越贫困。劳动者创造的商品越多，他就越变成廉价的商品。随着实物世界的涨价，人类世界也成正比例的落价。马克思指出："这一事实无非是表明：劳动所生产的对象，即劳动的产品，作为一种异己的存在物，作为不依赖于生产者的力量，同劳动相对立。"②马克思在这里所表述的就是关于劳动异化概念的一般涵义。

劳动异化理论作为马克思从费尔巴哈人本主义向唯物史观过渡过程中提出的理论，因而不可避免地带有人本主义的局限性。它是以抽象的"人的本质"，理想化了的"人性"，来作为衡量经济关系的尺度。它成为马克思批判资本主义的非人化、反人道，探索人民苦难根

① ［德］马克思：《1844年经济学哲学手稿》，50页，北京：人民出版社，2000年。

② ［德］马克思：《1844年经济学哲学手稿》，52页，北京：人民出版社，2000年。

源的理论武器。

马克思从劳动异化中，找到其他一切异化的根源，并从中引出要克服劳动异化，就需要改变生产资料私有制，实现共产主义，即实现人性复归的结论。马克思认为："共产主义是私有财产即人的自我异化的积极的扬弃，因而是通过人并且为了人而对人的本质的真正占有；因此，它是人向自身、向社会的即合乎人性的人的复归。"[①]

从上面的分析可知，《手稿》中的劳动异化这一思想，从哲学的理论形式，或思维框架来说，是属于费尔巴哈人本主义的，其出发点和归宿点都是理想化的劳动。但是从哲学的理论内容来说，劳动异化这一概念的提出，表明这时的青年马克思已经大大超越了费尔巴哈。费尔巴哈把人的本质的异化仅仅看成是宗教领域的现象。《手稿》已经把对异化现象的认识扩展到资本主义社会的思想文化、政治经济和生产劳动等领域。并且把宗教的、政治的异化归结为劳动的异化。

马克思认为，这种异化所产生的就不仅是精神的痛苦，它首先是物质的痛苦。所以，《手稿》指出，同宗教的"内心深处"的意识异化不同，"而经济的异化是现实生活的异化"[②]。因此，从根本上说，马克思的劳动异化理论是对资本主义社会的各种矛盾和许久以来统治人们的自发的社会力量，从经济角度所进行的具有特征性的理论概括。劳动异化理论对于经济关系和生产劳动的解剖，加深了马克思对社会物质生产条件的理解，以及使马克思初步看到了社会物质关系对于社会精神现象的决定作用。

由于马克思的异化理论与费尔巴哈异化理论的性质不同，因而克服异化的途径和实现人性复归的社会理想也大相径庭。在费尔巴哈那里，为了克服宗教异化，他想建立一种"爱"的宗教来代替神的宗教。为了消灭宗教异化和社会上一切异化现象，马克思则主张，通过无产阶级革命，消灭私有制，实现共产主义，即实现人性的复归。

总之，劳动异化理论的提出，使马克思初步揭示了宗教异化的社会经济根源，同时也为唯物史观的创立，提供了必不可少的理论前提。

---

① ［德］马克思：《1844年经济学哲学手稿》，81页，北京：人民出版社，2000年。

② 《马克思恩格斯文集》第1卷，186页，北京：人民出版社，2009年。

四、超越劳动异化论创立唯物史观

任何理论都有其内在的发展逻辑。当青年马克思用异化劳动理论来说明宗教异化、政治异化和资本主义社会中其他一切异化现象的根源时，随之而来的一个新的问题也就产生了，那就是劳动异化的根源在哪里？《手稿》也正是这样提出问题的："现在要问，人怎么使他的劳动外化、异化？这种异化又怎么以人的发展的本质为依据？我们把私有财产的起源问题变为外化劳动对人类发展进程的关系问题，就已经为解决这一任务得到了许多东西。……问题的这种新的提法本身就已包含问题的解决。"[①]马克思在这里提出，要从人类发展进程的角度去说明异化劳动的产生，这一观点是有重要意义的，至少它为上述问题的解决，指出了一个大致的方向。但是，现存的《手稿》还没有能对这一问题作出明确的回答。

很显然，既然劳动异化作为其他一切异化现象的根源，那么也就是说，不能反过来再用其他异化现象来说明异化劳动的根源。这样，劳动异化的根源也只能从劳动本身中去寻找。而且，这也符合人本主义关于人的本质的自我异化的逻辑要求。

然而，从劳动本身去说明劳动异化的根源，就必然要引导到承认劳动的内在矛盾，即青年马克思后来所揭示的生产力与生产关系的矛盾。正是由于这个矛盾的运动，才在一定阶段上产生了私有制，产生了阶级剥削和阶级压迫等一系列被马克思称之为的异化现象。并且随着生产力与生产关系的矛盾及其所派生的经济基础与上层建筑的矛盾的不断发展和不断解决，必将最终消灭一切异化现象，逐步实现人类的彻底解放。

青年马克思在理论上的这一转变，是从《神圣家族》开始的。

《神圣家族》探索了历史发展的动力问题，第一次提出了把生产方式作为理解历史的现实基础的思想。指出：如果"不把比如说某一历史时期的工业，即生活本身的直接的生产方式认识清楚"，就不能"真正地认清这个历史时期"[②]。

---

① ［德］马克思：《1844年经济学哲学手稿》，63页，北京：人民出版社，2000年。

② 《马克思恩格斯文集》第1卷，350页，北京：人民出版社，2009年。

马克思还从人对物质生活资料的依赖关系，指出了人们在物质生产过程中必然发生的相互关系。他说："对象作为为了人的存在，作为人的对象性存在，同时也就是人为了他人的存在，是他同他人的人的关系，是人同人的社会关系。"[①]马克思这段话虽然仍带有费尔巴哈的影响，但说明了青年马克思已经接近发现生产关系这一概念了。[②]

《神圣家族》中，对于历史发源地的探索和向生产关系思想的接近，为突破《手稿》中劳动异化理论的局限性，为说明阶级社会中的异化现象，提供了历史观和方法论方面的某种科学基础。

在上述基础上，马克思所写的批判李斯特《政治经济学的国民体系》第一卷的手稿，初步揭示了生产力和生产关系的矛盾，提出了关于生产力的发展在历史发展中的决定作用的观点，关于生产力发展必将冲破资本主义所有制关系的观点[③]，关于生产力与创造未来新社会的无产阶级之间相互联系的观点。

马克思把资本主义制度下发展起来的新的生产力，看作"由无产阶级所体现的新的社会制度的力量"[④]。马克思认为，无产阶级作为创造未来社会的主观力量，那么生产力就是创造未来社会制度的一种客观力量。马克思写道："工业用符咒招引出来（唤起）的自然力量和社会力量对工业的关系，同无产阶级对工业的关系完全一样。今天，这些力量仍然是资产者的奴隶，资产者无非把它们看作是实现他的自私的（肮脏的）利润欲的工具（承担者），明天，它们将砸碎自身的锁链，……炸毁资产者用以把它们同人分开并因此把它们从一种真正的社会联系变为（歪曲为）社会桎梏的那种锁链。"[⑤]

这些论述表明，马克思的历史理论已经深化到了对生产力和生产关系的相互关系的考察，从而"大致完成"了关于历史唯物主义的创立工作。

马克思于1845年春写作的《关于费尔巴哈的提纲》（以下简称《提纲》）既表明了马克思与费尔巴哈人本主义以及一切旧哲学的彻底决

① 《马克思恩格斯文集》第1卷，268页，北京：人民出版社，2009年。
② 参见［俄］列宁：《哲学笔记》，13页，北京：人民出版社，1974年。
③ 参见《马克思恩格斯全集》第42卷，257页，北京：人民出版社，1979年。
④ 参见《马克思恩格斯全集》第42卷，258页，北京：人民出版社，1979年。
⑤ 参见《马克思恩格斯全集》第42卷，258、259页，北京：人民出版社，1979年。

裂，同时也标志着历史唯物主义的诞生。

《提纲》在人类思想史上，同时在马克思主义哲学形成史上，第一次从世界观的高度肯定人的实践主体性，认为人化自然、社会、人本身以及人的意识都是与主体的能动活动相联系的自然历史过程的运行系统，人是在劳动中形成和发展的，劳动是人的根本特性；劳动基础上所形成的一切社会关系的总和是人的本质。社会生活本质上是实践的，社会关系作为人的活动的创造物，一旦形成以后，它就作为一种既得的力量规定人的活动，规定人的思维。而人作为能动的社会存在物，也在实践中改变社会关系，创造新的社会关系，同时在这过程中练就新的品质、能力，改变人的思维方式和思维内容。这也就是人与环境在实践中的相互创造。

正是基于这种历史唯物主义的认识，马克思指出："宗教本身既无本质也无王国。在宗教中，人们把自己的经验世界变成一种只是在思想中的、想象中的本质，这个本质作为某种异物与人们对立着，这决不是又可以用其他概念，用'自我意识'以及诸如此类的胡言乱语来解释的，而是应该用一向存在的生产和交往的方式来解释的。"①"用这个世俗基础的自我分裂和自我矛盾来说明。因此，对于这个世俗基础本身首先应当从它的矛盾中去理解，然后用排除矛盾的方法在实践中使之革命化。"②

这就是说，要消灭宗教，就必须创造条件消灭阶级对立，消灭阶级剥削和阶级压迫，要消灭阶级产生的土壤，要改变其赖以产生和存在的旧的生产和交换方式。

五、最后的结论

综上所述，马克思对宗教产生根源的一层深一层地加以揭示的过程，也是一步进一步地向唯物史观接近，并最终创立的过程。而向唯物史观的每一步接近，同时又反转过来加深了马克思对宗教的批判。马克思从宗教异化追寻到政治异化，又进一步从政治异化探究到劳动异化。最后产生了一个飞跃，即用物质生产本身的矛盾及其发展来说

① 《马克思恩格斯全集》第3卷，170页，北京：人民出版社，1960年。

② 《马克思恩格斯选集》第1卷，59页，北京：人民出版社，1995年。

明社会的其他一切矛盾及其运动。

这样，不仅最终揭示了宗教产生的社会历史根源，指明了消灭宗教的根本途径，而且从根本上揭示了社会发展的动力，为科学说明社会有机体的各层次、各方面之间的关系提供了指导线索，为科学说明私有制的产生、阶级的出现、政治国家的形成、社会革命的发生以及意识形态的变迁等，提供了客观根据。

当然，承认青年马克思关于宗教的批判对于唯物史观创立的促进作用，这并不意味着唯物史观的创立是对宗教的纯粹理性批判的产物。实际上，青年马克思向唯物史观的发展道路，既是一个跟随时代前进不断进行实践探索的过程，同时也是一个对人类优秀文化遗产进行批判继承的，有其内在逻辑的完整过程。正是在这一总的过程中，在多种因素的相互影响下，才得以使马克思对于宗教的批判不断深入，从而使其作为一个重要原因，推动青年马克思去解开人类历史之谜，从而创立了历史唯物主义。

《关于费尔巴哈的提纲》导读*

马克思的《关于费尔巴哈的提纲》（以下简称《提纲》）是1845年4月间在布鲁塞尔写的。这份《提纲》写在马克思1844—1847年自己的记事本第51—55页中。恩格斯在1888年出版《路德维希·费尔巴哈和德国古典哲学的终结》（以下简称《费尔巴哈论》）一书时，发现了它，在作了文字整理以后，作为该书的附录，第一次公开发表。

恩格斯对《提纲》给予了高度评价，认为这是一份“非常宝贵的”、“包含着新世界观的天才萌芽的第一个文件”①；又说，它是“历史唯物主义的起源”②。这里的“新世界观”指的是恩格斯在做出上述评价时已经获得命名的“辩证唯物主义”世界观。换句话说，在恩格斯看来，《提纲》在马克思主义哲学形成过程中，是具有里程碑意义的著作。

在马克思哲学历程的起步阶段，先是受到黑格尔哲学的熏陶，后来又受到费尔巴哈哲学的洗礼，在跟随时代前进，不断进行实践探索和理论创造的共同激励下，“又超过费尔巴哈走向历史（和辩证）唯物主义”③。《提纲》就是马克思对一切旧哲学，特别是费尔巴哈哲学从世界观角度所进行的总清算，同时也是对自己创立的辩证唯物主义和历史唯物主义哲学的总前提、总特征和根本原则所做的言简意赅的说明，是马克思主义哲学诞生的标志。

《提纲》和《费尔巴哈论》都是以研究和批判旧哲学，特别是费尔巴哈哲学，阐述马克思主义世界观和历史观为主要对象的。如果说，马克思的《提纲》是马克思主义哲学的雏形，那么，恩格斯的《费尔

---

* 原文来源于李殿斌主编：《马克思主义哲学著作导读》，石家庄：河北人民出版社，1997年。

① 《马克思恩格斯选集》第4卷，213页，北京：人民出版社，1995年。

② 《马克思恩格斯全集》第39卷，24页，北京：人民出版社，1972年。

③ 《列宁全集》第55卷，293页，北京：人民出版社，1990年。

巴哈论》则是对马克思主义哲学的创立过程，首次作了较为系统的概述。由此可见，恩格斯把《提纲》作为《费尔巴哈论》一书的附录予以发表，绝不是偶然的。

《提纲》共11条，大致可分为七个方面。

一是第1条。马克思以科学的实践观为核心，批判包括费尔巴哈在内的旧唯物主义的被动直观原则和唯心主义抽象能动原则的片面性及缺陷，把唯物辩证理解的实践，即科学的实践原则作为自己哲学的主导原则，从而使自己的新哲学同一切旧哲学对立起来，实现了哲学史上的伟大变革。

二是第2条。马克思主义以科学的实践观为核心，论述了理论与实践的关系问题，特别是关于实践是认识的基础和检验真理标准的问题。

三是第3条。说明实践是环境与人及实践三者改变的共同基础。

四是第4条。说明通过实践改变世俗基础是宗教消亡的途径。

五是第5、6、7三条。说明人的本质是实践活动中所结成的一切社会关系的总和。

六是第8、9、10三条。说明全部社会生活在本质上是实践的；新唯物主义是实践活动的唯物主义，并把人类社会看作人的实践的产物。

七是第11条。是从总体上说明马克思主义哲学在哲学领域所实现的革命变革的实质和它的根本特点。

下面对《提纲》的11条内容，分上述七个方面，并按原文顺序作一些简略的说明。

一、马克思主义哲学的实践主导原则

《提纲》第1条，批判了费尔巴哈唯物主义和一切旧哲学的局限性，第一次把社会实践作为辩证唯物主义和历史唯物主义的基本范畴提了出来，标志着马克思不仅和唯心主义，而且和旧唯物主义划清了界限，为制定马克思主义哲学体系提供了根本的指导原则。

（一）实践概念是新唯物主义的主导范畴

如果把《提纲》看作马克思新唯物主义世界观和历史观的初始构架，那么实践概念就是这整个构架的顶梁柱。这就是说，整个马克思主义哲学从一开始就是以实践概念为其主导原则的。因此，准确理解《提纲》的实践概念，对我们正确领会《提纲》的精神实质是至关重要的。

在哲学史上，许多哲学家和哲学派别都有自己的实践观点，但把实践理解为人的以生产劳动为基本形式的、能动的、感性的、对象性的物质活动，唯有马克思主义哲学一家。而这种理解的较为完整的体现，首推《提纲》。

在西方哲学中，最早使用实践概念的是亚里士多德。亚氏区分了人类活动的不同类型，即理论活动、实践活动和制作活动。理论活动指的是哲学理论创造；制作活动是指工艺制作；实践活动是指伦理和政治活动，即人的合乎理性的善的行为。大概是受亚氏的影响，近代的康德区分了“理论理性”和“实践理性”。实践理性是伦理领域的理性，是善良意志为道德立法。黑格尔把对实践的理解从政治伦理领域推进到劳动领域。这是他的一个进步。

但是从亚里士多德到康德、黑格尔，以至到青年黑格尔派的契希考夫斯基、赫斯等，都把实践归结为纯粹意志的活动，对所主张的是一种思辨的实践观。当然其间也有区别，其区别只在于，对纯粹意志的源头理解的不同。在亚里士多德那里其源头是理性自由；在黑格尔那里是绝对精神自由；在青年黑格尔主义者赫斯那里是作为人的本性的行动自由；在《1844年经济学哲学手稿》（以下简称《手稿》）的马克思那里，也是源于人的本性的劳动自由。不过，在《手稿》中也已经包含了关于劳动作为对象性活动的唯物主义理解。

《提纲》不仅继承了《手稿》中关于劳动、实践的能动性、感性对象性活动的理解，而且作了能动的、感性的、对象性物质活动的唯物主义系统理解。

在《提纲》中，马克思指出唯心主义抽象地发展了能动的方面，指的是思维的能动方面，即把思维过程变成了在头脑中创造事物的过程。马克思批判旧唯物主义放弃了能动方面是指放弃了实践的能动方面。因此，在马克思看来，实践是能动的活动。

不仅如此，实践还是能动的对象性的活动。所谓对象性，是指实践是以外在对象的存在和受其制约为前提，以对外在对象的改造为根本环节的、创造新对象的活动。马克思指出：“人有现实的、感性的对象作为自己本质的即自己生命表现的对象。”①又说：“劳动的产品就是固定在某个对象中、物化为对象的劳动，就是劳动的对象化。劳动的实现就是劳动的对象化。”②承认劳动的对象性，也就否定了关于劳动的纯粹自由的理解。

凡人的活动都既具有能动性，也都具有对象性。只有能动的、对象的感性活动，才是人的实践活动。即可感知、可观察的直接现实性的活动，也就是说运用物质手段，使现实事物发生物质形式的改变。

总之，科学理解的实践活动，应包括以下三个方面的规定：实践是人的感性的物质活动（不是思想范围的交流、互动活动）；实践活动是人的对象性活动（这里的对象不是思想对象，而是客观对象、感性对象）；实践是能动的主观见之于客观的有目的活动（是见之于客观现实的改变，不是见之于主观态度的改变）。

（二）旧唯物主义的主要缺点是不了解社会实践的意义

马克思指出，从前的一切唯物主义（包括费尔巴哈的唯物主义）的主要缺点是：对对象、现实、感性，只是从客体的或者直观的形式去理解，而不是把它们当作感性的人的活动，当作实践去理解，不是从主体方面去理解。

“对象、现实、感性”在这里是同义语，都是指客观存在着的事物。不过，按汉语的用语习惯。把“感性”说成“对象、现实”的同义语，确实有些费解。然而这里的“感性”不是汉语中所指谓的一种主观认识，即不是作为“感性认识”的“感性”，而是指可感的事物，包括感性活动所创造的感性事物。对此，费尔巴哈曾解释说，“感性”就是与“实际存在的统一。同此，在我看来，它如同现实一样”③。马克思也曾沿用了这一说法。他指出：“说一个东西是感性的即现实的。”④

所谓“从前的一切唯物主义”即旧唯物主义，其中包括古代唯物主义和近代唯物主义。主要指近代欧洲的唯物主义。主要代表是17世

① 《马克思恩格斯文集》第1卷，210页，北京：人民出版社，2009年。
② 《马克思恩格斯全集》第42卷，91页，北京：人民出版社，1979年。
③ 转引自《列宁全集》第55卷，38页，北京：人民出版社，1990年。
④ ［德］马克思：《1844年经济学哲学手稿》，107页，北京：人民出版社，2000年。

纪的英国经验论、18世纪的法国唯物论和19世纪德国费尔巴哈的人本主义唯物论。它们都主张物质决定精神，但是它们都不能科学说明物质如何决定精神，同时又否认精神对物质的能动反作用。因此，它们的物质决定论是一种线性的片面的决定论。为这种决定论所支配，因而它们“对对象、现实、感性”只是从客体作用于人的客体性关系的角度，或是从人对客体事物进行朴素观察的角度去理解事物。而没有从人对客观事物的能动作用，即改造客观事物的现实的人的活动，或者说，人对客体的主体性关系的角度去理解事物。而这正是旧唯物主义的主要缺点。

在古代朴素唯物主义那里，主体还没有从相应的自然客体中独立地区分出来。对主体的显著特点——意识性还只是以灵魂的形式做了合理的猜测。在泰勒斯那里，灵魂是水转化的一种状态；在赫拉克利特那里，灵魂是火转化的一种状态；在德谟克利特那里，灵魂只是和肉体稍有差别。后者是粗糙的原子组成，而前者则是精细原子的组合。因而古罗马的唯物主义者都把人的感觉、思想产生看成外物对人的一种渗入、流射的结果。

17世纪的英国唯物主义者和18世纪的法国唯物主义者开始承认人作为感觉主体的存在，但他们中的绝大多数人，仍然把感觉者的主体人理解为服从机械法则的物体。拉美特利则是直称“人是机器”。在他看来，相对于动物这架机器，人作为机器只是多了一些零件，具有更复杂的结构而已。因而人的认识，只是被动接受的镜子式的反映，是外物在人的“脑幕”上的投影，是外物在人脑这块“白板”上刻下的印痕。费尔巴哈对这种机械唯物主义甚为不满，他强调人的认识的能动性，但并没有前进到实践的能动性，只是把人作为感性主体、直观主体，并没有把人作为实践主体。

马克思在《手稿》中指出：我们既要看到自然界对人的作用，人是“受动的”“自然存在物”；同时又要看到人是“能动的自然存在物”[①]，人也改造自然界。只有把这两方面统一起来，才能全面反映人与自然界的关系。而就人来说，人能够改造和支配自然界，“这便是人同其他动物的最终的本质的差别”[②]。而旧唯物主义“认为只是自然界

① ［德］马克思：《1844年经济学哲学手稿》，105页，北京：人民出版社，2000年。

② 《马克思恩格斯选集》第4卷，383页，北京：人民出版社，1995年。

作用于人，只是自然条件到处决定人的历史发展，它忘记了人也反作用于自然界，改变自然界，为自己创造新的生存条件”。而“人的思维的最本质的和最切近的基础，正是人所引起的自然界的变化”①。

从这个意义上说，人和自然的关系，主要是改造与被改造的关系，其次才是反映与被反映的关系；客观世界主要是人类实践的对象，其次才是认识的对象。马克思恩格斯在《德意志意识形态》中指出：费尔巴哈“没有看到，他周围的感性世界决不是某种开天辟地以来就直接存在的、始终如一的东西，而是工业和社会状况的产物，是历史的产物，是世世代代活动的结果。……甚至连最简单的‘感性确定性’的对象也只是由于社会发展、由于工业和商业交往才提供给他的。……才为费尔巴哈的‘感性确定性’所感知”②。

（三）唯心主义的错误在于抽象发展了能动的方面

马克思指出：“和唯物主义相反，能动的方面却被唯心主义抽象地发展了，当然唯心主义是不知道现实的、感性的活动本身的。”

这里是说，由于旧唯物主义不了解实践，不能对人的能动性作出唯物主义的解释，这样不仅不能战胜唯心主义，相反，那能动的方面却被唯心主义抽象地发展了。这里的“抽象”是“片面”之意。是说唯心主义片面地夸大了精神的能动性，把它看成了超越客观事物制约的绝对，把精神通过实践对物质的反作用，夸大为精神在自己的辩证运动中派生出了物质。

在西方唯心主义历史上，柏拉图在理念论的基础上，肯定了思维派生存在的能动性思想。但是他对思想如何派生存在，则不能自圆其说。这一问题的富有成果的理论推进是在近代，简单地说，它是经过莱布尼茨—康德—黑格尔实现的。

莱布尼茨较早从本体论角度，肯定了作为世界本原的精神性“单子”的绝对能动性。认为这种能动性的精神性单子的运动，才构成了丰富多彩的现实世界。这在唯心主义的逻辑进程中，标志着由思维派生存在的规定，向肯定思维能动性的规定过渡。当然，这种精神性单子论所肯定的，不是人的主观精神的能动性，而是客观精神的能动性。

① 《马克思恩格斯选集》第4卷，329页，北京：人民出版社，1995年。

② 《马克思恩格斯选集》第1卷，76页，北京：人民出版社，1995年。

对此，康德不以为然，他着重从主体的认识角度肯定“自我意识”即主体先天的认识形式（指时间、空间、原因、结果等十二对范畴）对各种感性材料加以整理、归纳、综合的能动性。

德国古典哲学集大成者黑格尔坚持了本体论与认识论相统一、认识世界与改造世界相统一的辩证思想。他在唯心主义的客观形式中，即把康德的“自我意识”泛化为派生和统摄一切事物的绝对意识或绝对观念。在黑格尔看来，绝对观念通过自身的一系列辩证运动“外化”“异化”为自然界，绝对精神又通过人的劳动，获得自我意识，扬弃这种异化，重新占有自己的对象化了的本质。

从体系上说，劳动是绝对精神展开自身回到自身的一个环节。在这个意义上，黑格尔哲学是极端贬低劳动的。但劳动在黑格尔哲学中又是绝对精神实现其自由本质的工具。因此，在这个意义上说，劳动这个环节，又表现了深刻的主体能动性的思想内容。

黑格尔认为，实践高于理论，因为实践既体现了理论的普遍性又具有单纯现实性的品格，即使抽象的理论变成了具体的客观现实。在黑格尔那里，实践还作为沟通思维和存在、主观和客观的现实桥梁。他认为实践消除了客观世界的片面性，又消除了主观世界的片面性。因此，实践“即是主观性和客观性的确立了的统一”①。

不仅如此，黑格尔还认为实践的过程也就是人的生成和发展。他说，“人的真正的存在是他的行为”，“有什么样的行为就有什么样的个人”②。马克思肯定了黑格尔这个关于“把劳动看作人的本质，看作人的自我确证的本质”③的思想，认为这个思想是很深刻的。

不过，唯心主义包括黑格尔唯心主义都是在抽象思辨的范围内谈论能动性，而真正现实的实践，却反倒成了这种思辨能动性展示自己的一个环节、一种表现。在黑格尔那里，实践的主体是“单纯的主观目的”。实践的力量，是黑格尔称之为的“概念的这种内在的活动力量”。实践的过程是“理性的机巧”，是上帝这种“绝对的机巧”，利用人们的努力，“完成他的目的”④。因而它所理解的实践只是抽象的精

① ［德］黑格尔：《小逻辑》，贺麟译，395页，北京：商务印书馆，1980年。
② ［德］黑格尔：《精神现象学》上卷，贺麟、王玖兴译，213页，北京：商务印书馆，1979年。
③ 《马克思恩格斯全集》第42卷，163页，北京：人民出版社，1979年。
④ ［德］黑格尔：《小逻辑》，贺麟译，392—395页，北京：商务印书馆，1980年。

神的活动，所以马克思说："唯心主义是不知道现实的、感性的活动本身的。"因为现实的、感性的活动，是主观见之于客观的活动，是主体的能动性与客体的制约性相统一的活动。

(四) 对费尔巴哈实践观的批判

马克思说："费尔巴哈想要研究跟思想客体确实不同的感性客体：但是他没有把人的活动本身理解为对象性的……活动。"①

这里的"思想客体"是指黑格尔的"绝对观念"。黑格尔把"绝对观念"理解为超越人的意识而独立存在的实体。这种精神实体在自我运动中，逐渐外化为自然界、人类社会。黑格尔是以这种超越一切而又产生一切的"思想客体"作为自己哲学的研究对象的。费尔巴哈反对黑格尔的这种观点，认为任何思想总是人的思想，人是思想的主体，而人又是自然界的产物。所以费尔巴哈把自然和以自然为基础的人等"感性客体"作为他的"新哲学"的"惟一的，普遍的，最高的对象"②。

费尔巴哈反对思辨哲学，主张研究自然和人，特别是把人提到哲学研究的中心地位，这是很正确的。费尔巴哈也很强调实践，并有不少关于实践的闪光的思想，但就其基本立场来看，费尔巴哈则是贬低实践，抬高理论的。在他那里，不是把实践活动，而是把理论活动"看作是真正人的活动"。因为在费尔巴哈看来，"理论之立场，就意味着与世界和谐相处"，只有理论活动才是"人于中满足自己、让自己自由地活动的那种活动。在这里，满足自己的同时，人也让自然安静地存在下去"。"与此相反，如果人仅仅立足于实践的立场，……那他就跟自然不睦，使自然成为他的自私自利、他的实践利己主义最顺从的仆人"③。

所以马克思批评费尔巴哈对于实践"只是从它的卑污的犹太人的表现形式去理解和确定"。即只从实惠的观点，从满足自己生活需要的

① 《马克思恩格斯选集》第1卷，90页，北京：人民出版社，1995年。

② ［德］费尔巴哈：《费尔巴哈哲学著作选集》上卷，荣震华等译，184页，北京：商务印书馆，1984年。

③ ［德］费尔巴哈：《费尔巴哈哲学著作选集》下卷，荣震华等译，144—145页，北京：商务印书馆，1984年。

利己主义观点去看待实践，而没有把它看作“对象性的活动”，即没有把实践看作主体向客体转化，看作通过改造和设定对象显示主体自身本质力量的活动。因此，马克思认为，费尔巴哈“不了解‘革命的’、‘实践批判的’活动的意义”[①]。即不了解通过实践活动，不仅改造了客观世界，即自然界和人类社会，而且改造了主体自身。它是形成和表现人的本质力量的活动。

二、实践是认识的基础和检验真理的标准

如果说，马克思在第1条中，主要是针对旧唯物主义的直观性缺点，以批判的方式提出了马克思主义实践观的话，那么，在第2条中，马克思则主要是以正面论证的方式提出了这个问题，并进而指出了实践观点是新哲学的基本观点。这第2条是第1条的继续和展开。

马克思说：“人的思维是否具有客观的真理性，并不是一个理论的问题，而是一个实践的问题。”[②]

其中，“人的思维是否具有客观的真理性”一语，是指人的思维的内容与思维所反映的客观对象两者之间的关系问题。这个问题可以从两个方面来考察：一是思维的内容能否反映客观对象，以及如何反映客观对象；二是已有的思维内容是否符合客观对象。前者是关于人的思维能力以及获得真理性认识的途径问题；后者是关于认识成果的检验问题。这是两个相互联系而又不完全相同的问题。在哲学史上，哲学家们一直对这两个问题争论不休。

（一）旧哲学在认识的基础和检验真理标准问题上的不正确见解

唯心主义从意识派生物质的哲学路线出发，它根本否认思维的内容与它所反映的客观对象之间的关系。因为，它们认为，根本就不存在那个客观对象，因而也无所谓反映。所以，唯心主义的认识论也叫先验论。但是，客观唯心主义和主观唯心主义也有不同。客观唯心主义在理论上承认有个认识客体。如黑格尔就在认识的问题上有过一些

① 《马克思恩格斯文集》第1卷，503页，北京：人民出版社，2009年。

② 教育部社政司、中央编译局马列部编著：《马克思主义经典著作选读》，46页，北京：人民出版社，2001年。

精湛的论述。他在批判康德哲学关于“自在之物”不可认识的观点时，就提出了认识了现象就认识了本质，现象是本质的一个规定，现象是表现本质的等正确见解。然而，他所说的那个认识客体最终还是思维自身，这也就从根本上抹杀了思维内容和它所反映的对象之间的关系问题，否认了真理的客观性。什么是真理？唯心主义认为，明晰清楚、首尾一致的思想就是真理。或者认为大家公认的思想就是真理。所以，在唯心主义那里，真理既不存在反映的问题，也不存在检验的问题，最终把这两个问题全抹杀了。

费尔巴哈是唯物主义者。他承认客观世界及其规律的真实存在，也不怀疑人的思想是对客观事物及其规律的反映，而且是能正确的反映。但是，在认识是通过什么途径反映客观对象，以及如何检验认识的成果是否具有真理性这两个问题上，他的回答都是肤浅的，在根本上是非科学的。如何反映？他认为，靠直观；如何检验？他认为，也靠直观。他说：“能决定这一点（认识的真理性的——引者注）的唯一标准，乃是直观。”[①]“只有那通过感性直观而确定自身，而修正自身的思维，才是真实的、反映客观的思维——具有客观真理性的思维。”[②]

其实，直观至多只能部分地检验关于事物表面现象的认识之真假，在日常生活中具有一定的意义，但是不能作为任何理论的真理性的检验标准。另外，直观总是联系着感觉经验的主观性而存在的，不同人的直观，所得出的结论可能是不同的。费尔巴哈意识到了这一点，那么，碰到这种情况，究竟是哪一个人的直观才是可靠的呢？他认为：“我一个人所见到的东西，我是怀疑的，别人也见到的东西，才是确实的。”[③]“只有别人跟我一致的地方，才是真的；一致是真理之第一象征，而这却只是因为类是真理之最终尺度。”[④]“跟类之本质相

① ［德］费尔巴哈：《费尔巴哈哲学著作选集》上卷，荣震华等译，179页，北京：人民出版社，1984年。

② ［德］费尔巴哈：《费尔巴哈哲学著作选集》上卷，荣震华等译，178页，北京：人民出版社，1984年。

③ ［德］费尔巴哈：《费尔巴哈哲学著作选集》上卷，荣震华等译，173页，北京：人民出版社，1984年。

④ ［德］费尔巴哈：《费尔巴哈哲学著作选集》下卷，荣震华等译，194页，北京：人民出版社，1984年。

一致的，就是真的，跟类之本质相矛盾的，就是假的。”①

费尔巴哈的“类”，是指有别于动物的人的这一大类。就是说，大家意见一致的思想是真理。由于费尔巴哈唯物主义的直观性，他在真理标准问题上走进了死胡同。众所周知，人的认识，即使大家一致的认识，也不一定是真理；就说是真理吧，其检验的标准也不能在主观思维的范围内绕圈子。这样，他就不得不和他十分憎恶的唯心主义走进了同一个泥坑。他不在主观范围之外去寻找主观符合客观的道路，就永远无法从这个泥坑中爬出来，无法使问题朝正确解决的方面迈进一步。

（二）马克思关于检验认识真理性的实践标准

马克思明确指出：“人的思维是否具有客观的真理性，这不是一个理论的问题，而是一个实践的问题。”实践之所以是检验真理的标准，这是由真理的本性和实践的特点所决定的。真理是人们对客观事物及其规律的正确反映，是主观符合客观的认识。要证明这种认识是否符合客观，在人们的主观范围内是不能得到证明的。同样，客观事物本身也不能直接回答人们的认识是否正确。只有把主观和客观联系起来的“桥梁”才能检验认识是否具有真理性。实践是主观见之于客观的活动，是沟通主观和客观的“桥梁”。这就决定了只有实践才是检验真理的唯一标准。所以，“人应该在实践中证明自己思维的真理性，即自己思维的现实性和力量，自己思维的此岸性”②。而“关于离开实践的思维的现实性或非现实性的争论，是一个纯粹经院哲学的问题”。

所谓“思维的真理性”，就是指在实践中人的主观认识和客观实际达到了具体的历史的统一，正确反映了现实。

所谓“思维的现实性和力量”，是指具有真理性的认识，通过实践，成为一种改造现实的物质力量，把理论的东西转变为现实的东西。思维的真理性是思维的现实性和力量的前提，思维的现实性和力量则是思维的真理性在实践中的表现和证明。

这里的“思维的此岸性”，是马克思借用的一个哲学术语，依然

① ［德］费尔巴哈：《费尔巴哈哲学著作选集》下卷，荣震华等译，194页，北京：人民出版社，1984年。

② 《马克思恩格斯文集》第1卷，500页，北京：人民出版社，2009年。

是说明思维的“真理性”、“现实性和力量”。康德承认有离开人的思维而独立存在的“自在之物”。但是，他认为，由于人的先天认识能力的限制，因而人只能认识现象，不能认识本质。因为现象是人们的认识能力所能达到的“此岸世界”；而作为本质的“自在之物”则是人类认识能力所无法达到的“彼岸世界”。显然，康德是在贬损思维的力量。

黑格尔则相反，他肯定并推崇思维的力量，坚持意识具有“能动的此岸的态度”[①]。所以，他讲的“此岸性”，就是指能够消除康德所设想的在现象和本质之间有一条不可逾越的鸿沟的力量，使两者达到统一的能动性，因而也就是本质和现象统一的现实性。但是，在黑格尔那里，这个统一的“此岸世界”，归根到底是他的神秘的绝对观念。

马克思在这里借用“此岸性”的意思是指，在实践的基础上，人们的思维能够透过事物的现象，达到事物本质和规律性的认识。整个现实的客观世界都是可以认识的，都属于能达到的“此岸”世界。所以，“此岸性”是从客观世界可以被认识的角度说明了人类思维的真理性和现实性。

“经院哲学”，本意是指西欧封建社会中，教会的学院里所讲授的基督教哲学。经院哲学的特点是用烦琐的、形式主义的抽象思维方法来论证基督教教义。因此，人们把一切脱离实际、引经据典、咬文嚼字、钻牛角尖、死啃书本的习气，叫做经院哲学，或烦琐哲学。

马克思在这里就是在转换的意义上使用的，是指经院哲学的特点，即“经院气”，略似中文里的“学究气”。这句话的意思是说，离开实践的检验，去争论认识是不是真理，是争论不清楚的，是烦琐的学究式的争论。

总之，《提纲》第2条的三个断语所概括说明的就是实践是检验真理的客观标准。其检验的有三点，一是思想的现实性，二是它的威力，三是它的可理解性。有了这三点，有关思想就是真理。

① 《马克思恩格斯文集》第1卷，500页，北京：人民出版社，2009年。

三、实践是环境与人及实践三者改变的共同基础

《提纲》第3条，批判了18世纪法国唯物主义和19世纪的空想社会主义者，以及费尔巴哈等，由于他们不了解革命实践的意义，不能科学说明环境与人及实践之间的辩证关系，而导致在历史观、人观上的唯心主义错误，从而表述了实践是环境改变、人的自我改造与人的活动改变的共同基础的观点。

（一）对旧唯物主义和欧文的“环境决定论”的批判

第3条，首先批判了旧唯物主义以及空想社会主义者欧文的“环境决定论”。

18世纪法国唯物主义者爱尔维修、霍尔巴赫和19世纪的空想社会主义者罗伯特·欧文，以及费尔巴哈，都是“环境决定论”者。但这里的“环境”不是法国启蒙学者孟德斯鸠为代表的“地理环境决定论”，而是在批判“地理环境决定论”的基础上所提出来的“社会环境决定论”。他们认为，决定民族精神面貌的不是地理环境，而是社会环境。爱尔维修曾指出，他不赞成孟德斯鸠关于地理环境决定人的精神面貌的主张。他说，某些民族所处的地理环境几乎没有发生什么变化，但民族的精神面貌却发生了很大变化。在同样的地理环境下，为什么罗马人在共和政体下是那样的宽宏大量，那样的英雄豪迈，而现在却变得如此软弱，如此没有丈夫气概。这说明了，地理环境对民族精神的影响是微不足道的。爱尔维修对地理环境决定论的这一批评是击中要害的。指出了它不是从社会内部，而是从社会外部去寻找影响民族精神的原因。因此，爱尔维修主张，决定一个民族精神面貌的是社会环境。

爱尔维修的这一观点包含有合理的因素。但是社会环境有两个部分，一是经济物质环境，二是政治文化环境。爱尔维修在说明社会环境决定民族精神面貌这一观点时，恰恰忽视了决定民族精神的经济物质方面，而主要是指社会的法律、政治制度，以及教育、舆论等上层建筑包括意识形态而言的。其中又以法律和教育为主要因素。认为这些决定了民族的精神面貌。爱尔维修认为，人类的才能

和美德的来源，“既取决于支配人们生活的法律，也取决于人们所接受的教育”①。这种“环境决定论”比起英雄创造历史和宿命论的唯心史观，具有唯物史观的倾向，是把唯物主义应用于社会历史的一种尝试。

但是这种学说陷入了一种循环论证。它在回答完善的法律和良好的教育如何得以可能时，只好诉求于好的立法者和好的教育者。而好的立法者和好的教育者也只有在好的法律环境和好的教育环境中才能成长起来。如此循环了一圈，又回到了原来的出发点。

为了摆脱这种循环论证，爱尔维修只好求助于天才人物。他说："必须有天才，才能用好法律代替坏法律。"②至于天才从何而来，他说："世人中间伟大的人才很少，这是他们的教育的结果。"③人们在天才人物所制定的完善的法律影响下，在良好的道德教育下，就能改善人的精神面貌，从而建立起合理的社会制度，就能创造人人幸福的奇迹。他说，一些伟大的君主在那里召唤天才，天才则召唤幸福。爱尔维修这种天才史观，对后世的空想社会主义者影响甚大。

比如，空想社会主义者欧文就认为，人们的性格是由其先天组织和人在自己的一生中，特别是在发育时期所处的环境这两方面的产物。因此只有用符合理性的好环境代替坏的环境，才能造就出身心健康的人。那么，符合理性的环境从何而来，欧文也只得诉诸“智者”“天才人物”的意见支配。这样，他与爱尔维修一样，陷入了意见支配世界的唯心史观。在他们的理想社会结构中，人被分成两部分：一部分是处于社会上层的上等人，即所谓有理性、有教养、对世界有影响的人。比如科学家、作家、国王等。在这些“对世事有影响的人支配和控制”④下，才能使人类的良好性格得以形成。因而他们是教育因素、积极因素、推动因素。另一部分是下等人，在欧文看来，群众是

① 北京大学哲学系外国哲学史教研室编译：《十八世纪法国哲学》，478页，北京：商务印书馆，1963年。

② 北京大学哲学系外国哲学史教研室编译：《十八世纪法国哲学》，549页，北京：商务印书馆，1963年。

③ 北京大学哲学系外国哲学史教研室编译：《十八世纪法国哲学》，540页，北京：商务印书馆，1963年。

④ ［英］欧文：《欧文选集》上卷，柯象峰、何光来、秦果显译，13页，北京：商务印书馆，1965年。

愚昧无知和缺乏修养的人，工人只是“活机器”，他们只能听从“有影响的人”的支配和控制。他们是消极的、被动的因素。正如马克思所指出的，“这种学说必然会把社会分成两部分，其中一部分凌驾于社会之上”[①]。因此，在他们看来，社会的发展只能寄希望于天才人物的偶然出现。

（二）实践中环境改造和自我改造及实践活动自身改变的统一

马克思认为：“环境的改变和人的活动或自我改变的一致，只能被看做是并合理地理解为革命的实践。”朱光潜先生曾指出，依照德文原文，“人的活动”后面还有“改变”一词[②]。按此说，这一句应完整地译为：“环境的改变和人的活动的改变或自我改造之间的一致，只能被看做是并合理地理解为革命的实践。”这是因为人们在实践中，环境创造人，人也创造环境。并在这种相互创造的过程中，也使实践活动本身改变。所谓环境创造人，就是说，人通过实践使外部环境向自我内化。即在实践中，对象的规定性被迫暴露出来，于是为主体所掌握，转变为主体的本质力量、才能、技巧，转化为主体的活动方式。所谓人创造环境，就是通过实践使主体的本质力量外化、客观化、物化，把自己的本质力量凝聚和体现在作为产品的对象上面，赋予对象以主体的性质。

所谓实践活动的改变，即实践的变革性不仅表现为通过实践改变作为活动对象的环境，改变作为活动主体的人，而且改变着活动自身。在上述三种改变中，这是一种最重要的改变。所谓改变活动自身，即实践通过客观效用的显示，迫使主体改变活动方式，去不断突破实践的局限性，扬弃消极性，力避曲折性，从而使人的活动进入更高的阶段。正是实践的这种自我变革，使人类实践不断发展、不断进步，从而使环境不断改善，使人自身的状况和素质不断优化。

在现实领域中，人们在实践中，实践的改变与环境的改造和自身的改造是同一个历史过程。正如马克思所指出的：人们在实践活动中，“在改造环境的同时也改变着自己”[③]。改变自己，也就意味着以

① 《马克思恩格斯文集》第1卷，500页，北京：人民出版社，2009年。

② 朱光潜：《对〈关于费尔巴哈的提纲〉译文的商榷》，《社会科学战线》，1980（3）。

③ 《马克思恩格斯全集》第3卷，234页，北京：人民出版社，1960年。

新的素质、新的面貌投入实践过程，促进实践方式、实践效能的改变。这种改造客观世界的活动和在这一过程中人自身的改造，以及活动条件、活动方式和活动效能的改变，无论就其深度还是就其广度来说，都是在实践基础上互为条件、互相促进、同步进行的。

马克思恩格斯在《德意志意识形态》中，正是从人与环境及实践本身等三者在实践中相互作用的观点出发，深刻地说明了进行革命的重要性和必要性。他们指出：无论为了使这种共产主义意识普遍地产生还是为了达到目的本身，都必须使人们普遍地发生变化。这种变化只有在实际运动中，在革命中才有可能实现。因此革命之所以必需，不仅是因为没有任何其他的办法能推翻统治阶级，而且还因为推翻统治阶级的那个阶级，只有在革命中才能抛掉自己身上的一切陈旧的肮脏东西，才能成为社会的新基础。

可见，马克思关于在实践中环境的改变和人的改变，以及实践活动改变的三者相一致的思想，为无产阶级革命提供了理论根据。

四、宗教产生的社会根源和消亡途径

《提纲》第4条，评述了费尔巴哈的宗教观，肯定了他把宗教归结为它的世俗基础的功绩。但同时又指出，费尔巴哈在这个问题上的主要缺点是，没有对产生宗教的世俗基础进一步进行科学分析。在这一条提纲中，马克思揭示了宗教产生的社会根源，并指明了宗教消亡的途径，即用革命手段使世俗世界革命化。

（一）费尔巴哈宗教批判的功绩和局限

第4条，首先指出费尔巴哈对宗教批判的功绩和局限。马克思首先肯定了费尔巴哈在批判宗教斗争中的功绩。费尔巴哈巧妙地揭示了宗教是世俗的人的创造。正如马克思所指出的：“费尔巴哈是从宗教上的自我异化，从世界被二重化为宗教世界和世俗世界这一事实出发的。他做的工作是把宗教世界归结于它的世俗基础。”①

这里所谓“宗教上的自我异化”，是指一切宗教都把世界分成两

① 《马克思恩格斯文集》第1卷，500页，北京：人民出版社，2009年。

个：一个是现实的人间世界，一个是想象的宗教世界、神的世界。并认为，人间世界是由神的世界创造的，是受神所支配的。神的世界是神圣的、完善的、永生的，而人的世界是软弱的、有罪的。人的世界是神的世界的产物。费尔巴哈对宗教的批判从这一点出发，指出不是上帝按照自己的形象创造了人类，而是人类按照自己的形象创造了上帝。他说，我们试想一下，为什么上帝的相貌和我们人类一样呢？这说明上帝不过是人根据自己的形象和生活幻想出来的。其实，上帝是根本不存在的。

人为什么要创造一个上帝呢？在费尔巴哈看来，人不仅是个体，而且在个体之外，形成"类"。而作为个体，其本质是有限的、不完善的，而作为"类"，人又能意识到自己的力量是无限的、完善的。为了克服个体有限性、不完善的缺陷，人们把"类"的本质理想化、全能化、拟人化，构成了人格化的神。所以，宗教是人类本质的自我异化，是人的本质的虚幻反映，"是人跟他自己的本质的分裂"①，分裂出来以后又成为一种高于人，反过来压迫人、统治人的异己力量。人创造了神，而人却成为自己创造物的奴仆，只能匍匐在上帝脚下接受统治。

既然上帝并不存在，那么人们为什么要对人自身的本质作这种虚幻的反映呢？费尔巴哈注意到从主观认识上，即人的心理上寻找宗教产生的原因。他说，人有依赖感，"人的依赖感是宗教的基础"②。人为什么会有依赖感呢？因为人对自然灾害和死亡会产生恐惧感，因而人们需要从上帝那里获得某种程度的精神安慰。因此，费尔巴哈认为："只有在人类的痛苦中，上帝才有产生的场所。"③

费尔巴哈只是表述了宗教产生的主观原因，而没有进一步找到产生主观原因，比主观原因更为基本的客观的原因、社会的原因。他不能说明人为什么会对自然界产生恐惧，人为什么不依赖于自身，而要依赖于上帝，为什么不到现实中寻找安慰，而要到幻想的上帝那里去

① ［德］费尔巴哈：《费尔巴哈哲学著作选集》下卷，荣震华等译，60页，北京：商务印书馆，1984年。

② ［德］费尔巴哈：《费尔巴哈哲学著作选集》下卷，荣震华等译，436页，北京：商务印书馆，1984年。

③ ［德］费尔巴哈：《费尔巴哈哲学著作选集》上卷，荣震华等译，163页，北京：商务印书馆，1984年。

寻找安慰。作为一个唯物主义者，费尔巴哈注意到自然界是自然宗教产生的客观基础，但他不能从实践的角度和历史的角度去说明，正是由于生产的不发展，人们知识的贫乏，造成了人对自然的恐惧。费尔巴哈没有能科学说明自然宗教产生的原因，更没有能进一步说明人为宗教产生的社会原因。他不能说明主要作为一些零散的传说、具有某种仪式的自然宗教，为什么会被人为地构成理论化、系统化的宗教世界观。

（二）宗教的产生和消亡必须从世俗社会及其改变去求得说明

费尔巴哈没有能进一步去探究这些问题，他在这些问题面前停步了。马克思认为："世俗基础使自己从自身中分离出去，并在云霄中固定为一个独立王国，这只能用这个世俗基础的自我分裂和自我矛盾来说明。"[①]这里是说，从世俗世界分离出一个神的天国，转入云霄，成为一个独立王国这一事实，根本原因在于世俗世界自身中存在着自我分裂的根源，即经济的原因以及由此产生的阶级矛盾和阶级压迫。

宗教产生于原始人的愚昧无知和对自然力的盲目崇拜和敬畏。进入阶级社会，有了阶级压迫和阶级斗争，又产生了对社会统治阶级力量的敬畏和叹息。人在自然力量、社会力量的双重压迫下而又无能为力，于是便产生了对未来命运和幸福的憧憬和幻想，寄希望于来世和死后的天堂，以幻影代替现实，以求得心态的平衡和自我安慰。统治阶级利用了这一点，以来世的祸福欺骗群众，以防止被压迫者的反抗。宗教成了麻醉群众的精神鸦片。可见，宗教的产生既有其认识根源，更有其社会根源，这是费尔巴哈的人本学所无法了解的。

正因为宗教产生的主要根源是社会的阶级剥削和压迫，所以要使宗教消亡，首先就要分析研究人类社会自身在经济和政治上的阶级矛盾和对立，弄清它们的发展趋势和运动规律，再用革命手段解决现实社会的矛盾，在大力发展社会生产力的基础上，消灭阶级对立。使社会物质的和精神的生活条件达到应有的高度，才能使宗教消亡。宗教消亡的方法当然包括批判宗教意识本身，但重要的是要消除它的社会阶级根源。这就是马克思所说的："对于这个世俗基础本身应当在自身

① 《马克思恩格斯文集》第1卷，500页，北京：人民出版社，2009年。

中、从它的矛盾中去理解，并在实践中使之革命化。”①

因此，“自从发现神圣家族的秘密在于世俗家庭之后，世俗家庭本身就应当在理论上和实践中被消灭”②。这里的“神圣家族”是指宗教世界。“神圣家族”是意大利一幅名画的题目，是由圣母玛利亚、圣父约瑟和圣子耶稣等组成的家庭。既然“神圣家族”即宗教世界的秘密在世俗家庭，即世俗社会，那么对产生宗教世界的世俗社会本身就应该给予理论上的批判和在实践中进行革命的改造。

五、人的本质是实践中所形成的一切社会关系的总和

《提纲》第5、6、7条，批判了费尔巴哈的人的本质观。即把人的本质理解为作为自然物的感性存在和基于自然需要的情感和性欲的联系的观点；说明人的本质是人在实践中所形成的一切社会关系总和的观点。指明人的感情不是自然生来的，而是社会的产物。

（一）费尔巴哈不把人的感性理解为感性的活动

第5条，指出费尔巴哈对人的理解的局限性，这是他从唯物主义前提出发而陷入唯心主义的认识论根源。

从第3条、第4条可以看出，费尔巴哈看到了环境对人的影响，却看不到人对环境的反作用；看到了宗教天国是世俗世界的虚幻反映，却看不到消灭宗教的首要任务在于消除产生它的社会阶级根源。其原因何在？马克思说：“费尔巴哈不满意抽象的思维而喜欢直观；但是他把感性不是看作实践的、人的感性的活动。”③

其中，“抽象的思维”是指德国唯心主义哲学脱离实际的思辨性。费尔巴哈认为，黑格尔“只是用理性的说法来表达自然为上帝所创造、物质实体为非物质的，亦即抽象的实体所创造的神学学说”④。又说，思辨哲学的秘密“是理性化和现代化了的神学，是化为逻辑学的

① 《马克思恩格斯文集》第1卷，500页，北京：人民出版社，2009年。

② 《马克思恩格斯文集》第1卷，500页，北京：人民出版社，2009年。

③ 《马克思恩格斯文集》第1卷，501页，北京：人民出版社，2009年。

④ ［德］费尔巴哈：《费尔巴哈哲学著作选集》上卷，荣震华等译，114页，北京：商务印书馆，1984年。

神学”[①]。费尔巴哈敏锐地看到，思辨的王国犹如宗教的天国，在那里，自然界和人都蒙上了一层神秘的朦胧的色彩。对此，费尔巴哈很不满意。他反思辨哲学之道而行之。费尔巴哈强调指出，我们不要再根据黑格尔的号召去研究“天上的领域了”，我们要努力研究自然界的现实事物。哲学家的知识不是从自己的思维中得到的。而是“诉诸感性的直观”，对自然和人加以研究获得的。他号召说：“观察自然，观察人吧!在这里你们可以看到哲学的秘密。”[②]

但是，费尔巴哈借助直观所理解的感性的自然，是脱离人的活动而就其原始性来加以考察的自然，而不是人所生活于其中的现实的自然。他借助直观所理解的感性的人，也是一个脱离生产劳动的，具有感性需要、物质欲望的，并以直观形式感知其他存在物的单纯生物性、心理性的人，而不是现实的人。

当然，仅就感性而言，动物也有。费尔巴哈觉察到了这一点，并认为人的感性不同于动物的感性，人的感性渗透着理性并受理性的支配。费尔巴哈的这一认识，一般说来也是对的。但是他不懂得人的理性本身也是作为结果而存在的。因为理性背后有着更为深刻的东西，这就是人所进行的感性活动。正是这一点，才是人的感性与动物感性的根本区别。

青年马克思在世界观转变过程中，对费尔巴哈的“感性”范畴进行了认真的研究。并且认为，“感性（见费尔巴哈）必须是一切科学的基础。”[③]马克思对感性研究的结果，认为人的感性活动，不仅是现存感性世界的基础，同时也“是人的能动的类生活”。人的感性存在和人所生活其中的感性世界的存在，都是以人的感性活动为基础的存在。这样，马克思就从费尔巴哈关于人与世界的感性存在的理解进展到关于人的感性活动的理解。认为“劳动是人改造自然和人从自然界提升出来的手段”[④]；“劳动是人维持肉体生存的需要的手段”[⑤]；“五官感

① ［德］费尔巴哈：《费尔巴哈哲学著作选集》上卷，荣震华等译，103页，北京：商务印书馆，1984年。

② ［德］费尔巴哈：《费尔巴哈哲学著作选集》上卷，荣震华等译，115页，北京：商务印书馆，1984年。

③ 《马克思恩格斯全集》第42卷，128页，北京：人民出版社，1979年。

④ 《马克思恩格斯全集》第42卷，124、125页，北京：人民出版社，1979年。

⑤ 《马克思恩格斯全集》第42卷，96页，北京：人民出版社，1979年。

觉的形成是以往全部世界历史产物”[①]；“人的意识也是劳动的产物”[②]。所以，劳动是人的根本特性，是人的存在方式。

费尔巴哈不把感性看作实践的、人的感性的活动，因而也就不能科学说明人的本质和社会的本质，也就找不到从自然过渡到社会的桥梁。这是费尔巴哈陷入唯心史观的主要原因。

（二）马克思关于人的本质的科学规定

第6条，批判了费尔巴哈关于人的本质的错误见解，提出了马克思关于人的本质的基本观点。

“费尔巴哈把宗教的本质归结于人的本质。”即把宗教的本质说成是人的所有品格的集中和优化。他说：“属神的本质不是别的，正就是属人的本质，或者，说得更好一些，正就是人的本质。”[③]他去掉了笼罩在神身上的神圣光环，揭穿了宗教的欺骗。但是，费尔巴哈所理解的人，仍然是抽象的人。所以，马克思针对费尔巴哈的错误，指出：“人的本质不是单个人所固有的抽象物。”[④]

人作为存在来说，是肉体存在物，是理性存在物，是从事实践活动的社会存在物。必须坚持从人的存在去揭示人的本质。但存在不等于本质，本质只是存在中根本的、具有决定性的东西。如果把人的本质归结为感性肉体，那就是旧唯物主义所理解的自然的人；如果把人的本质归结为纯粹的精神，那就是唯心主义所理解的思辨的人；只有把人的本质归结为实践基础上所形成的一切社会关系的总和，才是马克思主义所理解的现实的人。因为人的感性肉体是通过生产劳动而维持生存，而得到训练的；人的精神是依赖于人的肉体，也依赖于人的社会实践的。所以，在实践基础上所形成的一切社会关系的总和，才是人的存在中最根本的东西。

从人与人之间的关系来透视人的本质，这是与人类区别于物类这一点相联系的。

---

① 《马克思恩格斯全集》第42卷，126页，北京：人民出版社，1979年。

② 《马克思恩格斯全集》第42卷，112页，北京：人民出版社，1979年。

③ ［德］费尔巴哈：《费尔巴哈哲学著作选集》下卷，荣震华等译，39页，北京：商务印书馆，1984年。

④ 《马克思恩格斯文集》第1卷，501页，北京：人民出版社，2009年。

人的个体相对于人类，前者是部分，后者是整体。人类是一个有组织的机体，我们称之为社会。人的个体如果脱离社会整体，他就不能单独存在，他就不成其为人。任何个体都是社会的个体，社会作为整体决定着、影响着个体。

物类则不同，物是以孤立个体的形式存在的，物作为"类"，只是孤立个体之间的具有自然共性的类群。比如鸟类、豆类。与人的个体与社会之间作为部分与整体的关系不同。

物的个体与类是单数和复数的关系。人的个体不能离开社会单独存在，而物的个体，比如一只鸟、一粒豆子可以离开类单独存在。因此，要认识鸟类或豆类的本质，只要找到一只只鸟或一粒粒豆子的共性就可以了。这种共性就是这种物类的共同本质。而对人的本质的认识，就不能采用那种方法，即不能把实际上并非孤立存在的个人，人为地孤立看待，然后去寻找一个个孤立个人的共性，并把这种共性说成人的本质。费尔巴哈对人的本质的理解，所采用的就是这样一种错误的方法。

费尔巴哈认为，人之区别于其他动物，就在于人能意识到自己是人，是人的这个"类"，即有类意识或类本质的意识。所谓人的类本质，在费尔巴哈看来，就是指一切孤立个人的共同性。费尔巴哈认为，当我们考察某个具体的人，可以找到他同别人之间的个体差别。例如，这是张三，那是李四；这是穷人，那是富人，等等。但是当我们把人当作全体来考察时，那么人与人之间的一切个体差别就消失了，剩下来的就是孤立个体的共同本质，即"理性、意志、心"。这里的"心"即"爱"。他说："一个完善的人，必定具备思维力、意志力和心力。……这就是作为人的人底绝对本质。"①

马克思指出，费尔巴哈对人的本质的理解，其主要错误有两点：

（1）"撇开历史的进程，把宗教感情固定为独立的东西，并假定有一种抽象的——孤立的——人的个体。"

这里所谓的"宗教感情"，不是指宗教信徒对上帝的信仰，而是指费尔巴哈把人与人之间的爱情、友谊、同情心等等，看作人们相互关系的基础，赋予"爱"以宗教信条的权威。费尔巴哈把这种没有上帝

① ［德］费尔巴哈：《费尔巴哈哲学著作选集》下卷，荣震华等译，28页，北京：商务印书馆，1984年。

的宗教，称之为爱的宗教。他认为，“爱”是一个创造人间奇迹的神，能解决社会中的一切矛盾、一切困难。他撇开一定的社会实践，离开历史的进程来理解人的感情，这种感情就成了永恒的具有神奇力量的“宗教感情”了。为了使他的这种所谓“宗教感情”的理论能够成立，他必须假定人们彼此都是孤立的、单独的个人，根本不生活于一定的社会关系当中，这种人当然是抽象的。

（2）“因此，本质只能被理解为‘类’，理解为一种内在的、无声的、把许多个人纯粹自然地联系起来的普遍性。”①

在费尔巴哈那里，虽然也有关于“类”，就是人与人的统一、人与人的关系等见解，但是他把这种关系，并不是理解为在生产劳动基础上所形成的社会关系，而是从它的感性主体观出发，指的是被个人肉体的自然需要所决定的、孤立个人之间的感情和性欲关系，这里所谓的“内在的、无声的”，也就是指虽然有内在的理智、意志和心，但并不表现为外在的能动活动的意思。

针对费尔巴哈对人的本质的错误规定，马克思指出：“人的本质……在其现实性上，它是一切社会关系的总和。”

这里的“现实性”，是人的现实性或现实的人。所谓现实的人，就是处在人与自然关系和人与人的一定关系中的、进行实践活动的、历史生成的人。这里有三层涵义：一是现实的人是从事活动的，特别是从事生产劳动的人；二是人是在一定的生产力和生产关系所构成的现实基础上，从事活动的；三是人是在活动中不断生成和历史发展的人。只有这样的人，才是真正的人、现实的人。否则离开了这三点就是抽象的人。

所谓“社会关系的总和”，这里是讲，人们在生产活动中所形成的直接的社会关系是生产关系，而在生产活动基础上，人们还在其他活动中形成多种多样、丰富多彩的社会关系。正是这些多方面的社会关系的总和，表现了人的本质的活生生的、无限丰富的内容。

另外，对“社会关系的总和”的理解必须坚持历史性、变动性原则。换句话说，也就是，不同时代的、不同阶级的、不同的个人，在实践条件、实践水平，在实践中的地位和作用，以及交往方式、获取

① 《马克思恩格斯文集》第1卷，501页，北京：人民出版社，2009年。

信息的手段等的不同，因而不同时代的、不同阶级的、不同的个人的社会关系总和也就各不相同。

再者，就一个人一生中的不同时期来说，其社会关系的总和也是变动的。因而在他的一生中的不同时期，其本质也是不同的、变动的。因此，不仅超时代、超阶级的永恒人性不存在，而且就具体的个人来说，认为其本质一经形成，就至死不变的观点也是错误的、形而上学的。

对个人来说，这里的“社会关系的总和”是指他置身于其中进行活动的社会关系和他在活动中所创造的新的社会关系的总和。作为个体的他，在他所置身的社会关系和所从事的实践活动中，通过每个人的主体世界的各不相同的努力，能动地对社会生活进行“吸收”“过滤”，再反射或折射出来，从而也就形成了人的本质的千差万别的个性。因此，人的本质在其现实性上是一切社会关系的总和，不仅是关于人的一般本质的规定，同时也为对人的个体本质的认识，提供了一个根本的指导原则。

（三）马克思关于人的感情的唯物主义说明

第7条，批判了费尔巴哈把人的感情神秘化为宗教的错误观点，阐明了人的感情是生活于其中的社会的产物。

第7条是第6条的继续和深化。阐明由于人是属于一定社会的，因而“宗教感情”即爱、友谊、同情心等，也是社会的产物。世界上没有无缘无故的爱，也没有无缘无故的恨，因为人不是抽象的个人，人总是“属于一定的社会形式的”。换句话说，人总是生活于一定的社会关系中的。因此，作为人与人之间的感情，作为一种精神关系，必然要受到社会物质关系的制约。爱、友谊都是具体的。

费尔巴哈特别强调性爱。就拿性爱来说吧，虽然包含有男女之间的自然关系的内涵，但是人类的性爱不能仅仅理解为生理方面的冲动，而是和人类的全部物质文明和精神文明的发展相联系的。

马克思认为，在这种男女之间的直接的、自然的、必然的关系中，人的行为方式和人对自身行为的理解方式，就明白无疑地显示出人究竟在何种程度上已经从一个自然生物升华到了文明生物，显示出那种在动物界仅仅是一种纯粹的自然行为，已经在何种程度上变成了真正的人的行为。他说："这种关系通过感性的形式，作为一种显而易见的事实……从这种关系就可以判断人的整个教养程度。从这种关系的性质就可以看出……人的自然的行为在何种程度上成了人的行为。"[①]因此，作为人的行为的性爱关系，是社会的产物。

同样，人与人之间的友情也是社会关系的产物，也要受到人与人之间物质关系的制约。例如，在阶级社会中，由于存在着阶级剥削和阶级压迫，因而在人们的交往中，特别是两个对立阶级的人们的交往中，在剥削阶级内部的人们的交往中，相互间真正纯洁的感情是很少的。恩格斯说："在我们不得不生活于其中、以阶级对立和阶级统治为基础的社会里，同他人交往时表现纯粹人类感情的可能性，今天已经被破坏得差不多了。"[②]马克思恩格斯在《共产党宣言》中也曾指出：在资产阶级的家庭中，家庭成员之间的关系是建立在金钱之上的。家庭成员之间的关系尚且如此，在资产阶级那里，人与人之间的其他关系，也就可想而知了。

在这种阶级对立的社会中，费尔巴哈却把这种少得可怜的人与人之间的友情关系加以神圣化，把它抬高到宗教的地位加以颂扬，不仅违背了阶级社会的实际情况，同时也暴露了他的唯心主义历史观的苍白无力和内容贫乏。

总之，劳动实践是人区别动物的根本特性，这是人的类特性。不同的人本质区别在于其所从事的实践不同，所形成的社会关系总和不同。被这一点所决定，不同时代、不同社群、不同个人的情感也不同。

六、全部社会生活的本质是实践的

《提纲》第9、10条，马克思以实践为基础，阐明了全部社会生活的本质是实践的观点。在这个基础上，指明了旧唯物主义历史观陷入唯心主义，是因为它凭借直观所看到的人只是孤立的个人，所看到的社会只是孤立个人汇集的社会，并不是真正的社会。新唯物主义是实践活动的唯物主义，是立足于人的实践，把社会看成人的实践的创造。

① 《马克思恩格斯全集》第42卷，119页，北京：人民出版社，1979年。
② 《马克思恩格斯全集》第21卷，328页，北京：人民出版社，1965年。

（一）全部社会生活在本质上是实践的

第8条，马克思运用实践的观点，阐明了社会生活的本质，揭示了社会意识对于社会存在的依赖关系。

“社会生活在本质上是实践的。”这是历史唯物主义的一个根本原理，是马克思经过艰苦探索而获得的一个科学结论。

从人类社会的起源来说，人在劳动中创造了人的同时，也就创造了人类社会。劳动中形成了人的社会关系，形成了人的社会行为方式，形成了人的社会交际工具——语言，形成了人类社会的物质关系结构和文化心理结构。因此，社会起源于劳动。在这个意义上说，劳动是社会历史的起点。从劳动出发，才能科学说明全部社会历史。恩格斯指出：“人类社会和动物社会的本质区别在于，动物最多是搜集，而人则能从事生产。”①

生产劳动是社会生活的基础，也是社会存在和发展的基础。社会发展史说到底是劳动的发展史，是劳动中所创造和随着劳动的发展而不断发展的生产力和生产关系矛盾运动的历史。作为生产力与生产关系辩证统一的生产方式决定着社会生活的性质和面貌，决定着一种社会形态向另一种社会形态的转变。

马克思把全部社会生活的本质归结为实践，这就为科学地解决历史观的基本问题，即社会存在与社会意识的关系问题打下了基础，为按照历史唯物主义观点说明社会现象打下了基础。

社会存在是马克思主义哲学独有的范畴。社会存在为社会实践所创造，又转过来为社会实践提供了历史前提。因此，社会实践是社会存在的动态表现，而社会存在则是社会实践的静态凝结。因此，社会实践即社会存在。正是在与社会存在相同的意义上，马克思恩格斯认为社会实践、社会生活决定社会意识。他们说：“意识……在任何时候都只能是被意识到了的存在……，而人们的存在就是他们的现实生活过程。”“不是意识决定生活，而是生活决定意识。”认为唯物史观始终是“站在现实历史的基础上，不是从观念出发来解释实践，而是从物质实践出发来解释观念的形成”。②

① 《马克思恩格斯全集》第34卷，163页，北京：人民出版社，1972年。

② 《马克思恩格斯选集》第1卷，72、73、92页，北京：人民出版社，1995年。

意识的最初产生是直接与人们的物质生产和物质交往，与现实生活的语言交织在一起的。随着物质活动的发展，出现了物质劳动与精神劳动的分工，人们的精神创造能力也发展起来，因而产生了神话、宗教、艺术、哲学、道德、法律和科学等。意识以物质活动、物质关系为基础，由它们所决定，必然随着它们的发展变化而发展变化。即马克思恩格斯所指出的“那些发展着自己的物质生产和物质交往的人们，在改变自己的这个现实的同时也改变着自己的思维和思维的产物”①。

总之，人们的社会存在决定人们的社会意识，社会意识是社会存在的反映。一切意识形态，不管是正确的、还是错误的，是科学的、还是神秘荒谬的，都会在社会实践中找到它们的根源。“凡是把理论引向神秘主义的神秘东西。都能在人的实践中以及对这个实践的理解中得到合理的解决。”这里不仅是说，即使神秘主义的东西也能在社会实践中得到解释，而且也是说，这些神秘主义的东西，也将随着社会实践的发展而在人们的意识中被根除掉。

（二）旧唯物主义在历史观上的根本缺陷

第9条，指出直观的唯物主义不了解社会实践，在社会历史观上必然陷入唯心主义。

马克思指出：“直观的唯物主义，即不是把感性理解为实践活动的唯物主义，至多也只能达到对单个人和市民社会的直观。”②

“市民社会”是18世纪资产阶级经济学家、历史学家、哲学家的用语。当时用它来表示社会生活中的经济关系和财产关系，而用同它相对称的“政治社会”来表示国家、法律等政治关系。这种划分是基于这样一种认识：市民社会是人们追求自私的、特殊的、个人目的的领域，而“政治社会”则是与公共的、普遍的、共同的目的有关的领域。因此，可以说，市民社会是特殊的私人利益关系的总和。

第9条批判了旧唯物主义对单个人和市民社会所持的直观态度的错误。旧唯物主义不了解，人的本质是在实践基础上所形成的全部社会关系的总和，它离开社会实践，脱离社会关系把人看成孤立的个体。

① 《马克思恩格斯全集》第3卷，30页，北京：人民出版社，1960年。

② 《马克思恩格斯文集》第1卷，502页，北京：人民出版社，2009年。

一句话，旧唯物主义不懂得人是社会的人。

从另一角度说，社会又是人的社会，是人的活动所创造的社会。马克思说："社会不是由个人构成。而是表示这些个人彼此发生的那些联系和关系的总和。"[①]即这些联系和关系并不是由个人派生出来的，而是人们在物质实践活动中必然发生的。由于旧唯物主义不了解实践，因而也就不能从人的活动的角度去了解社会的本质。

无论是人的本质，还是社会的本质，都不是一种实体性存在，而是一种关系性存在，所以是直观不到的。旧唯物主义所能直观到的人只能是生物学上的肉体的人，而不是真正的人；所能直观到的社会，也只能是这些孤立个人的机械组合。旧唯物主义凭直观去了解人和社会的本质，其认识只能是唯心主义的。

"实践活动的唯物主义"，或曰"实践的唯物主义"；是相对于直观的唯物主义而言的。所谓"实践的唯物主义"即以实践为基础，对宇宙人生总体关系进行理解和改造的唯物主义，或者说，是以实践为纽带，对物质和精神的关系进行唯物辩证理解的唯物主义，是以实践为中介把唯物主义和辩证法有机结合起来的世界观，即辩证唯物主义世界观；是以实践为基础对人的改变和环境的改变进行统一理解，以及对人的本质和社会的本质进行统一理解的唯物主义，即历史唯物主义。因此，那种把实践唯物主义和辩证唯物主义对立起来的观点是不对的，把实践唯物主义作为历史唯物主义的别称也是不准确的，把实践唯物主义说成实践本体论则更是不对的。

（三）新唯物主义在历史观上的出发点是社会的人类

第10条，指出新唯物主义与旧唯物主义在历史观上出发点的不同。

"旧唯物主义的立脚点是'市民'社会；新唯物主义的立脚点则是人类社会或社会化的人类。"

关于这一条，历来有一种观点认为，它是讲新旧唯物主义对立的阶级基础。把旧唯物主义的立脚点是"市民社会"，说成是旧唯物主义哲学建立在资本主义经济关系之上，反映资本主义经济关系，是代表资产阶级利益，为资本主义服务的资产阶级世界观。而把"新唯物主

① 《马克思恩格斯全集》第46卷（上），220页，北京：人民出版社，1979年。

义的立脚点则是人类社会或社会的人类”（原译文是“社会化了的人类”）理解为无产阶级要求解放全人类，实现共产主义社会。其实，这是一种误解。

这第10条是承接第9条的。如果说第9条主要在于批判直观的唯物主义对单个人和市民社会的直观，那么第10条则是从正面说明新唯物主义在历史观上不同于旧唯物主义的根本之点。

所谓“旧唯物主义的立脚点是‘市民’社会”，是说旧唯物主义立足于对市民社会的直观。即把作为私人利益关系的总和的社会，看成是纯粹的私人根据单纯的个人动机，自由地、不受任何约束地去追求他的利益的领域。它肯定人的物质欲望的合理性，肯定人的享乐和追求幸福生活的合理性，肯定了具有利益含义的自爱、自保等原则。他们认为，这是普遍的人性。旧唯物主义从这种普遍的人性出发，以它为基础，用关于个人功利的观点来说明结成政治社会的必要。

旧唯物主义所止步的地方，也正是历史唯物主义高明的地方。历史唯物主义不仅承认市民社会决定国家，而且认为，人不仅在国家这个政治共同体中过着社会生活，而且在市民社会中，也作为社会的人，也是在社会关系中生活的。因此，“新唯物主义的立脚点则是人类社会或社会的人类”。其涵义是指，历史唯物主义的立脚点是人的实践活动所创造的社会关系。或者说，是从一定社会关系所制约的从事实践活动的人出发的。这就是《德意志意识形态》中所说的，历史唯物主义的出发点“是处在现实的、可以通过经验观察到的、在一定条件下进行的发展过程中的人”，而不是像旧唯物主义那样“从口头说的、思考出来的、设想出来的、想象出来的人出发”[①]。

七、马克思主义哲学的根本任务是改造世界

《提纲》第11条作为第七部分，是对整个《提纲》的总结，说明马克思主义哲学所实现的哲学变革的实质，在于给哲学提出了一个崭新的任务，不仅要说明世界，更重要的是要改变世界。马克思指出：“哲学家们只是用不同的方式解释世界，问题在于改变世界。”[②]

① 《马克思恩格斯选集》第1卷，73页，北京：人民出版社，1995年。

② 《马克思恩格斯文集》第1卷，502页，北京：人民出版社，2009年。

这里的“哲学家”是指马克思主义以前的所有哲学家，包括全部旧唯物主义者和唯心主义者。他们的著作，只在于这样或那样地解释世界，并把对世界的改变说成是改变对世界的解释。因为旧唯物主义者和唯心主义者在历史观上的共同之处在于，他们都认为，观念创造了现实的社会。因此，要改变世界只要改变现有的观念就可以了。这就是马克思恩格斯在《德意志意识形态》中所指出的：这就是把现实的、客观的、自我身外存在着的链条变成只是观念的，只是主观的，只是在我身内存在着的链条。因而也就把一切外部的感性的斗争都变成了纯粹观念的斗争，变成了用一种另外的意识代替现有意识的斗争。“这种改变意识的要求，就是要求用另一种方式来解释存在的东西，也就是说，借助于另外的解释来承认它。”①

因此，以往的“哲学家们只是用不同的方式解释世界，问题在于改变世界”，这里既不是说以往的哲学家回避世界的现实问题，也不是说他们没有改变世界的愿望，而是说以往的哲学家把改造世界的任务归结为解释世界，即用改变对世界的解释去代替改变世界的实践。18世纪的法国哲学家提出了批判封建社会的任务，如何实现这一任务呢？他们认为，达到上述目的的途径只在于，对维护封建制度的神学进行批判，恢复“理性”的权威，这样“理性王国”就会实现。至于青年黑格尔派，虽然他们标榜自己是一切的无情批判者，但是正如马克思恩格斯所指出的：“青年黑格尔派玄想家们尽管满口讲的都是所谓震撼世界的词句，却是最大的保守派。如果说，他们之中最年轻的人宣称只为反对‘词句’而斗争，那就确切地表达了他们的活动。不过他们忘记了，他们只是用词句来反对这些词句；既然他们仅仅反对这个世界的词句，那么他们就绝对不是反对现实的现存世界。”②费尔巴哈也不例外，他和其他的理论家一样，只是希望达到对现存世界的正确理解。

需要指出的，把改造世界的任务归结为解释世界，这不单纯是哲学家本身的一种主观选择，而主要是旧哲学的缺陷使然。

第一，以往的哲学理论，不论是旧唯物主义，还是唯心主义，都没有建立起科学的实践观，都没有能科学地阐明理论与实践、认识世

① 《马克思恩格斯选集》第1卷，66页，北京：人民出版社，1995年。

② 《马克思恩格斯选集》第1卷，66页，北京：人民出版社，1995年。

界与改造世界的辩证关系，都只是在认识的范围内，在精神的领域里兜圈子。马克思：“哲学（指一切旧哲学），尤其是德国的哲学，喜欢幽静孤寂、闭关自守并醉心于淡漠的自我直观。”[①]因此，不管是旧唯物主义，还是唯心主义都没有提出改造世界的任务。因而也都没有把如何改造世界作为自己的研究对象。与此相联系，它们也都没有关于改造世界的理论。

第二，以往的哲学理论，其中虽然不乏科学的高明的见解，但在总体上都不是科学的世界观，而且在历史观上都是唯心主义的。因此，这些哲学理论都不可能用来指导人们去科学地认识世界的本质和规律，也不懂得人民群众的历史作用，因而从根本上也就不能转化为改造世界的力量。直白地说，这也是世界上没有一个工会组织是以费尔巴哈哲学的名义开展工作，没有一次工人斗争运动是以黑格尔哲学为旗帜的原因所在。

然而一个真正的共产主义者的任务却在于改变这种现存的东西。

在马克思恩格斯看来，任何把改造世界的事业归结为大脑的批判活动的观点，都是错误的。工人“要想站起来，仅仅在思想中站起来，而让用思想所无法摆脱的那种现实的、感性的枷锁依然套在现实的、感性的头上，那是不够的”。[②]“思想本身根本不能实现什么东西。思想要得到实现，就要有使用实践力量的人”。[③]

诚然，马克思主义哲学并不轻视对世界的认识（解释），只是认为，在改造世界中才能认识世界，而认识世界的根本目的还在于改造世界。毛泽东指出：“马克思主义的哲学认为十分重要的问题，不在于懂得了客观世界的规律性，因而能够解释世界，而在于拿了这种对于客观规律性的认识去能动地改造世界。”[④]

总之，《提纲》在马克思主义哲学的形成过程中，具有独特的重要的地位。它以科学的实践观为核心，标志着青年马克思与旧哲学的彻底决裂，马克思主义新哲学由此诞生。

---

① 《马克思恩格斯全集》第1卷，120页，北京：人民出版社，1956年。
② 《马克思恩格斯文集》第1卷，288页，北京：人民出版社，2009年。
③ 《马克思恩格斯文集》第1卷，320页，北京：人民出版社，2009年。
④ 《毛泽东著作选读》上册，131页，北京：人民出版社，1986年。

《马克思学说现实人本主题论》引言*

马克思人学思想、马克思人本思想、马克思学说现实人本主题等命题的递次提出和深入探讨，是20世纪80年代中期以来，我国人学理论研究的一道亮丽的风景。

在人类文化史上，人学思想源远流长。其演化嬗变大体经历了古代人学、近代人学和现代人学等三个阶段。其主导理念的发展，也大致经历了从“人优于物”，到“人是目的”，再到“人是主体”的提升。

在古代人学那里，无论是把人理解为上天或上帝最精巧创造物的神秘论人学，还是把人理解为自然元素最佳组合的自然论人学，以及把人归结为灵性或德性的朴素形态的理性论人学，把人归结为激情和欲望的自发形态的非理性论人学，其共同点在于：承认“人优于物”。这是人关于自己最早的认识，也是古代人学的一个主导观念。正是围绕这个主导观念的理解形成了各种论断，继而在对这些论断加以说明论证、揉搓塑抹的过程中，产生了日后人学的各家各派。

然而在古代众多的人学思想中，自成系统且居于统治地位的乃是神秘论人学。该学说不仅一般地认为人优于物，而且认为人的这种优越是上天或上帝的创造或赋予。因而人的存在及其活动也就应听从上天或上帝的安排，心甘情愿地充当其实现目的的手段。不仅如此，上天或上帝还把自己的目的或曰天命授予了尘世的君王，由他来管理人间事务。于是臣民百姓也就应对君王感恩戴德，听其驱使。

随着资本主义的产生和发展，上述情况发生了变化。从欧洲文艺复兴的人文主义，到18世纪启蒙运动的人道主义，再到19世纪上半叶的费尔巴哈人本主义和空想社会主义的人道主义，前后长达五六百年，其间形成和激荡着一股澎湃的人本主义人学潮流。人本主义人学

* 原文来源于陶富源、陶庭马：《马克思学说现实人本主题论》，芜湖：安徽师范大学出版社，2016年。

作为近代人学的主导形态，它反对以世界之外的上帝为中心，而主张以这个世界的人为中心；它反对社会生活中的君权神授，而主张人权至上。于是，在近代人本主义人学看来，人的存在和活动，不应作为工具去实现上天或上帝的所谓目的，或去遵循君王的所谓意旨，而应以人自己为目的。这个目的就是人的身体的健康、生活的快乐、权利的保障和自由的享有。这样一来，作为近代人学主导观念的“人是目的”，相对于古代人学的“人优于物”，也就极大地提升了对人的理解，进一步凸显了人的独立和尊严，从而也就给“以人为本”提供了一个初步然而原则性的证明。即人是目的，因而要以人为本。

可是，近代人学对“人是目的”的理解带有极大的局限。一是它所理解的“人”是脱离社会的抽象的人。二是它把“人是目的”仅仅理解为人是挣脱神权和君权的压迫，以自己的享受和消费为目的的存在，而不是把人理解为改造自然和社会的主体，并以自我规划、自我服务及自我实现为目的的存在。三是它脱离作为手段的物的充分发展，片面强调人是目的，也就必然会使人是目的陷于落空。近代人学的这三点缺陷，在作为最具科学性的一种现代人学即马克思人学那里得到了根本克服。

马克思人学的基本理念是“人是主体”，特别是实践主体。马克思认为，实践是主体人的“感性活动”和“客观活动”，“革命的”“批判的”活动。所谓人是实践主体，即人是实践活动的发起者、承担者和推进者。人作为目的的存在，从属于人作为主体的存在。因为目的总是主体人的目的，总是主体人活动的目的。离开了主体人及其活动，也就无目的可言。主体人作为目的的存在，也就是从主体自身的需要出发去改造客体，以自己的内在尺度把握客体，通过自己的价值创造而得以享受价值。因而作为现代人学，特别是马克思人学主导观念的“人是主体”，相对于近代人学的“人是目的”，也就给“以人为本”以更为根本的论证。即人是主体，故而要以人为本。

然而事情到此并未了结。因为在马克思主义看来，人是主体并非如西方人本主义人学所认为的，人生来就是主体，恰恰相反，人作为主体存在，是实践的产物，是社会历史的产物。也就是说，人之作为主体，首先是作为实践活动的结果、作为社会历史的结果而存在的。因此，在人是主体的问题上，必须立足于实践，进行社会历史的考察，而不能加以主观先验的设定。这是马克思人本思想与西方人本主义的第一个重要区别。

这个区别也就导致了两种不同的出发点：即前者主张从现实的主体人，也就是从在人与自然和人与人的一定关系中、从事实践活动的、历史生成的主体人出发；而后者实际是主张从抽象的主体人，即从生来具有主体性的主体人出发。很显然，这种主体人只是在想象中存在，而在现实中是不存在的。

立足于实践，对主体人进行社会历史的考察，那么也就必然会发现这样一个不容回避的事实：个人在其个别活动中可能充当主体，可一旦把这种个别活动置于社会活动的分工和交换中来加以考察时，那么原先作为主体的个人，也就不再成其为主体，而往往会被在社会活动分工和交换中形成的一种客观力量所左右、所支配。这种情况的存在，在卢梭那里被描述为“人是生而自由的，但却无往不在枷锁之中”①；在青年马克思和现代西方马克思主义那里，则被称之为“异化”。然而，其用于解释这种异化现象的“异化”理论，既不能说明异化产生的根本原因，也不能提供异化消除的有效途径。正是在破解这一历史之谜的过程中，马克思创立了唯物史观。这一科学理论指出，在生产力有所发展但还不甚发展的时代条件下，产生了私有制、阶级，以及随之而来的阶级剥削和压迫，即被人们称之为的异化现象。然而，随着生产力的充分发展和以此为基础的民众联合力量的增强，人们将会控制和驾驭这种生产力，从而使之成为消灭阶级和一切剥削制度，促进人全面自由发展的手段。对此，马克思指出：“随着联合起来的个人对全部生产力的占有，私有制也就终结了。”②又说：“在真正的共同体的条件下，各个人在自己的联合中并通过这种联合获得自己的自由。”③

不难看出，充当社会历史主体的从来都不是，也不可能是西方人本主义人学所认为的抽象的人，也不是生产力还不甚发展条件下，占统治地位的剥削阶级，或作为历史创造者的劳动阶级，而只能是以生产力充分发展为基础的自觉联合的力量。在马克思看来，这里所谓生

① ［法］卢梭：《社会契约论》，何兆武译，8页，北京：商务印书馆，1980年。

② 《马克思恩格斯文集》第1卷，582页，北京：人民出版社，2009年。

③ 《马克思恩格斯文集》第1卷，571页，北京：人民出版社，2009年。

产力的充分发展，是指大工业生产力的发展。在大工业生产力发展基础上所形成的自觉联合力量，也就是无产阶级领导的人民大众的力量。

只有依靠现代大工业和现代无产阶级的力量才能使作为历史创造者的人民上升成为社会历史的主体，并从而成为以人为本的实现主体。这是马克思人本思想与西方人本主义的第二个重大区别。

这一区别也就形成了两种不同的逻辑理路。即后者坚持以抽象的人为逻辑理路的以人为本，而前者则坚持以个人与社会的统一为逻辑理路的以人为本。

无产阶级和广大人民群众怎样才能成为社会历史的主体，并从而成为以人为本的实现主体呢？这里的关键在于，不能像西方人本主义人学所提倡的那样，诉诸所谓人性复归、心灵净化、道德救赎之类，因为在马克思主义看来，以人为本不是单纯的价值诉求，而是价值诉求与社会批判的统一。也就是要实现以人为本，就必须诉诸无产阶级革命，建立无产阶级专政，使广大人民成为国家和社会的主人，走社会主义道路，为过渡到人的全面自由发展的共产主义社会创造条件。

在这里，马克思人本思想不仅科学指明了实现以人为本的主体力量，而且在这一前提下，进一步指明了实现以人为本的制度基础，以及创造这种制度基础的根本道路。很显然，如果离开了人民当家作主的制度安排，以及正确的道路选择，那么以人为本也就不可能是现实具体和惠及民众的，而只能是口头的和残缺不全的。这是马克思人本思想与西方人本主义在根本性质上的第三个重大区别。

由上可见，马克思不仅有其人学理论，即关于人的哲学理论，而且有其独特的人学理论，即相对于神秘论人学、自然论人学，以及理性论和非理性论人学，马克思有自己的“实践论人学”。也就是关于从实践出发来理解和把握人，并通过实践全面塑造人的科学。

另外，马克思也有其人本思想，即为着人、关心人的思想。并以此与神秘论人学的以神为本和自然论人学的以自然为本划清了界限。不仅如此，马克思还以其独特的人本思想，即以现实的人为本的思想，特别是以作为历史创造者和代表历史未来走向的人民为本的思想，而与理性论和非理性论人本主义以抽象的人为本的思想划清了界限。

尤其应该肯定的是，马克思的现实人本思想不仅是马克思学说的一个方面的思想，而且还是其主题思想。马克思一生的全部精力都在于科学论述以人为本实现的理论根据、历史必然、主体力量、制度安排和道路选择。这样，以人为本也就成为贯穿马克思学说辩证历史唯物论、资本主义论、无产阶级革命论、社会主义论和共产主义论的主导线索和根本精神。

然而关于马克思人学思想、马克思人本思想、马克思学说现实人本主题等命题，在社会主义国家的理论界长期以来并没有得到应有的概括、表述和说明，以致出现了谈人色变的状况。究其原因大体有四：

一是为了捍卫所谓马克思主义的纯粹性，从而与抽象人道主义划清界限，于是人们只谈阶级及阶级性，却避而不谈人及人性。其实，在阶级社会中，阶级只是对人的一种划分。因此离开了阶级性谈人性，或离开了人性谈阶级性，都是抽象的，不妥的。前者是一种抽象的人性论，后者是一种抽象的阶级论，其在总体上都是片面的、错误的。

二是受无产阶级所面临的现实任务的制约，或为着某种实用的目的，片面夸大了马克思学说中某些直接相关观点，比如阶级斗争、无产阶级暴力革命、无产阶级专政等观点的地位和作用，以致把这些手段论意义上的观点，误认为是马克思主义根本目的论意义上的观点，从而遮蔽了这些手段论观点所服务和皈依的马克思主义根本目的论观点，即现实人本主题的观点。

三是我们在很长一个时期中把马克思主义哲学、马克思主义政治经济学和马克思主义科学社会主义分裂开来，去分别加以说明的。这样一来，也就在客观上肢解了马克思主义的整体性。于是作为这种整体性根本体现的、贯穿和统摄马克思主义各组成部分的现实人本主题，也就晦而不明或隐而不见了。

四是由于在马克思主义经典著作的翻译、出版，特别是学习和研究方面还存在种种不足，比如，“价值”和“价值论”在以往哲学教科书中，就曾是一个空白，这从而也妨碍了对作为马克思学说根本价值精神体现的现实人本主题的深刻理解和总体把握。

这种情况的存在，使马克思主义以及以马克思主义为指导的共产党执政、社会主义制度与人的关系俨然成了一个难解的课题，以致成了一些人否认马克思主义、共产党执政和社会主义制度的一个常常拿来说事的“软肋”。一时间，上述课题反倒成了现代西方马克思主义人道主义的研究专利。其中，有一些论者把马克思主义抽象人道化，另有一些论者则把马克思主义说成是人学的空场，要用所谓人道主义去补充马克思主义。

这种被动局面，从20世纪八十年代以来开始改观。随着我国改革开放迈开步伐，对“文革”中“左”的一套反思的深入，面对新科技革命及现代市场经济所日益突出的人的主体作用这样一种潮流，以及为回应现代西方人本主义对马克思人学的质疑，特别是为了给中国现代化建设的历史定位提供人性基准和理论指导，我国形成了一浪高一浪的人学思潮。在这一过程中，马克思主义关于人的一系列理论观点得到了研究和阐发。于是，“马克思人学思想”这一概念也就顺理成章地成为对这一系列理论观点的集中概括和表述。

特别是2003年10月召开的中国共产党十六届三中全会明确提出了以人为本的科学发展观这一重大战略思想，这从而表明以人为本已被确立为中国共产党的执政理念，已被提升为中国特色社会主义的指导思想。这样也就提供了一个契机，促使我国理论界用以人为本的理念去开掘和展现马克思人学的人本意蕴、现实关怀、价值理想，于是形成了“马克思人本思想”这一概念。

为了进一步探讨和辨析马克思人本思想与以往人本主义人学的本质区别，于是展开了马克思人本思想的科学基础，即关于马克思人本思想的世界观、历史观、政治经济观等的说明。这样一来，也就把马克思人本思想置于马克思学说整个理论体系中来加以研究和把握，促使人们用以人为本的理念去重新认识和概括马克思主义，去重新认识和概括以人为本在马克思学说中的重要地位和作用。正是在这一研究中，在吸取同行专家相关研究成果的基础上，通过浓缩和凝练，我们提出了“马克思学说现实人本主题”这一命题。

“马克思学说现实人本主题”这一命题，实在地说，在马克思学说创始人马克思恩格斯那里，找不到直接的相关论述来加以佐证，他们确实没有使用过“以人为本”的表述。这完全是当今中国人以中国特色社会主义理论与实践，特别是以人为本科学发展观的理论和实践为基础，通过自己的探索，所实现的一种理论推进，即对马克思学说所作的一种回溯性的理论概括和一种所加。不过，这种概括和所加，绝非强加或妄加，而是有根据的。这个根据就是关注人。关注人的存在、解放和发展在马克思学说中无疑处于中心位置。如恩格斯所言，马克思学说是“关于现实的人及其历史发展的科学”[①]。由此可以说，“马克思学说现实人本主题”这一命题的提出，既是向马克思学说根本价值精神的回归，同时也是对这种精神以中国经验为基础的一种凝练表达。或者说，是用当代汉语来言说的马克思学说的根本价值精神。

提出和科学说明“马克思学说现实人本主题”这一命题，是很有意义的。

其一，有助于全面把握马克思学说的总体定位。即从最深层次或曰终极关怀的层次，科学回答了“什么是马克思学说”这一核心问题。认为马克思学说是一个以人为本、实践主导的共产主义世界观的科学体系。这从而有助于促进对马克思主义的坚持和发展。一些社会主义国家之所以遭受挫折，以至败亡，归根到底是因为背离了民众的需要，背离了马克思学说的现实人本主题。

其二，有助于克服对马克思学说的两种片面解读。基于对马克思学说现实人本主题的确认，可以把马克思学说的众多原理划分为两个层次。一是目的论原理，即以人为本原理。它是支配和统摄其他原理的原理。二是手段论原理，即体现和支撑目的论原理的其他原理。很显然，离开了手段论原理的支撑和体现，马克思人本原理就会成为空洞的抽象。现代西方人本主义把马克思主义人本主义化的解读，就是失足于这种片面。同样，如果脱离以人为本原理的支配和统摄，那么对手段论原理的解读，也会走偏方向。这种片面解读在马克思主义理论界曾一度盛行，因而被一些西方学者视为把柄，以至把马克思学说认作人学的空场。因而这两种解读都是片面的，错误的，必须加以克服。

其三，有助于理直气壮地坚持中国特色社会主义以人为本的指导思想，促进思维方式、治理方式和发展方式的转变，提高学习实践科学发展观的自觉性，推进中国特色社会主义事业又好又快地发展和和谐中国及和谐世界的建设。总之，可以为实现国家富强、民族振兴、人民幸福的中国梦提供价值支撑和精神支柱。诚然，到目前为止，这

① 《马克思恩格斯文集》第4卷，295页，北京：人民出版社，2009年。

一工作尚处于起步阶段。“马克思学说现实人本主题”这样一个命题还需要通过深入研究和深度思考加以系统的说明。有鉴于此，本书的写作就是试图对这一工作的推进能有所助益。

本书的主要内容包括马克思学说的现实人本主题及其当代中国意义两个方面。前者侧重于马克思学说现实人本主题的理论说明，后者侧重于马克思学说现实人本主题的当代中国意义阐发。它用40多万字的篇幅，分5章对马克思学说现实人本主题的科学把握、历史本原、逻辑形成、基本内涵及其当代中国意义等，作出了在作者力所能及范围内的较为全面系统的论述和较为深刻的概括说明。

马克思恩格斯共同创立的马克思学说，不是一个解释世界的理论体系，而是关于人的彻底解放的科学。具体说来，它是一个以人为本、实践主导的共产主义世界观的科学体系。

科学性、人本性、实践性及其统一是马克思学说本质精神的体现。马克思学说的人本性是建立在真实了解客观实际及其规律基础上的，对人通过实践合理追求自己能力发展的关怀。

具体说来，马克思学说的出发点是现实的人；马克思学说的主旨，即根本目的，是实现人的全面自由发展；马克思学说的主线，即根本目的的实现道路，是追求人的彻底解放；马克思学说的主则，即马克思学说的出发点、主旨、主线在认识和实践中加以体现和落实的价值方法论原则，是以人为本。马克思学说的现实人本主题就是对马克思学说的出发点、主旨、主线、主则在理论上的集中概括和升华，或简称。

马克思学说的现实人本主题，不仅有其科学基础，而且有其历史基础。即它深深扎根于历史发展之中，是对历史必然性的一种深刻体现。人类历史归根到底是生产力的发展史。生产力的发展及在其基础上的科学技术的进步，使人的主体地位和作用不断提升。与此相联系，生产关系和其他社会关系的改进和变革也使人的解放程度不断巩固和深化，从而导致了人从古代以神为本的幻想中的走出；继而推动了人从近代以物为本的依赖中的提升；再到现代以人为本的现实开启，这就是迄今为止人的历史发展过程，也是马克思学说现实人本主题确立的历史本原。

马克思学说的现实人本主题，不仅有其历史依据，而且在理论形态上，它还表现为一个在马克思艰辛探索和工人斗争实践推动下，内涵不断丰富深化，表述逐步科学明晰的逻辑形成过程。这一过程是以实现人的全面自由发展为主旨的人的解放道路的追寻为主线。具体说来，是从关于人的解放的宗教异化批判，推进到关于人的解放的政治异化批判，再发展到关于人的解放的劳动异化批判，最后深化到关于人的解放的唯物史观论证。马克思学说科学体系就是在探索、论证这一主题的过程中形成并获得展开的。

马克思学说的现实人本主题是以辩证历史唯物论为理论基础，以对资本主义社会发展规律的科学把握为根本前提，从现实的人出发，侧重从阶级社会中人的阶级存在出发，特别是从代表未来的无产阶级和广大人民群众的现实处境和根本利益出发，坚持人民群众在工人阶级领导下，联合起来，共同行动，实行自己解放自己和自己发展自己的原则，通过社会变革和社会发展消灭剥削阶级及其产生的社会根源，建立和不断完善人民当家作主的社会主义制度，不断推进环境再造和自我更新，从而不断创造条件，促进以人的全面自由发展为首要价值的共产主义社会的实现。

弘扬马克思学说的现实人本主题，有助于又好又快地推进中国现代化建设。坚持以人为本，超越以物为本，实现科学发展，即实现全面、协调、可持续发展，不断提高人民的幸福指数；有助于提升当代中国政治合法性和促进服务型政府建设。坚持以人为本，执政为民，反对官本政治，夯实其权力来源、正义运作、绩效优化的民意基础；有助于促进社会主义和谐社会建设。坚持以人为本，改善民生，协调各种利益关系，共建共享文明成果，极大地调动广大人民群众建设和谐社会的积极性，有助于提升社会主义中国的良好国际形象。一个以人为本、富强民主文明和谐的中国，一个与世界各国谋和平、合作、发展、共赢的中国，在世人眼中会更加可亲可信，并进而促进世界更加美好。

总之，确认和弘扬马克思学说的现实人本主题，这不仅对科学把握马克思学说的根本价值精神，坚持和发展马克思主义，而且对在这种根本价值精神指导下，建立和完善人民当家作主的社会主义制度，坚持以人为本的中国特色社会主义方向，努力践行立党为公、执政为民的中国共产党执政宗旨，都是有重大意义的。

马克思学说现实人本主题论要*

马克思学说的现实人本主题，是马克思学说科学体系的灵魂和核心，是其根本的价值所在。马克思学说的科学体系正是在对其人本主题加以表现和论证的过程中，展现了动人心魄的力量。下面从马克思学说科学体系的主旨、主线和主则等三个方面来对这个主题予以具体说明。

一、马克思学说的主旨是实现人的全面自由发展

这里所说的“主旨”是从哲学层次上所说的终极目的或终极性目的。终极性目的是相对于手段性目的而言的。因此，为了说明马克思学说的主旨，下面先来弄清楚手段性目的与终极性目的的关系。

1. 手段性目的与终极性目的

目的与手段是相互联系的两个概念。目的是人们从事活动所期望达到的结果；手段是置于有目的的对象性活动的主体和客体之间的一切中介性、运作性因素的总和，是实现目的的方法、措施和条件。然而手段本身也不是现成的，也需要创造，因而手段本身相对于手段的创造活动，也就成了目的，即手段性目的。相对于一切手段性目的，利用手段所实现的根本目的，或曰目的的目的，也就是终极性目的。即人的一切活动的终极目的都是为了人的，都是为了满足人的需要。相对于这个终极目的，一切为实现这个终极目的的手段性追求，都是手段性目的。

在我国理论界，关于马克思学说的主旨是什么这个问题，曾经在一个长时期中没有被提出或没有能得到很好的回答，其中一个重要原

---

* 原文来源于陶富源、陶庭马：《马克思学说现实人本主题论》，芜湖：安徽师范大学出版社，2016年。

因就是把马克思学说作为手段性目的的所论，当成了马克思学说的终极性目的的所论，当成了马克思学说的主旨。

在马克思学说视域中，关于手段性目的的所论可以列出多个层次、多个方面，比如认识论意义上的目的、实践论意义上的目的、阶级论意义上的目的、革命论意义上的目的、建设论意义上的目的等等。所有这些手段性目的，其实现的终极性目的都是为了实现人的自由全面发展。

因此，在手段性目的的意义上，把追求世界的一般规律，特别是社会发展的一般规律的揭示，作为马克思学说在认识论层次上的目的，是毫无疑义的，因为这是马克思学说的科学性所在。但不能像一些论者那样，把马克思学说仅仅理解为认识世界的科学，是一种科学理性，其宗旨仅仅是为了认识世界，这是不对的。因为马克思学说无疑要追求对世界的科学认识，但这是为了运用科学认识去指导人们对世界的改造，而且也只有在改造世界的过程中，才能科学地认识世界。因此，不能把获得对世界的科学认识这样一个手段性目的当作马克思学说的主旨。如果是那样，也就不能划清马克思主义与其他认知科学的界限。

那么，能否把追求对世界的改造作为马克思学说的主旨呢？也不能。相对于对世界的认识，改造世界更根本。因此，马克思恩格斯都十分强调了他们学说的实践品格、实践功能，这种强调是完全正确的。但也不能像一些论者那样，以此为依据，把马克思学说仅仅理解为改造世界的理论，是一种所谓实践哲学、实践理论，并进而认为马克思学说的目的或主旨是为了改造世界。这一认识也是不妥的。马克思学说无疑要追求对世界的改造，但不是为改造而改造，为实践而实践，在马克思那里，总是把对世界的改造与人联系起来，总是主张通过对世界的改造去实现人自身的发展和进步。如果离开了这个终极目的，把马克思学说的根本目的归结为改造世界，那么也就不能有力地回击一些西方学者关于马克思学说是劳动拜物教或生产主义的指责。比如，法兰克福学派的阿多诺就曾指责“马克思想把世界变成一个大工场”①。

① 转引自［美］马丁·杰伊：《法兰克福学派史》，单世联译，69页，广州：广东人民出版社，1996年。

另外，在手段性目的的意义上，把争取无产阶级反对资产阶级斗争的胜利，把争取无产阶级革命的胜利，把争取社会主义建设的胜利等，作为马克思学说的目的都是可以的，应当的，能够成立的。但是都不能停留在这些手段性目的的层次上，并把其中的某种手段性目的误读为马克思学说的主旨。因为这些目的的实现，说到底都是为最终实现人的全面自由发展创造条件。

那么在新中国成立以后一个相对长的时期中，为什么会产生把马克思学说所论的手段性目的，误读为马克思学说所论的终极性目的，误读为马克思学说的主旨呢？这里可能有以下几个方面的原因。

一是如前所说，新中国成立以后曾沿用了苏联人的做法，把马克思学说分别以马克思主义哲学、马克思主义政治经济学、科学社会主义三门相对独立的学科来加以阐述，这在相当程度上遮蔽或消解了马克思学说的主旨。

二是马克思学说的主旨所要回答的是马克思学说的终极价值问题，而在以往的理解中，特别是以往哲学教科书的理解中，“价值”或“价值论”曾不仅是一个空白，而且似乎还是一个禁区。在苏联直到20世纪80年代出版的哲学词典中，还把“价值论”说成“反动的资产阶级唯心主义理论”。在那样的思想理论环境中，马克思学说的主旨或终极价值问题也就不可能被作为问题提出来并获得认真的讨论。

三是马克思学说的主旨说到底是要解决人是终极目的的问题。而以往对马克思学说的理解，或是见社会不见人，即把社会理解为脱离人的社会基本矛盾运动的过程；或是见阶级不见人，特别是在“阶级斗争为纲论”盛行的“左”的年代，马克思的阶级斗争理论被抽象化、夸大化，被拔高为马克思学说的主要的、目的论的内容。在这样一种社会政治背景下，人的问题，以及为人的问题，都被回避或淡化，以至出现了谈人色变的状况。这种状况的存在，曾经使我们在西方的“马克思主义人学空场论”和人权攻势面前处于十分被动的地位。然而这一页终于翻过去了。

20世纪80年代以来，随着我国改革开放迈开步伐，对“文革”中“左”的一套反思批判的深入，面对新科技革命及现代市场经济所日益突出的人的主体作用这样一种潮流，以及为回应现代西方人本主义对马克思学说的质疑，特别是为了给中国现代化的历史定位提供人性基准和理论指导，我国形成了一浪高一浪的人学思潮。

在这一过程中，马克思关于人的一系列理论观点得到了研究和阐发，特别是2003年10月召开的中国共产党的十六届三中全会明确提出了以人为本的科学发展观这一重大战略思想，从而成为一个关键点，它标志着以人为本已被确立为中国共产党的执政理念，已被提升为中国特色社会主义的一个指导思想。在这样的理论氛围中，马克思学说与人的关系的研究才成为一个热门话题，以人为本是马克思学说的主题，实现人的自由全面发展是马克思学说的终极目的等前沿性命题才被提了出来，这标志着对马克思学说的理解忘记人到人的回归。但如何理解人是终极目的，在青年马克思那里，确实经历了一个从抽象理解到具体理解的转变。

2. 人作为终极目的的抽象理解与具体理解

人作为目的，虽然不是马克思学说独有的观点，但确实又是马克思学说的一个重要的前提性观点。这个观点是马克思从以往人本主义那里继承下来，并用历史唯物主义加以改造了的一个观点。

（1）关于人是终极目的抽象理解

人作为目的或终极目的的思想在欧洲文艺复兴的思想家那里已经萌生。蒙台涅说："一个能够正确而真正享受自己的生存之乐的人，是绝对的并且几乎是完美的圣人。"佩脱拉克也说："我自己是凡人，我只要求人的幸福。"[①]这里的论述表明，文艺复兴时期的思想家已经把追求人的快乐和人的幸福作为人的目的。当然，这里的人是指个人，至于个人幸福与社会幸福的关系问题当时还没有进入这些思想家的视野。

然而把"人是目的"作为一个命题明确提出来的首先是康德。康德在《实践理性批判》一书中指出："要这样行动，无论是对你自己或对别的人，在任何情况下把人当作目的，决不只当作工具。"[②]康德这里的人也是指个人。但在康德所处的时代，人与社会的矛盾在市场竞争中已经充分显露，即所谓人对人像狼一样。

为了解决这个矛盾，作为政治解决的设想是卢梭的"社会契约

① 北京大学西语系资料组编：《从文艺复兴到十九世纪资产阶级文学家艺术家有关人道主义人性论言论选辑》，11页，北京：商务印书馆，1971年。

② ［德］康德：《实践理性批判》，韩水法译，30页，北京：商务印书馆，1960年。

论”。他主张通过人民立法，约束人们的个人自由，实现法律面前人人平等。作为道德解决的设想是康德的“绝对命令论”。在康德看来，个人是目的，有意志自由，但意志自由必须服从作为绝对命令，即无条件加以服从的道德律令，用道德律令来约束意志自由，在道德律令面前人人平等。卢梭的社会契约论从人的权利自由，引申出政治自由，这对法国大革命起了舆论鼓动的作用。康德则试图用其绝对命令论去统摄社会契约论，从而使法律约束蜕变为道德约束，把权利诉求归结为道德诉求。这样一来，也就钝化了卢梭社会契约论的战斗性，而多少表现了德国资产阶级的软弱性。

在某种意义上可以说，从康德开始的德国古典哲学，包括费希特的“自我—非我同一”哲学、谢林的“绝对同一哲学”，黑格尔的思维和存在同一的“绝对理念”哲学，以及费尔巴哈基于人的感性理解的“爱”的哲学，都是个体与类或个人与社会的矛盾在哲学上的表现和反思，以及在哲学思维中的解决。

然而所有这些哲学家关于人是终极目的的理解都是抽象的。因为这一命题中的“人”是指脱离社会历史实践的孤立的个人，是精神化的人；这一命题中的“目的”是脱离作为手段的社会历史条件的目的，是人生来就有的目的。而在现实生活中，这样的人和这样的目的都是不存在的。因而作这种理解的“人是终极目的”是片面的、偏颇的。

（2）马克思关于人是终极目的从抽象到具体的理解

在文艺复兴、宗教改革、启蒙运动、法国大革命以及德国古典哲学胜利进军的社会文化背景下，成长起来的青年马克思也在思考着上述这样一个问题。随着他从民主主义到社会主义，再到科学社会主义；从唯心主义到唯物主义，再到辩证历史唯物主义的转变，青年马克思对关于人是目的或终极目的的理解，也经历了从“为人类工作”到“追求人民的现实幸福”，再到“实现人的自由全面发展”的提升。这一提升过程也就是青年马克思从对人作为终极目的的抽象理解发展到具体理解或现实理解的过程。也就是说，对青年马克思在人是终极目的的理解上所形成的上述命题只有联系马克思世界观的转变过程，才能获得恰当的说明。

①关于“为人类工作”。这是十七岁的马克思在他的中学毕业作文

《青年在选择职业时的考虑》中所提出的一个命题。选择职业是青年的重大人生课题之一。如何选择职业，马克思发表了在今天看来仍是很为中肯很有价值的一些看法。一是，要从个人现实条件出发。这些条件包括兴趣、能力和身体状况。而不能不顾条件，贪图虚荣，好高骛远。二是，要把“人类的幸福和我们自身的完美”[①]结合起来。在坚持二者统一的前提下，青年马克思更强调“人类优先”。即“只有为同时代人的完美、为他们的幸福而工作，自己才能达到完美”[②]。

怎样评价马克思关于“为人类工作”这一命题呢？应该说这是一个经过一番思考所提出来的关于人生理想的根本性命题。这里表明此时的马克思已经树立了崇高的人生理想，这对一个尚未走上社会的中学生来说是难能可贵的，这从而也就使他获得了一个得以继续前进的重要的思想基点。这是应该充分肯定的。

但此时的马克思还涉世未深，尚未经历人生风雨的洗礼，因而他对这个命题所具有的社会内涵的理解，还是比较模糊和肤浅的。因而对这个命题不能做过度的解读，不能用后来成为马克思主义者的马克思去附会、拔高作为中学生的马克思。比如，不能像某些论者那样把这里的“为人类工作”，解读为为无产阶级解放，为人类解放而奋斗。其实，这时的马克思还不知无产阶级为何物，又怎么谈得上为无产阶级而奋斗呢。“为人类工作”是泛称，而“为人类解放奋斗”是专指，二者不能混为一谈。如果以这些误读为依据，并进而认为，这时的马克思已经确立起了后来创立的马克思学说的主旨，那就更不可取了。

实际上，“为人类工作”，这至少是近代以来一切仁人志士所共有的人生理想和人生选择。远的不说，马克思的同乡，也是他同时代的诗人歌德就指出：“你若喜爱你自己的价值，你就得给世界创造价值。”[③]爱因斯坦也曾说：“一个人的价值，应该看他贡献什么，而不应该看他取得什么。”大发明家爱迪生说得更加明白：“我的人生哲学是工作，我要揭示大自然的奥秘，并以此为人类造福。我们在世的短暂的一生中，我不知道还有什么比这种服务更好的了。”[④]

① 《马克思恩格斯全集》第1卷，459页，北京：人民出版社，1995年。
② 《马克思恩格斯全集》第1卷，459页，北京：人民出版社，1995年。
③ 转引自陶富源：《终极关怀论》，232页，合肥：安徽大学出版社，2004年。
④ 转引自陶富源：《终极关怀论》，234页，合肥：安徽大学出版社，2004年。

由此看来，“为人类工作”这一命题的提出，只是表明中学时代的马克思继承和确立了孕育于近代优秀文明的人生理想精神。

②关于“要求人民的现实幸福”。这是马克思在1844年发表的《〈黑格尔法哲学批判〉导言》中提出来的一个命题。文中指出：“废除作为人民的虚幻幸福的宗教，就是要求人民的现实幸福。”[①]在这里，马克思关于人是终极目的的理解所形成的这第二个命题。

相对上述第一个命题，这第二个命题的内涵要丰富得多、具体得多。

第一，在第一个命题中作为一个笼统概念的人类，在这里已经具体化为生活在社会下层的、苦难的、占人口大多数的人民。

第二，对人民的现实幸福的追求，已经不再是以往的单纯道德诉求，而成为一种社会政治诉求。即要使人民幸福，必须从根本上“否定私有财产”[②]（在这里，私有财产是马克思此时对私有制的一种表述——引者注），使“这个世界制度的实际解体”[③]。就是说，“必须推翻使人成为被侮辱、被奴役、被遗弃和被蔑视的东西的一切关系”[④]。

第三，对人民的现实幸福的追求，也不再是以往的纯粹个人行为，而成为无产阶级的阶级行为。马克思认为无产阶级是真正运用革命学说并把它付诸实践的革命力量。无产阶级是人类解放的“心脏”[⑤]。

第四，对人民的现实幸福的追求，不仅要诉诸精神批判，还要诉诸物质批判，即“武器的批判”[⑥]。

应该承认，马克思关于人是终极目的的这第二个命题，包含了多方面的现实内容，但这一思想的表现形式仍然是费尔巴哈人本主义的，他当时对政治异化的批判还是以理想人性为参照的。上述推翻一切异化东西的依据，还是从“人是人的最高本质”这样一种学说所引申出来的一条“绝对命令”[⑦]。因此，对于这第二个命题也不能脱离其

---

① 《马克思恩格斯文集》第1卷，4页，北京：人民出版社，2009年。

② 《马克思恩格斯文集》第1卷，17页，北京：人民出版社，2009年。

③ 《马克思恩格斯文集》第1卷，17页，北京：人民出版社，2009年。

④ 《马克思恩格斯文集》第1卷，11页，北京：人民出版社，2009年。

⑤ 《马克思恩格斯文集》第1卷，18页，北京：人民出版社，2009年。

⑥ 《马克思恩格斯文集》第1卷，11页，北京：人民出版社，2009年。

⑦ 《马克思恩格斯文集》第1卷，11页，北京：人民出版社，2009年。

提出的背景夸大它的理论价值。不能像有的论者那样，把这个命题看作马克思哲学的最高价值诉求，看作贯穿马克思哲学始终的主线。如果作这样的理解，那么在这个问题上，也就把马克思主义与费尔巴哈人本主义的根本区别抹杀了。

③关于实现人的全面自由发展。这是马克思关于人是终极目的的理解所形成的第三个命题。应该说，只有这一命题，才深刻和准确地揭示了马克思学说的终极目的。

3. 实现人的全面自由发展是马克思学说的终极目的

人的全面自由发展这一命题，最早是由恩格斯在《共产主义原理》（以下简称《原理》）中提出来的。《原理》指出：到共产主义社会，才能“使社会全体成员的才能得到全面发展”[①]。

《原理》所阐发的关于人的全面自由发展的思想在此后不久的马克思恩格斯合著的《共产党宣言》（以下简称《宣言》）中获得了一个更为概括、更为精辟的表述。《宣言》指出：“代替那存在着阶级和阶级对立的资产阶级旧社会的，将是这样一个联合体，在那里，每个人的自由发展是一切人的自由发展的条件。”[②]

在这里，马克思恩格斯是从两个维度来描绘这一理想景象的：在社会发展的维度上，共产主义社会即“自由人联合体”是社会未来发展的理想境界；在人的发展的维度上，人的自由全面发展是人的未来发展的理想境界。在马克思恩格斯看来，社会发展与人的发展终将归于统一。这个统一的结果就是每个人与其他一切人的自由全面发展。

1894年，恩格斯把《宣言》中所论述的“自由人联合体”和“人的自由全面发展”这样一段话，作为题辞，赠给即将问世的《新纪元》杂志。认为这一段话是最适合地阐明了未来共产主义新纪元的基本特征，而区别于弗罗伦萨诗人但丁所描述的“一些人统治，另一些人受苦难”[③]的旧纪元的特征。

那么，可否把上文所论的“要求人民的现实幸福”的命题，在一般意义上加以理解，从而与“实现人的自由全面发展”的命题相提并论，同样作为马克思主义关于人是终极目的的指谓呢？不能。这

① 《马克思恩格斯文集》第1卷，689页，北京：人民出版社，2009年。

② 《马克思恩格斯文集》第2卷，53页，北京：人民出版社，2009年。

③ 《马克思恩格斯文集》第10卷，666页，北京：人民出版社，2009年。

是因为：

其一，人民的现实幸福，并非只是马克思主义者的奋斗目标，历史上的先进阶级和进步势力都曾以此作为旗帜，动员人民群众去反对腐朽没落的统治阶级和统治势力，只有代表无产阶级利益的马克思主义才能把人的自由全面发展作为社会诉求，作为未来新社会与以往旧社会相区别的基本特征和基本原则。

其二，人民的现实幸福是多方面的，包括物质的、精神的、安全、健康的、人际的、生态环境的、工作奉献的，当然其中也包括人的自由全面发展。不过前面诸项相对于人的自由全面发展，只是手段性的目的，这些手段性目的所指向的终极目的，才是实现人的全面自由发展。即提升人的主体地位，提高人的自由度，从而使人成为自然、社会和人自身的主人。

总之，相对于外物，人是目的，这是一切人道主义共有的观点；相对于人的一切活动，人的自由全面发展是终极目的，这是一切社会主义的观点。马克思学说只是把这一观点奠定在科学基础之上，作为自己的科学理论的主旨，并把实现这一主旨的现实道路，即追求人的彻底解放作为贯穿自己理论的一根主线。

二、马克思学说的主线是追求人的彻底解放

实现人的全面自由发展是目的，如何达到这一目的，手段就是解放人，彻底地解放人。因此，追求人的彻底解放，就像一根红线贯穿于马克思学说的始终。从这个意义上说，马克思学说就是关于人（首先是无产阶级）的解放条件的学说。正如恩格斯所说：“马克思首先是一个革命家。他毕生的真正使命，就是以这种或那种方式参加推翻资本主义社会及其所建立的国家设施的事业，参加现代无产阶级的解放事业，正是他第一次使现代无产阶级意识到自身的地位和需要，意识到自身解放的条件。”[①]

大体说来，马克思关于人的解放条件的学说，是通过哲学、政治经济学和科学社会主义三个方面的研究而得到论证、阐明和不断深

① 《马克思恩格斯文集》第3卷，602页，北京：人民出版社，2009年。

化的。这三个方面不是截然分开，而是彼此联系在一体的，只不过在不同时期是以某一方面为主而已。因此我们仍然可以分别来加以说明。

1. 唯物史观奠定了人的彻底解放的理论基础

马克思关于人的解放条件的学说，是在由宗教批判向现实批判转变的过程中逐步形成和发展起来的。在马克思看来，“人就是人的世界，就是国家，社会”①，因而，必须从现实社会的历史条件出发，来研究人的彻底解放。

马克思学说作为关于人的解放条件的学说，它为人的解放奠定了世界观和历史观基础。

（1）人是社会的人

在唯物史观看来，人为了维持自己的生存和发展，就必须进行物质生活资料的生产和再生产，以及生命的生产。而人类物质生活资料的生产是社会历史的活动。人类在生产中创造生产关系，并以此为基础创造其他一切社会关系，同时又在生产关系和社会关系的约束下继续从事生产活动和其他一切活动。正是在这个意义上，马克思认为，人的本质是人在现实活动中所形成的一切社会关系的总和②。人是社会关系的创造者，也是社会关系的产物。

（2）人的解放是人的社会解放

既然人是社会的人，因而人的解放也就要从现实的社会条件出发。“只有在现实的世界中并使用现实的手段才能实现真正的解放”；“‘解放’是一种历史活动，不是思想活动，‘解放’是由历史的关系，是由工业状况、商业状况、农业状况、交往状况促成的。”③

（3）人的彻底解放须有充分的物质基础和社会条件

这个条件，一是生产力普遍发展，二是社会交往普遍发展。有了这两个基础，才有“个人全面发展的可能性，……个人的全面性不是想象的或设想的全面性，而是他的现实联系和观念联系的全面性”④。

① 《马克思恩格斯文集》第1卷，3页，北京：人民出版社，2009年。
② 参见《马克思恩格斯文集》第1卷，501页，北京：人民出版社，2009年。
③ 《马克思恩格斯文集》第1卷，527页，北京：人民出版社，2009年。
④ 《马克思恩格斯文集》第8卷，171—172页，北京：人民出版社，2009年。

（4）人的彻底解放须在无产阶级领导下走一条现实道路

人的彻底解放的历史使命肩负在无产阶级身上，无产阶级是人的彻底解放的主体。无产阶级完成这一使命的现实道路，是通过无产阶级革命，推翻资产阶级统治，使自己上升成为统治阶级，争得民主，大力发展生产力，为实现人的自由全面发展创造条件。

2. 剩余价值学说为人的彻底解放指明了根本任务

如果说唯物史观是马克思精心锻造的“批判的武器”，那么剩余价值学说则是马克思运用这一武器深入研究资本主义社会规律的理论成果。马克思透过资本主义社会商品交换看到：商品的最大秘密在于以物的关系掩盖着人的各种社会关系，掩盖着人对人统治的真相[①]。正如列宁所说：“凡是资产阶级经济学家看到物与物之间的关系（商品交换商品）的地方，马克思都揭示了人与人之间的关系。”[②]马克思用这种独特的方法和视角研究资本主义社会的细胞——商品，从商品的二因素到劳动的二重性再到劳动价值论，从而创立了剩余价值学说，揭示了资本主义社会的运动规律及其历史命运。

剩余价值学说指明了人的彻底解放的根本任务，是消灭资本主义私有制，建立社会主义公有制。这是人的解放的根本条件。

（1）剩余价值学说揭示了资本剥削劳动的秘密和资本统治社会的实质

资本的本性是获取利润，实现增值，因而它是能够“带来剩余价值的价值”[③]。之所以如此，这是因为在资本主义生产关系下，工人不占有生产资料，不得不靠出卖自己的劳动力，去换取维持生存所必须的生活资料；而资本家则因占有生产资料而支配工人的雇佣劳动和控制生产过程，并通过不等价交换物（工资）占有雇佣劳动的剩余价值。可见，资本“实质上都是无酬劳动时间的化身。资本自行增殖的秘密归结为资本对别人的一定数量的无酬劳动的支配权”[④]。

（2）剩余价值学说揭示了资本主义社会人与人的关系是物化关系

在资本主义社会，作为人，工人和资本家都受制于物，前者受制

① 《列宁专题文集·论辩证唯物主义和历史唯物主义》，150页，北京：人民出版社，2009年。

② 《列宁专题文集·论马克思主义》，69页，北京：人民出版社，2009年。

③ 《马克思恩格斯全集》第23卷，172页，北京：人民出版社，1972年。

④ 《马克思恩格斯文集》第5卷，611页，北京：人民出版社，2009年。

于自己创造的产品，后者受制于资本及其残酷的竞争规律。在马克思看来，“资本不是物”①，“而是一种以物为中介的人和人之间的社会关系”②。它“表现为对他们本身来说是异己的、独立的东西”③。对工人来说，资本不仅把工人变成了物——能创造价值的机器，而且把资本家也变成了物——人格化的资本。

（3）剩余价值学说揭示了资本主义社会中工人被奴役的经济根源

在资本主义私有制条件下，资本导致一切人被奴役，“不仅是工人，而且直接或间接剥削工人的那些阶级”④，都受到资本的奴役。“表现出异化的物对人的全面统治”，而且也“使人成为高度抽象的存在物，成为旋床等等，直至变成精神上和肉体上畸形的人”⑤。“资本在具有无限度地提高生产力趋势的同时，又在怎样程度上使主要生产力，即人本身片面化，受到限制等等。”⑥

（4）剩余价值学说说明了实现人的解放的根本任务

工人阶级受剥削和奴役的根源是生产资料的资产阶级私人占有制。马克思指出：“劳动者在经济上受劳动资料即生活源泉的垄断者的支配，是一切形式的奴役的基础，是一切社会贫困、精神沉沦和政治依附的基础”。⑦因此，消灭资产阶级私有制是使人摆脱压迫、剥削，实现人的彻底解放的根本任务。马克思认为，资本主义社会现存的交往形式和生产力是全面的，而全面的交往形式和生产力在私有制的统治下，使阶级的对立达到极点，因而现代的个人必须消灭私有制，实行个人在现代生产力和世界交往的基础上的联合⑧。因此，“共产党人可以把自己的理论概括为一句话：消灭私有制”⑨，“实行全部生产资料公有制”⑩。

正因为剩余价值学说指明了人的彻底解放的根本任务，所以恩格

---

① 《马克思恩格斯文集》第7卷，922页，北京：人民出版社，2009年。
② 《马克思恩格斯文集》第5卷，878页，北京：人民出版社，2009年。
③ 《马克思恩格斯文集》第8卷，51页，北京：人民出版社，2009年。
④ 参见《马克思恩格斯文集》第9卷，309页，北京：人民出版社，2009年。
⑤ 《马克思恩格斯全集》第42卷，29页，北京：人民出版社，1979年。
⑥ 《马克思恩格斯全集》第30卷，406页，北京：人民出版社，1995年。
⑦ 《马克思恩格斯文集》第3卷，226页，北京：人民出版社，2009年。
⑧ 参见《马克思恩格斯全集》第3卷，84—85页，北京：人民出版社，1960年。
⑨ 《马克思恩格斯文集》第2卷，45页，北京：人民出版社，2009年。
⑩ 《马克思恩格斯文集》第10卷，588页，北京：人民出版社，2009年。

斯说剩余价值学说是“马克思著作的划时代的功绩。……科学社会主义就是以这个问题的解决为起点，并以此为中心的”[①]。

3. 科学社会主义揭示了人的彻底解放的政治条件

唯物史观和剩余价值学说使社会主义从空想变为科学。既然唯物史观和剩余价值学说是围绕人的彻底解放展开的，那么科学社会主义必然也是围绕人的彻底解放而展开的。正是在这个意义上，恩格斯指出：“共产主义是关于无产阶级解放的条件的学说。”[②]又说：“无产阶级运动的理论表现即科学社会主义的任务。”[③]

解放全人类的思想，并不是马克思恩格斯首先提出来的。恩格斯在批评空想社会主义者时曾指出：“他们都不是作为当时已经历史地产生的无产阶级的利益的代表出现的。他们和启蒙学者一样，并不是想首先解放某一个阶级，而是想立即解放全人类。”[④]与空想社会主义相反，科学社会主义则认为，要解放全人类，首先必须解放无产阶级。

（1）无产阶级能够而且必须自己解放自己

马克思恩格斯在《神圣家族》中写道：由于无产阶级被剥夺了一切生存条件，因而在它身上集中了人类的一切苦难，“所以无产阶级能够而且必须自己解放自己”[⑤]。只有通过工人阶级的解放和生产资料的社会占有，消除根源于生产资料私有制的强制性社会分工，才能从根本上消灭阶级和阶级压迫，从而为实现人类的彻底解放，即为实现人的自由全面发展提供充分和必要的条件。

（2）普遍的人的解放要通过工人阶级解放这种政治形式来表现

实现全人类的解放，之所以必须首先解放无产阶级，这不仅因为无产阶级生活在社会最底层，过着非人的生活，迫使它不得不愤怒地反对资本主义，更因为无产阶级的解放意味着一切奴役制度和一切违反人性的东西的彻底消灭。马克思在《1844年经济学哲学手稿》中说：“社会从私有财产等等解放出来、从奴役制解放出来，是通过工人

① 《马克思恩格斯文集》第9卷，212页，北京：人民出版社，2009年。
② 《马克思恩格斯文集》第1卷，676页，北京：人民出版社，2009年。
③ 《马克思恩格斯文集》第3卷，567页，北京：人民出版社，2009年。
④ 《马克思恩格斯文集》第3卷，525—526页，北京：人民出版社，2009年。
⑤ 《马克思恩格斯文集》第1卷，262页，北京：人民出版社，2009年。

解放这种政治形式来表现的，这并不是因为这里涉及的仅仅是工人的解放，而是因为工人的解放还包含普遍的人的解放；其所以如此，是因为整个的人类奴役制就包含在工人对生产的关系中，而一切奴役关系只不过是这种关系的变形和后果罢了。”①

（3）无产阶级只有解放全人类才能最后解放自己

“被剥削被压迫的阶级（无产阶级），如果不同时使整个社会永远摆脱剥削、压迫和阶级斗争，就不再能使自己从剥削它压迫它的那个阶级（资产阶级）下解放出来。”②“现代被压迫阶级即无产阶级如果不同时使整个社会摆脱阶级划分，从而摆脱阶级斗争，就不能争得自身的解放。”③无产阶级的解放和全人类的解放是不可分割地联系在一起的。

总之，无产阶级在自己政党的领导下进行无产阶级革命，打碎资产阶级国家机器，上升为统治阶级，争得民主，建立无产阶级专政，把全部生产资料掌握在国家手中。这是实现人的解放的政治条件。对此，马克思指出：“在资本主义社会和共产主义社会之间，有一个从前者变为后者的革命转变时期。同这个时期相适应的也有一个政治上的过渡时期，这个时期的国家只能是无产阶级的革命专政。”④“这种专政是达到消灭一切阶级差别，达到消灭这些差别所由产生的一切生产关系，达到消灭和这些生产关系相适应的一切社会关系，达到改变由这些社会关系产生出来的一切观念的必然的过渡阶段。”⑤

三、马克思学说的主则是以人为本

如前所说，科学性、人本性、实践性及其统一是马克思学说本质精神的根本体现。这一本质精神在认识和实践中加以集中体现和落实的方法论原则就是实事求是、以人为本和实践主导及其统一。其中，实事求是是马克思学说的科学基础原则；以人为本是马克思学说的终

① 《马克思恩格斯文集》第1卷，167页，北京：人民出版社，2009年。
② 《马克思恩格斯文集》第2卷，9页，北京：人民出版社，2009年。
③ 《马克思恩格斯文集》第4卷，233页，北京：人民出版社，2009年。
④ 《马克思恩格斯文集》第3卷，445页，北京：人民出版社，2009年。
⑤ 《马克思恩格斯文集》第2卷，166页，北京：人民出版社，2009年。

极关怀原则；实践主导是马克思学说的动力核心原则。

1. 实事求是是马克思学说的科学基础原则

（1）实事求是是对马克思学说科学性的集中体现

马克思学说之所以历久不衰，永葆青春和活力，根本原因就在于它具有高度的科学性。而马克思学说的科学性就在于它的世界观和方法论是科学的。马克思学说最根本的世界观和方法论就是包括历史唯物主义在内的辩证唯物主义。而坚持马克思学说的科学性，坚持彻底的唯物主义就是坚持实事求是。正如恩格斯所指出的："人们决心在理解现实世界（自然界和历史）时按照它本身在每一个不以先入为主的唯心主义怪想来对待它的人面前所呈现的那样来理解；他们决心毫不怜惜地抛弃一切同事实（从事实本身的联系而不是从幻想的联系来把握的事实）不相符合的唯心主义怪想。除此以外，唯物主义并没有别的意义。"①

①马克思哲学唯物主义揭示了世界的物质统一性、运动性、规律性等原理，从而为坚持实事求是原则提供了世界观的根据和要求。人作为世界的一部分，尽管是其能动的一部分，但人的一切活动，包括认识活动和实践活动都要受世界的物质性、运动性和规律性等统摄和约束，这是绝对的，无条件的。这就要求人必须坚持实事求是，不然就要受到惩罚。

②马克思哲学唯物主义揭示了物质决定意识、存在决定思维、实践决定认识等原理，从而为坚持实事求是原则提供了认识论的根据和要求。人的活动要受世界的物质性、运动性、规律性的统摄和支配。在这种统摄和支配面前，人和动物不同。动物是纯粹被动的、盲目的；而人则能把这种被动转化为主动，把盲目转化为自觉。原因在于人有意识、有思维、有认识，而人的意识是被物质所决定的，是对物质的反映；人的思维是为存在所决定的，是对存在的反映；人的认识是被实践所决定的，是对实践的反映。所以人能够把握世界，能够做到坚持实事求是。

③马克思哲学唯物主义揭示了意识反作用于物质、思维反作用于存在、认识反作用于实践等原理，从而为坚持实事求是原则提供了价

① 《马克思恩格斯文集》第4卷，297页，北京：人民出版社，2009年。

值论的根据和要求。也就是说，任何意识、思维、认识都会对物质、存在、实践具有反作用。其中只有正确的意识、思维、认识才能促进实践的成功，推动事物的发展，从而使人获得有益的回报，因而坚持实事求是是实践取得成功和实现人的利益的必然要求。

④马克思哲学唯物主义提出了从实际出发，不能从原则出发；用联系的而非孤立的、运动的而非静止的、全面的而非片面的、实践的而非单纯直观的、本质的而非单纯现象的、具体的而非独断思辨的、广大群众的而非纯粹个人等观点看事物，从而为坚持实事求是原则提供了根本的方法论指导。

总之，实事求是以凝练的形式体现了马克思学说的唯物主义世界观和方法论的统一，体现了辩证唯物主义和历史唯物主义的基本观点和要求。对马克思学说的哲学唯物主义世界观和方法论，我们党用“实事求是”来加以概括说明，是完全正确的。

（2）实事求是是对马克思学说科学性的总体深化

“实事求是”本是中国的一个成语，出自《汉书·河间献王传》。该书作者班固称汉景帝的儿子刘德“修学好古，实事求是”。唐代颜师古把它注释为“务得事实，每求真是也”。在这里，“实事求是”是指一种做学问的态度，即治学要注重事实根据，从事实中得出准确的结论。

毛泽东在1941年5月发表的《改造我们的学习》一文中，对“实事求是”的涵义作了马克思主义的解释。他说：“‘实事’就是客观存在着的一切事物，‘是’就是客观事物的内部联系，即规律性，‘求’就是我们去研究。我们要从国内外、省内外、县内外、区内外的实际情况出发，从其中引出其固有的而不是臆造的规律性，即找出周围事变的内部联系，作为我们行动的向导。”[①]这样，“实事求是”这个成语便有了新的涵义，由原来的一种治学态度上升为关于马克思主义世界观的方法论原则。

十一届三中全会前后，邓小平领导我们党重新确立了马克思主义的思想路线。他把党的思想路线概括为“实事求是”。他反复强调：“实事求是，是无产阶级世界观的基础，是马克思主义的思想基础。”[②]

① 《毛泽东选集》第3卷，801页，北京：人民出版社，1991年。

② 《邓小平文选》第2卷，143页，北京：人民出版社，1994年。

"毛泽东思想的精髓就是这四个字。"[①]马克思学说的辩证唯物主义和历史唯物主义科学揭示了世界是物质的有规律的运动，社会发展也有其客观规律，因而这就要求人们通过实践能动地反映客观规律，并遵循客观规律去改变世界，推动历史前进。毛泽东对"实事求是"的经典阐释，总体深化了马克思学说的科学性。这表现在"实事求是"是立足于人的实践活动，主张从条件的许可性和人的目的性的统一出发，既讲了规律的客观性，又讲了人去认识和掌握规律的能动性；既回答了如何认识世界的问题，又回答了如何改造世界的问题，从而把极为丰富的马克思主义世界观和方法论浓缩在一个简洁的命题之中。正因为如此，邓小平才说："马克思、恩格斯创立了辩证唯物主义和历史唯物主义的思想路线，毛泽东同志用中国语言概括为'实事求是'四个大字。"[②]

实事求是包含三个密不可分、依次递进的环节，即"实事""求""是"。

①"实事"是实事求是的出发点和前提。坚持实事求是，首先要坚持从"实事"出发，即从客观存在着的一切事物出发。坚持一切从实际出发，也就是反对从主观想象出发，反对从本本出发。是坚持从客观实际出发，还是从主观想象出发，这是唯物主义和唯心主义两条根本对立的认识路线。毛泽东坚持辩证唯物主义的认识论，强调："我们是马克思主义者，马克思主义叫我们看问题不要从抽象的定义出发，而要从客观存在的事实出发，从分析这些事实中找出方针、政策、办法来。"[③]他又说："我们讨论问题，应当从实际出发，不是从定义出发。"[④]

从实际出发，这里的"实际"，不能仅从认识的角度来理解，即把这里的"实际"理解为认识的对象性实际；而应从实践的角度来理解，即把这里的"实际"理解为人的实践活动所涉及的主体实际、客体实际，以及主客体相互作用的手段等实际的总体。

就此，毛泽东曾经指出，中国共产党人的"一切政治路线、军事

① 《邓小平文选》第2卷，126页，北京：人民出版社，1994年。
② 《邓小平文选》第2卷，278页，北京：人民出版社，1994年。
③ 《毛泽东选集》第3卷，853页，北京：人民出版社，1991年。
④ 《毛泽东选集》第3卷，853页，北京：人民出版社，1991年。

路线和组织路线之正确或错误，其思想根源都在于它们是否从马克思列宁主义的辩证唯物论和历史唯物论出发，是否从中国革命的客观实际和中国人民的客观需要出发”[①]。

可见，从实际出发，不仅指要按照事物的本来面目认识世界，而且指要从人的现实需要出发，从人的实践的条件性和人的实践的目的性相统一的要求出发去认识世界。从实际出发，这是人的认识和实践取得成功的首要条件。

②“求”是坚持实事求是的根本途径。实事求是对于认识主体而言，关键在于“求”。“求”是主观能动性的表现，是指人们对客观事物进行科学分析和综合研究，是认识不断深化、由感性认识上升到理性认识，并把握事物发展规律的过程。要获得对客观事物的正确认识，对客观事物真实丰富的材料的占有固然重要，但不能仅仅满足于占有材料，还必须对这些材料进行科学分析和研究。

为此，则必须坚持马克思主义的立场、观点和方法。认识正确与否，既取决于掌握的材料是否真实，也取决于对马克思主义理论是否精通，而且还必须正确运用马克思主义的一般原理所体现的立场、观点、方法，去分析来自客观事物的材料，把二者紧密地结合起来。

正因为如此，毛泽东反复强调要理论联系实际。理论联系实际是实事求是的本质要求，是达到主观与客观相符合、认识与实践相统一的根本途径。毛泽东把理论联系实际形象地比做“有的放矢”。他说：“‘矢’就是箭，‘的’就是靶，放箭要对准靶。马克思列宁主义和中国革命的关系，就是箭和靶的关系。”[②]有的放矢就是要用马克思列宁主义之“矢”，去射中国革命之“的”。这样做就是“凭客观存在的事实，详细地占有材料，在马克思列宁主义一般原理的指导下，从这些材料中引出正确的结论”[③]。

③“是”是实事求是的落脚点和目的。求得“是”，就是找出事物固有的规律，作为制定方针、政策、办法的依据。

这里的“事物固有的规律”，不仅指实践所涉及的客体事物自身的规律，以及人作为主体存在的运动规律，而且是指在掌握上述两

① 《毛泽东选集》第3卷，987页，北京：人民出版社，1991年。

② 《毛泽东选集》第3卷，819页，北京：人民出版社，1991年。

③ 《毛泽东选集》第3卷，801页，北京：人民出版社，1991年。

方面规律的基础上所形成主体人改造客体对象的实践规律。

要认识和把握事物的本质和规律，不仅要占有详细的事实材料，而且要对占有的事实材料进行去粗取精、去伪存真、由此及彼、由表及里的加工制作，要透过现象看本质。“我们看事情必须要看它的实质，而把它的现象只看作入门的向导，一进了门就要抓住它的实质，这才是可靠的科学的分析方法。”①反之，“不去思考事物的本质，而满足于甲乙丙丁的现象罗列”②，这“实在是一种最低级、最幼稚、最庸俗的方法”③。

认识和把握事物的本质和规律后，我们不仅要按照事物的本质和规律来制定行动的方针、政策、办法，而且还要在实践中检验我们的认识和我们制定的方针、政策、办法是否正确、是否有效。经过分析研究得出的认识，是否反映了事物的规律，不能靠主观臆断，而必须经过实践的检验。因此，坚持实事求是，还必须坚持实践是检验真理的唯一标准。即要把求得的“是”运用到实践中去，看它能否指导人们的行动使之符合客观实际，是否符合人们的利益。符合实际就是真理，不然就是谬误；符合人们利益的真理就是有用的真理，不然就毫无意义。

总之，实事求是是马克思学说的基础原则。坚持实事求是，就是坚持辩证唯物主义和历史唯物主义的世界观、历史观和方法论，坚持一切从实际出发，坚持按客观规律办事，理论联系实际，在实践中检验真理和发展真理，在实践中实现和发展人民利益。

2. 以人为本是马克思学说的终极关怀原则

马克思学说具有强大生命力，原因还在于它具有坚定的人民性。马克思的全部理论和学说都致力于实现和维护以劳动人民为主体的最广大人民的根本利益，把全人类的彻底解放和每个人的全面自由发展作为最高价值追求，即终极关怀，而不谋求任何私利，不抱有任何偏见，是科学性和价值性相统一的理论。正如恩格斯所说：“科学越是毫无顾忌和大公无私，它就越符合工人的利益和愿望。”④正因为马克思

① 《毛泽东选集》第1卷，99页，北京：人民出版社，1991年。
② 《毛泽东选集》第3卷，839页，北京：人民出版社，1991年。
③ 《毛泽东选集》第3卷，838页，北京：人民出版社，1991年。
④ 《马克思恩格斯文集》第4卷，313页，北京：人民出版社，2009年。

学说鲜明代表了广大劳动人民的利益，所以它一经产生，就具有磁石般的吸引力，“远在德国和欧洲境界以外，在世界的一切文明语言中都找到了拥护者”[①]。因此，我们用“以人为本”来概括和表达马克思学说的价值追求是有根据的。

（1）以人为本是对马克思学说价值性的集中体现

①马克思学说指明了人是历史的创造者，从而揭示了以人为本的马克思主义历史观的根据和要求。社会的根本是什么？历史上有人认为，社会的根本是神。在这种观点看来，世界万物包括人和人类社会，都是某位至高无上的神所创造和主宰的。因此，人类必须以神为本，必须无条件地服从神、依赖神，一切听从和等待神的安排和恩赐。还有人认为，社会的根本是物，即财富，包括资本、商品、金钱。物是社会的主宰，也是人的主宰。谁拥有的财富多，谁的社会地位就高；谁拥有的财富少，谁的社会地位就低。因此，在这种观点看来，人类必须追逐财富，应该以物为本。

与上述两种观点不同，马克思继承和丰富了以往思想家关于人是社会的根本，即人类自己创造人类历史的观点。这种丰富表现在以下四点：

一是，社会是许多个人共同活动的产物。马克思指出：“社会不是由个人构成，而是表示这些个人彼此发生的那些联系和关系的总和。”[②]“社会关系的含义在这里是指许多个人的共同活动”[③]。

二是，历史是人追求自己目的的活动。马克思在继承了费尔巴哈相关思想的基础上指出：“正是人，现实的、活生生的人在创造这一切，拥有这一切并且进行战斗。并不是‘历史’把人当做手段来达到自己——仿佛历史是一个独具魅力的人——的目的。历史不过是追求着自己目的的人的活动而已。”[④]

三是，人民群众是推动历史前进的决定力量。人民群众是社会物质财富、精神财富的创造者，也是变革社会的决定力量。总之，人民群众是历史的创造者，“历史活动是群众的活动”，决定历史前进方向

① 《马克思恩格斯文集》第4卷，265页，北京：人民出版社，2009年。
② 《马克思恩格斯全集》第30卷，221页，北京：人民出版社，1995年。
③ 《马克思恩格斯文集》第1卷，532页，北京：人民出版社，2009年。
④ 《马克思恩格斯文集》第1卷，295页，北京：人民出版社，2009年。

的是“行动着的群众”[①]。

四是，人的发展是社会发展的归宿。马克思认为：“整个历史也无非是人类本性的不断改变而已。”[②]又说：“人们的社会历史始终只是他们的个体发展的历史。”[③]总之，人是社会的根本，因而社会应以人为本。

②马克思学说指明了要把人从阶级压迫、阶级剥削，从私有制关系中解放出来，从而说明了以人为本的马克思主义阶级观的根据和要求。在这个问题上，马克思学说论证和说明了以下几点：

一是，把人从一切束缚的关系中解放出来，这是历史的必然，是生产力发展、社会发展和人自身发展的必然要求。

二是，解放是历史活动，是现实的历史运动，不是思想活动，必须诉诸无产阶级的革命斗争。

三是，解放必须是彻底的，必须把政治解放进一步推进到人类解放。

四是，解放必须以无产阶级解放为形式，才能获得人类解放。

③马克思学说指明了人类解放的核心是实现人民当家作主，这从而也就指明了以人为本的马克思主义政治观的根据和要求。只有无产阶级上升为统治阶级，才能团结广大人民群众，按照人民的意志，运用政权的力量，大力发展生产力，加强民主建设，不断提高人民群众的物质文化生活水平。

④马克思学说指明了人类的美好理想是实现人的全面自由发展的共产主义社会制度，这从而也就指明了以人为本的马克思主义社会观的理想目标和实现动力。

总之，以人为本以概括的形式体现了马克思学说的出发点、主旨和主线，它根源于马克思学说关于从现实的人出发、人是历史的创造者、人民自己解放自己、人民当家作主、实现人的自由全面发展等一系列根本观点和方法，是这些观点和方法的结晶。

对马克思学说上述关于从现实的人出发、人是历史创造者、追求人的彻底解放、实现人民当家作主，以及致力于实现人的全面自由发

① 《马克思恩格斯文集》第1卷，287页，北京：人民出版社，2009年。
② 《马克思恩格斯文集》第1卷，632页，北京：人民出版社，2009年。
③ 《马克思恩格斯文集》第10卷，43页，北京：人民出版社，2009年。

展的共产主义社会的理论和实践，我们党用“以人为本”作了简明的概括。

（2）以人为本是对马克思学说价值性的全面深化

与“实事求是”一样，“以人为本”原也是中国古已有之的命题。“以人为本”最早出现在《管子·霸言》篇中：“夫霸王之所始也，以人为本。本理则国固，本乱则国危。”这里记载的是，齐国桓公接受了管仲以人为本的治国理念，实行了一系列利民政策，国家很快强盛起来，成为了春秋时代第一个霸主。《贞观政要·务农》篇中也使用了“以人为本”：“太宗谓侍臣曰：凡事皆须务本。国以人为本，人以衣食为本，凡营衣食，以不失时为本。”这里所记载的是，唐太宗李世民将以人为本作为治国理政的重要理念，取得了“贞观之治”的伟大成就。

联系上文，我们可以看到，无论是《管子》还是《贞观政要》中，“以人为本”的“人”都是指相对于“君”而言的“民”，“以人为本”其实是“以民为本”的另一种表达，主要是讲“君”为了固自己的邦，要抓住“民”这个本，即所谓“民为邦本，本固邦宁”。

我们党使用“以人为本”这个词，确实是来源于中国古代文化，内容上也吸取了中国古代“民本”思想的合理因素，但是它的含义绝不仅限于此，而是对它的超越和提升。

我们党提出以人为本，是立足当代中国国情和时代特征，把马克思主义和中国传统文化相结合，进行理论创造的结果。以人为本既继承了中华民族优秀文化传统，取其精华，去其糟粕；又根据马克思主义的基本原理，对其含义作了全新的解释。正如胡锦涛在美国耶鲁大学的演讲中所说：“现时代中国强调的以人为本……既有着中华文明的深厚根基，又体现了时代发展的进步精神。”①

在十七大报告中，胡锦涛对“以人为本”的科学内涵和精神实质作了明确阐述。他说：“必须坚持以人为本。全心全意为人民服务是党的根本宗旨，党的一切奋斗和工作都是为了造福人民。要始终把实现好、维护好、发展好最广大人民的根本利益作为党和国家一切工作的出发点和落脚点，尊重人民主体地位，发挥人民首创精神，保障人民

① 《十六大以来重要文献选编》下，428页，北京：中央文献出版社，2008年。

各项权益，走共同富裕道路，促进人的全面发展，做到发展为了人民、发展依靠人民、发展成果由人民共享。”①

在新进中央委员会的委员、候补委员学习贯彻党的十七大精神研讨班上的讲话中，胡锦涛对“以人为本”的含义作了进一步阐述。他说：“我们提出以人为本的根本含义，就是坚持全心全意为人民服务，立党为公，执政为民，始终把最广大人民的根本利益作为党和国家工作的根本出发点和落脚点，坚持尊重社会发展规律与尊重人民历史主体地位的一致性，坚持为崇高理想奋斗与为最广大人民谋利益的一致性，坚持完成党的各项工作与实现人民利益的一致性，坚持发展为了人民、发展依靠人民、发展成果由人民共享。以人为本，体现了马克思主义历史唯物论的基本原理，体现了我们党全心全意为人民服务的根本宗旨和我们推动经济社会发展的根本目的。”②

不难看出，上述两段论述的关键词中反复出现9次的“人民”。胡锦涛指出：“相信谁、依靠谁、为了谁，是否始终站在最广大人民的立场上，是区分唯物史观和唯心史观的分水岭，也是判断马克思主义政党的试金石。”③

就历史观而言，是否承认人民群众是历史的创造者，是推动历史前进的根本动力，这条分水岭把唯物史观和唯心史观区别开来。“人民，只有人民，才是创造世界历史的动力”④，这是历史唯物主义最基本的原理。

胡锦涛在这两段论述中强调“尊重人民主体地位”，这是对“相信谁、依靠谁、为了谁”的明确回答，集中体现了“以人为本”的科学内涵和精神实质。“主体地位”，从世界观和历史观的层面来说，就是历史创造主体的地位，即作为历史的创造者、推动历史前进的根本动力的地位。以人为本，承认人民的历史主体地位，正确回答了“相信谁”的问题，相信人民群众是历史的创造者，是推动历史前进的根本动力。因此，要发挥人民的首创精神，从人民群众中汲取无穷无尽的力量源泉。在此基础上，“主体地位”还包括社会主义社会中的价值主

① 《十七大以来重要文献选编》上，12页，北京：中央文献出版社，2009年。
② 《十七大以来重要文献选编》上，107页，北京：中央文献出版社，2009年。
③ 《十六大以来重要文献选编》上，369页，北京：中央文献出版社，2005年。
④ 《毛泽东选集》第3卷，1031页，北京：人民出版社，1991年。

体地位。从社会主义价值观的层面来说，以人为本，就是维护人民的价值主体地位，它正确回答了“为了谁”的问题，即把人民根本利益作为我们工作的出发点和落脚点，坚持人民利益高于一切、重于一切、大于一切。

可见，以人为本以马克思主义世界观、历史观为基础，体现了世界观、历史观、价值观及实践观的统一。

正是在关于上述统一的理解中，以人为本全面深化了马克思学说的价值性。这表现在：

第一，以人为本坚持人的发展与社会发展的统一。这个统一的社会制度表现就是人民当家作主的社会主义制度的建立与巩固。不然，以人为本作为一种社会价值取向就会落空。

第二，以人为本坚持人民利益与全体社会成员利益的统一。离开了人民利益，以人为本就会失去本质内涵；反之，离开了全体社会成员利益，也会不利于调动一切积极因素。因此，以人为本是以人民利益至上的全体社会成员的利益为本。

第三，以人为本坚持广大人民群众对于文明成果的共建与共享的统一。以共建保共享，以共享促共建，才能使二者在互为前提、相互依存中获得良性互动。

第四，以人为本坚持人民群众的眼前利益与长远利益的统一。首先着眼于满足群众的眼前利益，要使人民群众从这种对眼前利益的满足中，进一步发展眼前利益，认识长远利益，并为长远利益的实现而斗争。在这里，既要反对那种不顾群众眼前利益，大讲长远利益的空想主义，也要反对只讲群众眼前利益，不讲长远利益的实用主义。因此，以人为本是以坚持广大人民群众眼前利益为基础的长远利益为本。

需要指出的是，以人为本是马克思学说的主导性原则，不能把马克思学说归结为人本主义。人本主义是西方资产阶级的思想体系和意识形态。在过去很长一段时期，为了和西方人本主义划清界限，在我国理论界确曾出现了谈人色变的状况，似乎马克思学说与人无关，以至于萨特认为马克思学说存在着人学的空场，需要用他的存在主义来加以填补。这是对马克思学说的严重误解。

从马克思学说科学理论体系的根本出发点和最终目的来看，它是最注重人、最关心人、最具有人本性的科学理论。因为马克思学说的最终目的和奋斗目标，就是为了实现无产阶级和全人类的解放，即实现使每个人都得到全面自由发展的共产主义社会。

但是，马克思学说与人本主义又有着根本的不同。马克思学说所关注、关心的人是占人口绝大多数的无产阶级和劳动人民，是基于唯物史观和无产阶级政治立场上对人的关注和关心，在这个意义上可以说，马克思学说是最具人性光辉的学说。而人本主义则是建立在抽象人性论和资产阶级政治立场上的学说体系，它表面上似乎最关注人、最关心人，但这种关注和关心只是口头上、理论上的，在具体的历史实践中，它所体现和实际代表的是少数人，即资产阶级的利益，因而人本主义也就在实践中暴露出其虚假性的一面。

总之，以人为本是马克思学说的主导性原则，是马克思学说的政治立场和理想追求的集中体现。坚持以人为本，就是要从现实的人出发，特别要从代表未来的尚处在社会最底层的工人阶级和人民群众的根本利益出发，消灭一切剥削阶级和剥削制度，让人民当家作主，共创共享文明成果，实现人的全面自由发展。

3. 实践主导是马克思学说的动力核心原则

马克思学说之所以具有强大的生命力，除了因为它具有彻底的科学性和强烈的人本性外，还在于它具有自觉的实践性，是实践基础上的科学性与人本性的统一。马克思恩格斯创立辩证唯物主义和历史唯物主义这一科学世界观、历史观，目的不只是用来解释世界，为无产阶级提供批判的武器，而且还在于改变世界，使现存世界革命化，通过革命实践实现无产阶级和全人类的解放，促进人的全面自由发展。“彻底的革命、普遍的人的解放，不是乌托邦式的梦想，相反，局部的纯政治的革命，毫不触犯大厦支柱的革命，才是乌托邦式的梦想。”[①]因此，无产阶级和全人类的解放不是一个理论的问题，而是一个革命实践的问题。

实践观点是马克思学说的一个基本观点。马克思十分重视革命实践的主导地位和作用，他在1845年春天写下的被恩格斯称为“包含天才世界观萌芽的第一个宝贵文件”的《关于费尔巴哈的提纲》（以下简

① 《马克思恩格斯文集》第1卷，14页，北京：人民出版社，2009年。

称《提纲》）中，就曾两次提到“革命实践”。在《提纲》第一条中，马克思批判费尔巴哈“不了解‘革命的’、‘实践批判的’活动的意义”；批判唯心主义虽然“发展了能动的方面，但只是抽象地发展了”，它并“不知道现实的、感性的活动本身”[①]。在《提纲》第三条中，马克思指出：“环境的改变和人的活动或自我改变的一致，只能被看做是并合理地理解为革命的实践。”[②]

在《德意志意识形态》中，马克思恩格斯则进一步明确指出，人的解放“只有在现实的世界中并使用现实的手段才能实现真正的解放”[③]。“‘解放’是一种历史活动，不是思想活动，‘解放’是由历史的关系，是由工业状况、商业状况、农业状况、交往状况促成的。”[④]在此基础上，马克思恩格斯明确将革命实践看作实现共产主义的手段。他们指出：“实际上，而且对实践的唯物主义者即共产主义者来说，全部问题都在于使现存世界革命化，实际地反对并改变现存的事物。”[⑤]“共产主义对我们来说，不是应当确立的状况，不是现实应当与之相适应的理想。我们所称为共产主义的是那种消灭现存状况的现实的运动。”[⑥]可见，革命实践是革命的批判的实践活动，是改变一切不合理的现存事物的现实运动。

对于革命实践的内涵，马克思是从主观和客观两个方面来理解的。

从客观方面看，不断发展的生产力是最革命的物的因素。正如马克思恩格斯所指出的：“历史上周期性地重演的革命动荡是否强大到足以摧毁现存一切的基础；如果还没有具备这些实行全面变革的物质因素，就是说，一方面还没有一定的生产力，……那么，正如共产主义的历史所证明的，尽管这种变革的观念已经表述过千百次，但这对于实际发展没有任何意义。”[⑦]这就是说，如果没有生产力发展所带来的足够的物质基础，那么无产阶级和全人类的解放是根本不可能实现的。

从主观方面看，革命阶级是最革命的人的因素，并且只有无产阶

① 《马克思恩格斯文集》第1卷，499页，北京：人民出版社，2009年。
② 《马克思恩格斯文集》第1卷，500页，北京：人民出版社，2009年。
③ 《马克思恩格斯文集》第1卷，527页，北京：人民出版社，2009年。
④ 《马克思恩格斯文集》第1卷，527页，北京：人民出版社，2009年。
⑤ 《马克思恩格斯文集》第1卷，527页，北京：人民出版社，2009年。
⑥ 《马克思恩格斯文集》第1卷，539页，北京：人民出版社，2009年。
⑦ 《马克思恩格斯文集》第1卷，545页，北京：人民出版社，2009年。

级革命才能真正为实现人类解放开辟道路。正如马克思所说："德国人的解放就是人的解放。这个解放的头脑是哲学，它的心脏是无产阶级。"①

总之，生产力发展是实现人类解放的客观因素，而革命无产阶级则是实现人类解放的主观因素，二者是统一的。割裂二者，在历史观上不是导致机械决定论就是导致唯意志论。

因此，马克思恩格斯在肯定生产力发展作用的同时，也十分强调革命无产阶级的意义。在他们看来，"迄今为止的一切革命始终没有触动活动的性质，始终不过是按另外的方式分配这种活动，不过是在另一些人中间重新分配劳动。"②换句话说，过去的一切阶级革命的结果都不过是统治者以更巧妙的方式剥削劳动人民，因而人的解放始终摆脱不了剥削制度的枷锁。而无产阶级革命则不同，它是最具彻底性的革命。这是因为：

第一，在被剥削、受压迫的无产阶级中产生了根本的革命意识，即无产阶级意识，这种意识使无产阶级认识到自身的解放"只有在实际运动中，在革命中才有可能实现；因此，革命之所以必需，不仅是因为没有任何其他的办法能够推翻统治阶级，而且还因为推翻统治阶级的那个阶级，只有在革命中才能抛掉自己身上的一切陈旧的肮脏东西，才能胜任重建社会的工作"③。

第二，无产阶级不可能作为一个单独的阶级独自获得解放，无产阶级只有联合其他一切受压迫的阶级共同革命，才能推翻资产阶级的统治，进而"并消灭任何阶级的统治以及这些阶级本身"④，最终解放自己和全人类。

在社会生活中，人们的行为都是有自觉动机的，人们总是根据自己的世界观和价值观来决定赞成什么、反对什么，做什么、不做什么。在马克思主义看来，判断人们的思想或行为是否具有合理性、正当性的标准，不外乎两条：一是人们的思想或行为是否符合客观实际，即是否合规律性；二是人们的思想或行为是否符合最广大人民的

---

① 《马克思恩格斯文集》第1卷，18页，北京：人民出版社，2009年。
② 《马克思恩格斯文集》第1卷，542—543页，北京：人民出版社，2009年。
③ 《马克思恩格斯文集》第1卷，543页，北京：人民出版社，2009年。
④ 《马克思恩格斯文集》第1卷，543页，北京：人民出版社，2009年。

根本利益，即是否合目的性。二者的统一，就是合规律性与合目的性的统一，就是尊重客观规律与尊重人民主体地位的统一，就是真理与价值的统一。实事求是和以人为本所表达的，正是这两者统一而不可分的根本标准。马克思学说的真理与价值的统一，不是抽象的统一，而是在实践基础上的具体的历史的统一。实践主导是马克思学说的动力核心原则，通过实践改造世界，使现存世界革命化，在实践中求得实事求是，在实践中坚持以人为本。即在自觉改造环境的同时，改造和提升人自身。

总之，实事求是讲的是马克思主义的科学原则和思想路线，强调要一切从实际出发，实事求是，理论联系实际，在实践中检验真理和发展真理。因此，如果不坚持实事求是，那么可以说，一点马克思主义也没有。以人为本讲的是马克思主义的价值原则和群众路线，强调要从现实的人出发，从人民的根本利益出发，以人为本，以实现人的全面自由发展为目标，相信人民、依靠人民、为了人民，从群众中来，到群众中去。因此，如果不坚持以人为本，那么同样可以说，一点马克思主义也没有。实践主导讲的是马克思主义的能动原则和行动路线，强调要在现实世界中使用现实手段达到现实目的，使现存世界革命化。因此，如果不投身使现存世界革命化的实践活动，那么如前所说，也是一点马克思主义也没有。这三条原则既反映了马克思学说一贯的思想内容，又体现了当代中国马克思主义者对马克思学说的坚持和发展。马克思学说的这三条原则也是符合人类进步趋势的普遍原则。

马克思学说现实人本主题的逻辑形成*

马克思学说的现实人本主题，不仅有其历史依据，而且在理论形态上，它还表现为一个在马克思艰辛探索和工人斗争实践推动下的内涵不断丰富深化，表述逐步科学明晰的逻辑形成过程。这一过程是以实现人的全面自由发展这一主旨的人的解放道路的追寻为主线。具体说来，是从关于人的解放的宗教异化批判，推进到关于人的解放的政治异化批判，再发展到关于人的解放的劳动异化批判，最后深化到关于人的解放的唯物史观论证。马克思学说的科学体系就是在探索、论证这一主题的过程中形成并获得展开的。

一、关于人的解放的宗教异化批判

在意识形态领域，德国是一个宗教占绝对统治地位的国家。政治、哲学、法律、道德等的观念都统摄于宗教观念之下。因此就德国来说，“对宗教的批判是其他一切批判的前提”[①]。在当时的德国，对宗教持激进批判立场的是青年黑格尔派。这是一个在黑格尔哲学解体过程中形成的，力图用黑格尔革命的、批判的辩证法，去反对宗教和专制制度的哲学和政治的联盟。

青年马克思一开始作为青年黑格尔派的一员，首先也是从对宗教异化的批判入手来探索关于人的解放的道路的。用马克思的话说，批判宗教的目的，就是要“把受僧侣精神影响的德国人转变为人”[②]。可见，马克思所理解的人的解放，最初是指人从宗教束缚中解放出来。

---

* 原文来源于陶富源、陶庭马：《马克思学说现实人本主题论》，芜湖：安徽师范大学出版社，2016年。

① 《马克思恩格斯文集》第1卷，3页，北京：人民出版社，2009年。

② 《马克思恩格斯文集》第1卷，12页，北京：人民出版社，2009年。

在对宗教异化进行批判的过程中，青年马克思经历了如下三个阶段的递进：从宗教异化的自我意识论批判；到宗教异化的“类”本质论批判；再到宗教异化的社会颠倒论批判，并由此开启了关于人的解放的政治异化批判。下面先从青年马克思关于宗教异化的自我意识论批判谈起。

（一）宗教异化的自我意识论批判

在黑格尔哲学体系中，作为人的象征的自我意识和作为自然象征的实体都统一于绝对精神，都充当着绝对精神展示和发展自身的不自觉的工具。为了改造黑格尔的绝对唯心主义体系，青年黑格尔派中以布鲁诺·鲍威尔为代表的一些人，站在无神论的立场上，把“自我意识”加以突出、提升，以作为批判宗教异化，张扬人的独立性和提升人的自由度的武器。在鲍威尔看来，基督教的本质不是神，而是人的自我意识的异化，基督教不过是“自我意识”的虚假载体。只是由于“自我意识”弱小，故而只能暂寄于现实的宗教之中。这从而也就是说，随着“自我意识”的成长，其必然要消灭基督教的束缚。因此，他主张要立足于自我意识这一基点，来消除宗教异化。

青年马克思在鲍威尔的影响下，也以自己的方式，高高举起了自我意识的旗帜，以此批判一切神灵。当然，这是青年马克思在转向黑格尔哲学以后发生的事。

1. 高扬自我意识

马克思高扬自我意识，说到底，是为了以此作为改变现实的武器。

（1）为改变现实寻找哲学武器

马克思中学毕业后，遵照父亲的意愿，于1835年10月进入波恩大学法律系，1836年又转入柏林大学法律系学习。在柏林大学，马克思最初主要研究法学，同时也研究哲学。在研究法学的过程中，马克思意识到哲学的研究对于法学的研究是十分必要的。他说：“这再次使我明白，没有哲学就无法深入。”①

柏林大学虽然是黑格尔哲学的大本营，但马克思最初的哲学信仰却不是黑格尔哲学，而是康德和费希特的理想主义。马克思曾以费希

① 《马克思恩格斯全集》第47卷，11页，北京：人民出版社，2004年。

特哲学为指导，花了很大力气搞了一个法哲学体系，但遭遇“严重障碍”，并以失败告终。

他在总结这一教训时说：“这里首先出现的严重障碍同样是现有之物和应有之物的对立，这种对立是理想主义所固有的，是随后产生的无可救药的错误的划分的根源。最初我搞的是我慨然称之为法的形而上学的东西，也就是脱离了任何实际的法和法的任何实际形式的原则、思维、定义，这一切都是按费希特的那一套，只不过我的东西比他的更现代，内容更空洞而已。”[①]

1837年4月，马克思因苦心构造其法哲学体系而累倒，听取医生的建议，他到柏林郊区的施特劳拉养病。在养病期间，他从头到尾读了黑格尔的著作，也读了他大部分弟子的著作。马克思在这里结识了“博士俱乐部”，并与其中一些成员展开争论。这是青年黑格尔派的一个重要组织。

在“博士俱乐部”的影响下，马克思转向黑格尔哲学。他曾经说：由于在施特拉劳常和朋友们聚会，“这里在争论中暴露了很多相互对立的观点，而我同我想避开的现代世界哲学的联系却越来越紧密了。”[②]这里的现代世界哲学，是指黑格尔哲学。转向黑格尔哲学，使马克思站到了时代精神的最高处，从而成为马克思创立人的解放理论的真正起点。

黑格尔的唯心辩证法是德国古典哲学的最高成就，但他的方法与体系之间存在矛盾，最终，方法为了迎合体系而不得不背叛自己。黑格尔一方面通过绝对观念逻辑地、思辨地表达了主体的能动作用；但另一方面又把自然界和作为人的象征的自我意识都统摄于绝对观念之中，把它们看作绝对观念的外化，从而把人和自然界看成是绝对观念实现自身必然性的工具。

对此，青年黑格尔派并不满意。鲍威尔抓住黑格尔的自我意识，从而把它作为人的属性，变成了脱离自然界和人的独立主体，变成了世界、天空和大地万物的唯一创造者，以至退回到了费希特的主观唯心主义。积极参加青年黑格尔运动的马克思，也强调自我意识的作用，但他不同于鲍威尔，没有从黑格尔的客观唯心主义简单地退回到

① 《马克思恩格斯全集》第47卷，7页，北京：人民出版社，2004年。

② 《马克思恩格斯全集》第47卷，15页，北京：人民出版社，2004年。

费希特的主观唯心主义，而是在深刻阐发黑格尔辩证法的基础上，论证人的自我意识的独立性和能动性，论证独立自由的个人在与周围现实的关系上应当采取积极主动的态度。这一成果主要表现在马克思的博士论文中。

马克思博士论文的题目是《德谟克利特的自然哲学和伊壁鸠鲁的自然哲学的差别》。论文的准备工作是从1839年初开始的，论文的写作大约在1840年下半年，到1841年3月底完成。马克思之所以选定这一时期的希腊哲学作为自己的研究方向，并把伊壁鸠鲁哲学确定为博士论文的题目，是有其深刻的理论和实践的目的的。

从理论方面看，马克思力图通过对希腊哲学史，特别是希腊后期哲学的考察研究，去寻求黑格尔之后哲学发展的方向。在马克思看来，希腊哲学在亚里士多德以后的发展与黑格尔以后的青年黑格尔运动存在着历史的相似之处。即在这两个时期，个性自由和自我意识都成了争取自由与解放的时代精神的体现，成了哲学关注的中心。马克思说："在伊壁鸠鲁派、斯多亚派和怀疑派那里，自我意识的一切环节都得到充分表现。"①二者之间的不同之处在于，在希腊后期，作为个人自由表征的自我意识哲学逃避外部现实，于是由外在方面，转向了人的内心世界，追求内心的平静与满足；而黑格尔以后的德国自我意识哲学，则力求超越内在世界，转化为意志和行动来改变外部现实。

从实践方面看，马克思研究希腊后期自我意识哲学体系，主要是为了适应反对普鲁士专制制度的政治需要。正如他后来在给拉萨尔的信中所说："伊壁鸠鲁（尤其是他）、斯多葛派和怀疑论者，［我］曾专门研究过，但与其说出于哲学的兴趣，不如说出于［政治的］兴趣。"②即从哲学上为改变现实寻找理论武器。马克思当时所找到的武器就是自我意识哲学。

（2）博士论文对自我意识的高扬

在博士论文中，马克思高扬自我意识，通过分析德谟克利特自然哲学和伊壁鸠鲁自然哲学的差别，从而对自我意识的能动作用给予了充分肯定：

① 《马克思恩格斯全集》第1卷，17页，北京：人民出版社，1995年。

② 《马克思恩格斯全集》第29卷，527页，北京：人民出版社，1972年。

①反对机械决定论，为自由争取地盘。马克思认为，在必然性与偶然性相互关系的问题上，德谟克利特和伊壁鸠鲁的观点是相互对立的，他们各执一端，都具有片面性。对此，马克思指出，伊壁鸠鲁承认感性世界和感觉，而德谟克利特则认为除了原子和虚空外，一切都是主体方面产生的假象，从而否认感性世界的真实性。由于德谟克利特注重自然科学的经验知识，认为偶然性是不稳定的，是认识所不能捉摸的，是假象，它与强有力的思维是敌对的，因此他强调必然性而反对偶然性。与此相反，伊壁鸠鲁认为必然性是人所不能驾驭的命运，是对人的自由的否定，因此他否认必然性而强调偶然性。

在这种对立中，马克思倾向于伊壁鸠鲁，因为伊壁鸠鲁否认必然性是为了反对机械决定论，为自由争取地盘。正如马克思引述伊壁鸠鲁的话说："即使信从关于神灵的神话，也比做物理学家所谓命运的奴隶要好些，因为神话由于对神灵的崇敬，还留有得到神灵保佑的希望，而命运则是铁面无情的必然性。何况须要接受的，还并不是普通人所相信的神，而是偶然性。在必然性中生活，是一个不幸的事，但在必然性中生活，并不是一个必然性。走向自由的道路到处都是开放着的，这些道路是很多的，是很短的、容易走的。"[①]正因为德谟克利特强调必然性，因而他注重的是实在的可能性，求得关于对象的实证知识。而伊壁鸠鲁强调的是偶然性，因而他注重的是抽象的可能性，他感兴趣的不是对象本身，不是为了获得自然知识，而是为了求得自我意识的宁静。正如马克思所指出的："实在的可能性力求证明它的客体的必然性和现实性；而抽象的可能性涉及的不是被说明的客体，而是作出说明的主体。只要对象是可能的，是可以想象的就行了。抽象可能的东西，可以想象的东西，不会妨碍思维着的主体，也不会成为这个主体的界限，不会成为障碍物。至于这种可能性是否会成为现实，那是无关紧要的，因为这里感兴趣的不是对象本身。"[②]

当然，马克思在分析德谟克利特自然哲学与伊壁鸠鲁自然哲学的差别时，并非一味贬低前者而赞扬后者。马克思对伊壁鸠鲁克服德谟克利特的机械决定论，阐发人对现实世界的能动关系，给予了充分肯定，但是，对于伊壁鸠鲁派、斯多亚派和怀疑派把哲学的兴趣完全引

① 《毛泽东选集》第3卷，987页，北京：人民出版社，1991年。
② 《马克思恩格斯全集》第1卷，27—28页，北京：人民出版社，1995年。

向自身，遁入内心生活，脱离外部世界，马克思则是给予批评的，认为这是从普照万物的太阳转向了各自为自己照明的灯火。

②关于原子的偏斜运动是人的独立和自由精神的体现。马克思撰写博士论文的目的是要阐明人与外部环境的关系，探讨人改变客观环境、争取自由的可能性问题。由于伊壁鸠鲁的原子论包含了深刻的辩证法思想，因此马克思十分推崇伊壁鸠鲁哲学，尤其是对伊壁鸠鲁的原子偏斜学说给予高度评价，认为它“解决了一个在希腊哲学史上至今尚未解决的问题”[①]。

德谟克利特原子论认为原子在虚空中只有两种运动，即原子的直线式下降和众多原子的冲击。而伊壁鸠鲁在承认原子的直线式下降和众多原子的冲击这两种运动的同时，还提出了原子的另外一种运动，即原子脱离直线而偏斜。原子脱离直线的偏斜运动，是伊壁鸠鲁原子论与德谟克利特原子论的本质区别。

根据马克思的理解，德谟克利特的原子仅仅是纯粹的质料，没有形式的规定性，因此他的原子缺乏能动的原则，原子的运动变成了一种强制的运动，变成了一种盲目的必然性。马克思认为，原子不能只是被动的、强制的运动，而且还必须是自己的、自然的运动。他引述亚里士多德的话说：“应该对断言原初物体永远在虚空中和无限中运动的留基伯和德谟克利特说，这是哪一种运动，什么样的运动适合这些物体的本性。因为如果每一个元素都是被另一个元素强行推动的，那么，每一个元素除了强制的运动之外必然还有一种自然的运动；而这种最初的运动应该不是强制的运动，而是自然的运动。否则就会发生无止境的递进。”[②]

在马克思看来，伊壁鸠鲁的原子概念把质料和形式、强制的运动和自然的运动结合起来，因此他的原子概念不仅是指空间中的一个点，只具有空间的规定性，而且包含着独立性和自由。为了实现这一点，伊壁鸠鲁在承认原子的直线式下降运动的同时，还提出了原子的脱离直线的偏斜运动，从而赋予原子以能动的原则，使“运动被设定为自我规定”[③]。即包含差别性或否定性于其自身中。

① 《马克思恩格斯全集》第1卷，10页，北京：人民出版社，1995年。
② 《马克思恩格斯全集》第1卷，38页，北京：人民出版社，1995年。
③ 《马克思恩格斯全集》第1卷，37页，北京：人民出版社，1995年。

马克思说：“既然原子的运动构成一条直线，原子就纯粹是由空间来规定的了，它就会被赋予一个相对的定在，而它的存在就是纯粹物质性的存在。但是我们已经看到，原子概念中所包含的一个环节便是纯粹的形式，即对一切相对性的否定，对与另一定在的任何关系的否定。”[①]如果说直线式下降运动表现的是原子的空间规定性和外在制约性，那么脱离直线的偏斜运动就是对直线式下降运动的否定，表现的是原子的独立性和自由。马克思说：“同原子相对立的相对的存在，即原子应该给予否定的定在，就是直线。这一运动的直接否定是另一种运动，因此，即使从空间的角度来看，也是脱离直线的偏斜。”[②]

在马克思看来，正因为伊壁鸠鲁赋予原子以偏斜运动，从而才能合理地解释众多原子之间的排斥和冲击。原子的排斥和冲击是偏斜运动的必然结果。偏斜运动使原子本身具有斥力。原子本身的斥力，一方面使它摆脱盲目必然性的束缚，另一方面又使众多原子的冲击和遇合成为可能。他引证卢克莱修的话说：“如果原子不是经常发生偏斜，就不会有原子的冲击，原子的碰撞，因而世界永远也不会创造出来。”[③]因此，马克思赞同卢克莱修关于偏斜运动打破了“命运的束缚”的论断，认为只有偏斜运动才表现了原子的真实灵魂，即自我意识的独立性和自由。他说：“卢克莱修正确地断言，偏斜打破了‘命运的束缚’，并且正如他立即把这个思想运用于意识那样，关于原子也可以这样说，偏斜正是它胸中能进行斗争和对抗的某种东西。”[④]“原子脱离直线而偏斜不是特殊的、偶然出现在伊壁鸠鲁物理学中的规定。相反，偏斜所表现的规律贯穿于整个伊壁鸠鲁哲学，因此，不言而喻，这一规律出现时的规定性，取决于它被应用的范围。”[⑤]这里所说的原子偏斜学说“被应用的范围”，指的就是个人胸中的自由意志，它使人有可能打破命运的束缚，同一切束缚他的自由的力量进行抗争。

马克思非常重视伊壁鸠鲁原子偏斜学说所包含的追求自由的意蕴，但是不同意他对自由作抽象的理解，把自由看成脱离外界的自我

① 《马克思恩格斯全集》第1卷，33页，北京：人民出版社，1995年。
② 《马克思恩格斯全集》第1卷，33页，北京：人民出版社，1995年。
③ 《马克思恩格斯全集》第1卷，36页，北京：人民出版社，1995年。
④ 《马克思恩格斯全集》第1卷，33—34页，北京：人民出版社，1995年。
⑤ 《马克思恩格斯全集》第1卷，35页，北京：人民出版社，1995年。

意识的宁静。马克思认为，不能离开外界环境去实现个人自由，而应该在人与人及外界环境的密切联系和相互作用中实现个人的自由。这与几年前在中学毕业作文中的思想是一致的：个人可以自由地选择职业，但又并非总能如愿。

③自我意识与外部世界的统一。正如把伊壁鸠鲁哲学视为自我意识哲学一样，马克思把青年黑格尔派哲学也看作自我意识哲学。作为青年黑格尔派的一员，马克思虽然也强调自我意识，但与其他青年黑格尔派成员不同，他并没有像费希特那样退回到主观唯心主义，没有把自我意识封闭起来并赋予其以绝对的意义，而是强调自我意识与外部世界的统一。要通过这种主体形式同现实世界发生积极的关系。

马克思认为，自我意识作为一种精神力量，它必然要表现为意志，转向外部世界，与外部世界相互作用。他说："在自身中变得自由的理论精神成为实践力量，作为意志走出阿门塞斯冥国，面向那存在于理论精神之外的尘世的现实，——这是一条心理学规律。"[①]可见，在哲学与现实的关系问题上，马克思强调的是哲学与世界的相互作用，并且认为历史进程就是这种相互作用的结果。他说："象普罗米修斯从天上盗来天火之后开始在地上盖屋安家那样，哲学把握了整个世界以后就起来反对现象世界。现在黑格尔哲学正是这样。"[②]"不应对这场继伟大的世界哲学之后出现的风暴，感到惊慌失措。普通竖琴在任何人手中都会响；而风神琴只有当暴风雨敲打琴弦时才会响。"[③]字里行间充满着战斗的激情和行动的渴望。当然，马克思此时看到的只是理论批判活动的意义，着重强调的是哲学对现实的改造作用，还没有充分认识到现实发展对哲学本身的决定性影响，但他将二者有机统一起来的观点则是十分宝贵的。这为他后来唯物辩证地解决思维与存在、理论与实践的关系问题奠定了良好的基础。

马克思高扬自我意识，目的是为了反对宗教神学。他非常推崇伊壁鸠鲁的战斗的无神论思想，反对一切天上的和地上的神灵。

---

① 《马克思恩格斯全集》第1卷，75页，北京：人民出版社，1995年。

② 《马克思恩格斯全集》第40卷，136页，北京：人民出版社，1982年。

③ 《马克思恩格斯全集》第40卷，136页，北京：人民出版社，1982年。

2. 批判宗教异化

在欧洲历史上，反对宗教的斗争由来已久，但把宗教看作异化现象，用异化的观点来批判宗教，则是德国特有的哲学思维。从一般意义上讲，异化是表示在一定历史条件下，由主体产生出来的客体，作为主体的对立面，反转过来支配和控制主体自身。在青年黑格尔派那里曾广泛使用“异化”概念。受这种思潮的影响，马克思在博士论文和《关于伊壁鸠鲁哲学的笔记》中，也运用“异化”概念分析了伊壁鸠鲁原子论与德谟克利特原子论的差别，特别是肯定了伊壁鸠鲁反对宗教的无神论思想，并进而认为宗教是自我意识的异化，人性高于神性。

（1）现象是本质的异化

马克思在分析伊壁鸠鲁关于原子的“质”的问题时，提出了概念的异化问题。马克思认为，在伊壁鸠鲁看来，原子是否应当具有“质”，这个问题本身就包含着矛盾。原子属于本质世界，是永恒不变的；而特性属于现象世界，任何特性都是变化的。因此，说原子具有特性，是与原子的概念（纯本质）相矛盾的。但是，说原子具有特性，又是必然的结论，否则就无法解释：互相排斥的众多原子之间如果没有质的差别，何以能在空间中彼此分离开来。正是“由于有了质，原子就获得同它的概念相矛盾的存在，就被设定为外化了的、与它自己的本质不同的定在”①。

马克思赞扬伊壁鸠鲁，称他把原子概念中所包含的本质与存在的矛盾客观化了，与德谟克利特不同，他是用矛盾的观点来把握原子的质的。马克思指出：“他（指伊壁鸠鲁）把所有特性都规定成相互矛盾的。相反，德谟克利特无论在哪里都没有从原子本身来考察特性，也没有把包含在这些特性中的概念和存在之间的矛盾客观化。实际上，德谟克利特的整个兴趣在于，从质同应该由质构成的具体本性的关系来说明质。”②伊壁鸠鲁把现象世界和本质世界是结合在一起的，而德谟克利特则没有看到原子概念中包含本质与现象的矛盾。他要么把本质与现象混为一谈，看不到两者之间的差别；要么把它们割裂开来，把现象看成主观的假象。

① 《马克思恩格斯全集》第1卷，39页，北京：人民出版社，1995年。

② 《马克思恩格斯全集》第1卷，40页，北京：人民出版社，1995年。

正是基于这一分析，马克思得出结论说："只有在伊壁鸠鲁那里，现象才被理解为现象，即被理解为本质的异化，这种异化本身是在它的现实性中作为这种异化表现出来的。相反，在把组合看成是现象自然界的唯一形式的德谟克利特那里，现象并没有自在地表明它是现象，是一种与本质有区别的东西。因此，如果按照现象的存在来考察现象，那么本质和现象就完全混淆起来了；如果按照现象的概念来考察现象，则本质和现象就完全分开了，因而现象便降低为主观的假象。"①

需要指出的是，马克思把现象世界看成原子概念的异化，这是按照黑格尔的异化观来解释伊壁鸠鲁的，但是马克思在这里第一次提出了本质与存在的矛盾问题，并把它作为异化的重要内容，这一思想在后来的《1844年经济学哲学手稿》中得到了发挥。

（2）自然崇拜是自然的异化

马克思在《关于伊壁鸠鲁哲学的笔记》中，提出了自然的异化问题。自然是人类赖以生存的条件，是人类不可或缺的生活源泉。但是在生产力水平低下的情况下，自然成了人们崇拜的对象，对一些无法解释的自然现象，如电闪雷鸣、日月盈亏等，人们往往设想在自然现象后面有一种超自然的力量。人对自然的这种依附关系，就是一种异化。正如马克思所说："对自然的任何关系本身同时也就是自然的异化。"②在自然的异化中，马克思特别看重伊壁鸠鲁反对天体崇拜的思想，认为这突出地表现了伊壁鸠鲁哲学反对宗教神学的革命性质。

对天体的崇拜同宗教观念结合在一起。人们把最高的处所——天体划给神居住，在他们看来，神是不死的，天体也是不死的，因此神住在天上。这样，天体的运动和变化都是受一个至高无上的、永不毁灭的存在物支配和安排的。这个最高的存在物，就是神。伊壁鸠鲁反对天体崇拜，反对对天体现象作神学目的论解释。他认为，只有对那些常常出人意料、使人感到惊异的天体现象作出各种可能的、非神话的解释，才能使自我意识得到安宁。对伊壁鸠鲁来说，只要不作宗教神学的解释，对天体现象的任何解释都是可以接受的，关键是要使人们摆脱对天体现象的恐惧，并从恐惧中解放出来。在马克思看来，要

① 《马克思恩格斯全集》第1卷，52页，北京：人民出版社，1995年。
② 《马克思恩格斯全集》第40卷，174页，北京：人民出版社，1982年。

消除自然的异化，消除人对自然的恐惧和依赖，就必须承认自然是有理性的。他说："当我们承认自然是有理性的时候，我们对它的依附关系就不复存在。"①

（3）宗教是自我意识的异化

马克思从青年黑格尔派关于宗教是自我意识异化的观点出发，彻底发挥了伊壁鸠鲁的战斗无神论思想。伊壁鸠鲁是古希腊无神论的奠基者。他的无神论思想与他追求人间自由和快乐的主张是一致的。伊壁鸠鲁认为，个人要获得自由和快乐，除了要摆脱世俗的各种痛苦外，还要从对神的迷信中解放出来。如果迷信神的存在，就不能得到无忧无虑的自由和快乐。

马克思十分看重这些思想，称"伊壁鸠鲁是最伟大的希腊启蒙思想家，他是无愧于卢克莱修的称颂的：人们眼看尘世的生灵含垢忍辱，在宗教的重压下备受煎熬，而宗教却在天际昂然露出头来，凶相毕露地威逼着人类，这时，有一个希腊人敢于率先抬起凡人的目光面对强暴，奋力抗争，无论是神的传说，还是天上的闪电和滚滚雷鸣，什么都不能使他畏惧"②。

与此相反，普卢塔克却攻击伊壁鸠鲁的无神论。他把神看成驱恶从善的象征和主宰，认为人们有了对神的敬畏，就不敢作恶。他说："当它〈即灵魂〉最虔诚地相信并想象到神的降临时，它就会最容易驱散悲伤、恐惧和忧虑，并且沉醉于快乐，直到狂喜、戏谑和欢笑，在爱里面……"③

马克思批评普卢塔克对伊壁鸠鲁无神论的攻击，认为普卢塔克所说的这些废话，直到现在还照样为人们重复着。他在《博士论文》的序言中满怀激情地说："只要哲学还有一滴血在自己那颗要征服世界的、绝对自由的心脏里跳动着，它就将永远用伊壁鸠鲁的话向它的反对者宣称：'渎神的并不是那抛弃众人所崇拜的众神的人，而是把众人的意见强加于众神的人。'"④

① 《马克思恩格斯全集》第40卷，173页，北京：人民出版社，1982年。

② 《马克思恩格斯全集》第1卷，63页，北京：人民出版社，1995年。

③ 《马克思恩格斯全集》第1卷，99页，北京：人民出版社，1995年。

④ 《马克思恩格斯全集》第1卷，12页，北京：人民出版社，1995年。

（4）用“自我意识”批判宗教异化

在人与神的关系问题上，马克思并非一开始就把它们对立起来，相反却是强调它们的一致性。在1835年写的关于宗教问题的作文中，马克思专门论述了人与神一致的必要性，他说：“我们的心、理性、历史、基督的道都响亮而令人信服地告诉我们，同基督结合为一体是绝对必要的，离开基督，我们就不能够达到自己的目的，离开基督，我们就会被上帝所抛弃，只有基督才能够拯救我们。”①

但是在参加青年黑格尔运动后，马克思对人与神关系的看法发生了变化，不再强调它们的一致性，而是将二者对立起来。马克思采纳了青年黑格尔派的观点，把自我意识看成人的本性，认为人高于神，人性高于神性。他在《博士论文》的序言中情绪激昂地说：“哲学并不隐瞒这一点。普罗米修斯的自白‘总而言之，我痛恨所有的神’就是哲学自己的自白，是哲学自己的格言，表示它反对不承认人的自我意识是最高神性的一切天上的和地上的神。不应该有任何神同人的自我意识相并列。”②“人的自我意识是最高神性”③，这充分表现了马克思反对宗教神学和封建专制制度的政治立场和理论观点。

正因为把人置于神之上，因此马克思认为哲学高于神学，并反对17世纪法国哲学家伽桑狄把宗教神学与哲学调和起来的倾向。对此，马克思指出：“伽桑狄虽然把伊壁鸠鲁从教父们和整个中世纪即实现了非理性的时代所加给他的禁锢中解救了出来，但是在自己的阐述里也只提供了一个有趣的方面。他竭力要使他的天主教的良心同他的异端知识相适应，使伊壁鸠鲁同教会相适应，这当然是白费气力。”④

黑格尔作为德国资产阶级的代表，在政治上向封建势力妥协，在思想上也不敢用资产阶级的理性同宗教神学公开对抗，而是把理性与宗教神学调和起来。

马克思在《博士论文》的附录中，对黑格尔论证神的存在的错误进行了批评，并用大量事实从不同角度论证了神的不存在。马克思

① 《马克思恩格斯全集》第1卷，451页，北京：人民出版社，1995年。
② 《马克思恩格斯全集》第1卷，12页，北京：人民出版社，1995年。
③ 《马克思恩格斯全集》第1卷，12页，北京：人民出版社，1995年。
④ 《马克思恩格斯全集》第1卷，10页，北京：人民出版社，1995年。

区分了神的存在与神的作用。就神的真实的、人格的存在而言，它是非存在。因为每个国家、每个民族都有自己的神，当你把你信仰的神带到信仰另一种神的国家去，你就会发现这个神不存在。他指出："一个特定的国家对于外来的特定的神来说，就同理性的国家对于一般的神来说一样，是神停止其存在的地方。"[①]可是就神的作用来说，就它作为凌驾于人之上、影响人的行为的力量来说，一切神都是真实的存在。正因为神是非人格的存在，因此任何"对神的存在的证明不外是对人的本质的自我意识存在的证明，对自我意识存在的逻辑说明"[②]。

在马克思看来，最直接的存在是自我意识，而神是自我意识的异化。因此一切关于神存在的证明，无非是对人自身关于神的观念的证明，对自我意识分裂的证明。正是在这种意义上，马克思指出："对神的存在的一切证明都是对神不存在的证明，都是对一切关于神的观念的驳斥。真正的证明必须倒过来说：'因为自然安排得不好，所以神才存在。''因为非理性的世界存在，所以神才存在。''因为思想不存在，所以神才存在。'"[③]在这里，马克思把哲学和理性同宗教神学对立起来，坚决反对把二者调和起来。

在马克思看来，"哲学研究的首要基础是勇敢的自由的精神"[④]。马克思把古希腊神话中的普罗米修斯尊为争取自由的最高尚的圣者和殉道者，并决心以他为榜样。他在《博士论文》的序言中以这样的豪言壮语激励自己："对于那些以为哲学在社会中的地位似乎已经恶化因而感到欢欣鼓舞的可怜的懦夫们，哲学又以普罗米修斯对众神的侍者海尔梅斯所说的话来回答他们：'我决不愿像你那样甘受役使，来改变自己悲惨的命运，你好好听着，我永不愿意！是的，宁可被缚在崖石上，也不为父亲宙斯效忠，充当他的信使。'"[⑤]

然而青年马克思怀抱自我意识的理性精神，在投身实际斗争的过程中，逐渐发现了自我意识论的局限性。与此相联系，他所信奉的关

① 《马克思恩格斯全集》第1卷，101页，北京：人民出版社，1995年。
② 《马克思恩格斯全集》第1卷，101页，北京：人民出版社，1995年。
③ 《马克思恩格斯全集》第1卷，101页，北京：人民出版社，1995年。
④ 《马克思恩格斯全集》第40卷，112页，北京：人民出版社，1982年。
⑤ 《马克思恩格斯全集》第1卷，12页，北京：人民出版社，1995年。

于宗教异化的自我意识论批判，也就在实际斗争中转化成了费尔巴哈所主张的关于宗教异化的人本论批判，即“类”本质论批判。

（二）宗教异化的“类”本质论批判

青年马克思与其他青年黑格尔派分子不同，他反对在概念的王国里空讲理性和自由，而主张用理性和自由去批判和作用于现实世界。这样做的机会不久就来到了。马克思大学毕业后本打算谋一个副教授席位，同鲍威尔一起在波恩大学讲哲学。但鲍威尔因宣传无神论而被解聘。迫于恶劣的政治环境，马克思不得不放弃在大学执教的念头，他于1842年4月开始为《莱茵报》撰稿，同年10月至次年3月任该报主编。这就是马克思思想发展中的《莱茵报》时期。马克思对书报检查制度和对宗教的批判，都体现了其立论根据的转移。即从以往的作为普遍理性载体的自我意识到人的类意识的转移。这里得益于费尔巴哈人本主义的影响。

1. 书报检查制度的自我意识论批判

马克思从事的第一个实际政治斗争活动是批判普鲁士的书报检查制度，争取出版自由。

出版自由问题是当时德国政治斗争中的一个迫切的现实问题。可以说，在当时的德国，争取出版自由是争取其他一切自由的前提，没有出版自由，其他一切自由都将化为泡影。普鲁士的书报检查制度是弗里德里希·威廉三世国王根据卡尔斯巴德决议于1819年10月18日颁布的。书报检查令取消了出版自由，在它施行的20多年中，德国著作界度过了一个没有精神产品生产的“精神大斋期”。1840年，弗里德里希·威廉三世去世，弗里德里希·威廉四世继承王位。1841年12月24日，新国王弗里德里希·威廉四世颁布了新的书报检查令。新法令比旧法令多了一层自由主义的色彩，它声称：“陛下坚决反对加于写作活动的各种无理的限制，……承认公正而善良的政论是重要的而且必须的”[①]，“书报检查不得阻挠人们严肃和谦逊地探讨真理”[②]，等等。新法令在当时引起了自由主义分子的一片欢呼，他们相信这会为精神的自由和进步开辟道路。马克思一开始就识破了它的虚伪实质，在新法

① 《马克思恩格斯全集》第1卷，237页，北京：人民出版社，1995年。

② 《马克思恩格斯全集》第1卷，110页，北京：人民出版社，1995年。

令刚颁布一个月后（1842年1月），就写出了激烈抨击新书报检查令的政论文章:《评普鲁士最近的书报检查令》。

在这篇文章中，马克思站在民主主义立场上，从人的自我意识的理性本性及其自由本性出发，揭露了新书报检查令的自相矛盾和它反对理性、压制精神自由的虚伪本质。

（1）理性的本性即自由

马克思认为，理性同精神自由是一致的。在他看来，人是具有自我意识的“精神存在物”。精神即理性，理性的本性即自由。理性自由，它不为任何人所专有，因而是普遍的。针对新书报检查令的自由主义的虚伪，马克思一针见血地指出，这种制度把调整社会精神行为的权力交给少数书报检查官，硬说他们“在处理问题时完全没有个人纠葛，没有怨恨，不会感情用事，不会心胸狭窄，也没有人类的弱点”①。这就必然无视理性自身的规律，以个人任性冒充理性，对精神施加暴力。

（2）理性自由要求出版自由

马克思认为，理性自由同出版自由是一致的。他指出，理性自由是指合乎真理的自由，而出版自由就是人们探讨真理的自由，出版物的任务就是体现真理，因而二者是一致的。马克思尖锐地指出，新书报检查令的自由主义是虚伪的，“‘根据这一法律（即根据第2条规定）书报检查不得阻挠人们对真理作严肃和谦逊的探讨’”②，而“这些规定一开始就使探讨脱离了真理”③。因为，在马克思看来，“不仅探讨的结果应当是合乎真理的，而且得出结果的途径也应当是合乎真理的。对真理的探讨本身应当是真实的，真实的探讨就是扩展了的真理，这种真理的各个分散环节在结果中是相互结合的。”④然而事实上，检查官只是个别人，而出版物体现的却是整个人类，因此事情完全被颠倒过来了。

（3）理性自由的形式表现是法

马克思认为，理性同法是一致的。理性是客观真理，法是客观自

① 《马克思恩格斯全集》第1卷，124页，北京：人民出版社，1995年。
② 《马克思恩格斯全集》第1卷，110页，北京：人民出版社，1995年。
③ 《马克思恩格斯全集》第1卷，110页，北京：人民出版社，1995年。
④ 《马克思恩格斯全集》第1卷，112—113页，北京：人民出版社，1995年。

由的形式，理性和法都具有确定的客观标准。马克思指出，凡是不以行为本身，而以人们的思想方式为客观标准的法，都是对非法行为的公开认可。对于法来说，只有行为本身才是它的对象。而书报检查令却禁止发表“带有有害倾向”的作品，这不仅要惩罚人们的行为，而且要惩罚人们的思想。因此，马克思指责它是最可怕的恐怖主义。

总之，马克思在这篇文章中，从自我意识所承载的理性精神出发，以人的本性为尺度来衡量书报检查制度和出版自由，抨击书报检查制度禁止出版自由是违背人性的。由于书报检查令的禁止，马克思的这篇文章没有发表，一年后它才被收录在由卢格出版的《德国现代哲学和政论界轶文集》第1卷中。

1842年10月，马克思成为《莱茵报》主编。他在该报上发表的第一篇论文也是关于出版自由的问题，标题是《关于出版自由和公布等级会议记录的辩论》。他在给卢格的信中指出：“由于出版问题的辩论，我又重新回到书报检查和出版自由的问题上来了”，不过他又指出，该文是“从另一观点加以考察”[①]，即从人的类本质论来加以考察的。

2. 书报检查制度的“类”本质论批判

这里的“类”本质论是指费尔巴哈关于以人的类本质为逻辑基点的人本论。

（1）转向费尔巴哈人本论

从表面上看，马克思这时写的文章和前一篇文章一样，都是从一般的理性和自由出发来论证出版自由。但实际上，这两篇文章存在着重大差别。在这篇文章中，马克思已经不是从自我意识来理解理性，而是把理性具体化为“人民精神”。尽管此时他对“人民”一词的理解还比较空乏，但毕竟已明确是指大多数人，尤其是广大贫苦阶层。马克思还进而认为，人民精神是人的类本质的体现，因而每个国家的人民都应在自己的出版物中表现自己的精神。他说：“难道自由不是全部精神存在的类本质，因而也就是新闻出版的类本质吗?”[②]

这里所说的类本质是费尔巴哈的概念。这表明这时的青年马克思已经开始转向费尔巴哈人本主义立场。

① 《马克思恩格斯全集》第27卷，426页，北京：人民出版社，1972年。

② 《马克思恩格斯全集》第1卷，171页，北京：人民出版社，1995年。

费尔巴哈是黑格尔以后对青年马克思最有影响的哲学家。费尔巴哈第一个举起了反叛黑格尔哲学的旗帜，这标志着以黑格尔绝对理性主义为代表的一个哲学时代的终结，由此也决定了费尔巴哈哲学的深远的巨大的影响。然而就这种影响的最富有成果的表现来说，就是作为一个中间环节，促进了青年马克思世界观的转变。对此，恩格斯曾经指出，马克思和德国其他一些共产主义者都“是通过费尔巴哈对黑格尔思辨的克服而走向共产主义的”①。

费尔巴哈作为开路人，不仅启发和鼓舞了青年马克思对黑格尔哲学的怀疑和批判，而且为这一批判提供了人本学唯物主义立场。费尔巴哈的人本唯物主义，承认自然对人而言的优先地位，人是自然的一部分，人是感性的自然存在物；但费尔巴哈又认为，在“性质上”，即重要性上，人是第一位的。因而他主张，从人出发，以实现人的幸福为最高目标，这是费尔巴哈人本唯物主义的基本精神。费尔巴哈公开宣称，他的哲学是“作为人的哲学的新哲学”，其宗旨“主要地也是为人的哲学”②。

费尔巴哈所理解的人，不仅是以自然为基础的感性的人，而且是以类为前提的现实的人。费尔巴哈认为，人的现实性，不仅在于他作为个体是有血有肉的感性存在物，而且在于他是类存在物。个体的本质体现为“类”。离开了类的孤立的、单个的人是非现实的，是想象中的独一无二的上帝和黑格尔哲学中的“绝对观念”，或是青年黑格尔派的纯粹的自我意识，或是纯粹的自然物。费尔巴哈认为，人不是抽象的精神，也不是纯粹的自然存在，“人是人的作品，是文化、历史的产物”③。个体实在性、主体性的确立是在类中实现的。费尔巴哈说：“只有许多人合在一起才成了人所应当是的和能够是的，才像人所应当是和能够是的那样。”④

那么什么是“类”呢？在费尔巴哈那里，“类”就是人与人的交

① 《马克思恩格斯文集》第1卷，386页，北京：人民出版社，2009年。

② ［德］费尔巴哈：《费尔巴哈哲学著作选集》上卷，荣震华等译，186页，北京：商务印书馆，1984年。

③ ［德］费尔巴哈：《费尔巴哈哲学著作选集》上卷，荣震华等译，247页，北京：商务印书馆，1984年。

④ ［德］费尔巴哈：《费尔巴哈哲学著作选集》下卷，荣震华等译，190—191页，北京：商务印书馆，1984年。

往，人与人的关系。他说："孤立的，个别的人，不管是作为道德实体或作为思维实体，都未具备人的本质。人的本质只是包含在团体之中，包含在人与人的统一中。"又说："只有把人对人的关系即一个人对另一个人的关系，我对你的关系加以考察时才能谈得上道德。"[①]因此，在费尔巴哈看来，只有类的人才是人。

费尔巴哈的"类"概念是他的最高哲学成就的集中体现。一是，他摒弃了"为思维而思维"的思辨哲学，恢复并捍卫了唯物主义的感性哲学；二是，他又拒绝了以往唯物主义关于"人完全是受他的情欲支配的"利己主义观点，坚持和发扬了人道主义精神；三是，他不仅消解了唯心主义的理念优先，而且把哲学研究的中心从自然转移到人本身，并进而转移到人与人的相互关系。青年马克思认为，这是费尔巴哈的一个"伟大功绩"，即他"使社会关系即'人与人之间的'关系也同样成为理论的基本原则"[②]。费尔巴哈这一关于人的类本质的思想，使青年马克思获得了一个新的重要的理论支点。

正因为获得了这样一个理论支点，所以这时的青年马克思无论是对新闻出版自由的分析，还是对宗教产生根源的理解，都在一定程度上克服了以往基于自我意识论所引起的逻辑矛盾，而且提升到了一个新的境界。

（2）用"类"本质论批判书报检查制度

①出版自由与人的实际利益相关。关于出版自由，这是一种社会自由，从逻辑上说，是不能以作为个别存在的自我意识自由来获得证明的。因为没有出版自由，并不妨碍个人头脑中的意识自由。自我意识自由是一种个体的思想自由，这种自由并不妨碍别人也享有同等的自由。而社会自由则不同，它表示的是一种人与人的关系。所以对作为社会自由的出版自由，社会上不同的人就可能有不同的态度。当青年马克思从人与人的关系的视角来分析莱茵省议会关于出版自由的辩论时，就不仅看到了不同等级对出版自由的不同态度，而且指明了这些不同态度的根本原因。马克思指出：莱茵省议会和其他省议会一样，表面上由贵族、市民和农民三个等级的代表

① ［德］费尔巴哈：《费尔巴哈哲学著作选集》上卷，荣震华等译，185、572页，北京：商务印书馆，1984年。

② 《马克思恩格斯文集》第1卷，200页，北京：人民出版社，2009年。

所组成；可实际上，贵族等级的代表在议会中占大多数。他们维护封建贵族的特权，不能代表全省人民的利益。因此，马克思说："如果等级会议这一新的人民代表机关的特征不是省本身在这里起作用而是别人代替省起作用，不是省代表它自己而是别人越俎代庖，那么这种代表机关就会丧失一切意义。不为委托人所了解的代表机关，就不成其为代表机关。"①这表明马克思对出版自由的认识更进了一步，他不再把出版自由只看作抽象的空洞的真理，而是和不同的人的实际利益相关的。

②出版自由会遭到特殊利益者的反对。马克思认为，出版自由是人民的自由，是普遍的自由。他说："自由报刊是人民精神的洞察一切的慧眼，是人民自我信任的体现，是把个人同国家和世界联结起来的有声的纽带。"②从这个观点出发，马克思谴责贵族等级的代表企图把自由解释为等级的自由，而不是人民的普遍自由③。因此，马克思强烈地意识到："在关于新闻出版的辩论中，特殊等级精神比在其他任何场合都表现得清楚、明确而充分。新闻出版自由的反对派尤其是如此，正如在一般自由的反对派中，特定领域的精神、特殊等级的个人利益、品格的先天的片面性表现得最为强烈、明显，露出一副狰狞的面孔。"④

③要实现出版自由必须变革现行国家制度。马克思认为，要争取出版自由就必须彻底变革现行的国家制度，即用人民代议制取代等级代议制。在马克思看来，争取出版自由不仅是要废除书报检查制度，而且要从根本上变革现存的等级代议制⑤。在这里，马克思实际上已经意识到，现存的普鲁士国家制度是和理性国家概念相矛盾的，因而它的存在是没有根据的。他认为变革现行国家制度的力量来自人民，"查理一世就是由于来自下面的神的灵感才走上断头台的"⑥。马克思通过历史事实向封建统治阶级发出了警告：如果等级议会制不代表人民的意志，不给人民以自由，人民就会"不仅用矛头而且要用斧子去为它

① 《马克思恩格斯全集》第1卷，159页，北京：人民出版社，1995年。
② 《马克思恩格斯全集》第1卷，179页，北京：人民出版社，1995年。
③ 参见《马克思恩格斯全集》第1卷，163页，北京：人民出版社，1995年。
④ 《马克思恩格斯全集》第1卷，146页，北京：人民出版社，1995年。
⑤ 参见《马克思恩格斯全集》第1卷，200页，北京：人民出版社，1995年。
⑥ 《马克思恩格斯全集》第1卷，168页，北京：人民出版社，1995年。

战斗了”[①]。

3. 关于宗教异化的“类”本质论批判与超越

关于宗教产生的根源的理解，马克思起初是和以鲍威尔为代表的其他青年黑格尔派分子一样，都是用个人的自我意识的异化来加以说明的，然而这种说明在逻辑上存在困难。这是因为宗教是一种普遍的社会意识，因而它不可能根源于作为个别存在的自我意识。对此，费尔巴哈另辟蹊径，在他看来，宗教是作为人的类本质表征的类意识的异化。

费尔巴哈针对“上帝创造人”的观点，明确指出，不是上帝按照自己的形象创造了人类，而是人类按照自己的形象创造了上帝。因此，“属神的本质就是属人的本质。”[②]上帝的本质就是被异化了的人的类本质。在费尔巴哈看来，宗教的隐秘之处就在于：“人使他自己的本质对象化，然后，又使自己成为这个对象化的、转化成为主体、人格的本质的对象。”[③]

人为什么要把自己的本质对象化为上帝呢？费尔巴哈认为，人的个体本质是有限的、不完善的，发扬个体本质无法应对痛苦和死亡，为了克服个体有限性、不完善的局限，人们把自己的类本质理想化、全能化、拟人化，构成了人格化的神。费尔巴哈认为，宗教神是一种“人与自己分裂”而产生的高于人，又反过来压迫人、统治人的异己力量。“上帝是无限的存在者，人是有限的存在者；上帝是完善的，而人是非完善的；上帝是永恒的，而人是暂时的；上帝是全能的，而人是无能的；上帝是神圣的，而人是罪恶的。”[④]人创造了神，而人又成为自己创造物的奴仆，只能匍匐在上帝脚下接受统治。

在费尔巴哈看来，人之所以要创造上帝，是因为人面临痛苦和恐惧。他说：“只有在人类的痛苦中，上帝才有产生的场所。”[⑤]费尔巴哈

① 《马克思恩格斯全集》第1卷，202页，北京：人民出版社，1995年。

② ［德］费尔巴哈：《费尔巴哈哲学著作选集》下卷，荣震华等译，222页，北京：商务印书馆，1984年。

③ ［德］费尔巴哈：《费尔巴哈哲学著作选集》下卷，荣震华等译，56页，北京：商务印书馆，1984年。

④ ［德］费尔巴哈：《费尔巴哈哲学著作选集》下卷，荣震华等译，60页，北京：商务印书馆，1984年。

⑤ ［德］费尔巴哈：《费尔巴哈哲学著作选集》上卷，荣震华等译，163页，北京：商务印书馆，1984年。

的这一观点，大体也是对的。但痛苦和恐惧仅仅是人的一种心理感受，它是由客观原因，特别是社会原因引起的。正是在这个需要加以深入说明的地方，费尔巴哈却止步不前了。

在世界观转变的过程中，青年马克思超越了以往的关于宗教是自我意识异化的观点，而走向了费尔巴哈的关于宗教是人的类本质异化的观点。因为资料的缺乏，我们现在无法还原、显现这一转变的具体过程。但青年马克思通过这一转变过程而产生的结果是显而易见的，即他对费尔巴哈关于宗教是人的本质异化的观点是认同和赞赏的。

青年马克思在此后不久写作的《黑格尔法哲学批判》中，在论述市民社会决定国家时曾写道："黑格尔从国家出发，把人变成主体化的国家。民主制从人出发，把国家变成客体化的人。正如同不是宗教创造人，而是人创造宗教一样，不是国家制度创造人民，而是人民创造国家制度。"①

那么谁把宗教意识中神与人的关系颠倒过来的呢？马克思在这里没有说明。但在《黑格尔法哲学批判》写作过程中，马克思于1843年9月给卢格的一封信中写道："我们的全部意图只能是使宗教问题和政治问题具有自觉的人的形态，像费尔巴哈在批判宗教时所做的那样。"②

马克思在1843年10月中旬到12月这一时期写作的《〈黑格尔法哲学批判〉导言》中再次对费尔巴哈的宗教观作出了准确的概括："反宗教的批判的根据是：人创造了宗教，而不是宗教创造人。就是说，宗教是还没有获得自身或已经再度丧失自身的人的自我意识和自我感觉。"③

然而马克思并未完全赞同费尔巴哈关于宗教异化的人本论批判，这是因为费尔巴哈虽然从人与人的关系来理解"类"，但他所谓的人与人的关系并不是人的社会关系，而是指被个人的自然需要所决定的、孤立个人之间的性欲和情感关系，或曰"爱"的关系。在他看来，是作为人之类本质的人与人之间的"爱"，异化成了人对上帝的爱，这就是宗教异化。费尔巴哈认为，"基督教的上帝，本身只是由人类的爱中

① 《马克思恩格斯全集》第3卷，40页，北京：人民出版社，2002年。
② 《马克思恩格斯文集》第10卷，9页，北京：人民出版社，2009年。
③ 《马克思恩格斯文集》第1卷，3页，北京：人民出版社，2009年。

抽象出来的抽象物，只是爱的一种图象。”[①]于是，在费尔巴哈看来，人们只有把对上帝之爱转变为人间之爱，那么宗教异化也就消除了，人也就从宗教束缚中获得了解放。

马克思认为，费尔巴哈的这一批判是不彻底的，因为他没有说明人为什么会形成上帝的观念，并把人间之爱奉献给上帝。正是在费尔巴哈止步的地方，马克思开始了他自己的关于宗教异化的社会颠倒论批判。

（三）宗教异化的社会颠倒论批判

这里的社会颠倒论批判，是指谓宗教的产生并非仅仅在于人类意识的异化，即意识的错觉、认识的缺陷。在归根到底的意义上，宗教作为一种颠倒的世界意识，是因为产生宗教的这个世界是颠倒的世界。当然，这时青年马克思所指谓的颠倒的世界，还是局限于政治意义上的世界，即政治异化的世界。

青年马克思在宗教批判问题上之所以能超越费尔巴哈，进行自己关于宗教异化的社会颠倒论批判，说到底还是源于《莱茵报》时期物质利益问题所引起的烦恼，促使青年马克思开始了对黑格尔国家理性本质论的怀疑。

在黑格尔看来，在人类历史上起支配作用的是精神力量，即黑格尔所谓的世界观念。因此，国家、法律都应受理性规律的支配。但是，马克思在《莱茵报》工作时期看到，莱茵省议会的立法过程不是如此，在整个立法过程中，是土地所有者、林木所有者的利益占了上风。立法者根本不是从理性出发去立法，而是从地主、资本家的利益出发去立法。

早在1821年6月，普鲁士法律就制定了擅自砍伐林木和盗窃林木的刑罚。后来，又陆续通过了许多保护林木占有者利益的补充规定。尽管如此，触犯林木所有权的诉讼案件却仍在逐年增加。造成这种情况的根本原因是生计无着的贫苦农民与林木所有者之间的利益冲突日益尖锐。由于资本主义在农村的发展，越来越多的失地农民不得不靠到树林里捡枯枝作为生活的补充来源。可是，在莱茵省议会的辩论

① ［德］费尔巴哈：《费尔巴哈哲学著作选集》上卷，荣震华等译，167页，北京：商务印书馆，1984年。

中，贵族等级的代表却要求省议会制定法律，把捡枯枝当作“盗窃林木”而予以严惩，而为贵族等级服务的省议会竟然把他们的这一蛮横要求作为新的法律条文规定下来。对此，马克思义愤填膺，写下了评论第六届莱茵省议会的第三篇论文：《关于林木盗窃法的辩论》。

在这篇文章中，马克思猛烈抨击代表贵族等级利益的立法者，揭露他们的立场动机完全是自身的利益，而不是法律的原则。他说：“讲求实际的林木所有者是这样判断事物的：某项法律规定由于对我有利，就是好的，因为我的利益就是好事。而某项法律规定由于纯粹从法理幻想出发，也应该适用于被告，那就是多余的、有害的、不实际的。”①

在这篇文章中，马克思虽然已经意识到自由是同利益相关的，但由于其唯心主义立场的局限，于是他仍在谴责私人利益，以便维护国家和法的原则的纯洁和尊严。他说：“私人利益的空虚的灵魂从来没有被国家观念所照亮和熏染，它的这种非分要求对于国家来说是一个严重而切实的考验。如果国家哪怕在一个方面降低到这种水平，即按私有财产的方式而不是按自己本身的方式来行动，那么由此直接可以得出结论说，国家应该适应私有财产的狭隘范围来选择自己的手段。”②

在马克思看来，国家和法作为理性自由的存在方式，应该受到理性的对待，而不能站在私人利益的立场上，使之为私人利益服务③。现实的普鲁士国家及其立法者并非从国家和法的原则出发，一视同仁地对待所有公民，而是站在林木所有者的私人利益的立场上说话，沦为林木所有者的工具。在他们看来，林木所有者的利益应该成为整个国家制度和各种行政机构的灵魂，使国家权威变成林木所有者的奴仆。“一切国家机关都应成为林木所有者的耳、目、手、足，为林木所有者的利益探听、窥视、估价、守护、逮捕和奔波。”④结果就形成了这样的情况：“盗窃林木者偷了林木所有者的林木，而林木所有者却利用盗窃林木者来盗窃国家本身。”⑤马克思愤然指责立法者们说：“你们的基

① 《马克思恩格斯全集》第1卷，247—248页，北京：人民出版社，1995年。
② 《马克思恩格斯全集》第1卷，261页，北京：人民出版社，1995年。
③ 参见《马克思恩格斯全集》第1卷，264页，北京：人民出版社，1995年。
④ 《马克思恩格斯全集》第1卷，267页，北京：人民出版社，1995年。
⑤ 《马克思恩格斯全集》第1卷，277页，北京：人民出版社，1995年。

本原则是什么呢？就是要确保林木所有者的利益，即使法和自由的世界会因此而毁灭也在所不惜。”①

不难看出，马克思在这里仍然是从抽象理性主义的观点出发，站在理性和法的立场上，对私人利益侵害国家和法的理性原则进行批判和谴责的。对此，马克思十分不解。为什么强大的国家理性在私人利益面前显得如此软弱无力，私人利益到处都占上风？这使马克思感到极度苦恼。不过，一旦意识到物质利益在国家立法活动中的决定作用，就势必会导致马克思迄今所信奉的黑格尔理性主义国家观的彻底崩溃。在黑格尔哲学体系中，国家被看作道德理念的实现和理性规律的最高体现；而在实际生活中，它却降低到维护私人利益的水平，沦为林木所有者的工具。为了解决这个疑难，马克思开始了对黑格尔法哲学即国家学说的批判，从而由关于人的解放的宗教异化批判进展到政治异化批判。与此相联系，马克思这时对人的解放的理解，也从宗教异化中的解放进展到政治异化中的解放。

二、关于人的解放的政治异化批判

青年马克思关于人的解放的政治异化批判，所遵循的原则仍是费尔巴哈的人本主义。与费尔巴哈不同的是，他运用这一原则从对宗教异化的批判拓展和深化到了对政治异化的批判。这一拓展和深化，作为一个重要环节也进一步积累和扩大着他对费尔巴哈人本主义突破和超越的力量。其基本的思路是，家庭、市民社会是人的本质的实现。市民社会决定国家，因而国家也是人的本质的实现。所不同的是，家庭、市民社会所实现的是人的个体本质，是私人利益和意志所表现的领域；国家所实现的是人的类的本质，是公共利益和意志所表现的领域。因而真正的国家所履行的不是单个人的事务，而是社会的普遍事务。在马克思看来，“人民本身就是普遍事务”②。因此，国家主权的人格化，就是国家主权的人民化，或曰人民主权的国家化。可现实的国家并不代表普遍利益和人民的意志，而是代表某些个人的利益和意志，在马克思看来，这就是“政治异化”。就其表现来说，君主主权是

① 《马克思恩格斯全集》第1卷，282页，北京：人民出版社，1995年。

② 《马克思恩格斯全集》第3卷，82页，北京：人民出版社，2002年。

这样一种政治异化，取代封建专制主义的资产阶级民主制，虽然有进步意义，但其所体现的进步仅仅是形式上的，从本质上说，它是另一种政治异化，因而也必须予以批判。

（一）人的理想本质的政治实现

这是青年马克思在人本主义指导下，通过对黑格尔法哲学批判所提出的一个重要命题。这个命题从当时来说是为了批判黑格尔的逻辑泛神论的神秘主义，说明真正的国家不是黑格尔所认为的是地上的神物，而是人的类本质的政治实现。

1. 以黑格尔法哲学作为批判对象

1843年1月，《莱茵报》遭到普鲁士政府查封。在这种情况下，马克思离开《莱茵报》，“从社会舞台退回书房”[①]，重新探索继续前进的道路。《莱茵报》时期的政治实践，使马克思对黑格尔的国家观产生动摇。1843年5月，马克思来到莱茵省的克罗茨纳赫小镇居住。在这里，他通过认真研究，写下了《黑格尔法哲学批判》的长篇手稿。这是马克思对以前一直支配着他思想的黑格尔法哲学即国家学说的初步清算。

马克思选择黑格尔法哲学作为批判的靶子，是有其深刻原因的。在马克思看来，当时的德国在政治上比英国、美国，尤其是作为大革命发源地的法国落后了整整一个时代，在经济上则比它们落后得更远。在这些先进国家，人们对于什么是人类的自由和解放，有许多比德国先进得多、切实得多的实际经验和理论。不过，马克思并不认为德国只是落后，它也有自己的长处。德国人在政治经济落后的条件下，在反动专制的普鲁士国家高压下，仍然保持着宗教改革以来的精神传统，在哲学活动中以思辨晦涩的语言呼喊着革命和进步，力图以此跟上法国大革命的前进步伐，而且在思考的深度上远比法国人深刻。

这一点马克思看得非常明白，早在1842年他在《法的历史学派的哲学宣言》一文中就已经“把康德的哲学看成是法国革命的德国理论”[②]；而在一年后所写的《〈黑格尔法哲学批判〉导言》中又说：“德国的法哲学和国家哲学是唯一与正式的当代现实保持在同等水平上

① 《马克思恩格斯文集》第2卷，591页，北京：人民出版社，2009年。

② 《马克思恩格斯全集》第1卷，233页，北京：人民出版社，1995年。

[alpari］的德国历史。”[①]

对于这一点，黑格尔本人也曾清楚地指出：法国从意志方面来掌握自由原则，法国人具有现实感、实践的意志、把事情办成的决心。在德国，同一个自由原则占据了意识的兴趣；但只是在理论方面得到了发挥。我们在头脑里面和头脑上面发生了各式各样的骚动[②]。在与法国的比较中，黑格尔生动刻画出德国人只是从思维、从哲学方面进行“革命”的特点：一方面，他们羡慕法国人实践了自由，自己却不敢行动而只能想想；另一方面，他们又认为法国人虽然具体实践了自由，但对自由的理解却是笼统抽象的，因而力图在自己的哲学思维中把自由引向“具体”。真实的情形确是如此。德国古典哲学的历史就是这样一部在抽象思维中把握自由的具体概念的历史。这既是它的致命弱点，同时也是它优于法国及其他民族的突出特点。

马克思正是沿着这条道路走向人类解放目标的。经过《莱茵报》时期的政治实践之后，马克思对直到黑格尔为止的德国哲学的优点和缺点有了更深切的体会。因此，退出《莱茵报》以后，他选择了黑格尔法哲学作为自己批判的靶子。当然，对于马克思来说，这并不是单纯的理论批判工作，而是为了弄清人类解放的目标及实现这一目标的真实道路。

为了能够真正站在历史的前列来思考如何确定人类解放的目标，马克思在批判黑格尔法哲学的同时，还阅读和研究了大量的历史著作，写下了厚厚的五本笔记，即《克罗茨纳赫笔记》。据孙伯鍨考证，马克思读到的历史著作至少有24部，绝大部分都做了详细的摘录和评注，有的还写了主题索引。其中，第一、二本笔记是关于政治史的摘记，摘录了亨利希的《法国史》、拉彭贝尔格的《英国史》和约翰·罗素的《英国政府……史》。第三、四本笔记主要是关于法国史的摘记，如施密特的《法国史》、卢克莱泰尔的《复辟以来的法国史》、瓦克斯穆特的《革命时代的法国史》和兰齐措勒的《论十月革命的起因、性质和结果》，此外，还有兰克的《法国史》、林加尔特的《英国史》和盖耶尔的《瑞典史》等等。第五本笔记的内容涉及德国、美国等国家

① 《马克思恩格斯文集》第1卷，9页，北京：人民出版社，2009年。

② 参见［德］黑格尔：《哲学史讲演录》第4卷，贺麟、王太庆译，256页，北京：商务印书馆，1978年。

的历史[①]。对历史特别是法国革命史的深入研究，使马克思能够借助于丰富的历史知识，来研究国家和法的问题。

在短短的一年中，马克思写下了《黑格尔法哲学批判》的长篇手稿，之后到巴黎又写作并发表了《论犹太人问题》和《〈黑格尔法哲学批判〉导言》两篇论文。这些都是他批判黑格尔法哲学的重要成果。

2. 批判黑格尔国家观的神秘主义本质

《黑格尔法哲学批判》要说明的首要问题是，（理想）国家是人的本质的实现。为此，《黑格尔法哲学批判》提出了市民社会决定国家这一命题。在市民社会和国家的关系问题上，黑格尔在《法哲学原理》第三篇《伦理》、第三章《国家》中认为国家决定市民社会。马克思批判了黑格尔在国家和市民社会关系上的根本颠倒，认为市民社会决定国家。

"市民社会"这个术语产生于18世纪的英国和法国，当时这两国的一些启蒙思想家都使用过这个术语。例如，英国经济学家亚当·斯密的老师亚·弗格森曾写过《市民社会史试论》，讲述资产阶级社会本身的历史发展。因此，从狭义方面理解，"市民社会"指的就是资产阶级社会。马克思恩格斯认为，英国人和法国人撰写的市民社会史，给历史编纂学提供了唯物主义基础的初步尝试。

黑格尔总结了英国和法国思想家关于市民社会的论述，提出了他对"市民社会"的理解：市民社会是正在形成中的资产阶级社会，它标示着特殊利益的领域。

黑格尔认为，客观精神发展的第三阶段，即社会伦理观念的现实化，经历了三个小的发展阶段：家庭—市民社会—国家。他一方面认为，家庭和市民社会先于国家，国家是家庭和市民社会的综合；另一方面又认为，这只是三者关系的表面现象或经验关系，真正的本质的关系是国家这一现实的观念是家庭和市民社会的真实基础，家庭和市民社会仅是达到国家的中介，是被扬弃了的有限领域和私人利益体系。而国家是伦理观念现实化的最高阶段，是超出了家庭和市民社会的无限性领域和普遍利益体系，是家庭和市民社会领域所追求的目的。因此，在黑格尔看来，家庭和市民社会从属于国

① 参见孙伯鍨：《探索者道路的探索：青年马克思恩格斯哲学思想研究》，120—121页，南京：南京大学出版社，2002年。

家，是国家这一观念在发展中产生出来的。一句话，国家决定市民社会。

马克思批判了黑格尔的这种思辨唯心主义观点。他指出，黑格尔把国家“观念变成了主体，而家庭和市民社会对国家的现实的关系被理解为观念的内在想像活动。家庭和市民社会都是国家的前提，它们才是真正活动着的；而在思辨的思维中这一切却是颠倒的”①。本来，“家庭和市民社会使自身成为国家。它们是动力。可是，在黑格尔看来又相反，它们是由现实的观念产生的。把它们结合成国家的不是它们自己的生存过程，而是观念的生存过程，是观念使它们从它自身中分离出来。”②因此，“政治国家没有家庭的自然基础和市民社会的人为基础就不可能存在。它们对国家来说是必要条件。但是，制约者被设定为受制约者，规定者被设定为被规定者，生产者被设定为其产品的产品。”③马克思认为：“这是露骨的神秘主义。”④

3. 国家是人的类本质的实现

在《黑格尔法哲学批判》中，马克思所批判的重点就在于揭露黑格尔哲学的唯心主义和神秘主义的实质。在他看来，国家理性绝非是市民社会的先验基础，相反，市民社会本身即居民现实生活中的不同的物质利益领域，才是国家的现实基础。一句话，不是国家决定市民社会，而是市民社会决定国家。因为市民社会是国家的人为基础。如何理解这一观点呢?

第一，国家不是作为某种先验存在的理念的体现，也不是作为某种外在的东西强加于市民社会，国家是在市民社会基础上产生的。

第二，市民社会为什么会产生国家，不是某种抽象理念的安排，而是市民社会本身的需要，归根到底是人的本质实现的需要。马克思说：“如果在阐述家庭、市民社会、国家等等时把人的这些社会存在方式看作人的本质的实现，看作人的本质的客体化，那么家庭等等就表现为主体所固有的特质。人始终是这一切实体性东西的本质，但这些实体性东西也表现为人的现实普遍性，因而也就是一切

① 《马克思恩格斯全集》第3卷，10页，北京：人民出版社，2002年。
② 《马克思恩格斯全集》第3卷，11页，北京：人民出版社，2002年。
③ 《马克思恩格斯全集》第3卷，12页，北京：人民出版社，2002年。
④ 《马克思恩格斯全集》第3卷，19页，北京：人民出版社，2002年。

人共有的东西。”①

第三，人的本质为什么既要通过市民社会来实现，又要通过国家来实现，这是因为市民社会是人的个体本质的实现。市民社会中的人都以自身利益作为自己的目的，因而在市民社会中占统治地位的现象是偶然性、贫困、压迫以及各种对立和冲突。为了使自由的、独立的个体不至陷入混乱的对抗状态之中，因而要通过发扬人的类本质来加以约束，来保障普遍利益、共同利益，也就是上文所说的“一切人共有的”利益。因此，市民社会决定国家这样一个命题的提出，在马克思当时的逻辑行程中，是作为一个中介性命题去论证理想国家是人的类本质的实现这一根本观点的。

诚然，从马克思思想的发展来说，市民社会决定国家这个观点又是后来形成的经济基础决定上层建筑这一观点的雏形。不过在青年马克思那里，关于市民社会的理解经历了一个从模糊、繁杂上升到清晰的过程。在《黑格尔法哲学批判》中，马克思当时对“市民社会”的理解还是比较模糊的。在马克思看来，作为私人活动领域，市民社会主要是指“物质的生活关系”，但也掺杂了一些不正确的理解。比如，他把个人的宗教活动、长子继承权等也包括在其中。另外，他把私有财产算作市民社会领域，但他对私有财产的认识也有不正确的地方。比如，他把职权、特权看作官吏的私有财产，甚至把精神看作僧侣的私有财产。后来经过政治经济学的研究，市民社会作为“物质的生活关系”才获得了明晰的指认和说明，才获得了相对于上层建筑而言的经济基础的涵义。因而从马克思思想的发展过程来说，市民社会决定国家这一思想，的确开启了唯物史观，是很有意义的一个理论观点。

正如恩格斯后来所说：“对莱茵省议会辩论的批评，迫使马克思着手研究有关物质利益的问题。在这方面他获得了一些无论法学或哲学都不曾提供的新观点。马克思从黑格尔的法哲学出发，得出这样一种见解：要获得理解人类历史发展的钥匙，不应当到黑格尔描绘成‘大厦之顶’的国家中去寻找，而应当到黑格尔所那样蔑视的‘市民社会’中去寻找。”

① 《马克思恩格斯全集》第3卷，51—52页，北京：人民出版社，2002年。

马克思在总结自己这个时期的思想发展时也说："为了解决使我苦恼的疑问，我写的第一部著作是对黑格尔法哲学的批判性的分析，这部著作的导言曾发表在1844年巴黎出版的《德法年鉴》上。我的研究得出这样一个结果：法的关系正像国家的形式一样，既不能从它们本身来理解，也不能从所谓人类精神的一般发展来理解，相反，它们根源于物质的生活关系，这种物质的生活关系的总和，黑格尔按照18世纪的英国人和法国人的先例，概括为'市民社会'，而对市民社会的解剖应该到政治经济学中去寻求。"①

可见，马克思受黑格尔国家观的影响，也曾到社会大厦之顶即国家中，去寻找社会历史发展的动力。而在这里，马克思开始"颠倒过来"，到大厦的基础即市民社会中去寻找历史发展的动力，提出了市民社会决定国家的观点，从而向人类解放的目标迈出了决定性的一步。

（二）人的社会特质与人民创造国家

既然历史发展的动力只能到社会大厦的基础即市民社会中去寻找，那么必然的结论就是在考察人的自由和人类解放问题时，就必须从研究市民社会出发，首先考察人的现实生活和物质利益关系。黑格尔在《法哲学原理》中，不仅根本颠倒了市民社会和政治国家的关系，而且从保守的政治观点出发，极力美化普鲁士王国的君主立宪制。因此，马克思在批判了黑格尔的唯心主义国家观之后，又批判了他在国家制度上保守的政治观点。在这一批判过程中，马克思论证了人的社会特质，强调了人民创造国家。

1. 反对神化君主，强调人的社会特质。

黑格尔关于国家制度的分析，其理论基础是观念主宰一切的客观唯心主义。在他看来，国家不是某些机关、职能机构的总和，而是一个有机体。这种看法是辩证的，马克思给予了肯定评价："把政治国家看作机体，因而把权力的不同不再看作机械的不同，而是看作有生命的和合乎理性的不同，——这是前进了一大步。"②但是，黑格尔把国家制度看成有机整体的辩证思想是和唯心主义联系在一起的，它不是

① 《马克思恩格斯文集》第2卷，591页，北京：人民出版社，2009年。

② 《马克思恩格斯全集》第3卷，15页，北京：人民出版社，2002年。

从国家本身，而是从有机体这个观念中推论出来的。

黑格尔的唯心主义国家观，是为他在国家制度上保守的政治观点服务的。他从国家的观念中引申出君主制，甚至引申出世袭君主制。在黑格尔看来，“王权，即作为意志最后决断的主观性权力，它把各种有差别的权力集中于个人一体，因而它是整体即立宪君主制的顶点和开端。”[①]对此马克思揭露说：“黑格尔在这里把君主规定为‘国家人格、国家自身的确定性’。君主是‘人格化的主权’，是‘化身为人的主权’，是具有肉体形式的国家意识。”[②]而这个君主或“君王是与自己的整个类、与其他一切人特别不同的人”[③]，“它被看作观念的定在”[④]。在这里，黑格尔把君主说成“神人”，是“观念的真正化身”[⑤]。因此，君主制只能世袭。

马克思尖锐地批判了黑格尔把作为履行国家职能的君主与君主的肉体出生混为一谈的观点。在马克思看来，国家的职能和活动当然是和个人有联系的，国家只有通过个人才能发生作用。但是与国家发生联系的，不是作为肉体的个人，即作为自然存在物的个人，而是作为社会的、国家的个人。

马克思进一步指出，黑格尔“忘记了特殊的个体性是人的个体性，国家的各种职能和活动是人的职能；他忘记了‘特殊的人格’的本质不是它的胡子、它的血液、它的抽象的肉体，而是它的社会特质，而国家的职能等等只不过是人的社会特质的存在方式和活动方式。因此不言而喻，个人既然是国家各种职能和权力的承担者，那就应该按照他们的社会特质，而不应该按照他们的私人特质来考察他们。”[⑥]人的肉体存在是人的自然基础，人一定要生出来，由于肉体的出生，他才能成为社会的人，但人的本质并不取决于他的肉体存在。如果像黑格尔所说的，一个人被注定为君主，是通过直接的自然的方式，是由于肉体的出生，那么，人与动物就没有区别：马生下来是马，国王生下来是国王。马克思对此嘲笑道：“人一出生就注定成为君

① 《马克思恩格斯全集》第3卷，27页，北京：人民出版社，2002年。
② 《马克思恩格斯全集》第3卷，35页，北京：人民出版社，2002年。
③ 《马克思恩格斯全集》第3卷，52页，北京：人民出版社，2002年。
④ 《马克思恩格斯全集》第3卷，51页，北京：人民出版社，2002年。
⑤ 《马克思恩格斯全集》第3卷，33页，北京：人民出版社，2002年。
⑥ 《马克思恩格斯全集》第3卷，29—30页，北京：人民出版社，2002年。

主，如同圣母马利亚的圣灵降孕一样，不可能成为超自然的真理。”[①] 很显然，马克思在这里已经看到了人的社会性，这比黑格尔抽象地谈人的本质和费尔巴哈只从自然属性谈人的本质，向前迈进了一大步。

2. **反对君主立宪，建立人民主权**。

黑格尔认为君主主权是人民主权的代表和象征，反对把君主主权和人民主权对立起来，这显然是在替君主立宪制辩护，为君主个人专断唱赞歌。马克思批驳了黑格尔用君主主权冒充和代替人民主权的观点。他指出：人民主权的主体是许多的人，而不是单个的人[②]。君主主权指的是能在君主身上存在的主权，人民主权指的是只能在人民身上存在的主权。这是“两个完全对立的主权概念”[③]。对此，马克思尖锐地指出：“不是君主的主权，就是人民的主权——问题就在这里。”[④]“这同下面的问题是同样的：是上帝为主宰还是人为主宰。”马克思主张反对君主主权，坚持人民主权。他明确指出：“人民主权不是凭借君王产生的，君王倒是凭借人民主权产生的。”[⑤]

另外，黑格尔认为，历史上曾经存在过的各种国家形式，如君主专制、贵族专制、民主制等，都是片面的、不完善的，只有君主立宪才是最完美、最理想的国家制度。马克思反对黑格尔对君主立宪制的推崇，而主张民主制。马克思把民主制和君主制作了比较：在民主制中，每一个环节都是全体人民的环节，它是国家制度的类。在这里，国家制度本身只表现为人民的自我规定，是人民的国家制度。“在民主制中，不是人为法律而存在，而是法律为人而存在；在这里法律是人的存在，而在其他国家形式中，人是法定的存在。民主制的基本特点就是这样。”[⑥]而在君主制中，则是部分决定整体的性质，它只是国家制度的种，并且是坏的种。在这里，没有人民的地位，即人民从属于它们的政治制度，是国家制度的人民。通过比较，马克思得出结论：不是国家将一定的组织带到人民中去，而是人民本身将自己组成一定的国家。“正如同不是宗教创造人，而是人创造宗教一样，不是国家制

① 《马克思恩格斯全集》第3卷，44页，北京：人民出版社，2002年。
② 参见《马克思恩格斯全集》第3卷，32页，北京：人民出版社，2002年。
③ 《马克思恩格斯全集》第3卷，38页，北京：人民出版社，2002年。
④ 《马克思恩格斯全集》第3卷，38页，北京：人民出版社，2002年。
⑤ 《马克思恩格斯全集》第3卷，37页，北京：人民出版社，2002年。
⑥ 《马克思恩格斯全集》第3卷，40页，北京：人民出版社，2002年。

度创造人民，而是人民创造国家制度。”①

需要指出的是，马克思在这里所主张的民主制，不是资产阶级民主制。虽然马克思承认，资产阶级民主制比封建专制制度进步，但同时又认为，它并没有摆脱市民社会和国家、个体和类的矛盾，而是这种矛盾的公开、真实、彻底的表现。为了解决这个矛盾，马克思在批判封建阶级政治异化的基础上，进一步开展了对资产阶级政治异化的批判，从而提出了把政治解放进一步推进到人类解放的问题。

（三）深化政治解放走向人类解放

克罗茨纳赫时期，是马克思思想发展进程中的一个重要时期。在这里，马克思一方面总结《莱茵报》时期的政治实践经验，钻研历史，写下了《黑格尔法哲学批判》，解决了市民社会和政治国家的关系问题；另一方面又积极筹备创办《德法年鉴》，研究政治解放和人类解放的关系，探索人类解放的道路和力量。而这种探索的途径也就是通过批判旧世界去发现新世界。

1. 通过批判旧世界发现新世界

1843年1月，《莱茵报》被普鲁士政府查封，这使马克思认识到：在书报检查制度下的德国不可能允许自由报刊的存在，而且仅靠合法报刊的力量也不可能真正触动反动的官僚制度。马克思在给卢格的信中说：“即使是为了自由，这种桎梏下的生活也是令人厌恶的，我讨厌这种缩手缩脚而不是大刀阔斧的做法。”②“我正在写一些东西，这些东西，在德国这里既找不到书报检查官来检查，也找不到出版商来出版，也根本没有存在的可能。”③因此，应该把自由报刊的阵地转移到国外。马克思提出在国外出版一种能联合德国和法国革命者的刊物，刊物的名字叫《德法年鉴》。但是，《德法年鉴》的创办远不像马克思原来想象的那样顺利，它不仅延迟到1844年3月才出了一期合刊，而且由于马克思和卢格在刊物的性质、任务等问题上的分歧而就此停刊了。

马克思在同卢格通过书信商讨筹办《德法年鉴》时，对德国的政

---

① 《马克思恩格斯全集》第3卷，40页，北京：人民出版社，2002年。

② 《马克思恩格斯全集》第47卷，49页，北京：人民出版社，2004年。

③ 《马克思恩格斯全集》第47卷，49页，北京：人民出版社，2004年。

治制度和社会状况进行了分析。马克思对德国封建专制制度表示了极大的愤慨。认为它“可恶至极”[①]，其“原则总的说来就是轻视人，蔑视人，使人非人化”[②]，并称赞“重新使人恢复为人的法国革命”[③]。

面对德国的前途，卢格感到悲痛，对未来缺乏信心。正如马克思所批评的，“您的来信是一支出色的哀曲，一首使人心碎的挽歌，可是它毫无政治内容。”[④]马克思对未来表现出革命乐观主义精神。他指出：“任何一个民族都不会绝望，即使它只是由于愚蠢而长期抱着希望，然而很多年后，总有一天它会突然变得聪明起来，实现它所有的虔诚的愿望。”[⑤]针对卢格的那种垂头丧气的情绪，马克思充满豪情地说：“让死人去埋葬和痛哭自己的尸体吧。而最先朝气蓬勃地投入新生活的人，是令人羡慕的。但愿这是我们的命运。”[⑥]

由于对德国革命的看法不同，马克思和卢格对《德法年鉴》刊物的任务也存在分歧。卢格站在资产阶级激进主义的立场上，力图把《德法年鉴》办成当年他主编的《哈雷年鉴》的继续，他想利用国外出版自由的条件，发表一些反对政府的文章。而马克思则要把《德法年鉴》办成一个革命刊物，通过理论批判和实际斗争的结合，对社会进行根本改造。在给卢格的信中，马克思提出了“往何处去”这个事关人类社会未来前景的重大问题。在“往何处去”的问题上，马克思不同于一切空想主义、教条主义和宗派主义，他明确宣布：“我不主张我们树起任何教条主义的旗帜，而是相反。我们应当设法帮助教条主义者认清他们自己的原理。”[⑦]

当时流行各种空想的社会主义和共产主义，他们从头脑中构造未来社会的方案，并把它看成适合一切时代的“永恒真理”。马克思反对以预言家的姿态推断未来，反对从头脑中发现解决社会问题的方案和万灵药方。他说：“我们的任务不是构想未来并使它适合于任何时

① 《马克思恩格斯全集》第47卷，55页，北京：人民出版社，2004年。
② 《马克思恩格斯全集》第47卷，59页，北京：人民出版社，2004年。
③ 《马克思恩格斯全集》第47卷，57页，北京：人民出版社，2004年。
④ 《马克思恩格斯全集》第47卷，56页，北京：人民出版社，2004年。
⑤ 《马克思恩格斯全集》第47卷，56页，北京：人民出版社，2004年。
⑥ 《马克思恩格斯全集》第47卷，56页，北京：人民出版社，2004年。
⑦ 《马克思恩格斯全集》第47卷，64页，北京：人民出版社，2004年。

候"，而是"要对现存的一切进行无情的批判。"[①]所谓无情，就是"这种批判既不怕自己所作的结论，也不怕同现有各种势力发生冲突"[②]。需要指出的是，马克思所主张的批判与青年黑格尔派所谓批判的批判是不同的。青年黑格尔分子以英雄自居，把理论批判与政治斗争对立起来，并把它置于群众之上。而马克思则强调政治斗争，特别是群众的政治斗争。他说："什么也阻碍不了我们把政治的批判，把明确的政治立场，因而把实际斗争作为我们的批判的出发点，并把批判和实际斗争看作同一件事情。在这种情况下，我们不是教条地以新原理面向世界：真理在这里，下跪吧！我们是从世界的原理中为世界阐发新原理。我们并不向世界说：停止你那些斗争吧，它们都是愚蠢之举；我们要向你喊出真正的斗争口号。"[③]总之，新思潮的优点"恰恰在于我们不想教条地预期未来，而只是想通过批判旧世界发现新世界"[④]。

可见，马克思既不同于空想主义者，从头脑中编造未来社会的原理；也不同于青年黑格尔派，进行脱离实际的抽象批判，而且一遇到当权者的威胁就退缩。在马克思看来，政治批判的任务并不是制造教条，充当算命先生，预测未来；而是要在批判旧世界的过程中，把理论和实际、理想和现实结合起来，发现世界历史本身所固有的发展规律，按照世界历史本身的发展规律，制定未来社会的方案。

马克思正是根据这个原则来确定《德法年鉴》的任务和目的的。他说："用一句话表明我们杂志的倾向：对当代的斗争和愿望作出当代的自我阐明（批判的哲学）。这是一项既为了世界，也为了我们的工作。它只能是联合起来的力量的事业。问题在于忏悔，而不是别的。人类要使自己的罪过得到宽恕，就只有说明这些罪过的真相。"[⑤]

马克思在这里告诉我们：理论不能脱离当代的斗争和愿望，即它不能低于世代的水平，它要反映世代的要求和愿望，并对这种要求和愿望作出具有当代水平的阐述。这就要揭露整个旧制度罪恶的真相，即揭露产生这些罪恶的原因，从而使人类有可能洗清自己的罪过，彻

① 《马克思恩格斯全集》第47卷，64页，北京：人民出版社，2004年。
② 《马克思恩格斯全集》第47卷，64页，北京：人民出版社，2004年。
③ 《马克思恩格斯全集》第47卷，64页，北京：人民出版社，2004年。
④ 《马克思恩格斯全集》第47卷，64页，北京：人民出版社，2004年。
⑤ 《马克思恩格斯全集》第47卷，67页，北京：人民出版社，2004年。

底消灭一切不合理的现象。但问题在于“忏悔”。不“忏悔”，即不把旧制度的一切罪恶原原本本地揭露出来，人类的解放就不可能实现。马克思的这段表述，不仅规定了《德法年鉴》的任务，实际上也是对即将诞生的马克思主义的任务的预示。

2. 通过社会主义革命实现人类解放

在马克思思想发展的过程中，1843年在克罗茨纳赫对历史的研究具有重要意义。这个研究成果不仅被吸收到《黑格尔法哲学批判》中，有助于马克思解决市民社会和国家的关系问题；而且在《论犹太人问题》和《〈黑格尔法哲学批判〉导言》中得到应用。列宁曾对这两篇文章给予高度评价，说它们是“马克思的特别出色的文章”，并把它们看成是马克思思想彻底转变的重要标志。他说：“1844年在巴黎出版了马克思和阿尔诺德·卢格主编的《德法年鉴》，上述的转变在这里彻底完成。”[①]“马克思在这个杂志上发表的文章表明他已经是一个革命家。他主张‘对现存的一切进行无情的批判’，尤其是‘武器的批判’；他诉诸群众，诉诸无产阶级。”[②]

马克思通过对法国资产阶级革命史和人权宣言的研究，发现了资产阶级革命只是政治解放，它并没有使人由政治动物变成真正的人，而是变成市民社会的成员，从而提出了人类解放的问题。马克思借与鲍威尔辩论关于犹太人解放问题的机会，全面阐述了自己的研究成果。

（1）宗教解放不同于政治解放

当时的德国是一个基督教国家，而犹太人信仰犹太教，因此，犹太人在政治上处于无权的地位。1812年普鲁士政府颁布《关于犹太人市民状况的勒令》，规定犹太人不得担任公职和大学教职。然而犹太人一直在进行斗争，要求与基督徒享有平等的政治权利，但遭到普鲁士政府的镇压。因而，关于犹太人解放的问题成了当时德国的一个令人瞩目的问题。鲍威尔站在青年黑格尔派的立场上，把犹太人解放这个社会问题、政治问题变成纯粹的神学问题。鲍威尔认为，只要犹太人放弃犹太教，基督徒同时放弃基督教，那么犹太人就会享受与基督徒同等的权利，犹太人也就获得了解放。

① 《列宁专题文集·论马克思主义》，39页，北京：人民出版社，2009年。

② 《列宁专题文集·论马克思主义》，4页，北京：人民出版社，2009年。

马克思不同意鲍威尔把犹太人解放问题归结为宗教问题的观点，并对这一观点进行了驳斥。在《论犹太人问题》一文中，马克思站在唯物主义立场上，从市民社会与宗教的关系角度分析宗教，把宗教束缚看成是社会生活的反映。他指出："在我们看来，宗教已经不是世俗局限性的原因，而只是它的现象。因此，我们用自由公民的世俗束缚来说明他们的宗教束缚。我们并不宣称：他们必须消除他们的宗教局限性，才能消除他们的世俗限制。我们宣称：他们一旦消除了世俗限制，就能消除他们的宗教局限性。我们不把世俗问题化为神学问题。我们要把神学问题化为世俗问题。"①

在《〈黑格尔法哲学批判〉导言》一文中，马克思进一步揭示了宗教的社会根源和本质。他指出："反宗教的批判的根据是：人创造了宗教，而不是宗教创造人。就是说，宗教是还没有获得自身或已经再度丧失自身的人的自我意识和自我感觉。但是，人不是抽象的蛰居于世界之外的存在物。人就是人的世界，就是国家，社会。这个国家、这个社会产生了宗教，一种颠倒的世界意识，因为它们就是颠倒的世界。"②

正因为正确揭示了宗教的社会根源，所以与鲍威尔相反，马克思是从政治斗争的角度来看待反宗教斗争的，把反宗教的斗争看成政治斗争的前导，认为"反宗教的斗争间接地就是反对以宗教为精神抚慰的那个世界的斗争"③。他说："废除作为人民的虚幻幸福的宗教，就是要求人民的现实幸福。要求抛弃关于人民处境的幻觉，就是要求抛弃那需要幻觉的处境。因此，对宗教的批判就是对苦难尘世——宗教是它的神圣光环——的批判的胚芽。"④

在马克思看来，进行宗教批判的意义在于为政治斗争开辟道路，破除人们对天堂和来世幸福生活的幻想，建立人间的现实幸福。因此，对宗教的批判结束之后，就必须过渡到对国家、社会的批判。马克思指出："真理的彼岸世界消逝以后，历史的任务就是确立此岸世界的真理。人的自我异化的神圣形象被揭穿以后，揭露具有非神

① 《马克思恩格斯文集》第1卷，27页，北京：人民出版社，2009年。
② 《马克思恩格斯文集》第1卷，3页，北京：人民出版社，2009年。
③ 《马克思恩格斯文集》第1卷，3页，北京：人民出版社，2009年。
④ 《马克思恩格斯文集》第1卷，4页，北京：人民出版社，2009年。

圣形象的自我异化，就成了为历史服务的哲学的迫切任务。于是，对天国的批判变成对尘世的批判，对宗教的批判变成对法的批判，对神学的批判变成对政治的批判。”①

由于鲍威尔把宗教看成一切社会桎梏的根源，所以在他看来，人一旦放弃了宗教，就能获得解放；国家只要不再把任何宗教作为国教，也就从宗教中解放了出来。这样，国家就成了完备的国家。人们在这样的国家里，也就得到了解放，获得了真正的自由。

马克思不同意鲍威尔把放弃宗教信仰作为政治解放前提的观点，并对这一观点进行了批驳。

马克思指出：“政治革命是市民社会的革命。”②因此在他看来，所谓政治解放，实际上就是通过资产阶级民主革命所获得的解放。这种革命推翻封建专制制度，摧毁社会等级、行会和特权；这种革命要求废除国教和宗教特权，实行政教分离，使国家从宗教中解放出来。但是它并不要求一切人放弃宗教，相反它倒是给人以宗教信仰自由。“甚至在政治解放已经完成了的国家，宗教不仅仅存在，而且是生气勃勃的、富有生命力的存在。”③“因此，政治解放并没有消除人的实际的宗教笃诚，也不力求消除这种宗教笃诚。”④这可以从法国和美国的资产阶级革命得到说明。法国资产阶级革命后，没有宣布废除宗教，而是实行宗教信仰自由。美国已经彻底获得政治解放，没有国教，但还是一个宗教盛行的国家。这说明国家从宗教中解放出来，并不等于现实的人从宗教中得到解放。由此可见，鲍威尔把放弃宗教作为政治解放前提的观点是不符合历史事实的。

鲍威尔把放弃宗教信仰作为政治解放的前提，实际上是混淆了政治解放与人类解放的区别。对此，马克思指出：政治解放不同于人类解放。

（2）政治解放不同于人的解放

马克思指出，取代封建专制的政治解放是历史的进步。所谓政治解放是指资产阶级通过政治革命，推翻封建专制统治而实现人在政治

① 《马克思恩格斯文集》第1卷，4页，北京：人民出版社，2009年。
② 《马克思恩格斯文集》第1卷，44页，北京：人民出版社，2009年。
③ 《马克思恩格斯文集》第1卷，27页，北京：人民出版社，2009年。
④ 《马克思恩格斯文集》第1卷，32页，北京：人民出版社，2009年。

上的解放。马克思在谈及政治解放时认为，“政治解放当然是一大进步”[①]。其进步性表现在两个方面：一是政治解放打倒了封建专制权力，“摧毁一切等级、同业公会、行帮和特权”，“消灭了市民社会的政治性质”[②]，“摆脱政治桎梏同时也就是摆脱束缚住市民社会利己精神的枷锁。”[③]也就是说，封建专制主义规范的排除，使市民社会获得了自由发展。二是使政治国家排除了出生血统，以及与之相联系的政治身份的束缚。“政治革命打倒了这种统治者的权力，把国家事务提升为人民事务，把政治国家组成为普遍事务，就是说，组成为现实的国家。”[④]

然而资产阶级政治解放所体现的进步仅仅是形式上的。正如马克思所指出的，“在现代国家中，……普遍事务的被意识到的真正的现实性只是形式的”[⑤]，“一种自欺的、自相矛盾的形式，一种虚假形式”[⑥]。也就是说，在资本主义国家里，国家利益只是在形式上被当作人民的真正利益，而实际只是一种虚幻的存在。对此，马克思指出：“这种国家利益成了一种形式性，成了人民生活的调味品，成了一种仪式。”[⑦]“正如基督徒在天国是平等的，而在尘世则不平等一样，人民的单个成员在他们的政治世界的天国是平等的，而在社会的尘世存在中却不平等。”[⑧]这里也就引发了马克思所认为的两种异化，一是资本主义市民社会的异化，二是资本主义政治国家的异化。

在马克思看来，通过政治解放，市民社会虽然消除了封建专制的束缚，消除了出生血统、政治身份为主要标准的封建等级差别，但又形成了以“金钱和教育”[⑨]为主要标准的市民社会阶级差别。“人作为私人进行活动，把他人看做工具，把自己也降为工具，并成为异己力量的玩物。”[⑩]市民社会中人被异化。

---

① 《马克思恩格斯文集》第1卷，32页，北京：人民出版社，2009年。
② 《马克思恩格斯文集》第1卷，44页，北京：人民出版社，2009年。
③ 《马克思恩格斯文集》第1卷，45页，北京：人民出版社，2009年。
④ 《马克思恩格斯文集》第1卷，44页，北京：人民出版社，2009年。
⑤ 《马克思恩格斯全集》第3卷，80页，北京：人民出版社，2002年。
⑥ 《马克思恩格斯全集》第3卷，81页，北京：人民出版社，2002年。
⑦ 《马克思恩格斯全集》第3卷，82页，北京：人民出版社，2002年。
⑧ 《马克思恩格斯全集》第3卷，100页，北京：人民出版社，2002年。
⑨ 《马克思恩格斯全集》第3卷，100页，北京：人民出版社，2002年。
⑩ 《马克思恩格斯文集》第1卷，30页，北京：人民出版社，2009年。

但现实的政治国家没有因为自己是普遍利益的代表者而运用共同体的原则来克服和改正市民社会的自私自利性，来克服市民社会中人的异化，恰恰相反，政治国家承认市民社会，受市民社会所决定，因而取代封建专制的资产阶级政治国家也异化了。

比如，就私有财产来说，资产阶级国家虽然取消了选举权和被选举权的财产资格，从政治上宣布废除了私有财产，但在实际上私有财产不仅没有被废除，反而资产阶级国家以私有财产为前提。

又比如，就人权来说，资产阶级所宣布的人权也具有局限性。马克思指出，这里所谓的人，是"封闭于自己的私人利益和自己的私人任意行为、脱离共同体的个体"[①]，而这样的人实际是不存在的。

可见，政治解放所达到的积极成果，并没有使人从政治动物变为真正的人。要解决这个矛盾，就必须进行人类解放。

（3）人类解放是使人的世界回归于人自身

正是由于看到了政治解放的局限性，马克思提出了"人类解放"的口号，初步表达了他关于社会主义革命的思想。与毫不触犯"大厦支柱"即私有制的政治解放不同，人类解放是要彻底消灭私有制，消除人的自我异化的极端表现。正如马克思在《论犹太人问题》中所说："任何解放都是使人的世界即各种关系回归于人自身。"[②]"只有当现实的个人把抽象的公民复归于自身，并且作为个人，在自己的经验生活、自己的个体劳动、自己的个体关系中间，成为类存在物的时候，只有当人认识到自身'固有的力量'是社会力量，并把这种力量组织起来因而不再把社会力量以政治力量的形式同自身分离的时候，只有到了那个时候，人的解放才能完成。"[③]本来，人以自己的力量创造了宗教、国家、私有财产等，结果反而受这些社会力量的奴役和压迫。这完全是人的本质的异化。只有消除人的异化，使人自己创造的社会力量不再成为和自己对立的政治力量，人类解放才能实现。

在《〈黑格尔法哲学批判〉导言》中，马克思进一步指出："对宗教的批判最后归结为人是人的最高本质这样一个学说，从而也归结为这样的绝对命令：必须推翻使人成为被侮辱、被奴役、被遗弃和被蔑

① 《马克思恩格斯文集》第1卷，42页，北京：人民出版社，2009年。

② 《马克思恩格斯文集》第1卷，46页，北京：人民出版社，2009年。

③ 《马克思恩格斯文集》第1卷，46页，北京：人民出版社，2009年。

视的东西的一切关系。”[①]在这里，马克思虽然使用了费尔巴哈的“人是人的最高本质”这个命题，但他从这个命题得出了革命的结论，表达了他关于社会主义革命的思想。

3. 人类解放的领导力量和实现途径

马克思在《论犹太人问题》中提出了“人类解放”的口号，但是，究竟通过什么途径、依靠什么社会力量来实现人类解放？这个问题尚没有解决。这个问题是在《〈黑格尔法哲学批判〉导言》中解决的。在解决这个问题的过程中，马克思初次阐明了无产阶级的伟大历史使命。

（1）解放全人类是无产阶级的伟大历史使命

马克思坚决反对青年黑格尔派把全部斗争归结为反宗教，明确宣布“就德国来说，对宗教的批判基本上已经结束”[②]，号召人们“向德国制度开火！一定要开火！”[③]宣称自己“不是要驳倒这个敌人，而是要消灭这个敌人”[④]。

马克思以革命者的姿态，号召人们起来战斗。当时的德国比法国和英国落后。法国和英国已经完成了资产阶级革命，并且革命的局限性已经明显暴露出来。而德国资产阶级却正在步法国和英国资产阶级革命的后尘，酝酿着一场不彻底的革命。对此，马克思指出：“在法国和英国行将完结的事物，在德国现在才刚刚开始。这些国家在理论上激烈反对的、然而却又像戴着锁链一样不得不忍受的陈旧腐朽的制度，在德国却被当做美好未来的初升朝霞而受到欢迎。”[⑤]当软弱的德国资产阶级还没有而且也不敢像法国那样进行革命时，“社会形势的发展以及政治理论的进步已经说明这种观点本身陈旧过时了，或者至少是成问题了”[⑥]。

因此，在马克思看来，德国革命不能停留在法国和英国资产阶级革命的水平上，而必须继续向前推进，进行社会主义革命，实现人类解放。

① 《马克思恩格斯文集》第1卷，11页，北京：人民出版社，2009年。
② 《马克思恩格斯文集》第1卷，3页，北京：人民出版社，2009年。
③ 《马克思恩格斯文集》第1卷，6页，北京：人民出版社，2009年。
④ 《马克思恩格斯文集》第1卷，6页，北京：人民出版社，2009年。
⑤ 《马克思恩格斯文集》第1卷，8页，北京：人民出版社，2009年。
⑥ 《马克思恩格斯文集》第1卷，16页，北京：人民出版社，2009年。

那么，在德国实现人类解放的实际可能性到底在哪里呢？究竟哪一个阶级能够担当完成这个伟大的历史任务呢？马克思明确回答了这个问题。他说，德国实现人类解放的实际可能性，“就在于形成一个被戴上彻底的锁链的阶级，一个并非市民社会阶级的市民社会阶级，形成一个表明一切等级解体的等级，形成一个由于自己遭受普遍苦难而具有普遍性质的领域，这个领域不要求享有任何特殊的权利，因为威胁着这个领域的不是特殊的不公正，而是普遍的不公正，它不能再求助于历史的权利，而只能求助于人的权利，它不是同德国国家制度的后果处于片面的对立，而是同这种制度的前提处于全面的对立，最后，在于形成一个若不从其他一切社会领域解放出来从而解放其他一切社会领域就不能解放自己的领域，总之，形成这样一个领域，它表明人的完全丧失，并因而只有通过人的完全回复才能回复自己本身。社会解体的这个结果，就是无产阶级这个特殊等级。”①

在这里，马克思精辟地阐明了无产阶级的伟大历史使命。由于无产阶级最受压迫和剥削，所以它革命最坚决、最彻底，只有它才能完成人类解放的伟大历史任务；由于无产阶级的阶级利益和一切被剥削、被压迫人民的利益是一致的，无产阶级的解放和整个人类的解放也是一致的。如果不使整个社会从剥削、压迫和奴役下解放出来，无产阶级就不能争得自身的彻底解放。

马克思不是抽象地阐述无产阶级的历史使命，而是通过具体分析无产阶级的历史地位和作用来得出结论的。马克思认为，只有无产阶级才能完成消灭私有制、实现人类解放的历史任务，这是由它的历史地位决定的。他指出：“无产阶级要求否定私有财产，只不过是把社会已经提升为无产阶级的原则的东西，把未经无产阶级的协助就已作为社会的否定结果而体现在它身上的东西提升为社会的原则。”②这就是说，无产阶级不占有任何私有财产，它要求否定私有财产，无非是把自己身上已经实现的原则，变成社会的普遍原则，从而使整个社会都摆脱私有制的束缚。

（2）解放全人类必须对旧社会进行“武器批判”

在《〈黑格尔法哲学批判〉导言》中，马克思不仅阐明了无产阶

① 《马克思恩格斯文集》第1卷，16—17页，北京：人民出版社，2009年。

② 《马克思恩格斯文集》第1卷，17页，北京：人民出版社，2009年。

级的历史使命，而且还分析了“批判的武器”和“武器的批判”、理论和实践、哲学和无产阶级革命之间的辩证关系。

一方面，马克思强调：“革命需要被动因素，需要物质基础。理论在一个国家实现的程度，总是取决于理论满足这个国家的需要的程度。”[①]这是强调物质的基础作用和客观现实对理论的需要。另一方面，他又强调：“理论需要是否会直接成为实践需要呢？光是思想力求成为现实是不够的，现实本身应当力求趋向思想。”[②]这又是强调理论对实践的指导作用，即要在理论的指导下，通过实践把现实上升到理论所要求的理想的境界。

马克思特别强调哲学对于无产阶级革命的意义。他形象地把无产阶级比作人类解放的“心脏”，把哲学比作人类解放的“头脑”[③]。又说：“哲学不消灭无产阶级，就不能成为现实；无产阶级不把哲学变成现实，就不可能消灭自身。”[④]在这里，马克思既把哲学的目的和任务规定为“消灭”即“解放”无产阶级，同时又强调无产阶级必须把哲学变成现实。这就把马克思主义理论的革命性和无产阶级掌握革命理论的重要性辩证统一起来。

总之，阐明无产阶级的伟大历史使命，是马克思的一个划时代的历史功绩。正如列宁所指出的：“马克思学说中的主要的一点，就是阐明了无产阶级作为社会主义社会创造者的世界历史作用。”[⑤]当然，我们也应当看到，马克思对无产阶级历史使命的分析，还不是建立在对资本主义生产方式分析的基础上，而是从人性异化的角度来论述的。要克服这个缺陷，其中的关键是要转向政治经济学的研究。

三、关于人的解放的劳动异化批判

马克思在巴黎转向政治经济学研究，在这个基础上，他所开展的对人类解放的劳动异化批判，是对先前政治异化批判的延伸和进一步

① 《马克思恩格斯文集》第1卷，12页，北京：人民出版社，2009年。
② 《马克思恩格斯文集》第1卷，13页，北京：人民出版社，2009年。
③ 《马克思恩格斯文集》第1卷，17—18页，北京：人民出版社，2009年。
④ 《马克思恩格斯文集》第1卷，18页，北京：人民出版社，2009年。
⑤ 《列宁专题文集·论马克思主义》，61页，北京：人民出版社，2009年。

深化。马克思的劳动异化批判，是从对财产异化的批判开始的。也就是说，马克思从财产异化批判深入到劳动异化，并由此提出了异化劳动理论。通过这一理论的创立，马克思揭露了资本主义社会的非人性，论证了共产主义社会是私有制的克服以及无产阶级对财产关系的重新占有。在当时的马克思看来，这也就是人性的复归。

（一）经济领域财产异化批判

在克罗茨纳赫和《德法年鉴》时期，马克思通过对国家和法的批判已经认识到，国家和法的本质存在于市民社会之中，只有通过对市民社会的解剖才能获得理解国家和法的本质的钥匙，而市民社会中的根本问题是私有财产和私人利益问题。为了从根本上解答这些问题，马克思不得不把原来的研究顺序倒转过来。从1844年春天开始，马克思中断了对黑格尔法哲学的批判和对法国革命史的研究，集中精力从事政治经济学的研究和批判。

1. 马克思转向政治经济学研究的实践动因

马克思转向政治经济学的研究和批判，是与他在巴黎的革命活动分不开的。1843年10月底，马克思偕妻子燕妮迁居巴黎。与落后的德国相比，大革命以来法国尖锐复杂的政治斗争和活跃的社会主义思潮，极大地拓宽了马克思的眼界，使他有机会直接接触到发达资本主义国家的经济关系和沸腾的政治生活。

此时，马克思在政治立场上已经转向无产阶级，并以一位无产阶级革命家的身份活动在工人中间。他认为，无产阶级“这些劳累不堪的人纯洁无瑕，心地高尚”[①]。“但无论怎样，历史正在把我们文明社会的这些‘野蛮人’变成人类解放的实践因素。”[②]1844年6月，德国爆发了西里西亚纺织工人起义。马克思热情赞扬了这次起义具有高度的理论性和自觉性。他说：“西里西亚起义恰恰在开始时就具有了法国和英国的工人起义在结束时才具有的东西，那就是对无产阶级本质的意识。”[③]“英国的工人起义没有一次是这样勇敢，这样有创见，这样

① 《马克思恩格斯全集》第47卷，74页，北京：人民出版社，2004年。
② 《马克思恩格斯全集》第47卷，74页，北京：人民出版社，2004年。
③ 《马克思恩格斯全集》第3卷，390页，北京：人民出版社，2002年。

持久的。”[①]他还赞扬德国无产阶级具有“非凡的社会主义素质”。“只要把德国的政治论著中那种褊狭卑俗的平庸气同德国工人的这部史无前例的光辉灿烂的处女作比较一下，只要把无产阶级巨大的童鞋同德国资产阶级极小的政治烂鞋比较一下，我们就能够预言德国的灰姑娘将来必然长成一个大力士的体型。”[②]

马克思对无产阶级的深刻认识以及他亲身参加的革命实践活动，对他的理论研究产生了决定性影响。马克思当时遇到的最突出问题是论证无产阶级的历史使命和共产主义的历史必然性。而要论证无产阶级的历史使命，必须分析无产阶级在市民社会中的地位；要论证共产主义的历史必然性，也必须深入分析资本主义私有制。因此，无产阶级革命斗争实践提出的问题，以及前文已论及的恩格斯的促进，使马克思把研究的重点转向政治经济学，转向对市民社会的解剖。

2. 马克思转向政治经济学研究的理论动因

当马克思转向政治经济学研究时，资产阶级政治经济学正面临危机。即对资本主义生产关系“无私的研究让位于豢养的文丐的争斗，不偏不倚的科学探讨让位于辩护士的坏心恶意”[③]。资产阶级政治经济学把私有制的存在看成一个既成事实和当然的前提，竭力为资本主义私有制辩护。

马克思反对资产阶级政治经济学对私有制所采取的非历史的态度，他在关于萨伊著作摘录的评注中批评了资产阶级政治经济学的这个根本缺陷，指出：“私有制是国民经济学没有加以论述的现实，然而这个现实却形成国民经济学的基础……所以没有私有制就没有私有者，而政治经济学就其实质而言乃是一门发财致富的科学。没有私有制也就没有政治经济学。因此整个国民经济学是建立在一个没有必然性的现实的基础之上的。”[④]

可见，从资产阶级立场出发，不可能对政治经济学进行公正无私的科学研究。所以，与资产阶级政治经济学家不同，马克思是从无产阶级立场出发去研究政治经济学，从而对资本主义私有制采取了旗帜

① 《马克思恩格斯全集》第3卷，390页，北京：人民出版社，2002年。
② 《马克思恩格斯全集》第3卷，390页，北京：人民出版社，2002年。
③ 《马克思恩格斯文集》第5卷，17页，北京：人民出版社，2009年。
④ 《马列主义研究资料（1983年第4辑）》，44页，北京：人民出版社，1983年。

鲜明的批判态度。

那么，究竟怎样才能说明私有制的历史性呢，是不是把它同劳动结合起来考察就能解决这个问题呢？不能。在马克思看来，英国古典政治经济学虽然创立了劳动价值论，把私有财产的本质由纯客体变成了人的劳动，但这并没有妨碍他们把私有财产当作既成事实，把资本、土地、劳动三者的分离当作前提。这是因为，他们把劳动仅仅看成谋生的手段，而把劳动者对原料追加的价值分解为利润和地租，把工资看成有利于增加国民财富的合理的、自然的分配方式。他们不去探究何种性质的劳动才形成私有财产，而是把私有财产作为当然的前提，把资本家的利益当作确定工资和利润之间比例的最后根据。

与此相反，马克思则着力探讨私有财产的起源。他认为，私有财产不是既成的，也不是永恒的，而是一种历史现象，是一种异化。可以“从外化劳动这一概念，即从外化的人、异化劳动、异化的生命、异化的人这一概念得出私有财产这一概念”①。正是在探讨私有财产起源的过程中，马克思提出了异化劳动理论，并用它来批评英国古典政治经济学的劳动价值理论。

3. 对劳动价值论局限性的初步揭示

劳动价值论无疑是英国古典政治经济学的一个最高成果，然而1844年最初遭遇劳动价值论的青年马克思还没有认识到这一理论的价值。加之，这一理论把劳动力与劳动混为一谈，把价值与价格混为一谈，自然造成了该理论自身的种种盲点、种种困境。与此相联系，也造成了其对现实解释力的缺失。当时的马克思虽然还不知道出路何在，但他已多少发现了其局限性的方面，即该理论始终无法解释劳动创造价值的二律背反：工人创造的财富越多，工人就越贫穷。因而，当一些空想社会主义者试图从劳动价值论中得出有利于工人的结论时，马克思对此则不以为然。在空想社会主义者看来，既然劳动创造价值，那一切产品就应该归劳动者所有。例如英国空想社会主义者布雷就说过：“只有劳动才创造价值……每个人对于他用正当劳动所获得的一切东西都有不容置辩的权利。如果他占有了他自己的劳动果实，那么他对其他人并没有做出任何不公正的行为；因为他丝毫没有侵犯

① 《马克思恩格斯文集》第1卷，166页，北京：人民出版社，2009年。

别人这样做的权利……一切关于高贵和低贱以及主人和雇佣工人的概念，都是由于忽视基本原则因之而产生的财产不平等所引起的。”[①]因此，布雷认为，“在公正的交换制度下，一切商品的价值都会由它们的生产费用的总和来确定，并且相等的价值应该总是换得相等的价值。”[②]而在事实上，工人和资本家之间的关系是不符合劳动价值论的，“生产者和资本家之间的全部交易是明显的欺骗，纯粹是一幕滑稽剧”[③]。

在马克思看来，试图从劳动价值论中引申出有利于工人的结论这种愿望是善良的，但是依据劳动价值论并不能说明现实的矛盾。根据劳动价值论，劳动的全部产品应该属于工人，可实际上工人通过工资得到的只是产品中极少的部分，没有它工人就无法生存，工人得到的不是作为人而是作为工人，不是作为人类繁殖而是再生产工人的必不可少的部分。

关于对这个矛盾的深入思考，也就成为马克思后来提出劳动力价值与劳动价值相区别理论的缘起。根据劳动价值论，一切产品都是死的劳动，资本无非是积累的劳动，因此一切东西都可用劳动来购买，可实际上工人的劳动远不能购买一切东西，相反他必须出卖自己的劳动力。这是因为离开劳动资料的劳动是不存在的。因而不以劳动资料为前提的劳动价值论作为对劳动价值的肯定，是抽象的。根据劳动价值论，劳动是用来增加自然产品的价值的唯一东西，可实际上土地所有者的地租和资本家的利润占有产品的绝大部分，他们对工人发号施令，过着养尊处优的神仙般生活。

在这里，青年马克思实际是揭示了生产资料私有制的剥削性。根据劳动价值论，劳动是唯一不变的物价，可实际上再没有什么比劳动价格更受供求关系的影响，更具有偶然性。总之，资产阶级政治经济学以劳动为出发点的价值理论和它为资产阶级利益辩护的立场之间，以及劳动价值论的理论原则和现实之间是存在矛盾的。可见，以劳动价值论为依据的社会主义只能是一种空想。在马克思看来，劳动价值论并没有给劳动者提供任何东西，相反倒是给有产者

① 《马克思恩格斯全集》第4卷，111页，北京：人民出版社，1958年。
② 《马克思恩格斯全集》第33卷，424页，北京：人民出版社，2004年。
③ 《马克思恩格斯全集》第33卷，424页，北京：人民出版社，2004年。

提供了一切。因此，马克思着力揭示劳动的异化性质，用异化劳动理论来为无产阶级的利益作论证。

资产阶级政治经济学把既无土地又无资本的工人，仅仅看作劳动者，看成劳动的机器，甚至是劳动的动物，而不是看成人。马克思尖锐地抨击了资产阶级政治经济学的这种蔑视无产者的立场，他在分析李嘉图关于总收入和纯收入的观点时指出："由于政治经济学否定总收入的一切意义，也就是否定撇开过剩不论的生产和消费的量，从而否定生活本身的一切意义，所以它的抽象达到了伪善的极点。由此可以毫不掩饰地说：（1）政治经济学关心的完全不是国家利益，不是人，而仅仅是纯收入、利润、地租；这些就是国家的最终目的。（2）工人阶级的价值简单地说就是必要的生产费用，他们受雇佣仅仅是为了纯收入，即为了资本家的利润和土地所有者的租金。他们自己仍然是而且必定是劳动机器，只要对这些机器花费一些维持其运转所必需的资金就够了。"①

总之，在马克思看来，资产阶级政治经济学是同人相对立的，人性是在政治经济学之外，非人性是在政治经济学之中。正是在批判资产阶级政治经济学的过程中，马克思提出了异化劳动理论。在马克思看来，政治经济学研究，不能像古代经济学派一样，以私有制的永恒性，以资本、地产、劳动三者的分离为前提，竭力掩盖异化，而必须弄清楚私有财产的起源和本质，"我们现在必须弄清楚私有制、贪欲以及劳动、资本、地产三者的分离之间，交换和竞争之间、人的价值和人的贬值之间、垄断和竞争等等之间以及这全部异化和货币制度之间的本质联系"②。从政治经济学的研究方法来说，马克思认为，也不能像古代经济学派那样，用竞争解释一切经济现象，而要紧紧抓住私有财产和异化劳动，用这两个因素来阐明政治经济学的一切范畴，把买卖、竞争、资本、货币等看成是这两个基本因素的特定的、展开了的表现。

由此可见，当时马克思已由上层建筑进到经济基础，转向解剖市民社会，批判资产阶级政治经济学，批判它把私有财产作为当然前提

① 转引自陈先达：《走向历史的深处——马克思历史观研究》，94页，北京：中国人民大学出版社，2006年。

② 《马克思恩格斯文集》第1卷，156页，北京：人民出版社，2009年。

的观点，认为私有财产是一种异化，其根源是劳动异化。于是也就从财产异化的批判过渡到劳动异化的批判。其中，首先是对商品交换中的异化进行批判，继而又深入到对雇佣劳动中的异化进行批判。

（二）商品交换中异化的批判

马克思的异化劳动理论主要体现在《詹姆斯·穆勒〈政治经济学原理〉一书摘要》（以下简称《摘要》）和《1844年经济学哲学手稿》（以下简称《手稿》）中。从内容来看，《摘要》主要分析了一般商品生产劳动（即所谓谋生劳动），特别是由自然经济转入商品生产后出现的劳动异化情况，初步阐述了异化劳动问题。《手稿》主要分析了资本主义制度下的雇佣劳动中的异化问题，核心是分析资产阶级和无产阶级（资本和劳动）之间的对立，从而对异化劳动理论作了最完备的阐述。虽然国内外对《摘要》和《手稿》成文时间的先后有不同看法，但从内容来看，两者是相互衔接的，前者是后者在理论上和材料上的准备。

1. 商品交换产生异化

马克思在《摘要》中虽然很多地方是复述穆勒的观点，但他是把这些观点纳入到异化劳动理论之中的，把劳动异化看成是随着商品生产和交换而逐步发展起来的历史过程。

马克思认为，在未开化的野蛮状态下，人是以他自己直接需要的量作为他生产的尺度的，这种需要的内容直接是他所生产的物品本身。人在这种状态下生产的东西不会多于他直接的需要，他需要的界限也就是他生产的界限。因此，在这种情况下，需求和供给正好相抵，生产的直接目的就是自己的需要，不存在产品之间的交换，因而也就不存在异化，即不存在劳动产品与劳动者相脱离的现象。

当有了剩余产品以后，情况就不同了。在“外化的私有财产的粗陋形式”即物物交换中，“两个私有者中任何一人生产的东西都是他的需要、他的才能和手头有的自然材料直接促使他去生产的。因此，其中任何一人只是用自己的产品余额去交换另一人的产品余额”[①]。交换最初是偶然的，在这里，劳动是劳动者的直接的生活来源，也是他的

① ［德］马克思：《1844年经济学哲学手稿》，174页，北京：人民出版社，2000年。

个人存在的积极实现。可是，通过交换，他的劳动部分地成了收入的来源。这时，劳动的目的开始发生变化，“产品是作为价值，作为交换价值，作为等价物来生产的，不再是为了它同生产者直接的个人关系而生产的”①。

马克思在这里看到了交换是一种社会联系、社会关系，但他认为这不是人作为人的相互关系，而是两个私有者的社会联系、社会关系，是“私有财产的相互外化”②。交换所呈现的相互满足需要和相互补充，只不过是一种以相互欺骗和相互掠夺为基础的假象。因此，马克思强调物物交换所表现的社会联系，同人的真正社会关系是对立的。他说：“交换或物物交换是社会的、类的行为，社会联系，社会交往和人在私有权范围内的联合，因而是外部的、外化的、类的行为。正因为这样，它才表现为物物交换。因此，它同时也是同社会关系的对立。”③

随着交换的发展，劳动完全成了谋生的劳动。所谓谋生劳动，指的是以交换为目的的生产劳动，即不是直接满足自己的需要，也不是剩余产品的偶然交换，这实际上指的是商品生产。在马克思看来，谋生劳动对于劳动者来说是偶然的和非本质的，劳动产品既不是劳动者个人的需要，而劳动活动本身也不是劳动者的自我享受，不是他的天然禀赋和精神目的的实现。马克思正是从这种谋生劳动中看到了异化的各种表现。他说：“在谋生的劳动中包含着：（1）劳动对劳动主体的异化和偶然联系；（2）劳动对劳动对象的异化和偶然联系；（3）工人的使命决定于社会需要，但是社会需要对他来说是异己的，是一种强制，他由于利己的需要、由于穷困而不得不服从这种强制，而且对他来说，社会需要的意义只在于它是满足他的直接需要的来源，正如同对社会来说，他的意义只在于他是社会需要的奴隶一样；（4）对工人来说，维持工人的个人生存表现为他的活动的目的，而他的现实的行动只具有手段的意义；他活着只是为了谋取生活资料。”④

马克思在这里分析的谋生劳动中异化的四个方面，与他在《手

① ［德］马克思：《1844年经济学哲学手稿》，174页，北京：人民出版社，2000年。
② ［德］马克思：《1844年经济学哲学手稿》，173页，北京：人民出版社，2000年。
③ ［德］马克思：《1844年经济学哲学手稿》，173页，北京：人民出版社，2000年。
④ ［德］马克思：《1844年经济学哲学手稿》，175页，北京：人民出版社，2000年。

稿》中概括的雇佣劳动异化的四种规定既有联系又有区别。联系在于它们的基本立足点是一致的，都是对劳动的看法。劳动本来应该是人的“自由的生命表现”和“生活的乐趣”，是人的“真正的、活动的财产”，而劳动在成为谋生劳动后则变成一种异化。因为它不是劳动者的天然禀赋和精神目的的实现，而仅仅是“为了生存，为了得到生活资料”；它不是出于“内在的必然的需要”（劳动是人的第一需要），而仅仅是由于“外在的偶然的需要”（生存）。因此，这种劳动对劳动者来说，不是一种自我“享受”，而是一种“痛苦”[①]。这些思想后来在《手稿》中继续得到发挥。但区别在于，马克思在《摘要》中对谋生劳动异化的论述，重点是分析由商品生产和交换所形成的个人与社会的对立：个人成为社会需要的奴隶（劳动者选择什么样的劳动、生产什么样的产品，不是出于劳动者的天赋和爱好，而是取决于社会的需要），社会需要成为个人生存的手段。而在《手稿》中马克思对异化劳动的分析，重点是揭示无产阶级和资产阶级之间的对立关系，揭示工人的劳动和产品为资本家所占有。

2. 货币崇拜是一种异化

异化劳动理论是马克思当时研究政治经济学的一个基本理论和方法。马克思在《摘要》中对货币和信贷的分析，就具体运用了这一理论和方法。

马克思对“穆勒把货币称为交换的中介”的看法是赞赏的，说他“非常成功地用一个概念表达了事情的本质”[②]。但马克思不满足于这一点，而是从货币作为交换的中介引出异化。他说：“货币的本质，首先不在于财产通过它转让，而在于人的产品赖以互相补充的中介活动或中介运动，人的、社会的行动异化了并成为在人之外的物质东西的属性，成为货币的属性。”[③]

在马克思看来，货币的本质首先不在于转让财产，而在于中介人的产品。以货币为中介，表明人的劳动和产品并不是相互满足需要，而是为了取得货币，人的社会行为异化成为货币的属性。马克思指

① 以上引文均出自[德]马克思：《1844年经济学哲学手稿》，184—185页，北京：人民出版社，2000年。

② [德]马克思：《1844年经济学哲学手稿》，164页，北京：人民出版社，2000年。

③ [德]马克思：《1844年经济学哲学手稿》，164页，北京：人民出版社，2000年。

出："由于这种异己的中介——人本身不再是人的中介，——人把自己的愿望、活动以及同他人的关系看作是一种不依赖于他和他人的力量。这样，他的奴隶地位就达到极端。因为中介是支配它借以把我间接表现出来的那个东西的真正的权力，所以，很清楚，这个中介就成为真正的上帝。对它的崇拜成为目的本身。"[①]这表明，人的愿望、活动以及同他人的关系受货币力量的支配，货币成了真正的上帝，而人则处于奴隶的地位。因此马克思说，在货币中"表现出异化的物对人的全面统治"[②]。

在《手稿》关于货币的片断中，马克思关于货币异化的观点与《摘要》中的看法是基本一致的。在《手稿》中，马克思是从货币的职能来分析异化的，他着重分析了货币作为流通手段的职能。马克思认为，货币具有"购买一切东西"和"占有一切对象"[③]的特性。有了货币，我的愿望、需求就能从观念的东西变为现实的东西。马克思说："它把我的那些愿望从观念的东西，把那些愿望从它们的想象的、表象的、期望的存在改变成和转化成它们的感性的、现实的存在，从观念转化成生活，从想象的存在转化成现实的存在。"[④]反之，如果没有货币，即使你有愿望和需求，那也是非现实的、不可能实现的。马克思说："当然，没有货币的人也有需求，但他的需求是纯粹观念的东西，它对我、对第三者、对［其他人］是不起任何作用的，是不存在的，因而对于我本人依然是非现实的，无对象的。"[⑤]

在马克思看来，以货币为基础的需求，是一种有效的需求；而以我的需要、我的激情、我的愿望等人性为基础的需求，则是一种无效的需求。只有货币才"是需要和对象之间、人的生活和生活资料之间的牵线人"[⑥]。这样，本来作为手段（流通手段）出现的货币，结果变成了目的本身，追求货币成了生活的目标。

正因为货币具有"购买一切、占有一切"的特性，所以"它使一

① ［德］马克思：《1844年经济学哲学手稿》，165页，北京：人民出版社，2000年。
② ［德］马克思：《1844年经济学哲学手稿》，176页，北京：人民出版社，2000年。
③ 《马克思恩格斯文集》第1卷，242页，北京：人民出版社，2009年。
④ 《马克思恩格斯文集》第1卷，246页，北京：人民出版社，2009年。
⑤ 《马克思恩格斯文集》第1卷，246页，北京：人民出版社，2009年。
⑥ 《马克思恩格斯文集》第1卷，242页，北京：人民出版社，2009年。

切人的和自然的特性变成它们的对立物，使事物普遍混淆和颠倒”[①]。马克思认为，“我是什么和我能够做什么，决不是由我的个人特征决定的”[②]，而是由货币决定的，“货币的力量多大，我的力量就多大”[③]。他举例说：“我是丑的，但我能给我买到最美的女人。可见，我并不丑，因为丑的作用，丑的吓人的力量，被货币化为乌有了。我——就我的个人特征而言——是个跛子，可是货币使我获得二十四只脚；可见，我并不是跛子。我是一个邪恶的、不诚实的、没有良心的、没有头脑的人，可是货币是受尊敬的，因此，它的占有者也受尊敬。货币是最高的善，因此，它的占有者也是善的。此外，货币使我不用费力就能进行欺诈，因为我事先就被认定是诚实的。我是没有头脑的，但货币是万物的实际的头脑，货币占有者又怎么会没有头脑呢？再说他可以给自己买到颇有头脑的人，而能够支配颇有头脑者的人，他不是比颇有头脑者更有头脑吗？既然我有能力凭借货币得到人心所渴望的一切，那我不是具有人的一切能力了吗？这样，我的货币不是就把我的种种无能变成它们的对立物了吗？”[④]可见，货币就像是有形的神明，具有“颠倒黑白的力量”，“它把坚贞变成背叛，把爱变成恨，把恨变成爱，把德行变成恶行，把恶行变成德行，把奴隶变成主人，把主人变成奴隶，把愚蠢变成明智，把明智变成愚蠢。”[⑤]总之，“货币作为现存的和起作用的价值概念把一切事物都混淆了、替换了，所以它是一切事物的普遍的混淆和替换，从而是颠倒的世界，是一切自然的品质和人的品质的混淆和替换。”[⑥]

3. 信贷是一种假象掩盖下的异化

马克思在《摘要》中分析完货币后，接着又分析了信贷。如果说货币的中介作用使人发生异化，那么信贷的出现，“似乎异己的物质力量的权力被打破了，自我异化的关系被扬弃了，人又重新处于人与人的关系之中”[⑦]。但马克思指出：“这种扬弃异化，人向自己因而也向

---

① 《马克思恩格斯文集》第1卷，245页，北京：人民出版社，2009年。
② 《马克思恩格斯文集》第1卷，244页，北京：人民出版社，2009年。
③ 《马克思恩格斯文集》第1卷，244页，北京：人民出版社，2009年。
④ 《马克思恩格斯文集》第1卷，244—245页，北京：人民出版社，2009年。
⑤ 《马克思恩格斯文集》第1卷，247页，北京：人民出版社，2009年。
⑥ 《马克思恩格斯文集》第1卷，第247页，北京：人民出版社，2009年。
⑦ ［德］马克思：《1844年经济学哲学手稿》，167页，北京：人民出版社，2000年。

别人复归，仅仅是一个假象。”[①]事实上，信贷不仅没有扬弃异化，而且“在人对人的信任的假象下面隐藏着极端的不信任和完全的异化”[②]。

马克思分析了信贷的两种类型。一种类型是富人贷款给穷人。这是极少见的。马克思说：“这种类型的信贷属于国民经济学的浪漫的、温情的部分，属于它的迷误、过分行为、例外，而不属于常规。”[③]即使这样，也并不表明人对人的信任。因为“对富人来说，穷人的生命本身、他的才能和他的努力也都是归还债款的保证；也就是说，穷人的全部社会美德，生命活动的全部内容，他的存在本身，在富人看来也都是偿还他的资本连同普通利息的保证。因此，债权人把穷人的死亡看作最坏的事情，因为这是他的资本连同利息的死亡”[④]。由此可见，在这种类型的信贷关系中，富人并不是从人的角度，而是用货币来对穷人进行估价的。另一种类型的信贷是富人贷款给富人。富人之所以贷款给富人，也不是因为债务人是人，而是因为他是富人，代表了某种财富。因而在这里，“信贷就是直接成为便于交换的中介，即被提高到纯粹观念形式的货币本身”[⑤]。

从以上所述可以看到，在信贷中，货币并没有被人取消，“而是人本身变成为货币”，“人本身代替了金属或纸币，成为交换的中介”[⑥]。从形式上看，信贷使交换的媒介物从它的物质形式返回和回复到人，但不是作为人的人，而是作为某种资本和利息存在的人。因此马克思指出：在信贷关系中，“构成货币灵魂的物质、躯体的，是我自己的个人存在、我的肉体和血液、我的社会美德和声誉，而不是货币、纸币。信贷不再把货币价值放在货币中，而把它放在人的肉体和人的心灵中”[⑦]。正因为如此，在马克思看来，“人伪造货币可以不用任何别的材料，而只用他本人就行了：人不得不把自己变成赝币，以狡诈、

① ［德］马克思：《1844年经济学哲学手稿》，168页，北京：人民出版社，2000年。
② ［德］马克思：《1844年经济学哲学手稿》，168页，北京：人民出版社，2000年。
③ ［德］马克思：《1844年经济学哲学手稿》，168页，北京：人民出版社，2000年。
④ ［德］马克思：《1844年经济学哲学手稿》，168页，北京：人民出版社，2000年。
⑤ ［德］马克思：《1844年经济学哲学手稿》，169页，北京：人民出版社，2000年。
⑥ ［德］马克思：《1844年经济学哲学手稿》，169页，北京：人民出版社，2000年。
⑦ ［德］马克思：《1844年经济学哲学手稿》，169页，北京：人民出版社，2000年。

谎言等手段来骗取信用”[①]。

总之，马克思在《摘要》中对谋生劳动中的异化现象的分析，尽管还带有费尔巴哈人本主义的痕迹，但他把经济发展描述成是一个从自然经济到一般商品生产再到资本主义商品生产的过程，并把经济领域中的异化看成一种历史性的现象，是随着以私有制为基础的商品生产和交换而逐步发展起来的，这实际上是力图探究异化劳动的起源。正是沿着这一方向，马克思在《手稿》中详细分析了资本主义雇佣劳动中的异化问题，对异化劳动理论作了完备的阐述。

（三）雇佣劳动中异化的批判

与《摘要》主要分析一般商品生产劳动（谋生劳动）中的异化现象不同，马克思在《手稿》中重点是分析资本主义制度下雇佣劳动中的异化问题，通过对资本主义劳动性质的分析，揭示无产阶级贫困的根源，揭露资本主义社会的非人性，论证共产主义实现人性复归的历史必然性。

1. 揭示无产阶级贫困的根源

马克思从哲学转向政治经济学研究，一个主要任务就是通过对市民社会的解剖，考察无产阶级在市民社会中的状况和地位。此时由于马克思尚未创立唯物史观，因此他考察无产阶级的状况和地位仍然是以“人的完全丧失”为根本原则的，但马克思力图利用资产阶级政治经济学所提供的理论和事实，用经济学的材料来说明这个问题。

（1）工人贫困源于工人是出卖给资本家的商品

资产阶级政治经济学把资本主义私有制当作无需论证的当然前提，竭力为资本主义私有制辩护，而对资本主义制度非人化的后果、对无产阶级的贫困和悲惨境遇则视而不见。他们只强调劳动的积极方面，看不到劳动的消极方面，掩盖资本主义制度下的劳动给工人造成的损害。而马克思则不同，他在肯定劳动的积极作用的同时，提出了异化劳动理论，着力揭示资本主义劳动的雇佣性质，分析资本主义制度下无产阶级的状况和地位，探求无产阶级贫困的根源。

在资本主义制度下，劳动与资本和地产是相脱离的。在这种条件

① ［德］马克思：《1844年经济学哲学手稿》，170页，北京：人民出版社，2000年。

下，“工人除了劳动所得，既无地租也无资本利息”[①]。而资产阶级政治经济学恰恰以这种分离为前提，并且认为资本生产利润，土地生产地租，劳动生产工资，从而掩盖了劳动的异化性质，歪曲了利润和地租的来源。由于马克思当时还没有形成剩余价值理论，因此他没有明确指出利润和地租都是来源于工人的劳动，即工人的劳动不仅创造了工资，而且也创造了利润和地租。

但是马克思已经看到，“资本、地租和劳动分离对工人来说是致命的”[②]。由于这种分离，工人完全依赖于资本和地产。他们只有通过出卖自己的劳动力，才有可能实现劳动和生产资料（资本和地产）的暂时结合。因此，在资本主义制度下，工人永远是商品，“工人的存在被归结为其他任何商品的存在条件”[③]，完全受供求规律支配。马克思指出：“工人的生活取决于需求，而需求取决于富人和资本家的兴致。”[④]“如果供给大大超过需求，那么一部分工人就要沦为乞丐或者饿死。”[⑤]因此，“工人不仅必须为物质的生活资料而斗争，而且必须为谋求工作，即为谋求实现自己的活动的可能性、手段而斗争。”[⑥]

马克思通过分析资本主义制度下工人的状况和地位，得出一个重要结论：正因为工人是商品，由于经济规律（供求规律）本身的作用，他们在资本主义制度下永远都不可能摆脱贫困。

（2）驳斯密的“劳资利益一致论”

斯密并不否认，当社会财富处于衰落状态，工人遭受的痛苦最大，“没有一个阶级像工人阶级那样因社会财富的衰落而遭受深重的苦难”[⑦]。由于社会需求的减少，导致工人的供给超过需求，工人大量失业，工资下降；而当社会财富增长时，由于资本家之间的竞争，导致对工人的需求超过供给，工资不断提高，工人的生活状况得到改善。按照斯密的这种观点，工人贫困的原因并不在于它们的社会地位和劳动性质，而在于生产发展水平。资本主义生产越发展，工人就会越富

① 《马克思恩格斯文集》第1卷，115页，北京：人民出版社，2009年。
② 《马克思恩格斯文集》第1卷，115页，北京：人民出版社，2009年。
③ 《马克思恩格斯文集》第1卷，115页，北京：人民出版社，2009年。
④ 《马克思恩格斯文集》第1卷，116页，北京：人民出版社，2009年。
⑤ 《马克思恩格斯文集》第1卷，115页，北京：人民出版社，2009年。
⑥ 《马克思恩格斯文集》第1卷，119页，北京：人民出版社，2009年。
⑦ 《马克思恩格斯文集》第1卷，119页，北京：人民出版社，2009年。

裕。这样，无产阶级和资产阶级的利益就是一致的。

马克思驳斥了斯密的这种观点。在马克思看来，虽然在社会财富增长的状态下，对工人的需求超过了供给，从而有利于工人工资的提高。但是“工资的提高引起工人的过度劳动。他们越想多挣几个钱，他们就越不得不牺牲自己的时间，并且完全放弃一切自由，在挣钱欲望的驱使下从事奴隶劳动。这就缩短了工人的寿命”①；而且社会财富的增长，导致资本积累增加和分工扩大。“一方面随着分工的扩大，另一方面随着资本的积累，工人日益完全依赖于劳动，依赖于一定的、极其片面的、机器般的劳动。”②由此可见，“即使在对工人最有利的社会状态中，工人的结局也必然是劳动过度和早死，沦为机器，沦为资本的奴隶（资本的积累危害着工人），发生新的竞争以及一部分工人饿死或行乞。”③因此，在资本主义制度下，贫困化是工人不可避免的命运。正如马克思所总结的：“在社会的衰落状态中，工人的贫困日益加剧；在增长的状态中，贫困具有错综复杂的形式；在达到完满的状态中，贫困持续不变。”④

那么，为什么工人在资本主义制度下不可避免地会陷入贫困化、非人化呢？为什么社会财富的增长并不能改变工人的悲惨境遇呢？马克思认为，根源在于资本主义劳动的雇佣性质。他指出：“在社会的增长状态中，工人的毁灭和贫困化是他的劳动的产物和他生产的财富的产物。就是说，贫困从现代劳动本身的本质中产生出来。”⑤这里所说的“现代劳动本身的本质”，指的就是资本主义的雇佣劳动，只不过马克思在《手稿》中没有使用这个纯经济学的概念，而是使用“异化劳动”这一更哲学化的概念，也就是说，只有异化劳动才会为别人创造财富而为自己创造贫困。

马克思从无产阶级的状况和地位出发，分析资本主义劳动的性质，又从对资本主义劳动性质的分析来阐明无产阶级的状况和地位，揭示无产阶级贫困化的根源，把对劳动和劳动者的考察紧密结合在一

① 《马克思恩格斯文集》第1卷，119页，北京：人民出版社，2009年。
② 《马克思恩格斯文集》第1卷，120页，北京：人民出版社，2009年。
③ 《马克思恩格斯文集》第1卷，121页，北京：人民出版社，2009年。
④ 《马克思恩格斯文集》第1卷，122页，北京：人民出版社，2009年。
⑤ 《马克思恩格斯文集》第1卷，124页，北京：人民出版社，2009年。

起。马克思越是深入分析无产阶级的状况和地位，就越是揭示出资本主义劳动的令人可憎的强迫性质，越是暴露出资本主义劳动的强制性，就越是揭示出无产阶级的状况和地位。马克思据此尖锐地抨击了资产阶级政治经济学把劳动和劳动者分开的做法。他们只研究劳动而不研究劳动者，不关心劳动者的处境；他们推崇劳动而贬低劳动者，“把工人只当做劳动的动物，当做仅仅有最必要的肉体需要的牲畜”[①]。“国民经济学不知道有失业的工人，即处于这种劳动关系之外的劳动人。”[②]从劳动到劳动者的考察和研究，不仅表明马克思在政治上已站在无产阶级的立场上，而且也为马克思提供了从劳动者角度来理解历史的线索。

2. 揭露资本主义社会的非人性

异化劳动是《手稿》中的一个核心概念，马克思正是通过分析异化劳动的规定性来揭露资本主义社会的非人性的。马克思的异化劳动理论显然受到德国古典哲学中关于异化的思想，特别是费尔巴哈关于“人的本质的异化和复归”思想的影响。和费尔巴哈一样，马克思的“异化”概念是以对人的“类本质”的抽象理解为前提的。马克思把人作为一个“种”来考察，着力揭示人的“类”特性即类本质。他认为，“一个种的整体特性、种的类特性就在于生命活动的性质”[③]。人的生命活动方式和动物的生命活动方式是不同的。“有意识的生命活动把人同动物的生命活动直接区别开来。正是由于这一点，人才是类存在物。或者说，正因为人是类存在物，他才是有意识的存在物，就是说，他自己的生活对他来说是对象。仅仅由于这一点，他的活动才是自由的活动。”[④]因此，马克思把“自由自觉的活动”看作人的类本质。他说：“自由的有意识的活动恰恰就是人的类特性。”[⑤]这种自由自觉活动的集中表现就是劳动。劳动按其本性来说应该是自由自觉的，人本来是应当具有这种类本质的，但在历史发展的一定阶段（资本主义阶段），人在劳动中异化了，劳动不再是人的类生活，人失去了自己

① 《马克思恩格斯文集》第1卷，125页，北京：人民出版社，2009年。
② 《马克思恩格斯文集》第1卷，171页，北京：人民出版社，2009年。
③ 《马克思恩格斯文集》第1卷，162页，北京：人民出版社，2009年。
④ 《马克思恩格斯文集》第1卷，162页，北京：人民出版社，2009年。
⑤ 《马克思恩格斯文集》第1卷，162页，北京：人民出版社，2009年。

的类本质，现实的人不再是人，这就是劳动的自我异化。

马克思的异化劳动理论虽然没有摆脱费尔巴哈异化观的影响，把资本主义制度下的雇佣劳动看作和人的本质相对立的异化劳动，但它的立足点是经济事实，而不是纯逻辑的抽象推演。马克思特别强调他是“从当前的国民经济的事实出发”①，说自己的结论是“通过完全经验的、以对国民经济学进行认真的批判研究为基础的分析得出的”②。因此，在马克思看来，对异化劳动的逻辑分析和对经济事实的分析是密不可分的。他说：“我们的出发点是国民经济事实即工人及其生产的异化。我们表述了这一事实的概念：异化的、外化的劳动。我们分析了这一概念，因而我们只是分析了一个国民经济事实。”

那么，马克思从什么样的国民经济事实得出异化劳动的结论呢？

（1）工人同劳动产品相异化

马克思从分析工人同自己劳动产品的关系入手，揭示了工人同自己的劳动产品相异化。工人同自己劳动产品的关系，是资本主义社会中最直接、最容易感触到的客观事实，所以马克思首先从工人同自己劳动产品的关系来分析异化劳动。在资本主义社会里，存在这样一个事实：产品是由工人生产出来的，但他并不能占有这些产品。相反，“工人生产的财富越多，他的生产的影响和规模越大，他就越贫穷。工人创造的商品越多，他就越变成廉价的商品。物的世界的增值同人的世界的贬值成正比。”③

在马克思看来，这与人的本质要求是相悖的。工人作为产品的创造者，他们理应跟自己的产品保持一种和谐的关系，然而在资本主义条件下，他们不仅不能支配自己创造的产品，反而被自己创造出来的产品所支配。这与宗教中人和神的关系是一样的。在宗教中，“人奉献给上帝的越多，他留给自身的就越少。”④同样，在雇佣劳动中，工人同产品的关系也是如此。“工人在劳动中耗费的力量越多，他亲手创造出来反对自身的、异己的对象世界的力量就越强大，他自身、他的内

① 《马克思恩格斯文集》第1卷，156页，北京：人民出版社，2009年。
② 《马克思恩格斯文集》第1卷，111页，北京：人民出版社，2009年。
③ 《马克思恩格斯文集》第1卷，156页，北京：人民出版社，2009年。
④ 《马克思恩格斯文集》第1卷，157页，北京：人民出版社，2009年。

部世界就越贫乏，归他所有的东西就越少。”①

从这个事实出发，马克思得出了异化劳动的第一个规定，即工人同自己的劳动产品相异化。他说：“劳动所生产的对象，即劳动的产品，作为一种异己的存在物，作为不依赖于生产者的力量，同劳动相对立。”②

需要指出的是，马克思在分析劳动者同劳动产品的关系时，区分了劳动的对象化和异化两个不同的方面。任何产品都是由劳动创造的，因此，任何产品都是固定在对象中的、物化为对象的劳动。马克思指出：“劳动的产品是固定在某个对象中的、物化的劳动，这就是劳动的对象化。”③劳动的现实化就是劳动的对象化，这是任何社会进行物质生产的共同内容，是任何一种社会形态存在的基础，它反映了人类改造自然的程度，是人类社会发展水平的客观标志。但对象化并不必然发生异化。对象化发生异化，需要一定的条件，这就是资本主义私有制。在资本主义私有制条件下，对象化同时也意味着异化。正如马克思所说：“工人在他的产品中的外化，不仅意味着他的劳动成为对象，成为外部的存在，而且意味着他的劳动作为一种与他相异的东西不依赖于他而在他之外存在，并成为同他对立的独立力量；意味着他给予对象的生命是作为敌对的和相异的东西同他相对立。”④

马克思特别强调对象化发生异化的条件性，他说：只有“在国民经济的实际状况中”，即在资本主义私有制的条件下，“劳动的这种现实化表现为工人的非现实化，对象化表现为对象的丧失和被对象奴役，占有表现为异化、外化”⑤。

因此，对象化并不必然发生异化，对象化只有在一定的条件下才发生异化。现在西方的一些发达国家，随着生产力的高度发展和科学技术的迅猛进步，资本主义制度的弊端更加暴露出来，工人的失业和道德的沦丧，根本原因并不在于对象化，即不在于生产的发展，而在于资本主义私有制本身。

---

① 《马克思恩格斯文集》第1卷，157页，北京：人民出版社，2009年。
② 《马克思恩格斯文集》第1卷，156页，北京：人民出版社，2009年。
③ 《马克思恩格斯文集》第1卷，156—157页，北京：人民出版社，2009年。
④ 《马克思恩格斯文集》第1卷，157页，北京：人民出版社，2009年。
⑤ 《马克思恩格斯文集》第1卷，157页，北京：人民出版社，2009年。

（2）工人同劳动相异化

马克思在分析了产品异化即劳动者同劳动产品的关系后，接着考察了劳动过程的异化即劳动者同劳动的关系。在马克思看来，在资本主义制度下，“异化不仅表现在结果上，而且表现在生产行为中，表现在生产活动本身中。如果工人不是在生产行为本身中使自身异化，那么工人活动的产品怎么会作为相异的东西同工人对立呢？产品不过是活动、生产的总结。因此，如果劳动的产品是外化，那么生产本身必然是能动的外化，活动的外化，外化的活动。在劳动对象的异化中不过总结了劳动活动本身的异化、外化。”[①]这样，马克思就从分析劳动产品同劳动者的外在关系，转向分析主体自身即劳动者同自己劳动的关系。

从主体角度来看，劳动本来是人的本质，是人所特有的意志自由和创造力的体现，是人区别于动物的根本特点。可是，在资本主义雇佣劳动中，“劳动对工人来说是外在的东西，也就是说，不属于他的本质；因此，他在自己的劳动中不是肯定自己，而是否定自己，不是感到幸福，而是感到不幸，不是自由地发挥自己的体力和智力，而是使自己的肉体受折磨、精神遭摧残。因此，工人只有在劳动之外才感到自在，而在劳动中则感到不自在，他在不劳动时觉得舒畅，而在劳动时就觉得不舒畅。”[②]从表面上看，资本主义制度下的雇佣劳动是一种“自由的劳动”。资本家并不是通过政治的强迫，或者用棍棒迫使工人劳动；就工人与资本家的关系而言，也不是人身依附关系，不像奴隶从属于奴隶主，农民从属于地主那样。可实际上，资本主义雇佣劳动是不自由的劳动。工人的劳动不是自愿的劳动，而是被迫的强制劳动。只不过它不是直接的政治强迫、棍棒强迫，而是间接的经济强迫、饥饿强迫。工人劳动不是满足爱好劳动的天性，即劳动成为人的第一需要，而是满足劳动以外的其他各种需要，即作为谋生的手段。所以马克思说：“只要肉体的强制或其他强制一停止，人们就会像逃避瘟疫那样逃避劳动。”[③]结果出现这样一种现象：“人（工人）只有在运用自己的动物机能——吃、喝、生殖，至多还有居住、修饰等等——

① 《马克思恩格斯文集》第1卷，159页，北京：人民出版社，2009年。
② 《马克思恩格斯文集》第1卷，159页，北京：人民出版社，2009年。
③ 《马克思恩格斯文集》第1卷，159页，北京：人民出版社，2009年。

的时候，才觉得自己在自由活动，而在运用人的机能时，觉得自己只不过是动物。动物的东西成为人的东西，而人的东西成为动物的东西。”[①]从这个事实，马克思得出了异化劳动的第二个规定，即工人同自己的劳动相异化。

值得注意的是，马克思在上面分析产品异化时，区分了对象化和异化，而在这里分析劳动异化时，则区分了“物的异化”和“自我异化”。物的异化，是“劳动对它的产品的直接关系，是工人对他的生产的对象的关系”[②]，也就是物对人控制。而自我异化，是“工人对他自己的活动——一种异己的、不属于他的活动——的关系”[③]。在这里，异化的不是物，即不是主体之外的东西，而是主体自身，即“工人自己的体力和智力，他个人的生命——因为，生命如果不是活动，又是什么呢？——是不依赖于他、不属于他、转过来反对他自身的活动”[④]。马克思不仅区分了“物的异化”和“自我异化”，而且把“自我异化”看得比“物的异化”更重要。在马克思看来，分配中“物的异化”，即工人劳动的产品被资本家所占有，不过是生产活动本身异化的结果。没有工人同自己的劳动相异化，就不会有工人同自己的劳动产品相异化。劳动产品反过来控制、奴役劳动者的这种物的异化，是劳动过程中工人自我异化的结果。

（3）人同自己的类本质相异化

马克思发现，异化问题不只是人与物的关系（产品异化）问题，也不单是人的活动的自我异化（劳动过程异化）的问题。这里的自我异化，既包括作为人的个性本质的异化，而且还包括人的类本质的异化。

本来，在资本主义社会里，工人的产品和劳动不属于工人，而为资本家所占有，这是客观事实。但是马克思不满足于对这些事实的叙述，而是力图解释这些事实。由于马克思当时还没有完全摆脱费尔巴哈人本主义的影响，所以他用“人的本质异化”的理论来进行解释，提出了“人同自己的类本质相异化”的命题，既以它作为对

① 《马克思恩格斯文集》第1卷，160页，北京：人民出版社，2009年。
② 《马克思恩格斯文集》第1卷，159页，北京：人民出版社，2009年。
③ 《马克思恩格斯文集》第1卷，160页，北京：人民出版社，2009年。
④ 《马克思恩格斯文集》第1卷，160页，北京：人民出版社，2009年。

产品异化和劳动过程异化的概括，又以它作为过渡到“人同人相异化”的中介。

“类生活”“类本质”原是费尔巴哈的用语，马克思沿用了这些术语，但赋予了新的内容。马克思也认为，人是类存在物。但与费尔巴哈不同，马克思是把自由自觉的劳动看作人的类本质，把生产看作人的能动的类生活，并将人的生产与动物的所谓生产区别开来。

他说：“通过实践创造对象世界，改造无机界，人证明自己是有意识的类存在物，就是说是这样一种存在物，它把类看做自己的本质，或者说把自身看做类存在物。诚然，动物也生产。动物为自己营造巢穴或住所，如蜜蜂、海狸、蚂蚁等。但是，动物只生产它自己或它的幼仔所直接需要的东西；动物的生产是片面的，而人的生产是全面的；动物只是在直接的肉体需要的支配下生产，而人甚至不受肉体需要的影响也进行生产，并且只有不受这种需要的影响才进行真正的生产；动物只生产自身，而人再生产整个自然界；动物的产品直接属于它的肉体，而人则自由地面对自己的产品。动物只是按照它所属的那个种的尺度和需要来构造，而人却懂得按照任何一个种的尺度来进行生产，并且懂得处处都把固有的尺度运用于对象；因此，人也按照美的规律来构造。”①

马克思正是“根据在此以前考察的异化劳动的两个规定推出它的第三个规定”②，即把产品异化和劳动过程异化归结为人同自己的类本质相异化。这样，在资本主义社会里，现实的人都不是人，不仅工人不是人，资本家也不是人，所有的人都是同合乎人的类本质的真正的人相异化的。对此马克思指出：“异化既表现为我的生活资料属于别人，我所希望的东西是我不能得到的、别人的占有物；也表现为每个事物本身都是不同于它本身的另一个东西，我的活动是另一个东西，而最后，——这也适用于资本家，——则表现为一种非人的力量统治一切。”③

这里需要指出的是，资本主义社会虽然是个异化的社会，处在这个社会中的工人和资本家都是异化的人，但两者的情况是不一样的。

① 《马克思恩格斯文集》第1卷，162—163页，北京：人民出版社，2009年。
② 《马克思恩格斯文集》第1卷，160页，北京：人民出版社，2009年。
③ 《马克思恩格斯文集》第1卷，233页，北京：人民出版社，2009年。

马克思指出："凡是在工人那里表现为外化的、异化的活动的东西，在非工人那里都表现为外化的、异化的状态。"①工人是生产者，所以工人的异化集中表现在他的活动中，即从事被迫的、强制的劳动，并不断生产出同自己相对立的产品；而资本家处于异化的状态，是因为他们受商品、货币等盲目的经济规律的支配，他们的命运取决于自己的商品在市场中的命运。正因为如此，马克思指出："凡是工人做的对自身不利的事，非工人都对工人做了，但是，非工人做的对工人不利的事，他对自身却不做。"②资本家并不是资本主义制度的受害者，而是受益者，他们虽然也受物的力量的统治，但生产产品同占有产品、出卖劳动同占有别人的劳动，毕竟是有天壤之别的。

根据异化劳动的第一个规定，既然"异化劳动从人那里夺去了他的生产的对象，也就从人那里夺去了他的类生活，即他的现实的类对象性，把人对动物所具有的优点变成缺点，因为人的无机的身体即自然界被夺走了"③，那么这就必然使类生活与个人的生活相异化。根据异化劳动的第二个规定，既然"异化劳动把自主活动、自由活动贬低为手段，也就把人的类生活变成维持人的肉体生存的手段"④，那么这就必定使人与人的类生活相异化。正如马克思所说："人的类本质，无论是自然界，还是人的精神的类能力，都变成了对人来说是异己的本质，变成了维持他的个人生存的手段。异化劳动使人自己的身体同人相异化，同样也使在人之外的自然界同人相异化，使他的精神本质、他的人的本质同人相异化。"⑤

（4）人同人的本质相异化

在揭示了异化劳动的第三个规定，即人同自己的类本质相异化后，马克思以此为中介说明了异化劳动的第四个规定，即人同人相异化。在马克思看来，孤立的个人无所谓异化，异化问题离不开人与人的关系。正如马克思所说："人的异化，一般地说，人对自身的

① 《马克思恩格斯文集》第1卷，168页，北京：人民出版社，2009年。
② 《马克思恩格斯文集》第1卷，169页，北京：人民出版社，2009年。
③ 《马克思恩格斯文集》第1卷，163页，北京：人民出版社，2009年。
④ 《马克思恩格斯文集》第1卷，163页，北京：人民出版社，2009年。
⑤ 《马克思恩格斯文集》第1卷，163页，北京：人民出版社，2009年。

任何关系，只有通过人对他人的关系才得到实现和表现。”[①]因此，马克思在分析过产品异化和劳动过程异化后，提出了这样的问题：“如果劳动产品对我来说是异己的，是作为异己的力量面对着我，那么它到底属于谁呢？如果我自己的活动不属于我，而是一种异己的活动、一种被迫的活动，那么它到底属于谁呢？”[②]

马克思深刻地回答了这个问题：“属于另一个有别于我的存在物。”[③]“如果劳动产品不是属于工人，而是作为一种异己的力量同工人相对立，那么这只能是由于产品属于工人之外的他人。如果工人的活动对他本身来说是一种痛苦，那么这种活动就必然给他人带来享受和生活乐趣。不是神也不是自然界，只有人自身才能成为统治人的异己力量。”[④]

这里，马克思明确地告诉我们，物对人的统治、工人自身的劳动对自己的统治，归根到底是人对人的统治。马克思又指出：“人的类本质同人相异化这一命题，说的是一个人同他人相异化，以及他们中的每个人都同人的本质相异化。”[⑤]由于“人同自身以及同自然界的任何自我异化，都表现在他使自身、使自然界跟另一些与他不同的人所发生的关系上”[⑥]，因此，“通过异化劳动，人不仅生产出他对作为异己的、敌对的力量的生产对象和生产行为的关系，而且还生产出他人对他的生产和他的产品的关系，以及他对这些他人的关系”[⑦]。

可见，“通过异化的、外化的劳动，工人生产出一个同劳动疏远的、站在劳动之外的人对这个劳动的关系。工人对劳动的关系，生产出资本家——或者不管人们给劳动的主宰起个什么别的名字——对这个劳动的关系。”[⑧]

总之，马克思的异化劳动理论是以“人的本质的异化和复归”为前提，把“自由自觉的劳动”看作人的类本质，把异化理解为人的类

① 《马克思恩格斯文集》第1卷，164页，北京：人民出版社，2009年。
② 《马克思恩格斯文集》第1卷，164页，北京：人民出版社，2009年。
③ 《马克思恩格斯文集》第1卷，164页，北京：人民出版社，2009年。
④ 《马克思恩格斯文集》第1卷，165页，北京：人民出版社，2009年。
⑤ 《马克思恩格斯文集》第1卷，164页，北京：人民出版社，2009年。
⑥ 《马克思恩格斯文集》第1卷，165页，北京：人民出版社，2009年。
⑦ 《马克思恩格斯文集》第1卷，165页，北京：人民出版社，2009年。
⑧ 《马克思恩格斯文集》第1卷，166页，北京：人民出版社，2009年。

本质与人的存在的分离，因而是不科学的。但马克思立足于资本主义社会的经济事实，把批判的锋芒直接指向资本主义制度，通过对异化劳动四种规定的分析，揭示了资本主义制度下劳动的雇佣性质，揭露了资本主义社会的非人性。这为他进一步否定私有制的神圣性、永恒性，论证共产主义的合理性、必然性奠定了基础。

3. 论证共产主义的历史必然性

（1）共产主义是异化劳动的积极扬弃

马克思在《手稿》中揭示异化劳动，进一步揭示异化劳动和私有制之间的关系，目的是为了说明资本主义私有制的非人性，论证共产主义的合理性、必然性。

整个资产阶级政治经济学都是从私有制出发的，但它并没有说明私有制，而是把私有制看作一个无需论证的前提，看作既成事实，根本不研究它的起源。正如马克思所指出的："国民经济学从私有财产的事实出发。它没有给我们说明这个事实。"[①]"没有向我们说明劳动和资本分离以及资本和土地分离的原因。"[②]而马克思则把对异化劳动的研究和对私有制的研究结合起来，探讨异化劳动和私有制的关系。

那么，异化劳动与私有制的关系如何呢？马克思认为，从既成形态来看，异化劳动和私有制之间是"相互作用的关系"，但这种"相互作用的关系"在私有财产发展到最后的、最高的阶段，即资本主义私有制阶段，才充分暴露出来。他说："私有财产只有发展到最后的、最高的阶段，它的这个秘密（指异化劳动和私有财产之间的'相互作用的关系'——引者注）才重新暴露出来，就是说，私有财产一方面是外化劳动的产物，另一方面又是劳动借以外化的手段，是这一外化的实现。"[③]

从历史发展的角度来看，马克思认为，不是私有制产生异化劳动，而是异化劳动产生私有制。对于力图探求私有制起源的马克思来说，这是异化劳动和私有制之间关系的更为根本的方面。他说："诚然，我们从国民经济学得到作为私有财产运动之结果的外化劳动（外化的生命）这一概念。但是，对这一概念的分析表明，尽管私有财产

① 《马克思恩格斯文集》第1卷，155页，北京：人民出版社，2009年。
② 《马克思恩格斯文集》第1卷，155页，北京：人民出版社，2009年。
③ 《马克思恩格斯文集》第1卷，166页，北京：人民出版社，2009年。

表现为外化劳动的根据和原因，但确切地说，它是外化劳动的后果，正像神原先不是人类理智迷误的原因，而是人类理智迷误的结果一样。后来，这种关系就变成相互作用的关系。”①

既然私有制是异化劳动的产物，而异化劳动必将随着人的自我异化的克服而消除，所以私有制就不是神圣的、永恒的，它必将随着人的自我异化的克服而得到消除。这样，马克思就可以论证共产主义的合理性和必然性了。他说：“共产主义是对私有财产即人的自我异化的积极的扬弃，因而是通过人并且为了人而对人的本质的真正占有；因此，它是人向自身、也就是向社会的即合乎人性的人的复归，这种复归是完全的复归，是自觉实现并在以往发展的全部财富的范围内实现的复归。”②马克思论证了共产主义的历史必然性之后非常兴奋，因为他自信他的理论解开了人类历史的哑谜，可以“一劳永逸”地解决现实社会中的一切矛盾和纷争。他说：“这种共产主义，作为完成了的自然主义，等于人道主义，而作为完成了的人道主义，等于自然主义，它是人和自然界之间、人和人之间的矛盾的真正解决，是存在和本质、对象化和自我确证、自由和必然、个体和类之间的斗争的真正解决。它是历史之谜的解答，而且知道自己就是这种解答。”③

（2）异化劳动理论的逻辑追问及其被唯物史观的超越

当马克思在《手稿》中用异化劳动理论，来证明私有制的非永恒性，来揭露资本主义社会的非人性，来论证共产主义的历史必然性的同时，随之而来的一个新的问题也就产生了，那就是异化劳动的根源在哪里？《手稿》也正是这样提出问题的。马克思说：“我们已经承认劳动的异化、劳动的外化这个事实，并对这一事实进行了分析。现在要问，人是怎样使自己的劳动外化、异化的？这种异化又是怎样由人的发展的本质引起的？我们把私有财产的起源问题变为外化劳动对人类发展进程的关系问题，就已经为解决这一任务得到了许多东西。因为人们谈到私有财产时，总以为是涉及人之外的东西。而人们谈到劳

① 《马克思恩格斯文集》第1卷，166页，北京：人民出版社，2009年。
② 《马克思恩格斯文集》第1卷，185页，北京：人民出版社，2009年。
③ 《马克思恩格斯文集》第1卷，185—186页，北京：人民出版社，2009年。

动时，则认为是直接关系到人本身。问题的这种新的提法本身就已包含问题的解决。”①

由于《手稿》的中断，我们看不到马克思对这个问题的进一步具体的说明。但马克思在这里指出，要从人类发展进程的角度去说明异化劳动的产生，这一观点是很有意义的，至少它为上述问题的解决，指出了一个大致的方向。很显然，当青年马克思把异化劳动作为根源来说明经济异化、政治异化和宗教异化时，那么也就是说，不能反过来再用其他异化来说明异化劳动的根源。这样，异化劳动的根源也只能从劳动本身去寻找。而且这也符合青年马克思关于人的本质自我异化的逻辑要求。然而从劳动本身去说明劳动异化的根源，就必然要引导到承认劳动的内在矛盾，即青年马克思后来所揭示的生产力与生产关系的矛盾。

由于这个矛盾的运动，才在一定阶段上产生了私有制，产生了阶级剥削和阶级压迫等一系列被马克思称之为的异化现象，并且随着生产力与生产关系的矛盾及其所派生的经济基础与上层建筑矛盾的不断产生和不断解决，必将最终消灭一切异化现象，逐步实现人类的彻底解放。列宁曾经指出："社会主义学说正是在它抛弃了关于合乎人的本性的社会条件的议论，而着手唯物主义地分析现代社会关系并说明现在剥削制度的必然性的时候取得成就的。"②

青年马克思在理论上的这一转变是从1845年2月出版的《神圣家族》开始的。《神圣家族》探索了历史发展的动力问题，第一次提出了把生产方式作为理解历史的现实基础的思想。指出：如果"不把比如说某一历史时期的工业，即生活本身的直接的生产方式认识清楚"，就不能"真正地认清这个历史时期"③。并且这时，马克思已接近发现生产关系这一概念④。他说："对象作为为了人的存在，作为人的对象性存在，同时也就是人为了他人的定在，是他同他人的人的关系，是人同人的社会关系。"⑤虽然《神圣家族》仍没有摆脱费尔巴哈的影响和

① 《马克思恩格斯文集》第1卷，168页，北京：人民出版社，2009年。
② 《列宁专题文集·论辩证唯物主义和历史唯物主义》，205页，北京：人民出版社，2009年。
③ 《马克思恩格斯文集》第1卷，350页，北京：人民出版社，2009年。
④ 参见［俄］列宁：《哲学笔记》，13页，北京：人民出版社，1974年。
⑤ 《马克思恩格斯文集》第1卷，268页，北京：人民出版社，2009年。

迷信，但它对历史发源地和向生产关系思想的接近，为突破《手稿》中异化劳动理论的局限，为说明阶级社会中的异化现象，提供了历史观和方法论方面的某种科学基础。

1845年春马克思写作的《关于费尔巴哈的提纲》，提出了科学实践观，并以此为基础提出了科学的人的本质观和科学的社会本质观，表明了马克思与费尔巴哈人本主义以及一切旧哲学的彻底决裂，自己新哲学由此萌生。

1845年秋写作的《评李斯特》的著作[①]，由《提纲》中的科学实践观具体深化到了科学生产观，并初步揭示了生产劳动中生产力和生产关系的矛盾，提出了关于生产力的发展在历史发展中的最终决定作用的观点[②]，关于生产力与创造未来新社会的无产阶级之间相互联系的观点。马克思把资本主义制度下发展起来的新的生产力，看作“由无产阶级所体现的新的社会制度的力量”[③]。马克思认为，无产阶级作为创造未来社会的主体力量，那么生产力就是创造未来社会的一种客体力量。马克思写道：“工业用符咒招引出来（唤起）的自然力量和社会力量对工业的关系，同无产阶级对工业的关系完全一样。今天，这些力量仍然是资产者的奴隶，资产者无非把它们看作是实现他的自私的（肮脏的）利润欲的工具（承担者）；明天，它们将砸碎自身的锁链，……炸毁资产者用以把它们同人分开并因此把它们从一种真正的社会联系变为（歪曲为）社会桎梏的那种锁链。”[④]这些论述表明，马克思的历史理论已经深化到了对生产力和生产关系的相互关系的考察，从而“大致完成”了关于历史唯物主义的创立工作。

1845年秋至大约1846年5月马克思恩格斯共同撰写的《德意志意识形态》，标志着历史唯物主义的最终创立，这样，人的解放也就获得了历史唯物主义的论证。

① 参见鲁克俭：《国外学者关于马克思〈评李斯特〉写作时间的文献学考证》，《哲学动态》，2012（7）。

② 参见《马克思恩格斯全集》第42卷，257页，北京：人民出版社，1979年。

③ 《马克思恩格斯全集》第42卷，258页，北京：人民出版社，1979年。

④ 《马克思恩格斯全集》第42卷，258—259页，北京：人民出版社，1979年。

四、关于人的解放的唯物史观论证

彻底清算费尔巴哈人本主义的影响和唯物史观的创立是同一个过程。只有完全摆脱费尔巴哈人本主义的影响，才能创立唯物史观；反之亦然，只有创立唯物史观，才能最终离开费尔巴哈。无论是对费尔巴哈的批判还是创立唯物史观，其中一个重要条件是确立科学的实践观及其深化，也就是，在科学的实践观基础上形成了科学的生产劳动观和科学的资本生产观。

（一）科学实践观的确立与深化

1845年2月，马克思被法国政府驱逐，来到比利时的首都布鲁塞尔。在这里，马克思重新阅读了费尔巴哈的著作，认识到了费尔巴哈人本主义哲学的根本缺陷在于不理解实践对社会生活、对人和对人的认识的意义。于是，马克思开始批判费尔巴哈，写下了对费尔巴哈哲学的十一条纲领性批判意见，这就是著名的《关于费尔巴哈的提纲》（以下简称《提纲》）。

1. 实践是社会生活的本质

实践观点是《提纲》的核心观点。关于实践，在马克思看来，实践不是唯心主义所理解的想象主体的想象活动，也不是旧唯物主义，特别是费尔巴哈所理解的为满足自己需要的消费活动，而是主体人对客体进行变革的、能动的社会物质活动。肯定实践是主体人的物质活动，不是精神的活动，这也就在实践问题上划清了马克思主义与唯心主义的界限。肯定实践是主体人的变革客体的、能动的社会物质活动，这也就在实践问题上划清了马克思主义与旧唯物主义的界限。

马克思在《提纲》中首先把实践引入历史观。原因在于，马克思全部理论和学说的根本任务是为推翻资本主义、实现共产主义作论证。这种论证当然可以采取不同的方式，比如《1844年经济学哲学手稿》中的人本主义论证就是其方式之一。但问题在于，什么样的方式是科学的方式，因而才能在现实的工人运动中具有强大的生命力？隐藏在这一问题背后的是对人类社会本质的不同理解。马克思在《提纲》中把实践引入历史观，立足于人类实践活动来考察人类社会，得出了“全部社会生活在本质上是实践的”[①]的这一重要结论，终于开启了唯物史观的大门。所以恩格斯在1888年《路德维希·费尔巴哈和德国古典哲学的终结》单行本序言中把《提纲》称之为“包含着新世界观的天才萌芽的第一个文献”[②]，而在1893年致弗·雅·施穆伊洛夫的信中则更明确地把它称之为“历史唯物主义的起源”[③]。

“社会生活在本质上是实践的”这一高度浓缩的结论，蕴含着唯物史观的丰富内容。

（1）社会本质的实践论揭示了社会的起源和存在基础

人类社会和自然界不同，尽管人类的活动也使自然界发生变化，但自然界存在的基础并不在于人类活动，而在于自然界本身。人类社会则不然，它是人类活动的产物，它在本质上是实践的。人类社会的起源在于人类的生产活动，劳动在创造人的同时，也创造了人类社会。因此，人类社会存在的基础在于人类的物质生产活动。没有物质生产，就没有人类社会。

（2）社会本质的实践论揭示了社会生活的基本内容

物质生产活动是人类实践活动的最基本的形式，也是人类社会存在的基础，但它并不是社会生活的唯一内容。除了生产活动以外，人们还进行政治活动，在阶级社会中政治活动主要是阶级斗争，而在非阶级社会中则主要是管理公共事务的社会活动。此外，人们还进行科学实验、艺术创作等活动。因此，作为社会生活本质的实践包含了各种形式的实践活动，没有多样性实践活动的社会生活是不可想象的。

（3）社会本质的实践论揭示了社会发展规律的特点

自然规律和社会规律既有共性，又各有其特点。共性在于二者都具有不以任何人的意志为转移的客观性。但自然规律是自然界本身所固有的规律，不管有没有人类的参与，自然界都按其自身的规律发展，因此自然规律是作为一种盲目的无意识的力量在起作用的。而社会规律则不然。由于社会是人类活动的产物，社会生活的基本内容是各种形式的实践活动，因此社会规律存在于人们的实践活动之中，是

① 《马克思恩格斯文集》第1卷，501页，北京：人民出版社，2009年。
② 《马克思恩格斯文集》第4卷，266页，北京：人民出版社，2009年。
③ 《马克思恩格斯选集》第4卷，721页，北京：人民出版社，1995年。

通过抱有一定目的和愿望的人的有意识的活动实现的。

2. 实践是认识的基础

正因为社会生活在本质上是实践的，所以马克思强调："凡是把理论引向神秘主义的神秘东西，都能在人的实践中以及对这个实践的理解中得到合理的解决。"这里，我们不能单纯从认识论的角度，而要从认识论和历史观统一的角度去理解马克思的实践观点。实际上，在《提纲》中，马克思的认识论和历史观是统一的。

在马克思看来，实践是认识的源泉，这既是马克思主义认识论的根本原则，也是唯物主义历史观的根本原则，只不过是二者思考问题的角度不同而已。对实践在历史观中作用的重视，在马克思恩格斯随后不久写作的《德意志意识形态》中也有体现。马克思和恩格斯说："这种历史观（唯物主义历史观——引者注）和唯心主义历史观不同，它不是在每个时代中寻找某种范畴，而是始终站在现实历史的基础上，不是从观念出发来解释实践，而是从物质实践出发来解释各种观念形态。"①

在这里，马克思恩格斯把唯心主义历史观界定为"从观念出发来解释实践"，而把唯物主义历史观界定为"从物质实践出发来解释各种观念形态"，这表现了他们对实践在历史观中作用的重视。用实践来解释各种观念形态，在历史观中就是用人们的社会存在，即他们的"实际生活过程"来解释各种观念形态。任何模糊、怪诞、神秘的观念，其"秘密"不在于观念本身，而在于人类的实践活动之中。只要把它放到人类的实践活动之中去理解，那就一点也不神秘。

实践是认识的目的，这既是马克思主义认识论的命题，同样也是唯物主义历史观的重要原则。马克思在《提纲》的最后一条中指出："哲学家们只是用不同的方式解释世界，问题在于改变世界。"②在这里，马克思强调要改造世界，重点显然不是指改造自然，而是指改造社会。因为马克思当时全力倾注的是变革资本主义社会，要"在实践中使之革命化"。这一点后来在《德意志意识形态》中得到进一步发挥。马克思恩格斯批评费尔巴哈，说他"和其他的理论家一样，他只

① 《马克思恩格斯文集》第1卷，544页，北京：人民出版社，2009年。

② 《马克思恩格斯文集》第1卷，502页，北京：人民出版社，2009年。

是希望确立对现存的事实的正确理解，然而一个真正的共产主义者的任务却在于推翻这种现存的东西”[①]。还说：“对实践的唯物主义者即共产主义者来说，全部问题都在于使现存世界革命化，实际地反对并改变现存的事物。”[②]马克思之所以强调实践在历史观中的作用，原因在于唯物主义学说的科学性与革命性是统一的。在马克思看来，唯物主义一旦进入社会历史领域，那么它只有代表无产阶级的利益，把改变资本主义旧世界作为自己的基本任务，才可能具有科学性。如果把实践仅仅局限在认识论范围，而排除在历史观之外，那么就不会导致唯物主义历史观，而会陷于唯心主义历史观。

3. 离开社会本质的实践论必然失足于历史唯心论

人类的思想史表明，不理解实践在人类社会生活中作用的历史观，只能是唯心主义历史观。

例如，18世纪的法国唯物主义者如孟德斯鸠、爱尔维修等人，虽然提出了“人是环境和教育的产物”的命题，但由于他们不懂得“环境的改变和人的活动或自我改变的一致，只能被看做是并合理地理解为革命的实践”[③]，因而始终未能跳出理性支配世界的历史唯心主义窠臼。

费尔巴哈也是如此，他重视理论，轻视实践。他在《基督教的本质》中说：“理论之立场，就意味着与世界和谐相处……与此相反，如果人仅仅立足于实践的立场，并由此出发来观察世界，而使实践的立场成为理论的立场时，那他就跟自然不睦，使自然成为他的自私自利、他的实践利己主义之最顺从的仆人。”“功用主义、效用，乃是犹太教之至高原则。”[④]对此，马克思在《提纲》中批评了费尔巴哈，指出：“他在《基督教的本质》中仅仅把理论的活动看做是真正人的活动，而对于实践则只是从它的卑污的犹太人的表现形式去理解和确定。因此，他不了解‘革命的’、‘实践批判的’活动的意义。”[⑤]

这里，马克思不仅是批评他不懂得实践的认识论意义，更主要的

① 《马克思恩格斯文集》第1卷，549页，北京：人民出版社，2009年。

② 《马克思恩格斯文集》第1卷，527页，北京：人民出版社，2009年。

③ 《马克思恩格斯文集》第1卷，500页，北京：人民出版社，2009年。

④ ［德］费尔巴哈：《费尔巴哈哲学著作选集》下卷，荣震华等译，144—145页，北京：商务印书馆，1984年。

⑤ 《马克思恩格斯文集》第1卷，499页，北京：人民出版社，2009年。

是批评他不懂得实践的历史观意义。如果仅就认识论而言，费尔巴哈对实践在认识中的作用还多少发表了一些正确的看法。例如，他曾看到实践对于解决认识真理性的作用，说：“‘科学不能解决生命之谜。’就算是这样，但从这里能得出什么结论呢？那么你要信神吗？那就是甫出龙潭又入虎口？那么你要走向生活，走向实际吗？理论所不能解决的那些疑难，实践会给你解决。”①又说：“比渊博的征引更加有用到无量数倍的，却是实践，却是生活。”②正因为如此，列宁在《唯物主义和经验批判主义》中指出：“费尔巴哈和马克思、恩格斯一样，在认识论的基本问题上也向实践作了在舒尔采、费希特和马赫看来是不能容许的‘跳跃’。”③甚至认为：“费尔巴哈把人类实践的总和当做认识论的基础。”④

可是，一超出认识论而进入历史观，费尔巴哈就陷入唯心主义。这是不难理解的。如果说不理解实践在认识中的作用仍然可以是唯物主义者，那么在历史领域中则是不可能的。因为全部社会生活在本质上是实践的，不理解实践，尤其是物质生产活动在社会生活中的作用，就不可能真正把握人与自然、人与人的关系，从而也就不可能真正理解人类社会及其发展规律。正如马克思在《提纲》中总结评论费尔巴哈之所以陷入历史唯心主义时所指出的：“直观的唯物主义，即不是把感性理解为实践活动的唯物主义，至多也只能达到对单个人和市民社会的直观。”⑤

4. 人的本质是社会的实践

这里是说，人的本质是在社会关系中从事的实践活动，或者说，人的本质是在实践基础上所结成的一切社会关系的总和。在人的本质的理解上，不能只讲人的本质的实践性，也不能只讲人的本质的社会性，或社会关系总和性等。这是因为离开社会性，只讲人的本质的实践性是抽象的实践性，作这样理解的实践性可能会错误地归结为个人

① ［德］费尔巴哈：《费尔巴哈哲学著作选集》上卷，荣震华等译，248页，北京：商务印书馆，1984年。

② ［德］费尔巴哈：《费尔巴哈哲学著作选集》下卷，荣震华等译，554—555页，北京：商务印书馆，1984年。

③ 《列宁专题文集·论辩证唯物主义和历史唯物主义》，48页，北京：人民出版社，2009年。

④ 《列宁专题文集·论辩证唯物主义和历史唯物主义》，49页，北京：人民出版社，2009年。

⑤ 《马克思恩格斯文集》第1卷，502页，北京：人民出版社，2009年。

先天的属性；同样，离开实践性，只讲人的本质的社会性，作这样理解的社会性也可能会错误地归结为个人先天的属性。比如黑格尔曾论到人的劳动的生成，以及论到“属于一个个体存在的是他的种种基本利益，他同他人和世界的一般的种种本质的和特殊的经济性关系的总和。这种总体性构成他的现实性”①。但黑格尔从未把人的本质的劳动生产与人的本质的社会关系总和联系起来作统一的理解，因为他的劳动观是唯心主义的。另外，费尔巴哈虽然也提到人的社会性，但他所理解的人的社会性也不是建立在科学理解的劳动或实践基础上的。因而他所理解的人仍然是非社会的抽象的个人。

正是得益于科学实践观的确立，马克思对人的本质的认识也才达到了新的高度。在《提纲》中，针对费尔巴哈把人的本质问题归结为个体和类的关系问题，企图从孤立的个体中探求人的本质，马克思提出了“人的本质不是单个人所固有的抽象物，在其现实性上，它是一切社会关系的总和”②的著名论断。马克思的这个论断不仅科学地规定了人的本质，而且更重要的是摒弃了费尔巴哈关于个体、类和类本质的观点，为全面创立唯物史观清除了最后的障碍。

（1）人是社会的人

马克思关于人的本质的论断，摒弃了费尔巴哈的抽象的“个体”概念，赋予人以社会性。毫无疑问，现实的人都表现为个体，离开了个体，人必然是一个不可捉摸的抽象存在。但是作为现实的人的个体，并不是彼此孤立的。彼此孤立的人类个体只能是抽象的人，而不可能是现实的人。从这种彼此孤立的人类个体出发去理解人的本质，只能是人本主义的。费尔巴哈就是从这种孤立的个体出发的，他“撇开历史的进程，把宗教感情固定为独立的东西，并假定有一种抽象的——孤立的——人的个体”③。

在马克思看来，人是社会存在物。这一点马克思在《提纲》之前的《黑格尔法哲学批判》《〈黑格尔法哲学批判〉导言》《1844年经济学哲学手稿》等著作中就已论述过。但人的社会性，并不只是讲人不能离开社会，而更主要是讲任何人都生活在一定的社会形式之中。马克

① ［德］黑格尔：《法哲学原理》，范杨等译，134页，北京：商务印书馆，1962年。

② 《马克思恩格斯文集》第1卷，501页，北京：人民出版社，2009年。

③ 《马克思恩格斯文集》第1卷，501页，北京：人民出版社，2009年。

思在《提纲》中强调的正是这一点，他在批评费尔巴哈的抽象的“个体”概念时指出：“费尔巴哈没有看到，‘宗教感情’本身是社会的产物，而他所分析的抽象的个人，是属于一定的社会形式的。”①

的确，现实的个人都是属于一定的社会形式的。但是在马克思看来，社会不是单个个人的集合体，而是现实的个人彼此之间所发生的各种社会关系的总和。因此，属于一定社会形式的个人，总是处于一定的社会结构之中的。例如，在阶级社会中，个人属于一定的阶级，阶级构成特定的社会。所以人类社会的公式是个人—阶级—社会，而不是个体—亚种—类。马克思和恩格斯后来在《德意志意识形态》中把后一个公式看作对历史的“侮辱”，他们说：“个人的这种发展是在历史地前后相继的等级和阶级的共同生存条件下进行的，也是在由此而强加于他们的普遍观念中进行的，如果用哲学的观点来考察这种发展，当然就很容易产生这样的臆想：在这些个人中，类或人得到了发展，或者说这些个人发展了人；这种臆想，是对历史的莫大侮辱。这样一来，就可以把各种等级和阶级看做是普遍表达方式的一些类别，看做是类的一些亚种，看做是人的一些发展阶段。”②从人类社会的前一个公式来看，个人问题的解决，归根到底取决于他所属的阶级的命运，而某个阶级的前途，则取决于社会形式的变化。在资本主义社会中，某个工人依靠自己的个人奋斗也许可以成为资本家，由一无所有的穷光蛋变成腰缠万贯的富翁，但整个无产阶级的解放不可能靠每个工人的发财致富来实现。实际上，每个工人的前途依赖于整个无产阶级的解放，而无产阶级的解放取决于整个社会问题的解决。在这里，不能把两者颠倒过来。

（2）人的本质是人与人的关系

马克思关于人的本质的论断，摒弃了费尔巴哈的“类”概念，把人与人的关系从个体和类转变为人与社会的关系。在《提纲》之前，马克思对费尔巴哈的“类”概念是赞同的，有时他还把“类”同社会相提并论。而在《提纲》中，马克思摒弃了费尔巴哈的“类”概念，认为“类”和社会是不同的。“类”强调的是个体的自然同一性，它对个体是一视同仁的，而社会强调的则是个人的社会同一性，它是从事

① 《马克思恩格斯文集》第1卷，501页，北京：人民出版社，2009年。

② 《马克思恩格斯文集》第1卷，570页，北京：人民出版社，2009年。

实际活动的个人之间所形成的全部社会关系的总和。马克思在《雇佣劳动与资本》中明确地指出了这一点，他说："生产关系总合起来就构成所谓社会关系，构成所谓社会，并且是构成一个处于一定历史发展阶段上的社会，具有独特的特征的社会。"[①]这样，马克思就把人与人的关系从个体和类的关系转变为人与社会的关系。

把人看作个体和类的统一，在生物学范围内是可以的，但在社会历史领域内则不行。因此，把人与人的关系从个体和类的关系转变为人与社会的关系，对于历史观来说至关重要。从个体与类的关系出发来考察人与人的关系，必然会局限于从孤立的个体中寻求人的永恒不变的共同本性（类本质）；而从人与社会的关系出发来考察人与人的关系，则必然会研究人类社会，进而揭示其发展规律。从类的角度来考察人，只能看到人的自然同一性，人就是人，他们的差异是同一个类中的差异，如性别、年龄、肤色等。而从社会的角度来考察人，则能看到人的社会属性。在阶级社会中，则能看到他的阶级属性，如奴隶主和奴隶、地主和农民、资本家和工人。这样来看，是不是人作为人就没有共同的人性呢？可是亲子之情、男女之爱、友谊、同情等这些美好的感情，不都是任何时代、任何民族、任何国家的人的共同追求吗？是的，我们当然承认人类的这些共同的美好追求，但我们应该知道，这些属性并不是每个人所固有的抽象物，而是在社会中形成的。它不是人作为类的特性，而是人作为社会存在物的特性。没有抽象不变的人性，随着社会的发展变化，人性也是变化的。

（3）人的本质是实践活动中所结成的一切社会关系的总和

马克思关于人的本质的论断，摒弃了费尔巴哈从孤立的个体中寻求人的本质，把人的本质理解为"类"，"理解为一种内在的、无声的、把许多个人自然地联系起来的普遍性"[②]，而是从人与社会的关系角度来理解人的本质，作出了人的本质在其现实性上是一切社会关系总和的科学结论。

可能会有人认为，既然人的本质是人之为人的质的规定性，适用于每一个人，那么它就只能是类本质。比如劳动是人的本质，它并不取决于社会关系的变化，是永恒不变的。又比如人是社会存在

① 《马克思恩格斯文集》第1卷，724页，北京：人民出版社，2009年。
② 《马克思恩格斯文集》第1卷，501页，北京：人民出版社，2009年。

物，它适用于每一个时代的每一个人，只要是人他就必然是社会存在物。所以与其说人的本质是一切社会关系的总和，毋宁说它是个体所固有的类本质。的确，马克思在《1844年经济学哲学手稿》中把劳动看作人的类特性，看作人与动物的根本区别之所在。人能进行有意识有目的的劳动，而一般动物只能进行本能的活动；人是社会存在物，而一般动物是自然存在物。但问题在于：一群蚂蚁实际上是一只蚂蚁。蚂蚁的类的特性，也就是它的个体的共性。而人则不同，劳动和社会性不是人类个体所固有的共同属性，并不是因为每个人都能劳动，人才是劳动的动物；也不是因为每个人都是社会存在物，人才是社会存在物。恰恰相反，孤立的个人并不具有这些特性。劳动和社会性不是人的类特性，而是人的社会特性，它是基于人类社会存在的基础和任何个人都属于一定的社会形式这一客观事实而概括的。因此，仅从个体和类而不是从人与社会的关系来看，是很难理解人的本质的。

马克思强调人的本质是一切社会关系的总和，并不是要否定劳动是人的本质，而是要深入到劳动过程内部，从社会关系中寻求人的现实本质，从人与动物的区别进入到人与人的区别。社会是人的活动的产物，但任何现实的个人都属于一定的社会形式，他们的思想和行为都会受到他们所处的社会环境的制约。原始社会的人不同于奴隶社会的人，资本主义社会的人不同于社会主义社会的人，以及同一社会形态下人们之间的差异性，其原因不在于人的肉体特性，而在于人的社会特性。在实践活动中，随着社会关系的改变，人的本质也会发生变化。

总之，马克思在《提纲》中已经突破了费尔巴哈的个体和类的框框，从个体与类的关系转向从人与社会的关系来考察人的本质，从而使对人的认识达到了科学的高度。这为最终创立唯物史观奠定了必要的理论基础。

（二）唯物史观的形成与发展

确立科学的实践观以后，马克思开始彻底清算费尔巴哈人本主义的影响和残余，完成从唯心主义异化史观向唯物史观的飞跃。这一步是在《德意志意识形态》中实现的。马克思恩格斯通过对鲍威尔、施蒂纳、费尔巴哈等的批判，从正面论述了唯物史观的前提，阐明了社会存在和社会意识、生产力和生产关系（交往形式）、经济基础（市民社会）和上层建筑之间的辩证关系原理，揭示了人类社会发展的基本规律。

1. 唯物史观的前提

唯物史观的前提，也就是唯物史观理论体系展开的逻辑起点。这个前提或起点就是人们进行的物质生活资料的生产。

马克思恩格斯在全面制定唯物史观时，第一件事情就是确立它的前提，即为唯物史观提供一个正确的出发点。在马克思恩格斯看来，只有确立了正确的出发点，才能开辟“通向唯物主义世界观的道路，这种世界观没有前提是绝对不行的，它根据经验去研究现实的物质前提”。

这个现实的物质前提是什么呢？马克思恩格斯指出：“它的前提是人，但不是处在某种虚幻的离群索居和固定不变状态中的人，而是处在现实的、可以通过经验观察到的、在一定条件下进行的发展过程中的人。”[①]一句话，“这是一些现实的个人，是他们的活动和他们的物质生活条件，包括他们已有的和由他们自己的活动创造出来的物质生活条件。”[②]

在这里，马克思恩格斯特别指明了“现实的个人”和抽象的个人的区别，就在于他们是在一定的物质生活条件下进行创造历史活动的。对此，马克思恩格斯明确指出：“这里所说的个人不是他们自己或别人想象中的那种个人，而是现实中的个人，也就是说，这些个人是从事活动的，进行物质生产的，因而是在一定的物质的、不受他们任意支配的界限、前提和条件下活动着的。”[③]正是在指明这种区别的基础上，马克思恩格斯进一步从生产实践的角度，考察了历史活动的四个基本因素，从而深化了对唯物史观前提的认识。

（1）历史活动的第一个因素是物质生活资料的生产

马克思恩格斯指出，一切人类生存的第一个前提，也就是一切历史的第一个前提是“人们为了能够‘创造历史’，必须能够生活。但是

① 《马克思恩格斯文集》第1卷，525页，北京：人民出版社，2009年。
② 《马克思恩格斯文集》第1卷，519页，北京：人民出版社，2009年。
③ 《马克思恩格斯文集》第1卷，524页，北京：人民出版社，2009年。

为了生活，首先就需要吃喝住穿以及其他一些东西。因此第一个历史活动就是生产满足这些需要的资料，即生产物质生活本身，而且，这是人们从几千年前直到今天单是为了维持生活就必须每日每时从事的历史活动，是一切历史的基本条件。”① “因此任何历史观的第一件事情就是必须注意上述基本事实的全部意义和全部范围，并给予应有的重视。”②

（2）历史活动的第二个因素是物质生活资料的再生产

马克思恩格斯指出，除上述第一个事实外，“第二个事实是，已经得到满足的第一个需要本身、满足需要的活动和已经获得的为满足需要而用的工具又引起新的需要，而这种新的需要的产生是第一个历史活动。”③

（3）历史活动的第三个因素是人类自身的生产

马克思恩格斯指出：“一开始就进入历史发展过程的第三种关系是：每日都在重新生产自己生命的人们开始生产另外一些人，即繁殖。这就是夫妻之间的关系，父母和子女之间的关系，也就是家庭。这种家庭起初是唯一的社会关系，后来，当需要的增长产生了新的社会关系而人口的增多又产生了新的需要的时候，这种家庭便成为从属的关系了。”④

上述历史活动的三个因素，不是社会活动的三个不同的阶段，而是三个方面。“从历史的最初时期起，从第一批人出现以来，这三个方面就同时存在着，而且现在也还在历史上起着作用。”⑤

（4）历史活动的第四个因素是社会关系的生产

任何生产都不是由孤立的个人进行的，而是以一定的形式和在一定的社会关系中进行的。所以马克思恩格斯指出：“生命的生产，无论是通过劳动而生产自己的生命，还是通过生育而生产他人的生命，就立即表现为双重关系：一方面是自然关系，另一方面是社会关系；社会关系的含义在这里是指许多个人的共同活动，不管这种共同活动是

① 《马克思恩格斯文集》第1卷，531页，北京：人民出版社，2009年。
② 《马克思恩格斯文集》第1卷，531页，北京：人民出版社，2009年。
③ 《马克思恩格斯文集》第1卷，531—532页，北京：人民出版社，2009年。
④ 《马克思恩格斯文集》第1卷，532页，北京：人民出版社，2009年。
⑤ 《马克思恩格斯文集》第1卷，532页，北京：人民出版社，2009年。

在什么条件下、用什么方式和为了什么目的而进行的。”[①]从历史的最初时期起，人类要生存就必须进行生产，而进行生产就必须要有交往，生产和交往是同时并存、互为前提的。正如马克思恩格斯所说："生产本身又是以个人彼此之间的交往［Verkehr］为前提的。这种交往的形式又是由生产决定的。”[②]也就是说，“人们之间一开始就有一种物质的联系。这种联系是由需要和生产方式决定的，它和人本身有同样长久的历史；这种联系不断采取新的形式，因而就表现为‘历史’，它不需要用任何政治的或宗教的呓语特意把人们维系在一起。”[③]

总之，马克思恩格斯在一般地把现实的人即他们的活动及其物质生活条件确定为唯物史观的前提之后，又进一步从生产实践的角度揭示了历史活动的四个因素，即物质生活资料的生产、再生产、人类自身的生产和社会关系的生产，并把这四个因素作为人类历史的最基本的前提。这样，历史就第一次被奠定在它的真实基础之上。正是在这个基础之上，马克思恩格斯创立了唯物史观。

2. 唯物史观基本内容的展开

马克思恩格斯对历史活动的上述四个因素的揭示，为科学地阐明唯物史观的基本内容提供了理论依据。唯物史观的基本内容包括：社会存在与社会意识的辩证关系原理、生产力与生产关系的辩证关系原理、经济基础与上层建筑的辩证关系原理。这三大原理的有机统一，构成了唯物史观以人类生产为基础的基本内容。下面分别来加以说明。

（1）社会存在决定社会意识的原理

在马克思唯物史观的形成史上，关于社会存在和社会意识的辩证关系原理，马克思首先阐明的是社会存在决定社会意识的原理。在《德意志意识形态》中，马克思恩格斯指出：“只有现在，在我们已经考察了原初的历史的关系的四个因素、四个方面之后，我们才发现：人还具有‘意识’。”人类的意识，是在改造自然的活动中产生和发展起来的。

①意识是人们在生产活动中彼此交往的产物。马克思恩格斯指出：“思想、观念、意识的生产最初是直接与人们的物质活动，与人们

① 《马克思恩格斯文集》第1卷，532页，北京：人民出版社，2009年。
② 《马克思恩格斯文集》第1卷，520页，北京：人民出版社，2009年。
③ 《马克思恩格斯文集》第1卷，533页，北京：人民出版社，2009年。

的物质交往，与现实生活的语言交织在一起的。”[1]和语言一样，意识只是人们在生产活动中由于和他人交往的迫切需要才产生的。人们在生产活动中到了非交往不可的时候，于是便产生了最初的语言，同时也产生了最初的意识。交往意味着人们之间存在“关系”，有“关系”才有意识。马克思恩格斯指出：“我对我的环境的关系是我的意识。”[2]“关系”不仅使意识的产生成为必要，而且成为现实。意识就是人们对自己和周围环境的关系的反映，是对人与自然、人与社会的关系的认识。“凡是有某种关系存在的地方，这种关系都是为我而存在的；动物不对什么东西发生‘关系’，而且根本没有‘关系’；对于动物来说，它对他物的关系不是作为关系存在的。”[3]因此，只有人才有意识，动物和它周围的环境构不成“关系”，只是本能的反应，因而动物只有本能而无意识。由此可见，“意识一开始就是社会的产物，而且只要人们存在着，它就仍然是这种产物。”[4]

语言是人们交流思想的工具，不存在离开语言的所谓“纯粹的”意识。马克思恩格斯明确指出：“意识并非一开始就是‘纯粹的’意识。‘精神’从一开始就很倒霉，受到物质的‘纠缠’，物质在这里表现为振动着的空气层、声音，简言之，即语言。语言和意识具有同样长久的历史。”[5]这表明意识和语言同时产生，二者既有联系又有区别。意识是内在的语言，语言是思想的直接现实。语言是思想的物质外壳，没有不以语言为载体的思想；思想是语言的内容，没有不表现思想的语言。语言是人们进行交往的手段和工具。人们为了生存就要生产，要生产人们之间就要进行交往，交往中就要有思维和语言。可见，“语言是一种实践的、既为别人存在因而也为我自身而存在的、现实的意识。”[6]

②意识随着分工和交往的发展而发展。“意识起初只是对直接的可感知的环境的一种意识，是对处于开始意识到自身的个人之外的其他

① 《马克思恩格斯文集》第1卷，524页，北京：人民出版社，2009年。
② 《马克思恩格斯文集》第1卷，533页注释，北京：人民出版社，2009年。
③ 《马克思恩格斯文集》第1卷，533页，北京：人民出版社，2009年。
④ 《马克思恩格斯文集》第1卷，533页，北京：人民出版社，2009年。
⑤ 《马克思恩格斯文集》第1卷，533页，北京：人民出版社，2009年。
⑥ 《马克思恩格斯文集》第1卷，533页，北京：人民出版社，2009年。

人和其他物的狭隘联系的一种意识。”[①]原始的自然界虽然也是人们意识的对象，但“自然界起初是作为一种完全异己的、有无限威力的和不可制服的力量与人们对立的，人们同自然界的关系完全像动物同自然界的关系一样，人们就像牲畜一样慑服于自然界”[②]，在这个阶段上，人们对自然界的意识是一种“纯粹动物式的意识”，即自然宗教。这时，“人们对自然界的狭隘的关系决定着他们之间的狭隘的关系，而他们之间的狭隘的关系又决定着他们对自然界的狭隘的关系，这正是因为自然界几乎还没有被历史的进程所改变。”[③]但是，“意识到必须和周围的个人来往，也就是开始意识到人总是生活在社会中的。这个开始，同这一阶段的社会生活本身一样，带有动物的性质；这是纯粹的畜群意识，这里，人和绵羊不同的地方只是在于：他的意识代替了他的本能，或者说他的本能是被意识到了的本能。”[④]

从“纯粹的动物式的意识”发展到人的真正的意识，经历了一个极其漫长的过程。人的意识是随着生产的发展和人们之间交往的扩大而逐渐发展起来的。

马克思和恩格斯指出：“由于生产效率的提高，需要的增长以及作为二者基础的人口的增多，这种绵羊意识或部落意识获得了进一步的发展和提高。”[⑤]因此，意识的发展状况归根到底取决于生产和交往的发展状况。人的真正的意识是在出现物质劳动和精神劳动分工的时候才发展起来的。马克思恩格斯指出：“从这时候起意识才能现实地想象：它是和现存实践的意识不同的某种东西；它不用想象某种现实的东西就能现实地想象某种东西。从这时候起，意识才能摆脱世界而去构造‘纯粹的’理论、神学、哲学、道德等等。”[⑥]这就是说，意识开始具有了某种独立性，它似乎可以脱离被意识的存在而根据自身的规律发展，并积极地影响人们的实践活动。但是，“如果这种理论、神学、哲学、道德等等同现存的关系发生矛盾，那么，这仅仅是因为现

① 《马克思恩格斯文集》第1卷，533—534页，北京：人民出版社，2009年。
② 《马克思恩格斯文集》第1卷，534页，北京：人民出版社，2009年。
③ 《马克思恩格斯文集》第1卷，534页注释，北京：人民出版社，2009年。
④ 《马克思恩格斯文集》第1卷，534页，北京：人民出版社，2009年。
⑤ 《马克思恩格斯文集》第1卷，534页，北京：人民出版社，2009年。
⑥ 《马克思恩格斯文集》第1卷，534页，北京：人民出版社，2009年。

存的社会关系同现存的生产力发生了矛盾。”[①]这表明，意识的发展归根到底是受生产力和社会状况决定的。在分工存在的条件下，“生产力、社会状况和意识，彼此之间可能而且一定会发生矛盾，因为分工使精神活动和物质活动、享受和劳动、生产和消费由不同的个人来分担这种情况不仅成为可能，而且成为现实，而要使这三个因素彼此不发生矛盾，则只有再消灭分工”[②]。因此，分工是产生一切矛盾的根源，也是唯心主义和宗教这种颠倒了的世界观得以产生和存在的根源。

由此，马克思恩格斯得出结论：“意识在任何时候都只能是被意识到了的存在，而人们的存在就是他们的现实生活过程。如果在全部意识形态中，人们和他们的关系就像在照相机中一样是倒立成像的，那么这种现象也是从人们生活的历史过程中产生的，正如物体在视网膜上的倒影是直接从人们生活的生理过程中产生的一样。”[③]这就是说，不仅正确的意识是对人们现实生活的如实反映，而且错误的或者虚幻的意识也是人们对现实生活的反映，只不过是歪曲的反映罢了。

由此，马克思恩格斯还得出下述结论：“意识的一切形式和产物不是可以通过精神的批判来消灭的，不是可以通过把它们消融在‘自我意识’中或化为‘怪影’、‘幽灵’、‘怪想’等等来消灭的，而只有通过实际地推翻这一切唯心主义谬论所由产生的现实的社会关系，才能把它们消灭；历史的动力以及宗教、哲学和任何其他理论的动力是革命，而不是批判。”[④]

在上述基础上，马克思恩格斯对社会存在决定社会意识的原理作了经典表述：“我们的出发点是从事实际活动的人，而且从他们的现实生活过程中还可以描绘出这一生活过程在意识形态上的反射和反响的发展。甚至人们头脑中的模糊幻象也是他们的可以通过经验来确认的、与物质前提相联系的物质生活过程的必然升华物。因此，道德、宗教、形而上学和其他意识形态，以及与它们相适应的意识形式便不再保留独立性的外观了。它们没有历史，没有发展，而发

① 《马克思恩格斯文集》第1卷，534—535页，北京：人民出版社，2009年。
② 《马克思恩格斯文集》第1卷，535页，北京：人民出版社，2009年。
③ 《马克思恩格斯文集》第1卷，525页，北京：人民出版社，2009年。
④ 《马克思恩格斯文集》第1卷，544页，北京：人民出版社，2009年。

展着自己的物质生产和物质交往的人们，在改变自己的这个现实的同时也改变着自己的思维和思维的产物。不是意识决定生活，而是生活决定意识。”[①]

③“社会存在决定社会意识”是唯物史观的根本原理。坚持这一原理，不仅可以在关于社会历史的认识上摆脱唯心主义的迷雾，而且可以从根本上划清与唯心史观的界限，从而为批判一切唯心主义提供强有力的武器。正如恩格斯后来所指出的：“人们的意识取决于人们的存在而不是相反，这个原理看来很简单，但是仔细考察一下也会立即发现，这个原理的最初结论就给一切唯心主义，甚至给最隐蔽的唯心主义当头一棒。关于一切历史的东西的全部传统的和习惯的观点都被这个原理否定了。政治论证的全部传统方式崩溃了。”[②]要彻底驳倒唯心主义，不能采取简单抛弃的方法，而要深刻揭露它的认识根源和社会根源，这正是社会存在决定社会意识的原理所告诉我们的方法。马克思恩格斯正是用这个方法，批判了黑格尔关于精神统治历史的唯心史观。

“迄今为止的一切历史观不是完全忽视了历史的这一现实基础（物质基础——引者注），就是把它仅仅看成与历史进程没有任何联系的附带因素。因此，历史总是遵照在它之外的某种尺度来编写的；现实的生活生产被看成是某种非历史的东西，而历史的东西则被看成是某种脱离日常生活的东西，某种处于世界之外和超乎世界之上的东西。”[③]

这样，精神变成了人类历史的本质和基础。这种唯心史观在唯物史观诞生以前一直主宰着人们对人类历史的认识，并在黑格尔的历史哲学中达到登峰造极的地步。

马克思恩格斯指出：“黑格尔的历史哲学是整个这种德国历史编纂学的最终的、达到自己‘最纯粹的表现’的成果。对于德国历史编纂学来说，问题完全不在于现实的利益，甚至不在于政治的利益，而在于纯粹的思想。”[④]在黑格尔那里，历史不是人们的物质生活过程而是

① 《马克思恩格斯文集》第1卷，525页，北京：人民出版社，2009年。
② 《马克思恩格斯文集》第2卷，598页，北京：人民出版社，2009年。
③ 《马克思恩格斯文集》第1卷，545页，北京：人民出版社，2009年。
④ 《马克思恩格斯文集》第1卷，546页，北京：人民出版社，2009年。

一部精神发展史。青年黑格尔派的历史观，就其在纯粹思想领域内兜圈子而言，并没有超出黑格尔历史哲学的范围，他们只不过是用“自我意识”、“唯一者”、“人”等术语替换了黑格尔的绝对观念罢了。马克思恩格斯指出：黑格尔的历史哲学在圣布鲁诺看来也是“一连串的‘思想’，其中一个吞噬一个，最终消失于‘自我意识’中。圣麦克斯·施蒂纳更加彻底，他对全部现实的历史一窍不通，他认为历史进程必定只是‘骑士’、强盗和幽灵的历史”①。青年黑格尔派与黑格尔一样，认为精神万能，主张精神统治历史。

马克思恩格斯运用社会存在决定社会意识的原理和方法，揭露了这种历史观产生的社会根源，指出这种历史观是统治阶级的意识，是统治阶级利益在意识形态中的反映。马克思恩格斯批判的立足点是“统治阶级的思想在每一时代都是占统治地位的思想。这就是说，一个阶级是社会上占统治地位的物质力量，同时也是社会上占统治地位的精神力量。支配着物质生产资料的阶级，同时也支配着精神生产资料，因此，那些没有精神生产资料的人的思想，一般是隶属于这个阶级的。占统治地位的思想不过是占统治地位的物质关系在观念上的表现，不过是以思想的形式表现出来的占统治地位的物质关系；因而，这就是那些使某一个阶级成为统治阶级的关系在观念上的表现，因而这也就是这个阶级的统治的思想。……既然他们作为一个阶级进行统治，并且决定着某一历史时代的整个面貌，那么，不言而喻，他们在这个历史时代的一切领域中也会这样做，就是说，他们还作为思维着的人，作为思想的生产者进行统治，他们调节着自己时代的思想的生产和分配；而这就意味着他们的思想是一个时代的占统治地位的思想。”②可是，青年黑格尔派的思辨哲学家们却竭力宣扬，占统治地位的思想并非是统治阶级的思想，而是代表整个社会利益的普遍思想，从而捏造出精神统治历史的各种天方夜谭。

既然每一时代占统治的思想，都是统治阶级利益的反映，那么为什么阶级统治会被歪曲成不代表任何阶级利益的一般思想的统治呢？原因是多方面的。

一是由精神劳动与物质劳动在统治阶级中的分工造成的。马克思

① 《马克思恩格斯文集》第1卷，546页，北京：人民出版社，2009年。

② 《马克思恩格斯文集》第1卷，550—551页，北京：人民出版社，2009年。

恩格斯指出："分工也以精神劳动和物质劳动的分工的形式在统治阶级中间表现出来，因此在这个阶级内部，一部分人是作为该阶级的思想家出现的，他们是这一阶级的积极的、有概括能力的意识形态家，他们把编造这一阶级关于自身的幻想当做主要的谋生之道，而另一些人对于这些思想和幻想则采取比较消极的态度，并且准备接受这些思想和幻想，因为在实际中他们是这个阶级的积极成员，并且很少有时间来编造关于自身的幻想和思想。在这一阶级内部，这种分裂甚至可以发展成为这两部分人之间的某种程度的对立和敌视，但是一旦发生任何实际冲突，即当这一阶级本身受到威胁的时候，当占统治地位的思想好像不是统治阶级的思想而且这种思想好像拥有与这一阶级的权力不同的权力这种假象也趋于消失的时候，这种对立和敌视便会自行消失。"[①]"然而，在考察历史进程时，如果把统治阶级的思想和统治阶级本身分割开来，使这些思想独立化，如果不顾生产这些思想的条件和它们的生产者而硬说该时代占统治地位的是这些或那些思想，也就是说，如果完全不考虑这些思想的基础——个人和历史环境，那就可以这样说：例如，在贵族统治时期占统治地位的概念是荣誉、忠诚，等等，而在资产阶级统治时期占统治地位的概念则是自由、平等，等等。"[②]总之，统治阶级自己为自己编造出诸如此类的幻想，他们不把思想看作历史上起作用的一个因素，而把它看作统治历史的绝对力量。

二是由统治阶级为满足其特殊利益的需要而施以欺骗造成的。统治阶级由于自己阶级利益的需要，虚伪地把自己的利益说成是社会全体成员的共同利益，就是说，在观念上赋予自己的思想以普遍性的形式，把它们描绘成唯一合乎理性的、有普遍意义的思想。这种情况，不仅在革命阶级取得统治地位以后如此，而且在革命阶级进行革命反对旧的统治阶级的时候也是这样。进行革命的阶级从一开始就不是作为一个阶级，而是作为全社会的代表出现的，它俨然以社会全体群众的姿态反对旧的统治阶级。"它之所以能这样做，是因为它的利益在开始时的确同其余一切非统治阶级的共同利益还有更多的联系，在当时

① 《马克思恩格斯文集》第1卷，551页，北京：人民出版社，2009年。
② 《马克思恩格斯文集》第1卷，552页，北京：人民出版社，2009年。

存在的那些关系的压力下还不能够发展为特殊阶级的特殊利益。因此，这一阶级的胜利对于其他未能争得统治地位的阶级中的许多个人来说也是有利的。”[①]但是，在取得统治地位以后，随着它所赖以进行统治的社会关系的变化，统治阶级的意识形态日益变得不真实，这时，它就不得不采取更加虚伪、更加道德化和更加神圣化的语言来欺骗人民。

三是由于思辨哲学家的理论包装而获得了精神自由的外观。马克思恩格斯把思辨哲学家们证明精神在历史上的最高统治的全部戏法，归结为以下三个手段：“第一，必须把进行统治的个人……的思想同这些进行统治的个人本身分割开来，从而承认思想或幻想在历史上的统治。”[②]“第二，必须使这种思想统治具有某种秩序，必须证明，在一个个相继出现的占统治地位的思想之间存在着某种神秘的联系，而要做到这一点，就得把这些思想看做是‘概念的自我规定’。”[③]“第三，为了消除这种‘自我规定着的概念’的神秘外观，便把它变成某种人物”[④]，如哲学家、意识形态家等。“这样一来，就把一切唯物主义的因素从历史上消除了，就可以任凭自己的思辨之马自由奔驰了。”[⑤]

（2）生产力和生产关系（交往形式）的辩证关系原理

生产力和生产关系的辩证关系原理在唯物史观中占有非常重要的地位。列宁在揭示马克思发现唯物史观的秘密时就指出过：“马克思究竟是怎样得出这个基本思想的呢？他做到这一点所用的方法，就是从社会生活的各种领域中划分出经济领域，从一切社会关系中划分出生产关系，即决定其余一切关系的基本的原始的关系。”[⑥]“只有把社会关系归结于生产关系，把生产关系归结于生产力的水平，才能有可靠的根据把社会形态的发展看做自然历史过程。”[⑦]这一重要原理是马克思恩格斯在《德意志意识形态》中首次阐发的。

---

① 《马克思恩格斯文集》第1卷，552页，北京：人民出版社，2009年。

② 《马克思恩格斯文集》第1卷，554页，北京：人民出版社，2009年。

③ 《马克思恩格斯文集》第1卷，554页，北京：人民出版社，2009年。

④ 《马克思恩格斯文集》第1卷，554页，北京：人民出版社，2009年。

⑤ 《马克思恩格斯文集》第1卷，554页，北京：人民出版社，2009年。

⑥ 《列宁专题文集·论辩证唯物主义和历史唯物主义》，158—159页，北京：人民出版社，2009年。

⑦ 《列宁专题文集·论辩证唯物主义和历史唯物主义》，161页，北京：人民出版社，2009年。

①马克思恩格斯确定了生产力是人类历史发展的客观基础。生产力是人类改造对象世界的实践力量，它是一种客观的、不依人的意志为转移的物质力量。每个人一生下来就遇到现成的生产力，因而他不能随意选择。生产力既是前人生产实践的结果，又是当代人生产、生活的起点和基础。也就是说，“每一代都利用以前各代遗留下来的材料、资金和生产力；由于这个缘故，每一代一方面在完全改变了的环境下继续从事所继承的活动，另一方面又通过完全改变了的活动来变更旧的环境。”①生产力虽然是通过各个劳动者个体体现出来的，但它不单是个人的“劳动生产力”，不是人类的个体力量，而是一种完全不依赖于个人并且只有在这些个人的交往和相互联系中才能存在的社会力量。因此，马克思恩格斯在考察生产力时，总是强调它同社会关系的联系。他们指出：“一定的生产方式或一定的工业阶段始终是与一定的共同活动方式或一定的社会阶段联系着的，而这种共同活动方式本身就是‘生产力’。”②

另外，马克思恩格斯在制定生产力概念时，还明确规定了生产力的构成要素，从而使生产力概念更加明确化。他们把“作为生产工具”的人本身与“现有的生产工具”并列在一起，作为生产力的构成要素，并且把“现有的生产工具”区分为“自然形成的生产工具”和“由文明创造的生产工具”，指出“耕地（水，等等）可以看做是自然形成的生产工具”③。这实际就是人们后来所概括的生产力的三要素，即劳动者、劳动对象和劳动工具。

②马克思恩格斯科学制定了生产关系概念。在《德意志意识形态》中，马克思恩格斯以生产力为基础，深入考察并详细分析了社会关系的发生和发展，从社会关系中划分出物质关系，从物质关系中划分出生产关系，并将生产关系看作决定其他一切关系的最后的动因，从而科学制定了生产关系概念。

社会关系并不神秘，它是随着生产和需要的发展而逐渐发展起来的。人类最初的社会关系，是人们为了进行物质生活资料的生产和种族的繁衍而建立的家庭关系。人们在这种关系中从事生产和交往，分

① 《马克思恩格斯文集》第1卷，540页，北京：人民出版社，2009年。
② 《马克思恩格斯文集》第1卷，532—533页，北京：人民出版社，2009年。
③ 《马克思恩格斯文集》第1卷，555页，北京：人民出版社，2009年。

工也只限于以性别、年龄、天赋等为基础的自然分工。家庭是当时人们唯一的社会关系，因而它就直接地成为人们的物质生产关系。后来，当需要的增长产生了新的社会关系而人口的增多又产生了新的需要的时候，家庭关系便成为从属的关系了。随着生产和需要的发展，人们之间的社会关系变得越来越复杂，不断产生了新的社会关系。随着产品的增长和分工的发展，交换关系产生了，并逐渐成为一种经常的、范围越来越广的交往关系。分配和私有制关系在社会刚出现分工时就已出现，只是随着生产的进一步发展才成为无偿占有他人劳动的典型形式。马克思恩格斯指出："分工包含着所有这些矛盾，而且又是以家庭中自然形成的分工和以社会分裂为单个的、互相对立的家庭这一点为基础的。与这种分工同时出现的还有分配，而且是劳动及其产品的不平等的分配（无论在数量上或质量上）；因而产生了所有制，它的萌芽和最初形式在家庭中已经出现，在那里妻子和儿女是丈夫的奴隶。家庭中这种诚然还非常原始和隐蔽的奴隶制，是最初的所有制，但就是这种所有制也完全符合现代经济学家所下的定义，即所有制是对他人劳动力的支配。"[①]随着私有制和阶级的产生，除物质关系外，还出现了各种形式的阶级关系和政治关系。随着物质交往的发展，人们之间的精神交往也发展起来，从而出现了多种思想关系。

马克思恩格斯不仅考察了各种社会关系的产生和发展，而且揭示了它们之间的内在联系：物质关系——政治关系——思想关系，把物质关系看作决定政治关系和思想关系的关系。在此基础上，它们又进一步从一般的物质关系中揭示出具体的、一定历史阶段的物质交往关系，它们称之为"交往形式"，也就是交往的一定类型。马克思恩格斯指出："受到迄今为止一切历史阶段的生产力制约同时又反过来制约生产力的交往形式，就是市民社会。"[②]一定历史阶段上的交往形式和市民社会，就是马克思恩格斯后来所讲的生产关系。正是基于以上认识，马克思恩格斯对生产关系概念作了如下概括："分工的各个不同发展阶段，同时也就是所有制的各种不同形式。这就是说，分工的每一个阶段还决定个人在劳动材料、劳动工具和劳动产品方面的相互关

① 《马克思恩格斯文集》第1卷，535—536页，北京：人民出版社，2009年。
② 《马克思恩格斯文集》第1卷，540页，北京：人民出版社，2009年。

系。”[①]在这里，马克思恩格斯指明了生产关系受作为生产力发展的表现和结果的分工的决定，决定了生产资料的所有制关系，劳动产品的分配关系，以及人们在生产过程中的相互关系。

需要指出的是，在《德意志意识形态》中，马克思恩格斯虽然对生产关系概念的基本内涵已经有了清楚的阐述，但在概念的表述上还使用了交往、交往关系、交往方式、交往形式等多个术语，这表明如何概括并确定使用这一概念尚处在推敲之中。一年后，马克思在《哲学的贫困》中完全用生产关系的概念代替了交往形式等其他的概念。

③马克思恩格斯揭示了生产力和生产关系的辩证运动规律。生产力和生产关系是同一生产过程的两个相互依存、相互制约的方面，生产力制约着生产关系，生产关系也反过来制约着生产力。但两者的作用不是平行的，在生产力和生产关系相互制约的作用中，生产力归根到底是起最终决定作用的力量。生产力的发展决定着生产关系的变化和发展。马克思恩格斯指出：“在大工业中，生产工具和私有制之间的矛盾才是大工业的产物，这种矛盾只有在大工业高度发达的情况下才会产生。因此，只有随着大工业的发展才有可能消灭私有制。”[②]另外，生产力的发展也决定着生产关系的性质，历史上出现的不同的所有制形式，正是由生产力发展的不同水平决定的。正如马克思后来在《哲学的贫困》中所说：“手推磨产生的是封建主的社会，蒸汽磨产生的是工业资本家的社会。”[③]

马克思恩格斯不仅强调生产力对生产关系的决定作用，而且重视生产关系对生产力的反作用。这种反作用表现在：“这种交往形式在私有财产成为新出现的生产力的桎梏以前是不会消灭的，并且是直接的物质生活的生产所必不可少的条件。”生产关系对生产力的反作用还表现在，生产关系有时会阻碍生产力的发展，甚至成为破坏生产力的力量。马克思恩格斯以发明创造的失传为例说明了这一点，他们指出：“某一个地域创造出来的生产力，特别是发明，在往后的发展中是否会失传，完全取决于交往扩展的情况。当交往只限于毗邻地区的时候，每一种发明在每一个地域都必须单独进行；一些纯粹偶然的事件，例

① 《马克思恩格斯文集》第1卷，521页，北京：人民出版社，2009年。
② 《马克思恩格斯文集》第1卷，556页，北京：人民出版社，2009年。
③ 《马克思恩格斯文集》第1卷，602页，北京：人民出版社，2009年。

如蛮族的入侵，甚至是通常的战争，都足以使一个具有发达生产力和有高度需求的国家陷入一切都必须从头开始的境地。在历史发展的最初阶段，每天都在重新发明，而且每个地域都是独立进行的。发达的生产力，即使在通商相当广泛的情况下，也难免遭到彻底的毁灭。关于这一点，腓尼基人的例子就可以说明。由于这个民族被排挤于商业之外，由于他们被亚历山大征服以及继之而来的衰落，他们的大部分发明都长期失传了。”[①]因此，“只有当交往成为世界交往并且以大工业为基础的时候，只有当一切民族都卷入竞争斗争的时候，保持已创造出来的生产力才有了保障。”[②]

生产力决定生产关系，生产关系反作用于生产力，它们之间的相互作用，构成了生产力与生产关系的矛盾运动。人类历史的发展正是由生产力与生产关系之间的矛盾运动推动前进的。当生产关系适合生产力的状况和性质时，历史就前进，就发展；当生产关系不适合生产力时，二者就会发生冲突。这样，马克思恩格斯关于人类历史的发展过程通过生产力与生产关系之间的适应和不适应的矛盾运动的理论，第一次揭开了社会历史的神秘面纱，在人们面前显得如此简单明了和有规律性。纷繁复杂的社会历史运动最后被归结为生产关系的依次更替和发展，而生产关系的变化和发展又被归结为生产力的发展和个人本身力量的发展。这就是马克思恩格斯所揭示的人类社会发展的最根本的历史辩证法。

这一历史辩证法集中浓缩在马克思恩格斯的下述论断中：人类历史上存在过的任何一种交往形式（生产关系）“起初是自主活动的条件，后来却变成了自主活动的桎梏，这些条件在整个历史发展过程中构成各种交往形式的相互联系的序列，各种交往形式的联系就在于：已成为桎梏的旧交往形式被适应于比较发达的生产力，因而也适应于进步的个人自主活动方式的新交往形式所代替；新的交往形式又会成为桎梏，然后又为另一种交往形式所代替。由于这些条件在历史发展的每一阶段都是与同一时期的生产力的发展相适应的，所以它们的历史同时也是发展着的、由每一个新的一代承受下来的生产力的历史，

① 《马克思恩格斯文集》第1卷，559—560页，北京：人民出版社，2009年。
② 《马克思恩格斯文集》第1卷，560页，北京：人民出版社，2009年。

从而也是个人本身力量发展的历史”[①]。因此，“一切历史冲突都根源于生产力和交往形式之间的矛盾”[②]。“这种矛盾——正如我们所见到的，它在迄今为止的历史中曾多次发生过，然而并没有威胁交往形式的基础——，每一次都不免要爆发为革命，同时也采取各种附带形式，如冲突的总和，不同阶级之间的冲突，意识的矛盾，思想斗争，政治斗争，等等。”[③]

（3）经济基础（市民社会）与上层建筑的辩证关系原理

马克思恩格斯在《德意志意识形态》中，不仅阐述了生产力与生产关系的辩证关系原理，而且还阐述了经济基础与上层建筑的辩证关系原理，从而使唯物史观成为既有骨骼又有血肉的反映社会活的机体的完整的科学体系。

马克思恩格斯从对生产力与生产关系的矛盾运动的分析中，发现了从社会物质生活出发说明国家和其他观念上层建筑的现实基础。虽然在表述这个概念时，他们使用的仍然是“市民社会”这个术语，但是它已经具有非常具体和确定的内涵了。马克思恩格斯指出：“市民社会包括各个人在生产力发展的一定阶段上的一切物质交往。它包括该阶段的整个商业生活和工业生活，因此它超出了国家和民族的范围，尽管另一方面它对外仍必须作为民族起作用，对内仍必须组成为国家。”[④]可见，市民社会指的就是社会的经济基础，它是“全部历史的真正发源地和舞台”[⑤]。虽然“‘市民社会’这一用语是在18世纪产生的，当时财产关系已经摆脱了古典古代的和中世纪的共同体。真正的市民社会只是随同资产阶级发展起来的；但是市民社会这一名称始终标志着直接从生产和交往中发展起来的社会组织，这种社会组织在一切时代都构成国家的基础以及任何其他的观念的上层建筑的基础。”[⑥]

在科学制定市民社会（经济基础）概念的基础上，马克思恩格斯阐述了经济基础与上层建筑之间的辩证关系。市民社会（经济基础），它在一切时代都构成国家的基础以及任何其他的观念的上层建筑的基

① 《马克思恩格斯文集》第1卷，575—576页，北京：人民出版社，2009年。
② 《马克思恩格斯文集》第1卷，567—568页，北京：人民出版社，2009年。
③ 《马克思恩格斯文集》第1卷，567页，北京：人民出版社，2009年。
④ 《马克思恩格斯文集》第1卷，582页，北京：人民出版社，2009年。
⑤ 《马克思恩格斯文集》第1卷，540页，北京：人民出版社，2009年。
⑥ 《马克思恩格斯文集》第1卷，582—583页，北京：人民出版社，2009年。

础；而庞大的上层建筑又反作用于经济基础。它们之间的相互作用，构成了经济基础与上层建筑之间的矛盾运动。

①经济基础决定上层建筑。马克思恩格斯认为，生产方式和交往方式即生产力与生产关系的统一是国家的现实基础，不是国家政权创造了这个现实基础，而是在这个现实基础上创造了国家政权。资产阶级国家的实质，就清楚地表明了这种决定与被决定的关系。国家是所有制关系的表现，最初的部落所有制就具有国家所有制的形式，只是在后来“才发展为由大工业和普遍竞争所引起的现代资本，即变为抛弃了共同体的一切外观并消除了国家对所有制发展的任何影响的纯粹私有制”[①]。正是由于资产阶级私有制摆脱了共同体，国家才获得了与市民社会并列并且在市民社会之外的独立的外观。但“实际上国家不外是资产者为了在国内外相互保障各自的财产和利益所必然要采取的一种组织形式”[②]。可见，国家是私有制的产物，并为维护私有制而存在，其实质不过是“统治阶级的各个人借以实现其共同利益的形式”[③]罢了。

法权关系和国家一样，也是所有制关系的表现，是一定经济基础的派生物。法律是以国家为中介，由国家制定、颁布并强制执行的。“由此便产生了一种错觉，好像法律是以意志为基础的，而且是以脱离其现实基础的意志即自由意志为基础的。”[④]其实不然。马克思恩格斯揭露了法权关系上的这种错觉。他们指出：“这种把权利归结为纯粹意志的法律上的错觉，在所有制关系进一步发展的情况下，必然会造成这样的现象：某人在法律上可以对某物享有权利，但实际上并不拥有某物。例如，假定由于竞争，某一块土地不再提供地租，虽然这块土地的所有者在法律上享有权利，包括享有使用和滥用的权利。但是这种权利对他毫无用处，只要他还未占有足够的资本来经营自己的土地，他作为土地所有者就一无所有。”[⑤]由此可见，“仅仅从私有者的意志方面来考察的物，根本不是物；物只有在交往中并且不以权利为转

① 《马克思恩格斯文集》第1卷，583页，北京：人民出版社，2009年。
② 《马克思恩格斯文集》第1卷，584页，北京：人民出版社，2009年。
③ 《马克思恩格斯文集》第1卷，584页，北京：人民出版社，2009年。
④ 《马克思恩格斯文集》第1卷，584页，北京：人民出版社，2009年。
⑤ 《马克思恩格斯文集》第1卷，585页，北京：人民出版社，2009年。

移时，才成为物，即成为真正的财产”[①]。

②上层建筑的相对独立的发展。马克思恩格斯认为，经济基础的变化迟早会导致上层建筑的相应变化，但是上层建筑的变化往往滞后于经济基础的变化，这必然导致新的经济基础和旧的上层建筑之间的对抗和冲突。上层建筑的变化不是自动进行的，尤其是像国家和法权这样的上层建筑，往往受到传统势力的拼命维护和支持。因此，上层建筑的变化只有通过革命才能实现。正如马克思恩格斯所指出的：“较早时期的利益，在它固有的交往形式已经为属于较晚时期的利益的交往形式排挤之后，仍然在长时间内拥有一种相对于个人而独立的虚假共同体（国家、法）的传统权力，一种归根结底只有通过革命才能被打倒的权力。由此也就说明：为什么在某些可以进行更一般的概括的问题上，意识有时似乎可以超过同时代的经验关系，以致人们在以后某个时代的斗争中可以依靠先前时代理论家的威望。”[②]

至此，马克思恩格斯全面阐明了唯物史观的基本原理，揭示了人类社会发展的基本规律。从而使唯物史观在《德意志意识形态》中得以全面确立起来。这可以从他们对唯物史观总特征的概括中清楚地看出来：“从直接生活的物质生产出发阐述现实的生产过程，把同这种生产方式相联系的、它所产生的交往形式即各个不同阶段上的市民社会理解为整个历史的基础，从市民社会作为国家的活动描述市民社会，同时从市民社会出发阐明意识的所有各种不同的理论产物和形式，如宗教、哲学、道德等等，而且追溯它们产生的过程。这样做当然就能够完整地描述事物了（因而也能够描述事物的这些不同方面之间的相互作用）。”[③]

马克思恩格斯在《德意志意识形态》中阐明的唯物史观基本原理，在1847年上半年马克思写成的批判蒲鲁东的论战性著作《哲学的贫困》和1848年8月马克思恩格斯共同完成的《共产党宣言》中得到进一步的阐述和发挥，并在1859年马克思写的《〈政治经济学批判〉序言》中得到经典表述。在《哲学的贫困》中，马克思运用唯物史观研究政治经济学，强调：“经济范畴只不过是生产的社会关系的理论表

① 《马克思恩格斯文集》第1卷，585页，北京：人民出版社，2009年。

② 《马克思恩格斯文集》第1卷，576页，北京：人民出版社，2009年。

③ 《马克思恩格斯文集》第1卷，544页，北京：人民出版社，2009年。

现，即其抽象。”[①]“人们按照自己的物质生产率建立相应的社会关系，正是这些人又按照自己的社会关系创造了相应的原理、观念和范畴。”[②]经济范畴如同其所表现的社会关系一样，不是永恒不变的，而是历史的、暂时的，随着社会关系的变化而变化。

在《共产党宣言》中，马克思恩格斯关于资产阶级历史地位、无产阶级历史使命、阶级斗争和无产阶级专政、“两个必然”等论述都贯穿和渗透着唯物史观的基本原理。在《哲学的贫困》和《共产党宣言》中对唯物史观作进一步阐述和发挥之后，马克思在《〈政治经济学批判〉序言》中阐述自己研究政治经济学的过程时，对唯物史观作了经典表述。他说：“我在巴黎开始研究政治经济学，后来因基佐先生下令驱逐而移居布鲁塞尔，在那里继续进行研究。我所得到的，并且一经得到就用于指导我的研究工作的总的结果，可以简要地表述如下：人们在自己生活的社会生产中发生一定的、必然的、不以他们的意志为转移的关系，即同他们的物质生产力的一定发展阶段相适合的生产关系。这些生产关系的总和构成社会的经济结构，即有法律的和政治的上层建筑竖立其上并有一定的社会意识形式与之相适应的现实基础。物质生活的生产方式制约着整个社会生活、政治生活和精神生活的过程。不是人们的意识决定人们的存在，相反，是人们的社会存在决定人们的意识。社会的物质生产力发展到一定阶段，便同它们一直在其中运动的现存生产关系或财产关系（这只是生产关系的法律用语）发生矛盾。于是这些关系便由生产力的发展形式变成生产力的桎梏。那时社会革命的时代就到来了。随着经济基础的变更，全部庞大的上层建筑也或慢或快地发生变革。”[③]

3. 唯物史观的验证发展

唯物史观是马克思一生中最重要的理论贡献之一，以它的创立为主要标志，实现了哲学史上的深刻变革。但以《德意志意识形态》为代表的唯物史观的经典著作，只是揭示了人类社会发展的一般规律，而对资本主义社会这个特定社会形态的产生、发展和必然灭亡的规律并没有进行研究和揭示。只有把一般与个别、普遍与特殊结合起来，

① 《马克思恩格斯文集》第1卷，602页，北京：人民出版社，2009年。

② 《马克思恩格斯文集》第1卷，603页，北京：人民出版社，2009年。

③ 《马克思恩格斯文集》第2卷，591—592页，北京：人民出版社，2009年。

唯物史观的科学性才能得到验证。这一创造性工作是由马克思在《资本论》中完成的。

在唯物史观发展史上，马克思学说创始人倾注力量进行系统研究和分析过的特定社会形态主要有两个：一个是原始社会，另一个是资本主义社会。前者的代表作是恩格斯根据摩尔根的著作和马克思的笔记写成的《家庭、私有制和国家的起源》，后者的代表作就是马克思的《资本论》。这两者是相互衔接的。如果说《家庭、私有制和国家的起源》是着力揭示私有制、阶级、国家是如何产生的话，那么《资本论》则是通过对资本主义社会的解剖来说明它们必然消亡。马克思在《资本论》第一版序言中指出："我要在本书研究的，是资本主义生产方式以及和它相适应的生产关系和交换关系。"①"本书的最终目的就是揭示现代社会的经济运动规律。"②马克思通过对资本主义生产过程、流通过程以及生产总过程的分析，以逻辑的形式，把资本主义生产方式的产生、发展和灭亡的趋势作为自然历史过程再现出来。《资本论》在达到这一目的的同时，也使唯物史观得到进一步的论证、丰富和发展。

(1)《资本论》论证、丰富和发展了唯物史观关于社会存在决定社会意识的原理

如前所说，社会意识和社会存在的关系问题，是历史观的基本问题。社会存在决定社会意识，是唯物史观的基本立场。在《资本论》中，马克思通过分析资本主义社会特有的意识，即商品拜物教的根源，论证、丰富和发展了唯物史观的这一基本原理。

商品拜物教是资本主义社会中的一种特有的意识。所谓拜物教，是指人把自然界中的某种事物当作神灵来崇拜的原始宗教或迷信。在资本主义社会中，人们把商品看作仿佛具有某种生命并支配和主宰人类社会生活的神秘物，即把商品当作神灵来崇拜。这种观念同其他一切宗教观念一样，都是虚幻的。因此，马克思把资本主义社会中这种特有的思想观念称为商品拜物教。唯物史观认为，任何社会意识都是对社会存在的反映，社会意识的产生都有其物质根源。马克思在《资本论》中考察分析商品拜物教的根源时，遵循的正是

① 《马克思恩格斯文集》第5卷，8页，北京：人民出版社，2009年。
② 《马克思恩格斯文集》第5卷，10页，北京：人民出版社，2009年。

唯物史观的这一基本原理。马克思指出："商品形式的奥秘不过在于：商品形式在人们面前把人们本身劳动的社会性质反映成劳动产品本身的物的性质，反映成这些物的天然的社会属性，从而把生产者同总劳动的社会关系反映成存在于生产者之外的物与物之间的社会关系。由于这种转换，劳动产品成了商品，成了可感觉而又超感觉的物或社会的物。"[①]这就是说，商品拜物教的实质是，它把人们自身劳动的社会性质表现为商品的物的性质，把人们在生产中结成的社会关系表现为处于他们之外的物与物之间的关系。可见，商品拜物教这种资本主义的社会意识，实际上是对资本主义商品生产中的社会关系的一种颠倒和歪曲的反映。

在资本主义社会中，人与人之间的社会关系被颠倒和歪曲地反映出来，不仅导致了商品拜物教的盛行，而且还导致了货币拜物教和资本拜物教的盛行。由于资产阶级的阶级本性及其局限性，导致资产阶级学说不可能正确揭示资本主义社会中各种拜物教的实质。马克思以唯物史观为指导，深刻揭示了商品拜物教的资本主义生产关系的实质，把被颠倒的关系重新颠倒过来，从而恢复了其本来面目。马克思在《资本论》中通过对商品拜物教根源的揭示，说明资本主义的社会意识是资本主义社会存在的反映，商品拜物教这种虚幻、颠倒的意识不过是资本主义生产方式这种社会存在的反映。

（2）《资本论》论证、丰富和发展了唯物史观关于生产力和生产关系辩证关系的原理

生产力决定生产关系，生产关系反作用于生产力，生产关系一定要适应生产力的发展，这是唯物史观的一个基本原理。在《资本论》中，马克思通过考察资本主义社会的劳动过程，论证、丰富和发展了唯物史观的这一基本原理。

①成了关于生产力的系统理论。马克思考察资本主义的劳动过程是与分析阐述生产力和生产关系的内涵相结合的。他说："劳动首先是人和自然之间的过程，是人以自身的活动来中介、调整和控制人和自然之间的物质变换的过程。"[②]"劳动过程的简单要素是：有目的的活

① 《马克思恩格斯文集》第5卷，89页，北京：人民出版社，2009年。

② 《马克思恩格斯文集》第5卷，207—208页，北京：人民出版社，2009年。

动或劳动本身，劳动对象和劳动资料。”[①]这些要素有机结合起来，就共同构成了现实的生产力。生产力的发展受到多种因素的制约和影响。马克思指出：“劳动生产力是由多种情况决定的，其中包括：工人的平均熟练程度，科学的发展水平和它在工艺上应用的程度，生产过程的社会结合，生产资料的规模和效能，以及自然条件。”[②]在这里，马克思谈到科学技术对生产力的推到作用。这是当代人“科学技术是第一生产力”思想的理论资源，是很有意义的。这里讲的“自然条件”包含着现代人所高度重视的生态环境思想。马克思在《资本论》中，还提出了人与自然的“物质代谢平衡”的思想，批判资本主义生产所造成的“物质代谢断裂”[③]。提出了，把生产废料再利用的循环经济思想。[④]

②提出了生产资料的运用方式是生产力标志的理论。生产力中多种因素共同作用，推动生产力不断发展。在生产力诸要素中，马克思特别强调生产资料（劳动资料）的运用方式在生产力中的巨大作用。他强调指出：“各种经济时代的区别，不在于生产什么，而在于怎样生产，用什么劳动资料生产。劳动资料不仅是人类劳动力发展的测量器，而且是劳动借以进行的社会关系的指示器。”[⑤]

③提出了生产资料所有制在生产资料运用方式中的决定作用的理论。在生产过程中，生产力各要素是有机结合在一起的。其中，生产资料所有制形式对生产资料的运用采用何种方式至关重要。这是因为，“在任何财产形式都不存在的地方，就谈不到任何生产，因此也就谈不到任何社会”[⑥]。任何生产都离不开一定的社会关系，没有脱离社会关系的孤立的生产，生产总是在一定的社会关系中进行。

④马克思科学阐述了生产关系的内涵。他指出，所谓生产关系，就是“人们在他们的社会生活过程中、在他们的社会生活的生产中所处的各种关系”[⑦]。也就是说，生产关系就是人们在现实生产过程中以

---

① 《马克思恩格斯文集》第5卷，208页，北京：人民出版社，2009年。
② 《马克思恩格斯文集》第5卷，53页，北京：人民出版社，2009年。
③ ［德］马克思：《资本论》第1卷，552页，北京：人民出版社，1975年。
④ 《马克思恩格斯文集》第7卷，115页，北京：人民出版社，2009年。
⑤ 《马克思恩格斯文集》第5卷，210页，北京：人民出版社，2009年。
⑥ 《马克思恩格斯文集》第8卷，11页，北京：人民出版社，2009年。
⑦ 《马克思恩格斯文集》第7卷，994页，北京：人民出版社，2009年。

生产资料所有制为基础而形成的客观的社会关系。

⑤揭示了资本主义必然灭亡的规律。运用生产关系一定要适应生产力的状况原理，结合资本主义社会这一特定社会形态，揭示了资本主义生产力和生产关系的矛盾产生、发展、激化的规律，说明了资本主义灭亡的必然性以及资本主义社会的历史暂时性。

马克思首先通过分析资本原始积累的过程，完整地阐述了资本主义生产关系的产生过程。他指出："资本主义社会的经济结构是从封建社会的经济结构中产生的。"[①]具体来讲，资本主义生产关系的产生，是以货币、商品转化为资本为条件的。当然，"这种转化本身只有在一定的情况下才能发生，这些情况归结起来就是：两种极不相同的商品占有者必须互相对立和发生接触；一方面是货币、生产资料和生活资料的所有者，他们要购买他人的劳动力来增殖自己所占有的价值总额；另一方面是自由劳动者，自己劳动力的出卖者，也就是劳动的出卖者。自由劳动者……既不像奴隶、农奴等等那样，直接属于生产资料之列，也不像自耕农等等那样，有生产资料属于他们，相反地，他们脱离生产资料而自由了，同生产资料分离了，失去了生产资料。商品市场的这种两极分化，造成了资本主义生产的基本条件。"[②]

资本主义生产关系的产生就是以劳动者和劳动实现条件的所有权之间的分离为前提的。"资本主义生产一旦站稳脚跟，它就不仅保持这种分离，而且以不断扩大的规模再生产这种分离。"[③]因此，资本主义生产关系的产生过程，就是劳动者和他的劳动条件的所有权分离的过程。"这个过程一方面使社会的生活资料和生产资料转化为资本，另一方面使直接生产者转化为雇佣工人。"[④]可见，资本原始积累不过是生产者和生产资料分离的历史过程。

相比较于封建主义生产方式，资本主义生产方式的出现，是历史的巨大进步。正如马克思所指出的，"它创造了这样一个社会阶段，与这个社会阶段相比，以前的一切社会阶段都只表现为人类的地方性发展和对自然的崇拜。只有在资本主义制度下自然界才不过是人的对

① 《马克思恩格斯文集》第5卷，822页，北京：人民出版社，2009年。
② 《马克思恩格斯文集》第5卷，821页，北京：人民出版社，2009年。
③ 《马克思恩格斯文集》第5卷，821—822页，北京：人民出版社，2009年。
④ 《马克思恩格斯文集》第5卷，822页，北京：人民出版社，2009年。

象，不过是有用物；它不再被认为是自为的力量；而对自然界的独立规律的理论认识本身不过表现狡猾，其目的是使自然界（不管是作为消费品，还是作为生产资料）服从于人的需要。资本按照自己的这种趋势，既要克服民族界限和民族偏见，又要克服把自然神化的现象，克服流传下来的、在一定界限内闭关自守地满足于现有需要和重复旧生活方式的状况。资本破坏这一切并使之不断革命化，摧毁一切阻碍发展生产力、扩大需要、使生产多样化、利用和交换自然力量和精神力量的限制。”①

但是，由于资本的本性是追逐利润，实现价值增殖，因而资本主义生产实质上是剩余价值的生产。而剩余价值的一部分会被用来扩大再生产，促使资本加剧集中，社会财富越来越集中于少数资本家手中，生产规模不断扩大，从而使资本主义生产成为社会化大生产。然而资本主义的生产资料所有制却是资本家私人占有，这就与社会化大生产形成不可调和的矛盾。这一矛盾必将导致资本主义生产关系破裂，资本主义社会必将为新的社会制度所代替。这是生产力和生产关系矛盾运动的必然结果，也是唯物史观生产力和生产关系辩证关系原理的具体论证。

(3)《资本论》论证、丰富和发展了唯物史观关于经济基础和上层建筑辩证关系的原理

经济基础决定上层建筑，上层建筑反作用于经济基础，上层建筑一定要适应经济基础的状况，这是唯物史观的一个基本原理。在《资本论》中，马克思通过分析资本主义社会中宗教、道德、法的关系等经济根源，论证、丰富和发展了唯物史观的这一基本原理。

在前资本主义社会中，人与人、人与自然之间关系的狭隘性，是自然宗教和民间宗教产生的根源。而在资本主义社会中，随着商品经济的发展，这些宗教观念也随之发生变化。马克思指出：“在商品生产者的社会里，一般的社会生产关系是这样的：生产者把他们的产品当做商品，从而当做价值来对待，而且通过这种物的形式，把他们的私人劳动当做等同的人类劳动来互相发生关系。对于这种社会来说，崇拜抽象人的基督教，特别是资产阶级发展阶段的基督教，如新教、自

① 《马克思恩格斯全集》第46卷（上），393页，北京：人民出版社，1979年。

然神教等等，是最适当的宗教形式。”[①]

资本主义社会中的道德也是如此。资产阶级表面上提倡所谓天赋人权，鼓吹自由、平等、博爱，即崇拜抽象人，实际上信奉的却是最粗俗的拜物教和最极端的个人主义。他们鼓吹的“勤劳”“节俭”等道德观念，只是针对工人的。马克思深刻地揭示了资产阶级道德的虚伪性，他说：“资本是根本不关心工人的健康和寿命的，除非社会迫使它去关心。人们为体力和智力的衰退、夭折、过度劳动的折磨而愤愤不平，资本却回答说：既然这种痛苦会增加我们的快乐（利润），我们又何必为此苦恼呢？”[②]由于资本的本性是最大限度地追求剩余价值，因而，“这也并不取决于个别资本家的善意或恶意。自由竞争使资本主义生产的内在规律作为外在的强制规律对每个资本家起作用。”[③]

资本主义社会的宗教、道德等意识形态（上层建筑），归根到底是由资本主义生产关系（经济基础）决定的，资本主义社会的法的关系也不例外。资产阶级所标榜的权力平等，不过是资本主义商品生产关系的抽象表达。在资本主义条件下，产品所有者必须按照价值尺度进行等价交换，才能使产品成为商品。“为了使这些物作为商品彼此发生关系，商品监护人必须作为有自己的意志体现在这些物中的人彼此发生关系，因此，一方只有符合另一方的意志，就是说每一方只有通过双方共同一致的意志行为，才能让渡自己的商品，占有别人的商品。可见，他们必须彼此承认对方是私有者。这种具有契约形式的（不管这种契约是不是用法律固定下来的）法的关系，是一种反映着经济关系的意志关系。这种法的关系或意志关系的内容是由这种经济关系本身决定的。”[④]可见，资本主义的法的关系不过是资本主义经济关系的政治外壳和表现形式。

在《资本论》中，马克思不仅论证了资本主义社会的经济基础对上层建筑的决定作用，而且也论证了上层建筑对经济基础的反作用。马克思着重分析了作为上层建筑主要形式的国家权力对资本主义生产关系的巨大反作用。马克思以英国的圈地运动为例阐述了，在资本原

① 《马克思恩格斯文集》第5卷，97页，北京：人民出版社，2009年。
② 《马克思恩格斯文集》第5卷，311—312页，北京：人民出版社，2009年。
③ 《马克思恩格斯文集》第5卷，312页，北京：人民出版社，2009年。
④ 《马克思恩格斯文集》第5卷，103页，北京：人民出版社，2009年。

始积累的过程中，资产阶级国家权力对剥夺劳动者的劳动资料所有权有巨大作用。英国通过圈地运动，迫使农民失去土地这一主要生产资料，成为不得不靠出卖劳动力为生的雇佣劳动者，从而为英国资本主义生产方式的确立提供了必要基础，而这一结果正是依靠国家权力的强制而获得的。马克思指出："新兴的资产阶级为了'规定'工资，即把工资强制地限制在有利于赚钱的界限内，为了延长工作日并使工人本身处于正常程度的从属状态，就需要并运用国家权力。这是所谓原始积累的一个重要因素。"[①]从马克思对资本主义社会中上述事实的描述可以看出，资本主义的国家权力是为资本主义生产关系服务的，对巩固和发展资本主义生产关系有巨大作用。

至此，马克思恩格斯在《德意志意识形态》中确立起来的唯物史观，在《资本论》中得到了进一步的论证、丰富和发展。

（三）人的解放的科学论证

自从马克思在政治立场上转向共产主义以后，对实现人的彻底解放的共产主义历史必然性的论证，就成了马克思理论活动的中心任务。在唯物史观创立以前，马克思把他所理解的费尔巴哈人本学唯物主义作为共产主义的"哲学基础"，用人本主义异化史观来论证共产主义的历史必然性，认为人的发展经过异化，即失去人的本性以后，必然要达到对人性的复归，共产主义就是人性复归的结果。这种基于"人的本质异化和复归"的人性逻辑所进行的对共产主义历史必然性的论证，显然是不科学的。对共产主义的科学论证只能建立在历史唯物主义基础之上。

1. 马克思对异化史观的摒弃

随着唯物史观的创立，马克思摒弃了以往所信奉的异化史观。这一转变是建立在他对人的本质的历史唯物主义理解基础之上的。马克思认为，人的本质是人在一定社会中所从事的实践活动，因而不能到各种观念中去寻找。有意识虽然也是人与动物的区别之一，但不是最本质的区别。马克思恩格斯说："可以根据意识、宗教或随便别的什么来区别人和动物。一当人开始生产自己的生活资料，即迈出由他们的

① 《马克思恩格斯文集》第5卷，847页，北京：人民出版社，2009年。

肉体组织所决定的这一步的时候，人本身就开始把自己和动物区别开来。”[①]马克思恩格斯说：“个人怎样表现自己的生命，他们自己就是怎样。因此，他们是什么样的，这同他们的生产是一致的——既和他们生产什么一致，又和他们怎样生产一致。因而，个人是什么样的，这取决于他们进行生产的物质条件。”[②]

在对人的本质作历史唯物主义的理解以后，马克思的异化观发生了根本的转变。主要表现在以下几个方面：

（1）异化是一种社会现象

如前所述，马克思在《1844年经济学哲学手稿》中曾从永恒不变的人性出发理解异化问题，把异化理解为人的存在与人的类本质的分离，现实的人是非人，是异化了的人，并把资本主义条件下的异化劳动概括为四种规定性：劳动者同自己的劳动产品相异化、劳动者同自己的劳动相异化、人同自己的类本质相异化、人同人相异化。在《德意志意识形态》中，马克思恩格斯仅一次比较明确地使用了“异化”概念，实际是借用“异化”概念来概括和表述这样一种现象或事实：人们活动的结果转化为一种人们不能驾驭反而受其控制的异己的力量。至于这种社会现象的产生和消灭，必须以唯物史观为指导来加以说明。

①关于劳动者同自己的劳动产品相异化，马克思恩格斯认为，这是资本主义私有制为基础的世界市场（或价值规律）的盲目作用的结果。他们指出：“用一位英国经济学家的话来说，这种关系就像古典古代的命运之神一样，遨游于寰球之上，用看不见的手把幸福和灾难分配给人们，把一些王国创造出来，又把它们毁掉，使一些民族产生，又使它们衰亡；但随着基础即随着私有制的消灭，随着对生产实行共产主义的调节以及这种调节所带来的人们对于自己产品的异己关系的消灭，供求关系的威力也将消失，人们将使交换、生产及他们发生相互关系的方式重新受自己的支配。”[③]

②关于劳动者同自己的劳动相异化，马克思恩格斯认为，这是自发形成的社会分工的结果。他们就此写道：“当分工一出现之后，任何

① 《马克思恩格斯文集》第1卷，519页，北京：人民出版社，2009年。

② 《马克思恩格斯文集》第1卷，520页，北京：人民出版社，2009年。

③ 《马克思恩格斯文集》第1卷，539页，北京：人民出版社，2009年。

人都有自己一定的特殊的活动范围，这个范围是强加于他的，他不能超出这个范围：他是一个猎人、渔夫或牧人，或者是一个批判的批判者，只要他不想失去生活资料，他就始终应该是这样的人。”[①]个人屈从于分工，屈从于他被迫从事的某种活动，虽然能提高劳动的熟练程度，但却使人的发展片面化、畸形化。分工促进了生产的发展，最终为人的自由全面发展创造了条件，但在一定的历史时期内又是一种奴役人的力量。

③关于人同人相异化，马克思恩格斯认为，这是以国家形式出现的阶级统治和阶级斗争的结果。在他们看来，随着分工和私有制的发展，利益的分化和斗争日趋尖锐，“正是由于特殊利益和共同利益之间的这种矛盾，共同利益才采取国家这种与实际的单个利益和全体利益相脱离的独立形式，同时采取虚幻的共同体的形式”[②]，借此以转移和弱化特殊利益和共同利益之间的冲突。“从这里可以看出，国家内部的一切斗争——民主政体、贵族政体和君主政体相互之间的斗争，争取选举权的斗争等等，不过是一些虚幻的形式——普遍的东西一般说来是一种虚幻的共同体的形式——在这些形式下进行着各个不同阶级间的真正的斗争。”[③]

（2）强制分工和私有制是产生异化的根源

异化产生于自发形成的强制性分工。马克思恩格斯说：“分工立即给我们提供了第一个例证，说明只要人们还处在自然形成的社会中，就是说，只要特殊利益和共同利益之间还有分裂，也就是说，只要分工还不是出于自愿，而是自然形成的，那么人本身的活动对人来说就成为一种异己的、同他对立的力量，这种力量压迫着人，而不是人驾驭着这种力量。”[④]还说：“受分工制约的不同个人的共同活动产生了一种社会力量，即成倍增长的生产力。因为共同活动本身不是自愿地而是自然形成的，所以这种社会力量在这些个人看来就不是他们自身的联合力量，而是某种异己的、在他们之外的强制力量。关于这种力量的起源和发展趋向，他们一点也不了解；因而他们不再能驾驭这种力

① 《马克思恩格斯文集》第1卷，537页，北京：人民出版社，2009年。
② 《马克思恩格斯文集》第1卷，536页，北京：人民出版社，2009年。
③ 《马克思恩格斯文集》第1卷，536页，北京：人民出版社，2009年。
④ 《马克思恩格斯文集》第1卷，537页，北京：人民出版社，2009年。

量，相反，这种力量现在却经历着一系列独特的、不仅不依赖于人们的意志和行为反而支配着人们的意志和行为的发展阶段。”[①]由于“分工和私有制是相等的表达方式，对同一件事情，一个是就活动而言，另一个是就活动的产品而言”[②]，因此，异化产生于私有制，是私有制的产物和结果。

（3）异化消灭和共产主义实现取决于社会条件的成熟

马克思恩格斯通过对异化的客观根源的分析，指出生产力有所发展，而又不甚发展所导致自发分工、私有制和阶级的产生，以及随之而来的阶级剥削和压迫，这就是异化现象产生的根源。随着生产力的极大提高，随着自发分工和私有制的消灭，异化也将被消灭。这就是共产主义的实现。

不难看出，随着对异化史观的克服，马克思对历史发展过程的认识发生了根本的变化。此时，他已不再用“人的本质异化和复归”的观点来说明历史，而是用由生产力和分工的发展所引起的社会形态的变更来解释历史的发展过程。生产力和分工发展的不同阶段，产生不同的社会形态，这些社会形态之间的有规律的联系，就构成了人类社会的历史发展过程。

（4）市场经济对创造共产主义物质前提的世界历史意义

马克思指出，人的依赖关系的社会形态只有上升到以物的依赖性为基础的人的独立性的社会形态，即市场经济社会，才能克服前者的狭隘性，才能“形成普遍的社会物质变换、全面的关系，多方面的需求以及全面的能力的体系”[③]，才能为“自由个性”的社会形态到来创造条件。

2. 社会形态理论的确立

在马克思恩格斯看来，分工发展的各个不同阶段，同时也就是所有制的各种不同形式。他们根据生产力和分工发展的不同阶段，将人类社会划分为依次更替的五种社会形态：部落所有制（原始社会）、古典古代的公社所有制和国家所有制（奴隶社会）、封建的或等级的所有制（封建社会）、资本主义所有制、共产主义所有制。他们还根据生产

① 《马克思恩格斯文集》第1卷，537—538页，北京：人民出版社，2009年。

② 《马克思恩格斯文集》第1卷，536页，北京：人民出版社，2009年。

③ 《马克思恩格斯全集》第46卷（上），104页，北京：人民出版社，1979年。

力与生产关系之间的矛盾运动规律，揭示了每种社会形态的基本特征，以及它必然为更高一级的社会形态所代替的规律性。

（1）关于部落所有制

部落所有制是与生产的不发达阶段相适应的，当时人们靠狩猎、捕鱼、牧畜，或者最多靠耕作为生。在这个阶段，分工不发达，仅限于家庭中基于性别、年龄和天赋的自然形成的分工。因此，社会结构只限于家庭的扩大：父权制的部落首领，他们管辖着部落成员，经过逐渐演化，最后孕育了奴隶制。也就是说，在父权制的家庭中，奴隶制的萌芽和最初形式已经出现。在那里，部落首领对其部落成员和奴隶的管辖，丈夫对妻子和子女的支配，实质上“是对他人劳动力的支配”。“随着人口和需求的增长，随着战争和交易这种外部交往的扩大而逐渐发展起来的。”①

（2）关于古典的公社所有制和国家所有制

古典的公社所有制和国家所有制，是由于几个部落通过契约或征服联合为一个城市而产生的。在这种所有制下仍然保存着奴隶制，公民仅仅共同享有支配自己那些做工的奴隶的权力。“随着私有制，特别是不动产私有制的发展而逐渐趋向衰落。分工已经比较发达。城乡之间的对立已经产生，后来，一些代表城市利益的国家同另一些代表乡村利益的国家之间的对应出现了。”②

（3）关于封建的所有制

“封建时代的所有制的主要形式，一方面是土地所有制和束缚于土地所有制的农奴劳动，另一方面是拥有少量资本并支配着帮工劳动的自身劳动。这两种所有制的结构都是由狭隘的生产关系——小规模的粗陋的土地耕作和手工业式的工业——决定的。”与此相适应，西欧封建所有制的阶级结构较为复杂，统治阶级是在野蛮民族军事组织的基础上形成的，军事首领就是贵族和大地主。土地占有的等级结构以及与此相联系的武装扈从制度使贵族掌握了支配农奴的权力。“等级结构表现得非常鲜明，但除了在乡村里有王公、贵族、僧侣和农民的划分，在城市有师傅、帮工、学徒以及后来的平民短工的划分之外，就

① 参见《马克思恩格斯文集》第1卷，521、536页，北京：人民出版社，2009年。

② 参见《马克思恩格斯文集》第1卷，521页，北京：人民出版社，2009年。

再没有什么大的分工了。”[①]

（4）关于资本主义所有制

资本主义所有制的产生是从商业和工业的进一步分离开始的。分工的进一步扩大，促使商人这一特殊阶级的形成，贸易往来促成了通商的扩大，反过来又推动了工业的发展。马克思恩格斯根据资本主义生产和分工的发展，将资本主义所有制的发展分为家庭手工业、工场手工业和机器大工业三个阶段。

他们认为，只是随着工场手工业和商业的出现，才产生了现代意义上的资本主义，并加速了资本的积累。工场手工业的出现，消除了家庭手工业的封建行会性质，以及帮工和师傅之间的宗法关系，代之以资本家和工人之间雇佣与被雇佣的关系。“18世纪是商业的世纪。”[②]随着商业的急剧扩大和世界市场的形成，工业生产得到进一步发展，资本主义所有制进入第三个阶段，即机器大工业时期。

这种大工业的主要表现是“把自然力用于工业目的，采用机器生产以及实行最广泛的分工”[③]。“大工业创造了交通工具和现代的世界市场，控制了商业，把所有的资本都变为工业资本，从而使流通加速（货币制度得到发展）、资本集中。”[④]它把自然形成的性质一概消灭掉，把所有自然形成的关系变成货币的关系。“它尽可能地消灭意识形态、宗教、道德等等，而在它无法做到这一点的地方，它就把它们变成赤裸裸的谎言。”[⑤]大工业到处造成了社会各阶级间相同的关系，从而消灭了各民族的特殊性，使整个社会分裂为两大阶级：资产阶级和无产阶级。“大工业不仅使工人对资本家的关系，而且使劳动本身都成为工人不堪忍受的东西。”[⑥]“［它］造成了大量的生产力，对于这些生产力来说，私有制成了它们发展的桎梏。”[⑦]这样，消灭资本主义私有制，实现共产主义，就成为历史的必然。

---

① 参见《马克思恩格斯文集》第1卷，523页，北京：人民出版社，2009年。
② 《马克思恩格斯文集》第1卷，564页，北京：人民出版社，2009年。
③ 《马克思恩格斯文集》第1卷，565页，北京：人民出版社，2009年。
④ 《马克思恩格斯文集》第1卷，566页，北京：人民出版社，2009年。
⑤ 《马克思恩格斯文集》第1卷，566页，北京：人民出版社，2009年。
⑥ 《马克思恩格斯文集》第1卷，567页，北京：人民出版社，2009年。
⑦ 《马克思恩格斯文集》第1卷，566页，北京：人民出版社，2009年。

3. 共产主义是唯物史观的必然结论

如果说唯物史观是共产主义的理论基础，那么共产主义就是唯物史观的必然结论。社会形态理论使马克思恩格斯清楚地看到，正像资本主义代替封建主义一样，共产主义也必然会战胜资本主义。历史的这种进步趋势，不依任何人的意志为转移，它是由生产力和生产关系的矛盾运动决定的。

马克思恩格斯明确指出："共产主义对我们来说不是应当确立的状况，不是现实应当与之相适应的理想。我们所称为共产主义的是那种消灭现存状况的现实的运动。这个运动的条件是由现有的前提产生的。"①这个现有的前提就是唯物史观所揭示的现代生产力与生产关系的矛盾运动。建立在唯物史观基础之上的共产主义，不再需要从"人的本性"出发，也不再企图从一般"人"的概念去获得启示，它只是以实际手段来达到实际目的的实际运动。因此，共产主义革命不是"和社会天才的发明才干所创造的那些社会机构"相适应，而和与生产力发展相适应的。

"共产主义和所有过去的运动不同的地方在于：它推翻一切旧的生产关系和交往关系的基础，并且第一次自觉地把一切自发形成的前提看做是前人的创造，消除这些前提的自发性，使这些前提受联合起来的个人的支配。因此，建立共产主义实质上具有经济的性质，这就是为这种联合创造各种物质条件，把现存的条件变成联合的条件。共产主义所造成的存在状况，正是这样一种现实基础，它使一切不依赖于个人而存在的状况不可能发生，因为这种存在状况只不过是各个人之间迄今为止的交往的产物。"②一句话就是："随着联合起来的个人对全部生产力的占有，私有制也就终结了。"③

上述结论是对资本主义社会进行科学分析的结果，它表明共产主义代替资本主义是历史的必然。资本主义大工业造成了大量的生产力，对于这种生产力来说，资本主义私有制成了它发展的桎梏。于是大工业第一次出现了生产力和私有制之间的矛盾，并且创造了消灭私有制的条件。资本主义生产是社会化大生产，这种生产在私有制下紧

① 《马克思恩格斯文集》第1卷，539页，北京：人民出版社，2009年。
② 《马克思恩格斯文集》第1卷，574页，北京：人民出版社，2009年。
③ 《马克思恩格斯文集》第1卷，582页，北京：人民出版社，2009年。

紧依赖于由普遍竞争所造成的世界市场，而世界市场只有在普遍交往的范围内才能存在。这样就导致了个别生产的盲目性和无政府状态，使庞大的生产力成为一种完全不依赖于个人并与它们相分离的东西，成为一种完全脱离人的控制的“特殊的世界”，成为一种对大多数人来说是破坏的力量。因此，废除私有制，确立整个社会对生产资料的公共所有制，使占有方式适应生产力和交往的普遍性质，即实现人的彻底解放的共产主义，就成了必然的结论。

马克思恩格斯从唯物史观中得出了关于“共产主义革命”的完整概念，这就是：

（1）消灭现存的生产关系（资本主义私有制）以解放生产力和现代无产者

马克思恩格斯指出：“生产力在其发展的过程中达到这样的阶段，在这个阶段上产生出来的生产力和交往手段在现存关系下只能造成灾难，这种生产力已经不是生产的力量，而是破坏的力量（机器和货币）。与此同时还产生了一个阶级，它必须承担社会的一切重负，而不能享受社会的福利，它被排斥于社会之外，因而不得不同其他一切阶级发生最激烈的对立；这个阶级构成了全体社会成员中的大多数，从这个阶级中产生出必须实行彻底革命的意识，即共产主义的意识，这种意识当然也可以在其他阶级中形成，只要它们认识到这个阶级的状况。”①

（2）消灭国家以消灭财产统治权的政治形式

马克思恩格斯指出：“那些使一定的生产力能够得到利用的条件，是社会的一定阶级实行统治的条件，这个阶级的由其财产状况产生的社会权力，每一次都在相应的国家形式中获得实践的观念的表现，因此一切革命斗争都是针对在此以前实行统治的阶级的。”②

（3）消灭旧式分工和一切阶级

马克思恩格斯指出：“迄今为止的一切革命始终没有触动活动的性质，始终不过是按另外的方式分配这种活动，不过是在另一些人中间重新分配劳动，而共产主义革命则针对活动迄今具有的性质，消灭劳动，并消灭任何阶级的统治以及这些阶级本身，因为完成这个革命的

① 《马克思恩格斯文集》第1卷，542页，北京：人民出版社，2009年。

② 《马克思恩格斯文集》第1卷，542页，北京：人民出版社，2009年。

是这样一个阶级，它在社会上已经不算是一个阶级，它已经不被承认是一个阶级，它已经成为现今社会的一切阶级、民族等等的解体的表现。”①

（4）改造客观世界的同时改造主观世界

马克思恩格斯指出：“无论为了使这种共产主义意识普遍地产生还是为了实现事业本身，使人们普遍地发生变化是必需的，这种变化只有在实际运动中，在革命中才有可能实现；因此，革命之所以必需，不仅是因为没有任何其他的办法能够推翻统治阶级，而且还因为推翻统治阶级的那个阶级，只有在革命中才能抛掉自己身上的一切陈旧的肮脏东西，才能胜任重建社会的工作”②。马克思还指出：“工人阶级……为了谋求自己的解放，并同时创造出现代社会在本身经济因素作用下不可遏止地向其趋归的那种更高形式，他们必须经过长期的斗争，必须经过一系列将把环境和人都加以改造的历史过程。”③

上述共产主义革命的完成和共产主义的实现，是以生产力的巨大增长和高度发展为前提的。只有生产力的高度发展，现存关系才能成为一种“不堪忍受的”力量，并使人类的绝大多数变成完全“没有财产的”人，同这种现存关系相对立。生产力的高度发展之所以是绝对必需的前提，是因为“如果没有这种发展，那就只会有贫穷、极端贫困的普遍化；而在极端贫困的情况下，必须重新开始争取必需品的斗争，全部陈腐污浊的东西又要死灰复燃。”④这样，消灭私有制就缺乏必要的物质基础。生产力的高度发展之所以是绝对必需的前提，还因为“只有随着生产力的这种普遍发展，人们的普遍交往才能建立起来”⑤。普遍交往“可以产生一切民族中同时都存在着‘没有财产的’群众这一现象（普遍竞争），使每一民族都依赖于其他民族的变革”⑥。这就是说，普遍交往可以使无产阶级和资产阶级的对立成为全世界范围的普遍现象，从而使无产阶级在世界范围内联合起来成为可

① 《马克思恩格斯文集》第1卷，542—543页，北京：人民出版社，2009年。
② 《马克思恩格斯文集》第1卷，543页，北京：人民出版社，2009年。
③ 《马克思恩格斯文集》第3卷，159页，北京：人民出版社，2009年。
④ 《马克思恩格斯文集》第1卷，538页，北京：人民出版社，2009年。
⑤ 《马克思恩格斯文集》第1卷，538页，北京：人民出版社，2009年。
⑥ 《马克思恩格斯文集》第1卷，538页，北京：人民出版社，2009年。

能。没有世界无产阶级的联合，共产主义革命将不可能在全世界取得最终胜利。

（5）发展人类的能力成为人的活动的目的

到共产主义社会，人们不再为谋生而困扰，人类主体的目的不再是为获得生产资料而进行物质生产，而是发展人类的生产能力，也就是发展“人类天性的财富这种目的本身”[①]。自由时间的增大对人类自由的发展具有决定的意义。人类有了充分的自由时间，也就有全面自由发展的广阔空间。

（6）共产主义是人类对美好事物的不断追求

共产主义相对于以往社会是一种理想社会，但并非终极理想。因为在人类历史的长河中，根本不存在这种终极理想社会，共产主义也不是那种终极性的达于完美的理想社会。正如恩格斯所说：“历史同认识一样，永远不会在人类的一种完美的理想状态中最终结束；完美的社会、完美的‘国家’是只有在幻想中才能存在的东西；相反，一切依次更替的历史状态都只是人类社会由低级到高级的无穷发展进程中的暂时阶段。”[②]因此，共产主义也不是一旦实现，就是那种静止的、完美的理想状态，它的发展也是分阶段的。共产主义就是共产主义运动。共产主义是人们对美好希望的不断追求。人们永远行进在实现希望的途中。

总之，通过关于马克思学说现实人本主题逻辑演进过程的叙述，充分表明，马克思学说现实人本主题思想有一个形成的过程。在这一过程中，其内涵不断丰富深化，其表述逐步科学明晰。在其中的不同阶段，虽然马克思关注的侧重点有所不同，但总是贯穿着追求人的解放这一主线。因而这些不同的侧重点也就构成了马克思学说现实人本主题思想总体发展过程的有机环节，侧重点之间的转移，也就不是放弃和捡起，而是深化和更新。如果有人把这一辩证过程加以肢解，像有些论者所做的那样，把其中的某一时段定格为马克思的黑格尔阶段，而把另一时段定格为马克思的费尔巴哈阶段，以及提出种种所谓断裂论，都是片面的，不可取的，都是有违历史的真实的。

① 《马克思恩格斯全集》第26卷，124页，北京：人民出版社，1973年。

② 《马克思恩格斯文集》第4卷，270页，北京：人民出版社，2009年。

关于《马克思学说现实人本主题论》的几个问题*

《马克思学说现实人本主题论》是国家社科基金项目“马克思学说的人本主题及其当代中国意义研究”的最终成果。这里就这个最终成果谈以下三点看法。[①]

一、《马克思学说现实人本主题论》要实现的理论推进

《马克思学说现实人本主题论》所要说明的，不是马克思有没有人学思想。虽然这个问题曾经使我国理论界纠结很长时间，但它现在已经解决了。在这个问题上，我国理论界获得了两点成果。一是认为，马克思有人学思想。即关于人的哲学理论。二是认为，马克思有自己独特的人学思想。即相对以往的神秘论人学、自然论人学、理性论人学，以及非理性论人学，马克思有自己的“实践论人学”。即关于从实践出发来理解人和把握人，并通过实践全面塑造人的科学。

《马克思学说现实人本主题论》所要说明的，也不是马克思有没有人本思想。虽然这个问题曾经使我国理论界在西方人本主义的挑战面前一度失语，但它现在也已经解决了。在这个问题上，我国理论界也取得了两点成果。一是认为，马克思有人本思想。即为着人、关心人的思想。不仅如此，马克思人学还以作为其根本内容的以人为本，而与神秘论人学的以神为本，及自然论人学的以自然为本，从根本上划清了界限。二是认为，马克思有自己独特的人本思想：以现实的人为本的思想，从而区别于理性论人学和非理性人学的人本主义以抽象的人为本的思想。在马克思人本思想看来，对人的关怀要通过对人所面对的现实矛盾的科学分析和实践解决来实现，而不能像人本主义那

* 2014年安徽省哲学年会上的发言。

样，诉诸想象的人的固有本性，诸如理性自觉、意志自由、道德情感之类的回归或激发来实现。因此，不能把马克思人本思想与人本主义混为一谈。

《马克思学说现实人本主题论》所要实现的理论推进，就是在承认马克思人学及其人本思想的前提下，进一步求证马克思现实人本思想不仅是马克思学说的一个方面的思想，而且还是其主题思想。这个问题在国内理论界涉及的人不多，用一本学术专著来系统表述关于这个问题的见解，还属首次。

二、《马克思学说现实人本主题论》要论证的主要观点

《马克思学说现实人本主题论》要论证的主要观点，就是以现实的人为本是马克思学说的主题。关于“马克思学说现实人本主题”这一命题，如本书“序”中所说，在马克思学说创始人马克思恩格斯那里，找不到直接相关的论述来加以佐证，他们确实没有使用过“以人为本”的表述。这完全是当今中国人以中国特色社会主义理论与实践，特别是以人为本科学发展观的理论与实践为基础，通过自己的探索，所实现的一种理论推进。即对马克思学说所作的一种回溯性的理论概括和所加。不过，这种概括和所加，绝非强加或妄加，而是有根据的。这个根据就是关注人，关注人的存在、解放和发展在马克思学说中无疑处于中心位置。如恩格斯所言，马克思学说是“关于现实的人及其历史发展的科学”。由此可以说，“马克思学说现实人本主题”这一命题的提出，既是向马克思学说根本价值精神的回归，同时也是对这种精神以中国经验为基础的当代概括。或者说，是用当代汉语来言说的马克思学说的根本价值精神。

马克思学说的人本主题，具体说来，就是从现实的人出发，追求人的彻底解放，实现人民当家作主，促进人的自由全面发展。其中，现实的人是马克思学说的出发点；促进人的自由全面发展是马克思学说的主旨，即根本目的；追求人的彻底解放是马克思学说的主线，即根本目的的实现道路；实现人民当家作主是马克思学说的核心。以人为本是贯穿马克思学说上述观点的主要原则，即马克思学说的出发点、主旨、主线和核心在认识和实践中加以体现和落实的价值方法论

原则。马克思学说的现实人本主题就是对马克思学说的出发点、主旨、主线和核心在理论上的集中概括和升华，或简称。

三、《马克思学说现实人本主题论》写作的理论意义

有助于全面把握马克思学说的总体定位。什么是马克思学说，通常的理解是，马克思学说不仅是解释世界的科学理论，而且是改造世界的实践智慧。这样说无疑是对的，但不够，还得加上一句，即它是实现人的自由全面发展的人本关怀。换句话说，认识世界是为了改造世界，而改造世界是为了服务于人的生存和发展。马克思学说是科学性、实践性、人本性的统一。由此，可以对马克思学说作这样一个总体定位：马克思学说是一个实事求是、以人为本、实践主导的共产主义世界观的科学体系。

有助于科学理解马克思学说的形成过程。马克思学说的形成是一个过程，这在国内理论界是没有分歧的。但通常的理解是，马克思恩格斯先创立了马克思主义哲学；然后运用哲学理论去研究社会的政治、经济，创立了政治经济学；再以马克思主义哲学和政治经济学为指导去创立科学社会主义理论。然而其实际过程并非如此。马克思学说创始人不是单纯的学者，而是革命家兼学者。因而他们不是以学科为中心来建立自己的理论体系，而是以人的解放的时代问题为中心，通过对以往的哲学、政治经济学和社会主义理论的批判继承，来创立自己的理论体系的。这一创立过程不是其“三个组成部分”分别形成，或先后形成，然后结合在一起的，而是相互支持，互为引导，浑然天成的。

有助于克服对马克思学说的两种片面解读。基于对马克思学说现实人本主题的确认，可以把马克思学说的众多原理划分为两个层次。一是目的论原理。即以现实的人为本原理。它是支配和统摄其他原理的原理。二是手段论原理。即体现和支撑目的论原理的其他原理。比如，唯物辩证论原理、生产发展原理、阶级分析原理、无产阶级革命和专政原理、社会主义市场经济原理等都是体现和支撑以现实人为本原理的手段论原理。很显然，如果离开了手段论原理的支撑和体现，以人为本原理就会成为空洞的抽象。现代西方人本主义对马克思主义

所作的人本化的解读，就是失足于这种片面。同样，如果脱离以现实人为本原理的支配和统摄，那么对手段论原理的解释，也会走偏方向。比如，会把马克思学说的唯物辩证论误读为单纯直观的或只是客体向度的唯物辩证论；把生产发展原理误读为只见生产不见人的生产主义；把阶级分析原理误读为只见阶级不见人的抽象阶级论，如此等等。这种片面解读的一度盛行，曾经被一些西方学者视为把柄，以至把马克思学说说成人学的空场。因此，只有确认以现实人为本是马克思学说的主题，才能从根本上克服对马克思学说的上述两种误读。

《马克思学说现实人本主题论》的写作，是否实现了我们所希望上述理论推进，该命题能否真正成立，它的确立是否真的有上述理论意义，对此，还请诸位批评指正。

马克思主义是关于人的彻底解放的学说*

——驳所谓“后期的马克思忘记了人”

马克思主义与人的关系问题，是西方“马克思学”中的热门话题。在西方，有些作者割裂马克思主义的思想发展史，歪曲马克思主义的精神实质，认为在马克思的思想发展过程中，“开始阶段：人是中心”，“结束阶段：人被废黜。”即“后期的马克思忘记了人”。其实，这是对马克思主义的误读。对此，必须用摆事实讲道理的方法，分清是非，以正视听。

一、马克思恩格斯毕生关注的中心

马克思恩格斯的毕生事业，就是为共产主义的实现，为人类的彻底解放而斗争。实现人类的彻底解放，这是科学社会主义的理想目标，是马克思主义的始终一贯的基本思想。

某些西方作者以人道主义者自居，其实，只有马克思恩格斯才真正从社会进步的角度，对资产阶级人道主义在历史上曾经起过的进步作用，给予了高度评价。与此同时，马克思也指出，资产阶级本身的局限性决定了资产阶级人道主义带有中世纪的宗教教理的悲悯的性质，即诉之于良心和善良愿望的，被马克思称之为“浪漫主义观点”的固陋性质。并且认为，随着资本主义的发展，资产阶级人道主义越来越受到社会关系中物质利害的污染，从而使庄严的命题带有虚伪的性质。

基于这样的分析，马克思恩格斯在历史唯物主义的基础上，对人道主义进行了根本改造，突破了一般人道主义作为某种伦理规范和善良愿望而存在的界限，主张通过革命的、现实的道路，去实现全人类

---

* 原刊于《汉中师院学报》(哲学社会科学版)，1989 (3)。

的彻底解放。所以，不能把马克思主义归结为人道主义，马克思主义的实质，不是人道主义，而是主张通过无产阶级领导的社会革命，去实现人类的彻底解放。然而在这个意义上，又必须承认，马克思主义包含着深厚的、彻底的人道关怀。

在费尔巴哈人本主义的影响下，青年马克思在《1844年经济学哲学手稿》中，曾经把共产主义与人道主义联系起来，认为共产主义就是“完成了的人道主义”，“是通过人并且为了人而对人的本质的真正占有”。这里的理论框架是人本主义的，理论内容恰是现实的。这个时期马克思还提出了“共产主义博爱”的思想，认为“共产主义博爱”“则径直是现实的、直接追求实效的”①。

恩格斯于1845年《在爱北斐特的演说》中也表达了与马克思同样的思想。他指出，共产主义革命，就是要“尽一切努力使现代的奴隶得到与人相称的地位”，就是要“为所有的人创造生活条件，以便每个人都能自由地发展他的人的本性”，就是要创造“那种能满足一切生活条件和生活需要的真正的人的生活”②。

这里说得很明白，共产主义就是要使每个人得到与人相称的地位，自由发展他的人的本性，过上真正的人的生活。尽管在马克思恩格斯的早期著作中，这一思想还表述得不够具体，但是这一思想在他们成熟时期的著作中，也一直是贯穿始终的。下面的引证无疑都是出自马克思恩格斯成熟时期的著作。

1848年2月问世的《共产党宣言》（下称《宣言》）是马克思主义诞生的标志。《宣言》正确运用唯物史观和经济学说，科学地论证了资本主义灭亡、共产主义胜利的必然性，指出无产阶级的历史使命是推翻资本主义，实现共产主义。《宣言》指出：“代替那存在着阶级和阶级对立的资产阶级旧社会的，将是这样一个联合体，在那里，每个人的自由发展是一切人的自由发展的条件。”③这就是说，共产主义的一切措施都是为了使这个联合体中的每一个人过上幸福的自由发展的生活。恩格斯在1894年还特别指出，《宣言》中的上述这一段话，是最合

① 《马克思恩格斯文集》第1卷，187页，北京：人民出版社，2009年。
② 《马克思恩格斯全集》第2卷，626页，北京：人民出版社，1957年。
③ 《马克思恩格斯选集》第1卷，294页，北京：人民出版社，1995年。

适地阐明了未来共产主义新纪元的基本思想[1]。

《资本论》是马克思花费了四十年的心血而写成的主要著作，在这部伟大著作中，马克思揭露了资本主义社会的非人的本质。他说，在资本主义社会中，“将军或银行家扮演着重要的角色，而人本身则扮演着极卑微的角色。”[2]在这个社会中，“工人终生不外就是劳动力”，而“人本身单纯作为劳动力的存在来看，也是自然对象，是物，不过是活的有意识的物”[3]。资本家完全不顾工人的死活，因而在资本主义企业中，“缺乏一切对工人来说能使生产过程合乎人性、舒适或至少可以忍受的设备了”[4]。而在取代资本主义社会的共产主义社会中，人们进行生产的目的完全是为了满足自己的日益增长的需要。“社会化的人，联合起来的生产者，将合理地调节他们和自然之间的物质变换，把它置于他们的共同控制之下……靠消耗最小的力量，在最无愧于和最适合于他们的人类本性的条件下来进行这种物质变换。”[5]这就是说，只有在共产主义社会中，才能完全按照人类的本性来组织社会生产，而且只有这种被人类自觉控制的生产，才能为人类提供合乎人性的生活条件。

1879年恩格斯发表的《反杜林论》是《资本论》之后，马克思主义的最重要的著作之一，是马克思主义的百科全书。在这部著作中，恩格斯考察了道德、平等、自由等的历史发展，指出：只有在不仅消灭了阶级对立，而且在实际生活中也忘却了这种对立的社会发展阶段上，“……真正人的道德才成为可能”。也就是说，在共产主义社会中，才能形成真正人的道德。真正的平等的实现，也是和消灭阶级相联系的。恩格斯指出：“无产阶级平等的实际内容都是消灭阶级的要求。任何超出这个范围的要求，都必然要流于荒谬。”真正的自由的实现也是这样，只有“不再有任何阶级差别，不再有任何对个人生活资料的忧虑，在这种制度下第一次能够谈到真正的人的自由”。只有在这时候，“人才在一定意义上最终地脱离了动物界，从动物的生存条件进

① 参见《马克思恩格斯全集》第39卷，189页，北京：人民出版社，1974年。
② 《马克思恩格斯全集》第23卷，57页，北京：人民出版社，1972年。
③ 《马克思恩格斯全集》第23卷，294、228页，北京：人民出版社，1972年。
④ 《马克思恩格斯全集》第25卷，102页，北京：人民出版社，1974年。
⑤ 《马克思恩格斯全集》第25卷，926—927页，北京：人民出版社，1974年。

入真正人的生存条件。”①

不难看出，人的解放问题始终是马克思恩格斯主义的中心。因此，西方某些作者说后期的马克思忘记了人，是没有丝毫根据的。只不过，在马克思恩格斯看来，人道关怀的彻底实现，必须和消灭阶级的要求相联系，和实现共产主义，使人获得全面发展的要求相联系，否则对于无产阶级和广大人民来说，就不会有多少现实意义。资产阶级人道主义者不懂得这一点，因此，他们无法解决其人道主义的社会理想，与资本主义社会所存在的反人道的客观现实之间的矛盾。所以，他们的人道关怀终究是虚幻的、口头上的。与此相反，在马克思关于人的解放的学说中所包含的人道关怀则具有强烈的实践性和革命性。而正是这一点为资产阶级人道主义所不容。

二、关于人的彻底解放的主体力量和现实道路

马克思主义关于人的解放的学说中所包含的人道关怀，是在工人阶级反对资产阶级统治的斗争中诞生的。它主张对资本主义社会不仅要进行理论的批判，而且要进行政治的和社会的批判，就是说，“必须推翻那些使人成为被侮辱、被奴役、被遗弃和被蔑视的东西的一切关系”②。

那么谁来担当这一任务呢？马克思恩格斯经过斗争实践和理论探讨，认识到在与资产阶级相对立的一切阶级中，只有无产阶级是最革命的阶级，只有无产阶级能够担当起消灭资产阶级和一切剥削阶级，实现全人类解放的历史使命。因此，他们认定，无产阶级是实现这个解放的“心脏”。要实现全人类的解放，必须由工人阶级来领导。于是，马克思在这里完成了一个关于全人类解放的、意义非常重大的发现：他在社会中找到了负有解放全人类这一历史使命的无产阶级，从而给人类解放的学说灌注了新的内容，给予了新的力量，使它变成了现实的起作用的东西。

可是，有些西方作者反而把这一发现说成马克思对人道原则的背离，认为人道原则应该是全人类的、超阶级的，因而是不能靠一个阶

① ［德］恩格斯：《反杜林论》，92、104、112、280页，北京：人民出版社，1970年。

② 《马克思恩格斯选集》第1卷，10页，北京：人民出版社，1995年。

级来实现的。这些外国作者自以为是站在全人类的立场上讲话，实质上他们是站在资产阶级立场上的。

在马克思主义看来，如果离开无产阶级的领导，那么全人类的解放就必然会落空，必然会使资产阶级的统治依然如故。正如恩格斯所指出的：如果去一般地谈论全人类解放，“这在抽象的意义上是正确的，然而在实践中在大多数情况下不仅是无益的，甚至还要更坏”，因为“有产阶级不但自己不感到有任何解放的需要，而且全力反对工人阶级的自我解放”，所以，无产阶级如果不愿把解放全人类的口号变成“自作多情的空话”，那么它“就应当单独地准备和实现社会革命”[①]。

无产阶级实现社会革命有两种形式：一是运用暴力，二是和平发展。但是当资产阶级已经把暴力提到议事日程上来的时候，无产阶级往往别无选择，只有“用暴力推翻资产阶级而建立自己的统治”[②]。并且还要在夺取政权以后，利用无产阶级专政的力量，去镇压剥削分子和其他危害社会的分子的破坏，同时积极创造条件向无阶级社会过渡。可是，马克思主义关于无产阶级革命和无产阶级专政的理论，又触犯了某些西方作者的人道主义感情。他们抽象地反对一切暴力，认为“暴力”和“人道”势不两立，暴力就是压制个性，否定自由。

马克思主义者不是暴力论者，也不是非暴力论者，只是认为，为了消灭压制广大人民的个性和自由的剥削阶级暴力，就必须适当地、有限制地使用无产阶级暴力，从而压制少数人的个性和自由，以保护绝大多数人的个性和自由，并为最终消灭对个人的任何暴力创造条件。在这里，目的和手段是一致的，如果不借助于无产阶级革命和专政，就不能实现全人类解放的理想。因此，马克思主义关于无产阶级革命和无产阶级专政的理论，为全人类的解放指明了一条现实的道路。所以，这里根本不存在某些西方作者所说的非人道化的问题。

不仅如此，马克思恩格斯还认为，如果离开无产阶级革命和专政来谈论人道关怀，那只能是口头上的人道关怀，道德说教式的人道关怀。对于这种抽象的人道关怀，马克思恩格斯是持坚决的批判态度的。

① 《马克思恩格斯全集》第22卷，372，373页，北京：人民出版社，1965年。

② 《马克思恩格斯选集》第1卷，284页，北京：人民出版社，1995年。

比如，博爱学派根本否认阶级之间的矛盾，而鼓吹所谓“博爱”原则，所以马克思揭露“他们自己比任何人都更像资产者”①。马克思对那种主张对资本主义只进行道德批判的人道关怀，也是坚决反对的。比如青年黑格尔派的“温情的人道主义”，就是主张用“意识的解放来代替无产阶级的解放”。因此，马克思批判他们“实际上……是最大的保守分子”②。

另外，马克思对空想社会主义的人道主义也进行了批判，这是因为空想社会主义者虽然提出了解放全人类的口号，但是他们并不提无产阶级挣脱锁链，而是想立即解放全人类。并且根本“拒绝一切政治行动，特别是一切革命行动”，只想通过和平途径来达到自己的目的。这样一来，他们关于未来的美好计划，也就“带有纯粹空想的性质”③，而没有多大的实际意义。

在现代，某些西方作者，虽然也已经认识到资本主义社会中种种不人道的现象已经发展到极致，并且也进行了某种程度的揭露和批判，但是因为他们并没有能真正认识到产生这种种不人道现象的根源，因而也就找不到根治的办法。他们中有人主张，通过社会文化的改造，净化人的灵魂，使每个人达到精神和道德的完美，从而来消除不人道的现象，以实现社会的和谐。其实，这种主张并不新鲜，只是被马克思早已批判过的保守的、伦理的人道主义的旧货色。

当然，马克思主义并不轻视道德意识的作用，而只是认为，个人解放的问题，并不是像许多空想家所认为的那样，是道德自我完善的过程，而是生产力的历史发展所促成的消灭现存状况的现实的运动。马克思关于人的解放的学说中的人道关怀，就是建立在对于这个现实的运动所作的科学分析的基础之上的。

三、实现个性自由与自由社会的理想

马克思关于人的解放的学说中的人道关怀，贯穿着“社会—个人”相互联系的深刻的辩证法。马克思认为，个人总是社会的个人。

① 《马克思恩格斯选集》第1卷，155页，北京：人民出版社，1995年。
② 《马克思恩格斯全集》第3卷，22页，北京：人民出版社，1960年。
③ 《马克思恩格斯选集》第1卷，304页，北京：人民出版社，1995年。

个人的生产和生活总是在社会关系中进行的，总是受一定的社会关系制约的。所以，“人的本质不是单个人所固有的抽象物。在其现实性上，它是一切社会关系的总和”①。

另外，社会也总是个人的社会。一切社会关系都是通过人的活动建立起来的，并且这些关系是随着人的活动的改变而改变的。马克思指出：“因为人的本质是人的真正的社会联系，所以人在积极实现自己本质的过程中创造、生产人的社会联系、社会本质，而社会本质不是一种同单个人相对立的抽象的一般的力量，而是每一个单个人的本质，是他自己的活动，他自己的生活，他自己的享受，他自己的财富。”②

这就是说，个体和社会是统一的。个体既是现实社会关系的产物，又是利用这种社会关系所提供的条件去改变社会关系，创立新的社会关系的主体。既然如此，也就不能离开社会去谈论个人的解放问题。人的解放只能是在对社会的改造中逐渐实现。所以，马克思主义并不笼统地主张从人出发，以示和唯心主义所说的抽象的人划清界限，而是明确主张从现实的人出发，“从现实的、有生命的个人本身出发”，所谓“现实中的个人，也就是说，这些个人是从事活动的，进行物质生产的，因而是在一定的物质的、不受他们任意支配的界限、前提和条件下活动着的”③。即是在一定的社会条件、社会关系中表现自己的。因此，承认人的现实性与承认人的社会性是完全一致的。

可是有些西方作者指责后期的马克思忘记了人，其中一个重要理由就是所谓马克思用社会代替个人，用集体消融个体。应该说，这种指责也是毫无根据的。

马克思在承认人的社会性的同时，并不排斥人的个性。只是认为没有离开社会性的个性，个性是由社会性决定的，而且正因为个性是受社会性的制约，它才得以形成和发展。尽管人们的活动，不少是以个体的形式出现的，但其活动的材料、手段，以及目的，不论其意识到与否，总是带有社会的性质。正如马克思所说：“不管个人在主观上

---

① 《马克思恩格斯选集》第1卷，60页，北京：人民出版社，1995年。

② 《马克思恩格斯全集》第42卷，24页，北京：人民出版社，1979年。

③ 《马克思恩格斯选集》第1卷，73、71页，北京：人民出版社，1995年。

怎样超脱各种关系，他在社会意义上总是这些关系的产物。”[①]一个人的个性，就是由作为个体的他，在其从事实践活动的社会关系总和中，所创造出来的新的形成物。不同的个体在各自所置身其中的不同的社会关系总和和所从事的不同的实践活动中，通过每个人的主体世界的各不相同的努力，能动地对社会生活进行“吸收”“过滤”，再反射或折射出来，从而也就形成了人的千差万别的个性。

西方的存在主义者不能理解这一点。他们总是把个人和社会绝对对立起来，离开社会，提倡所谓自我设计、自我选择。可是，如果脱离了社会，那么个人的任何努力不都是徒劳的吗？个人哪能离开社会而存在，而求得自由和解放呢？当然在社会已经提供了某种现实可能性的情况下，个人是有选择自由的。因此，离开社会条件的制约来谈自由的观点是错误的。这种抽象的所谓自由是不存在的。正如马克思所指出的：“人们每次都不是在他们关于人的理想所决定和所容许的范围之内，而是在现有的生产力所决定和所容许的范围之内取得自由的。”[②]是在生产力发展所形成的一定的社会集体中取得自由的。马克思说：“只有在集体中，个人才能获得全面发展其才能的手段，也就是说，只有在集体中，才可能有个人自由。”[③]

根据马克思的观点，集体又有两种，一种是建立在生产资料私有制基础上的虚假的集体。在这种集体中，所允许的个人自由是极为有限的。比如在资本主义社会中，在盲目的社会力量的支配下，表现出来的个体性的丧失，人生的迷茫，自由的破坏，人与人的敌视，人与自然的对立等等，是普遍的现象。这种情况在存在主义那里被体验着、思考着，由此而折射出一个由忧虑、苦闷、无聊、愤慨、失望等诸种深层心理交织起来的主观世界。他们在暴露资本主义社会矛盾的同时，却流露出一种非历史的超社会的偏激倾向，不是主张改造私有制社会，改造这个虚假的共同体，从而去求得个人的解放和自由，而是想离开对社会的改造，去追求所谓“个性自由”。他们不懂得除了虚假的共同体以外，还有一种真实的共同体存在。真实的共同体是建立在个人自愿联合基础上的共同体，是促进个人全面发展的共同体。

① 《马克思恩格斯选集》第2卷，102页，北京：人民出版社，1995年。
② 《马克思恩格斯全集》第3卷，507页，北京：人民出版社，1960年。
③ 《马克思恩格斯全集》第3卷，84页，北京：人民出版社，1960年。

建立这样的真正的共同体，是无产阶级解放斗争的最终目标，是人类最美好的理想。从压抑个人的虚假的共同体，发展到促进个人全面发展的真实的共同体，这是历史的必然。马克思指出："'人'类的才能的这种发展，虽然在开始时要靠牺牲多数的个人，甚至靠牺牲整个阶级，但最终会克服这种对抗，而同每个个人的发展相一致。"[①]拿资本主义社会来说，它是以牺牲无产阶级和广大人民群众的利益为前提的，但资本主义所创造的巨大生产力，又为最终消灭资本主义，使个人得以全面发展，提供了一定的物质基础。

马克思主义正是基于对资本主义社会的经济事实的科学分析，从而得出了无产阶级和广大人民群众从资本主义关系下解放出来的物质条件已经成熟的结论。共产主义也就是在这一条件下促成的人类解放的现实的运动。由此可见，马克思关于人类解放的学说中的人道关怀，并不单纯是一种主观的意愿，而是对社会发展必然性的一种科学反映。可是，在存在主义那里，正因为缺少这种历史视野，所以它不能展现社会进步的宏伟历程和人类解放的光明前景，这从而也就大大降低了它对资本主义社会的批判价值，同时也使它的关于人的理论罩上了灰暗的色调。

总之，马克思主义是关于人类彻底解放的真理，它是指导工人阶级和广大人民群众改造旧世界，走向共产主义美好未来的伟大指针。它主张在无产阶级领导下，通过社会革命消灭阶级剥削和阶级压迫等等不人道的现象，通过社会的解放去实现个人的全面而自由的发展。即建立以每个人全面自由发展为目的的自由人联合体。这一理论的创立，是马克思实现了世界观转变的一个根本标志，是他的关于人的解放理论从抽象到具体的发展。有些西方作者指责后期的马克思忘记了人，说穿了，是他们自己把无产阶级领导、无产阶级革命以及社会解放等与人的解放错误地对立了起来。换句话说，不是后期的马克思忘记了人，而是这些人用抽象人道主义的有色眼镜看歪了后期的马克思。

---

① 《马克思恩格斯全集》第26卷（Ⅱ），124页，北京：人民出版社，1973年。

“人的根本就是人本身”的辨析及其他*

近几年来，为了恢复马克思主义人道关怀的本来面目，我国理论界进行了大量的富有成效的研究工作。但是，也应该看到，确有一些人脱离马克思世界观形成的真实过程，把其中某些理论观点，从它产生的特定阶段游离出来，根据他们自己的信念和立场重新加以解释，从而变成了某种面目全非的东西。“人的根本就是人本身”这个命题（以下简称“人本身本质论”），在一些论者那里正是遭到了这样的厄运。他们把这个命题作为经典性的论据，用来张扬个体本位的思想，并以此为标准去评判历史、议论现实，从而引出了种种奇谈怪论。因此，有必要以严肃的科学态度和负责的精神，从理论上分清其是非，在实践上辨明其利害。

一、对近代以来人道主义传统的超越

从历史的角度看，人的问题是近现代西方哲学极为关注的一个问题。欧洲文艺复兴时期的哲学，就是从人出发的，通常被称之为“人文主义”或“人道主义”。其基本内容就是提倡人性，反对神性；提倡人权，反对神权；提倡个性自由，反对教会压迫。18世纪的法国唯物主义者进一步发挥了资产阶级人性论，强调自爱自保、趋乐避苦是人的普遍本性，反对神对人的统治，主张“天赋人权”。

费尔巴哈在反对宗教神学和黑格尔思辨哲学的斗争中，继承了先前的人道主义传统，并把自己的哲学直截了当地称之为“人本学”。费尔巴哈说：“我必须从人出发，以人的本质为基础。”[①]他在《未来哲学

---

* 原刊于《学术界》，1989（6）。

① ［德］费尔巴哈：《费尔巴哈哲学著作选集》上卷，荣震华等译，248页，北京：商务印书馆，1984年。

原理》的“引言”中指出：“未来哲学应有的任务，就是将哲学从‘僵死的精神’境界重新引导到有血有肉的、活生生的精神境界，使它从美满的神圣的虚幻的精神乐园下降到多灾多难的现实人间。”

为此，必须做好两件事：一是，通过批判“将人从他所沉陷的泥坑中拯救出来”；二是，“将人之所以为人陈述出来”。他指出，这里需要“用一种纯粹而真实的人的态度去思想，去说话，去行动”。不过，他认为：“目前的问题，还不在于将人之所以为人陈述出来，而是在于将人从他所沉陷的泥坑中拯救出来。……亦即从神学中将人的哲学的必要性，亦即人类学的必要性推究出来，以及通过神的哲学的批判而建立人的哲学的批判。”

费尔巴哈毕生所要做的就是这样一件事。他满怀信心地预言：这“是不会没有后果的”。至于第二件事，他认为，“则是下一代的人才能做到的事”[①]。

在历史的联系中，这第二件事，就是由马克思来完成的。关于这一点，恩格斯曾经指出：“费尔巴哈没有走的一步，必定会有人走的。对抽象的人的崇拜，……必定会由关于现实的人及其历史发展的科学来代替。这个超出费尔巴哈而进一步发展费尔巴哈观点的工作，是马克思于1845年在《神圣家族》中开始的。”[②]

二、“人本身本质论”是一个过渡性命题

在马克思新世界观的形成过程中，所经历的这个走向费尔巴哈又超出费尔巴哈的阶段，从时间上来说，大致是从1843年写作《黑格尔法哲学批判》开始，到1845年春写作《关于费尔巴哈的提纲》（以下简称《提纲》）结束。《提纲》标志着马克思与费尔巴哈人本主义以及一切旧哲学的彻底决裂，同时标志着马克思主义哲学由此诞生。在上述这一阶段中，青年马克思总的思想特征：一方面他热忱地欢迎费尔巴哈通过对神的哲学的批判，而建立人的哲学的批判；另一方面，随着对实际斗争和理论研究的深入，他又逐步认识到费尔巴哈不应该把关于人的认识局限于生

① ［德］费尔巴哈：《费尔巴哈哲学著作选集》上卷，120，121页，北京：商务印书馆，1984年。

② 《马克思恩格斯选集》第4卷，241页，北京：人民出版社，1995年。

理学和心理学等生物学的范围，而应该充分认识到人是生活在社会之中的，因而只有人的社会性，才是人之所以为人的主要依据。正因为人是社会的人，社会是人的社会，所以马克思主张，人只有通过自己的实践活动，去改变制约自己的环境，才能求得人自身的解放和发展。

正是在这样的思想过程中，马克思于1844年发表了《〈黑格尔法哲学批判〉导言》（以下简称《导言》）。当时，马克思在政治上已经转到无产阶级的根本立场，在思想上，虽然已经有了一些历史唯物主义的因素，但从总体上看，他仍是在费尔巴哈人本主义思想的严重影响之下。正是在《导言》中，马克思提出了“人的根本就是人本身”这一命题。

那么这一命题的意义何在呢？其意义有二：

一是说，人的本质就在于人的本身之中，不应该到人之外，到上帝那里去寻找。马克思说：“人的根本就是人本身。德国理论的彻底性及其实践能力的明证就是：德国理论是从坚决积极废除宗教出发的。对宗教的批判最后归结为人是人的最高本质这样一个学说。”[①]从这一论述可以看出，马克思在这里是对当时德国宗教批判的一种概括性总结，特别是对费尔巴哈对神的哲学批判的一种肯定和赞扬。在费尔巴哈看来，“人的绝对本质，上帝，其实就是他自己的本质。”[②]因而不能用上帝的存在来说明人的存在，而必须用人的存在来说明上帝的存在和上帝的本质，用人的存在来说明人自己的本质。

上述命题的第二层含义是马克思对自己进行的关于黑格尔法哲学批判的一种概括性总结。即不能像黑格尔那样用国家的本质来说明人的本质，而必须用人的本质来说明国家的本质。这一点，是青年马克思超越费尔巴哈的地方之一。早在《黑格尔法哲学批判》中，马克思就指出：“黑格尔从国家出发，把人变成主体化的国家。民主制从人出发，把国家变成客体化的人。正如同不是宗教创造人而是人创造宗教一样，不是国家制度创造人民，而是人民创造国家制度。”“国家的职能等等只不过是人的社会物质的存在和活动的方式。”[③]理性的国家应该体现人民精神，所以马克思主张，对于“现代的政治社会现实本

① 《马克思恩格斯选集》第1卷，9页，北京：人民出版社，1995年。

② ［德］费尔巴哈：《费尔巴哈哲学著作选集》下卷，荣震华等译，30页，北京：商务印书馆，1984年。

③ 《马克思恩格斯全集》第1卷，281、279页，北京：人民出版社，1956年。

身”的“批判”，必须“提高到真正的人的”[①]高度。由此可见，“人的根本就是人本身”这个命题在青年马克思那里具有反对宗教神学和黑格尔国家哲学的双重含义，它作为马克思新世界观形成过程中的一个环节是有其历史价值的。

但是，这个命题本身也只是为揭示人的本质提供了某种前提，即要从人的存在本身去说明人的本质，至于如何从人的存在本身去说明，它并没有给人们什么启示。换言之，这个命题本身，只是标明了青年马克思与费尔巴哈在人本学唯物主义立场上的一致性，并没有反映在对人的本质的理解上，马克思与费尔巴哈之间有什么根本不同的地方。

人作为存在来说，是肉体存在物，是理性存在物，是从事实践活动的社会存在物。必须坚持从人的存在去揭示人的本质。但存在并不等于本质，本质只是存在中根本的、具有决定性的东西。如果把人的本质归结为单纯的肉体，那就是费尔巴哈所理解的自然的人；如果把人的本质归结为纯粹的精神，那就是黑格尔所理解的思辨的人。只有把人的本质归结为在实践基础上所形成的一切社会关系的总和，才是马克思主义所理解的现实的人。

由此可见，从“人的根本就是人本身”这个命题出发，对于人的本质的理解，可能停留在旧唯物主义的水平，可能陷于唯心主义，也可能进一步走向历史唯物主义。

三、从“人本身本质论”前进到“人的社会本质论”

马克思关于人的本质的科学见解，正是在扬弃了关于“人的根本就是人本身”这个抽象的一般的命题的基础上逐步形成的。在《〈黑格尔法哲学批判〉导言》中，青年马克思在提出“人的根本就是人本身”的同时，就已经试图把人与社会关系联系起来加以考察。马克思指出：“人不是抽象的蛰居于世界之外的存在物。人就是人的世界，就是国家，社会。”因此，“要求人民的现实幸福”，就必须要对现实苦难的世界进行“批判”[②]。马克思认为，对于资本主义社会，不仅要进行理论的批判，而且要进行政治的和社会的批判，就是说，“必须推翻那

① 《马克思恩格斯选集》第1卷，6页，北京：人民出版社，1995年。

② 《马克思恩格斯选集》第1卷，1、2页，北京：人民出版社，1995年。

些使人成为被侮辱、被奴役、被遗弃和被蔑视的东西的一切关系”[①]。很显然，马克思不赞成那种把人类个体看成孤立的个人的旧唯物主义观点，不赞成那种离开社会解放去谈论个人解放的观点。

后来，他通过对政治经济学的研究，上述认识又有了深化。他在对詹姆士·穆勒《政治经济学原理》一书的摘要中指出：“因为人的本质是人的真正的社会联系，所以人在积极实现自己本质的过程中创造、生产人的社会联系、社会本质。”社会联系、社会关系是“个人在积极实现其存在时的直接产物”[②]。马克思在《1844年经济学哲学手稿》中，又从社会关系对人的活动的作用的角度指出，人的社会性不仅表现为共同活动中的人与人之间的直接联系。而且当我单独从事某项活动时，别人创造的劳动产品和对象，成了我从事活动的手段和条件，这从而也就表现了我同其他人、同整个社会的密切联系。所以，个人同时又是社会的存在物。综合上述两个方面，一是，人是社会关系的创造者；二是，个人是社会的存在物。

这样，马克思关于人的本质的理解就逐渐达到了一个新的飞跃，即用人的社会存在来代替人本身的存在，用人在实践中的社会关系来规定人的本质。这个飞跃的最终实现是在《关于费尔巴哈的提纲》之中（参见《提纲》第六条）。在这里，马克思第一次表述了他对人的本质的科学理解，阐明了他在这个问题上与费尔巴哈的根本分歧，从而实现了他与费尔巴哈的抽象的人道主义的最后决裂，并使自己的人的本质观升华到了历史唯物主义这样一个崭新的高度。

总之，从马克思主义关于人的本质观的形成过程来看，“人的根本就是人本身”，只是马克思尚处于费尔巴哈人本主义影响下而提出来的一个命题。这个命题本身没有反映出马克思与费尔巴哈人本主义的最后决裂及其革命实质，它不是马克思主义关于人的本质的经典性论述。因此，不能不加分析地加以引用。

四、不能用“人本身本质论”为“个体本位”作论证

前一段时间，有的论者根本无视青年马克思关于人的本质的探索

① 《马克思恩格斯选集》第1卷，10页，北京：人民出版社，1995年。

② 《马克思恩格斯全集》第42卷，24页，北京：人民出版社，1972年。

过程，不研究马克思从什么地方出发，经过怎样一些中间环节，又前进到了什么地方，或如列宁所要求的那样，要研究“马克思已经掌握了什么以及他如何转到新的思想领域”①。他们把马克思在科学的人的本质观的形成过程中已经扬弃了的“人的根本就是人本身”这一命题重新捡起来，一味地加以肯定、颂扬，以为重新发现了什么。

那么，他们发现了什么呢？原来，“人的根本就是人本身”启发他们发现了“自我”，认为“个体”“自我”才是实在的。由此，他们认为必须坚持“个人本位”，“个体独立”。其实，他们这样做，不过是从马克思前进的地方，倒退到了费尔巴哈那里，甚至倒退到与费尔巴哈相去甚远的地方。因为费尔巴哈所讲的人虽然是孤立的个体的人，但同时他又讲到人的“类”，讲到应该发扬“人类之爱”。当然，这在阶级社会中只是一种良好的愿望。然而，仅就这一点来说，也比把人理解为纯粹的“自我”，要高明得多。

在人的本质的理解上，对马克思主义的这种偏离，一开始往往不容易引起人们的警觉，可是当这种不正确的理论一旦走出书斋，就会发生某些始作俑者也可能会感到震惊的思想混乱和不良社会后果。前一时期，种种奇谈怪论盛行，有人就是从个人本位出发，把国家至上的爱国主义说成束缚自我的封建主义，把个人对组织的服从说成自我的丧失。对于“五四”运动的评价，有人认为，“五四”运动从“个人自由”的启蒙开始到转入民族救亡和社会革命的群众斗争结束，是所谓“价值偏离”，“是救亡压倒了启蒙”，认为投身救亡，就是牺牲“个人自我意识”，就是充当了“历史的工具”。还有一篇论“人”的文章谈到，人民共和国的成立，“中国人民从此站起来了”，“意味着民族的解放、独立，平等、自由、成熟……中华人民共和国作为一个主权国家确以主体形式站起来了”，但该文作者又片面认为，在十一届三中全会以前，中国人是处于“三十年政治压力下的人”，“个体”的中国人“并没有作为主体真正站立起来”。

凡此种种，共同的一点就在于：把个人和社会、个人和集体割裂开来，绝对地对立起来。他们只看到了人的个体性，而忽视了人的社会性，似乎社会解放非但与个人解放无关，而且还是个人解放的妨

① ［俄］列宁：《哲学笔记》，7页，北京：人民出版社，1974年。

碍；集体利益非但不是实现个人利益的必需条件，反倒是实现个人利益的桎梏。这种论调是与中国人民在共产党领导下闹革命，得解放，搞建设，求发展的历史不相符合的。试想，在旧中国，如果不进行民族民主革命，推翻三座大山的压迫，哪儿还会有亿万人民的个体的解放。中华人民共和国成立以后，我国社会主义革命和社会主义建设的巨大胜利，不仅使我国的国力大为增强，而且使中国人民的物质文化生活水平日益提高。尽管由于“左”的错误，使我们取得的成绩还不理想，但是，与旧社会相比，不容否认，中国人民的生活已经发生了天翻地覆的变化，中国人民已经成为国家的主人。当然，这样说，并不否认我们的社会中还有很多问题，我国的经济和政治体制还要继续改革，还需要为每个人发挥聪明才智，发挥社会主义主人翁的作用，进一步创造良好的社会环境。

马克思主义并不否认人的个性，但认为没有离开社会性的个性；也不否认个人的解放，但认为无产阶级和人类的解放，是无数个人解放的先决条件。同样，马克思主义也不否认个人利益，只是认为，集体利益高于个人利益，必须在强调和保障集体利益的前提下来保证个人利益，包括个人的尊严、价值和个性的发展。从个体的角度来说，在必要时，个人为他人、为集体作出牺牲，是个人价值实现的一种崇高形式，而在保障社会整体利益的前提下，尽量多地实现个人利益，也是个人价值实现的必要形式。

是坚持集体主义，还是坚持个体本位，这不仅仅是一个理论问题，而且还是一个关系我们民族的价值选择和行动方向的重大问题。马克思主义所提倡的集体主义是以包含众多个体的社会整体的完善为目标的。这个目标也就是人的全面发展的共产主义的实现。而主张个体本位，强调的至多只是以个体的完善为目标。由此可见，前者所担负的历史责任和具有的历史意义是后者所无法比拟的。这也是集体主义的崇高和伟大之处。同时，一味强调个体本位难免会诱发个人主义的恶性膨胀，甚至会导致各种反社会的行为的发生。很显然，我们应该坚持的是集体主义，而不是个体本位主义。

关于马克思主义人学的几点思考*

一、问题的提起

从1932年马克思的早期著作《1844年经济学哲学手稿》问世以来，马克思主义与人的关系问题，在国际范围内逐渐成为一个热门话题。在这一背景下，西方开始形成了如下两种对立的观点。

一种观点认为，马克思主义哲学思想的基础是人本主义，或曰“激进的人道主义”。德国学者赫伯特·马尔库塞持有的就是这种观点。他说，《1844年经济学哲学手稿》中所阐发的人本主义“使关于历史唯物主义的由来、本来含义以及整个‘科学社会主义’理论的讨论置于新的基础之上”[①]。法国右翼社会党人M.吕贝尔也说：马克思的思想和学说的核心是“激进的人道主义”，“马克思成功地证明了，并以他自己一生的经历雄辩地说明了人的解放的伦理必要性，这也是他从前的所有乌托邦的梦想。”

另一种观点认为，马克思哲学发展过程中存在着“认识论上的断裂”，或“人道主义的自我解体”。1845年以前，马克思的思想是“人道主义”；其后是“反人道主义”。[②]或如埃·伊格拉托夫所言，在马克思的思想发展过程中，“开始阶段：人是中心”；“结束阶段：人被废黜”。[③]

---

* 原文来源于胡企林编：《马克思主义来源研究论丛》第19卷，北京：商务印书馆，1997年。

① 转引自复旦大学哲学系现代西方哲学研究室编译：《西方学者论〈1844年经济学哲学手稿〉》，93页，上海：复旦大学出版社，1983年。

② 参见［法］路易·阿尔图塞：《保卫马克思》，顾良译，14、199页，北京：商务印书馆，1984年。

③ ［比利时］埃·伊格拉托夫：《人道主义的自我解体："人"在马克思主义思想演变中的命运》，《马克思主义研究参考资料》，1983（15）。

如何看待马克思主义与人的关系问题，在我国哲学界，“人本哲学”意见也不是完全一致的。远的不说，从80年代初开展的人是否是马克思主义哲学的出发点的讨论，到前不久进行的关于“马克思主义哲学不是‘以人为本’”的争鸣，[①]都表明马克思主义与人的关系仍然是一个需要进一步加以深入研究的问题。

在笔者看来，除了某些西方作者那些纯粹出于政治偏见和阶级偏见、不值一驳的攻击和谩骂外，中外论者的上述种种分歧，从理论上来说，至少涉及如下四个方面的问题。第一，如何完整地表述人本主义的本质涵义，能否把人本主义单纯理解为是关于人、为着人的学说；或理解为纯粹抽象的道德说教。第二，“从人本身出发”是否是一个纯粹人本主义的命题，它与马克思主义关于“从人的社会存在出发”这一命题是否是完全对立的。如何结合马克思思想发展的实际过程对它们的关系作辩证统一的理解。第三，如何正确理解马克思主义与人本主义，特别是费尔巴哈人本主义的关系，是一刀两断，还是批判继承。马克思主义人学在批判了人本主义的抽象人性论的同时，是否涵纳了人本主义的价值理想。第四，如果承认马克思主义人学涵纳了人本主义的价值理想，那么能否把马克思主义归结为人本主义或“激进的人道主义”，马克思主义人学与人本主义的区别何在，如何理解马克思主义人学的科学性与价值性的统一，等等。

下面就马克思主义与人的关系问题，从四个方面来谈谈笔者的看法。

二、人本主义的本质涵义

什么是人本主义？

从外延的角度来说，人本主义有广义和狭义两种指谓。其狭义是指19世纪德国唯物主义哲学家费尔巴哈的哲学学说。其广义是指包括文艺复兴所倡导的人文主义、西方启蒙运动所高扬的人道主义、19世纪费尔巴哈的人本主义和空想社会主义的人道主义，以及现代西方人本主义等在内的哲学思潮。对于人本主义的这样两种指谓，一般说

① 参见《哲学研究》，1994（2、9）。

来，在哲学界是少有分歧的。

问题在于如何从内涵上去完整地理解广义的人本主义（下面所说的人本主义，都是从广义上使用的）。

持肯定态度的论者认为，人本主义是关于人、为着人的学说。这样来理解人本主义也有学理上的根据，费尔巴哈就曾以普遍性的形式这样来定义人本主义的。他说，人本主义是“从人出发”的哲学，是“作为人的哲学的新哲学”，其宗旨“主要地也是为人的哲学”[①]。

持否定态度的论者认为，人本主义是离开具体的历史条件，离开特定的社会关系去抽象地研究人的哲学学说，是一种空洞的道德说教。这一理解往往片面地引用马克思主义的有关论述作为自己立论的根据。

在笔者看来，关于人本主义的这样两种理解都含有真理性，但都只有片面的真理。前一种理解肯定了人本主义在研究对象和价值追求方面的共性，即人本主义把人（不是把神和人之外的东西）提到哲学研究的中心位置，以实现人的幸福为价值追求的目标。对此加以肯定，无疑是对的。但是它没有从世界观上指明一切人本主义派别的共同的本质缺陷，即抽象的人性论。而后一种理解恰好相反，只看到了人本主义的否定性方面，而没有看到人本主义的肯定性方面。因而上述两种理解从总体上说，都有片面性。

综合以上两点，我认为人本主义的完整定义应该是关于人，为着人，对人作抽象考察的哲学。

当然，这只是对人本主义的一般规定。由于对人本身的抽象理解不同，以及以此为基础的相关问题上的认识不同，因而也就形成了各种不同形态的人本主义。比如，“费尔巴哈在理论方面体现了和人道主义相吻合的唯物主义。”[②]也有以唯心主义为前提的人本主义，现代西方人本主义就是这种性质的人本主义。有理性主义的人本主义，从文艺复兴到启蒙运动的古典人本主义就属此类；也有非理性主义的人本主义，比如，现代西方人本主义的众多派别。

就人本主义的作用来说，古典人本主义以“人的解放和发展为主

---

① ［德］费尔巴哈：《费尔巴哈哲学著作选集》上卷，荣震华等译，186页，北京：商务印书馆，1984年。

② 《马克思恩格斯全集》第2卷，160页，北京：人民出版社，1957年。

题”，批判中世纪的神道主义，高扬人的理性和自由，希望建立一个合乎人性的理性王国。它虽然带有被马克思称之为的“浪漫主义观点”的固陋性质，但就其主要方面来说，它确实为资本主义制度的建立起了鸣锣开道的巨大历史进步作用。

现代西方人本主义则是以“人的异化和非人化为主题”，对资本主义的弊端进行了尖锐的，但不算深刻的社会文化批判。这种批判是应该肯定的，对我们认识当代资本主义是有不可或缺的借鉴意义的。但是从总体上说，它已经失去了古典人本主义的巨大的历史进步作用。面对资本主义的社会矛盾和不可治愈的社会痼疾，进行了某种程度的揭露和批判，这是有意义的。但由于这种批判没有抓住根本，不知道出路何在，因而现代西方人本主义陷入了悲观绝望的末日情绪之中，完全失去了改造社会的勇气，躲进了“小我”，把个人和社会绝对对立了起来，用膨胀了的自我意志、情感、性欲来满足虚幻的自由。

可见，从阶级属性来说，现代西方人本主义归根到底是没落资产阶级的思想表现。从历史上看，它是作为具有理性主义传统的古典人本主义的对立物而存在的。从现实看，在马克思主义早已经产生并广泛传播，已经科学揭示了资本主义社会的矛盾，指明了解决矛盾的根本途径，并展示了人类美好前景的今天，现代西方人本主义也是作为马克思主义的对立物而存在的。它起着腐蚀人心、瓦解无产阶级斗志的作用。

因此，对人本主义的各种派别及其社会作用必须进行具体的历史的分析。

费尔巴哈作为一个杰出的唯物主义哲学家，在批判宗教神学和黑格尔思辨哲学的斗争中，在继承了以往人文主义和人道主义传统的基础上，创立了人本学唯物主义。换句话说，费尔巴哈的唯物主义不是一般的唯物主义，而是人本学唯物主义；同样，费尔巴哈的人本主义也不是一般的人本主义，而是以唯物主义为前提的人本主义。费尔巴哈哲学的这一特殊本质，决定了费尔巴哈哲学在哲学史上的特殊地位和巨大影响。然而就这种影响的最富有成果的表现来说，就是作为黑格尔哲学到马克思主义哲学的一个中间环节，促进了青年马克思世界观的转变。或者说，费尔巴哈的人本主义，为以人的解放为目的的历史唯物主义的创立提供了某种前提和内在根据[①]。

三、从对人本身的存在到人的社会存在的认识飞跃

在马克思新世界观的形成过程中所经历的这个走向费尔巴哈又超出费尔巴哈的阶段，从时间上来说，大致是从1843年写作《黑格尔法哲学批判》开始，到1845年写作《关于费尔巴哈的提纲》结束。《关于费尔巴哈的提纲》标志着马克思与费尔巴哈人本主义以及一切旧哲学的决裂，同时标志着马克思主义哲学的诞生。

在上述这一阶段中，青年马克思的思想特征是：一方面他热忱欢迎费尔巴哈通过对神学和思辨哲学的批判而建立人的哲学的批判；另一方面，随着实际斗争和对理论研究的深入，又逐步认识到费尔巴哈不应该把关于人的认识局限于生理学和心理学等生物学的范围，而应该认识到人是生活在社会之中的，因而只有人的社会性，才是人之为人的主要根据。

马克思思想的这一转变是通过从对人本身的存在到人的社会存在的认识飞跃实现的。

1844年马克思发表了《〈黑格尔法哲学批判〉导言》（以下简称《导言》）。当时马克思在政治上已经转到了无产阶级的根本立场；在思想上，虽然有了一些历史唯物主义因素，但从总体上看，他仍是处于费尔巴哈人本主义思想的影响之下。正是在这篇《导言》中，马克思提出了“人的根本就是人本身”这一命题。

如何看待这一命题呢？笔者不赞成某些论者把这一命题作为马克思主义关于人的本质的经典性论述加以肯定和引用，也不赞成有些论者把这一命题作为纯粹的人本主义的命题加以否定，说什么“人本学与唯物史观有着不同的出发点。前者从‘人本身’出发，后者从‘社会关系’出发”。于是，这就把人的社会存在与人本身的存在完全对立了起来。在笔者看来，应该联系马克思关于人的本质的探索过程，去评价这一命题的意义。

那么，这一命题的意义何在呢？我认为，其意义有二。

---

① 参见陶富源：《青年马克思与费尔巴哈》，《哲学研究》，1990（3）。

一是，人的本质就在于人的本身之中，不应该到人之外，到上帝那里去寻找。马克思说："人的根本就是人本身。德国理论的彻底性从而其实践能力的明证就是：德国理论是从坚决积极废除宗教出发的。对宗教的批判最后归结为人是人的最高本质这样一个学说。"①不难看出，马克思的上述命题是对当时德国宗教批判成果的一种概括性总结，特别是对费尔巴哈通过对神的哲学的批判而建立人的哲学批判的一种肯定和赞扬。在费尔巴哈看来，"人的绝对本质、上帝，其实就是他自己的本质"②。不是上帝创造了人，而是人创造了上帝。不能用上帝的本质来说明人的本质，而应该用人的本质来说明上帝的本质，用人本身的存在来说明人的本质。

二是，人的本质就在于人的本身之中，不应该到政治国家那里去寻找。这第二层涵义是马克思对自己进行的关于黑格尔法哲学批判成果的一种概括性总结。即不能像黑格尔那样用国家的本质来说明人的本质，而必须用人的本质来说明国家的本质。这一点，是青年马克思超越费尔巴哈的地方之一。早在《黑格尔法哲学批判》中，马克思就指出："黑格尔从国家出发，把人变成主体化的国家，民主制从人出发，把国家变成客体化的人。正如同不是宗教创造人而是人创造宗教一样，不是国家制度创造人民，而是人民创造国家制度。""国家的职能等等只不过是人的社会物质的存在和活动的方式。"③理性的国家应该体现人民精神。所以，青年马克思主张，对于"现代的政治社会现实本身"的"批判"，必须"提高到真正的人的"④高度。

由上可见，"人的根本就是人本身"这个命题在青年马克思那里具有反对宗教神学和黑格尔国家哲学的双重意义。它作为马克思主义关于人的本质观形成过程中的一个环节是有其历史价值的。

但是，这个命题本身也只是为揭示人的本质提供了某种前提，即要从人本身的存在去说明人的本质。至于如何理解人本身，又如何从人本身的存在去说明人的本质，它并没有给人什么启示。

① 《马克思恩格斯选集》第1卷，9页，北京：人民出版社，1995年。

② ［德］费尔巴哈：《费尔巴哈哲学著作选集》下卷，荣震华等译，30页，北京：商务印书馆，1984年。

③ 《马克思恩格斯全集》第1卷，281、270页，北京：人民出版社，1956年。

④ 《马克思恩格斯选集》第1卷，6页，北京：人民出版社，1995年。

马克思主义与人本主义在这里的区别，不是在于是否要从人本身的存在去说明人的本质（在这一点上二者是一致的），而恰恰在于如何去理解人本身，如何以这种理解为基础去说明人的本质。

人本身是物质和精神、思维和存在、主体和客体、自然存在和社会存在相统一的有机体。这个有机体是不可以去掉任何一个部分的，否则人就不成其为人。一切人本主义者对人本身理解上的共同失误在于，他们都否认人作为社会存在物的一面，而分别抓住其余的某些方面，对人本身作了肢解性的理解。然后又把这种片面理解的人本身的存在等同于人的本质。比如，把人理解为纯粹的理性的存在，于是把理性说成人的本质；或是把人理解为单纯的肉体感性的存在，从而把肉体感性认作人的本质（比如费尔巴哈）；或是把人理解为只是情感、意志的存在，把非理性视为人的本质，如此等等。

人本身作为一个总体性的存在物（马克思恩格斯一直是在这个意义上使用这一概念的[①]），无疑是理性的存在物，是情感、意志的存在物，是肉体感性的存在物，也是社会的存在物，但存在不等于本质。本质是存在中根本的、决定性的东西。在马克思主义看来，人本身存在中的根本的、决定性的东西，不是理性，不是情感、意志，也不是肉体感性，而是人的社会性。即人在实践中所形成的一切社会关系的总和，才是人的本质。

由此可见，从“人的根本就是人本身”这个命题出发，对人的本质的理解，可能陷入唯心主义，可能停留在旧唯物主义的水平，也可能进一步达于历史唯物主义。马克思关于人的本质的科学见解正是在扬弃了这个命题的基础上逐渐形成的。

在《〈黑格尔法哲学批判〉导言》中，马克思在提出上述命题的同时，就已经试图联系社会来对人进行考察，认为：“人不是抽象的蛰居于世界之外的存在物。人就是人的世界，就是国家，社会。”[②]虽然马克思这时对人、对社会的理解都还是抽象的，但这里的论述表明，青年马克思从这时起，已经不赞成那种把人类个体看成孤立的个人的

① 《马克思恩格斯全集》第23卷，228页，北京：人民出版社，1972年；第46卷（上），410页，北京：人民出版社，1979年；《马克思恩格斯选集》第4卷，373页，北京：人民出版社，1995年。

② 《马克思恩格斯选集》第1卷，1页，北京：人民出版社，1995年。

观点。

后来通过政治经济学的研究，上述认识有了深化。他在詹姆士·穆勒《政治经济学原理》一书的摘要中指出："因为人的本质是人的真正的社会联系，所以人在积极实现自己本质的过程中创造生产人的社会联系、社会本质。"[①]在这里，马克思不仅明确指出人的本质是人的社会联系，而且把人的活动与人的社会联系，即社会本质作了统一的理解。

马克思在《1844年经济学哲学手稿》中，对社会联系、社会关系的认识进一步走向具体化。他把社会关系分为：表现在共同活动中人与人之间的直接联系，以及通过物所表现的人与人之间的间接联系。尔后，经过《神圣家族》中对生产关系这个思想的接近，马克思对作为人的本质的社会关系的理解，就逐渐达到了一个新的飞跃，即从对人本身存在的把握升华到了对人的生产关系为基础的社会关系，也就是人的社会存在的把握。用人在实践中形成的社会关系总和来规定人的本质和人本身。马克思指出："人的本质……在其现实性上，它是一切社会关系的总和。"[②]又说："社会本身，即处于社会关系中的人本身。"[③]在这里，马克思把人的社会存在与人本身的存在统一起来，做了科学的说明。

由上可见，"人的根本就是人本身"这一命题，对于人的本质的说明具有很大的不确定性，在马克思关于人的本质的探索过程中，它是一个被马克思超越了的命题，因此，不能不加分析地作完全肯定性的引用，更不能以此作为论据而把马克思主义哲学归结为人本主义。但同时，它又是马克思形成关于人的本质的科学见解的一个前提性命题。也就是说，马克思对人的本质的科学理解，不是对这一命题的否定，而是以此为基础的发展，是对这一命题给予了历史唯物主义的定向和深化。因而不能对人本身存在和人的社会存在作完全对立的理解。

① 《马克思恩格斯全集》第42卷，24页，北京：人民出版社，1979年。

② 《马克思恩格斯选集》第1卷，60页，北京：人民出版社，1995年。

③ 《马克思恩格斯全集》第46卷（下），226页，北京：人民出版社，1980年。

四、马克思主义人学涵纳了人本主义的价值理想

马克思以科学的人学理论实现了对他早年信仰的人本主义的批判和决裂。很显然，如果没有这个批判和决裂，也就不会有马克思主义人学理论，不会有马克思主义哲学的产生。也就是说，马克思的思想发展过程中确实发生了世界观的根本转变。但这不是某些西方论者所说的“认识论上的断裂。”

那么，如何理解这里的根本转变呢？这里的根本转变不是一概否定、一刀两断，或如西方某些论者所认为的是从人道主义转向反人道主义，而是批判继承，是辩证的否定。即通过否定，克服人本主义的抽象人性论，把对人的本质、人的解放、人的发展的认识奠定在历史唯物主义的科学基础之上；同时又吸取、涵纳了人本主义关于人的价值理想方面的积极内容，加以历史唯物主义的说明，赋予了现实性、革命性的品格。这就突破了人本主义的价值理想只是作为某种伦理规范和善良愿望而存在的界限（在这个界限内，人本主义或人道主义是有它存在的合理性和积极意义的）；主张通过革命的、现实的道路，去实现人类彻底解放的理想。所以，马克思主义不是人本主义，但又涵纳了人本主义的积极内容。

在马克思的思想发展中，一开始用人道的或道德的眼光来审视经济。马克思关于经济的异化，以及克服这种异化的论述，都是依赖于运用人的本质的自我异化和复归这个人本主义的基本理论来进行哲学的论证的。在青年马克思看来，共产主义就是一切异化现象的消除，就是“完成了的人道主义”①。

然而任何理论都有其内在的发展逻辑。当马克思用经济异化即劳动异化理论来说明政治异化、宗教异化，以及其他一切异化现象的根源时，随之而来的一个新问题也就产生了，那就是劳动异化的根源在哪里。要回答这个问题也就必然要引导到承认劳动的内在矛盾，即青年马克思后来所揭示的生产力与生产关系的矛盾。正是由于这个矛盾的运动，才在一定阶段上产生了私有制，产生了阶级剥削和阶级压迫

① 《马克思恩格斯全集》第42卷，120页，北京：人民出版社，1979年。

等一系列被马克思称之为异化的现象。并且随着生产力和生产关系及其所派生的经济基础和上层建筑的矛盾的不断发展和不断解决，必将消灭一切异化现象，逐步实现人类的解放。

于是，这就引起了马克思观念上的根本转变，即从道德批判立场转向科学批判立场，根据历史发展所提供的条件和社会发展的客观规律去考察人的存在和展示人的发展前景。众所周知，这个转变发生在1845年。那么，马克思在最终实现了这个转变以后，是不是放弃了道德批判呢？没有。不仅没有，而且把道德批判精神灌注在全部经济研究中。马克思不仅从生产力发展、经济发展的角度科学说明了私有制，包括资本主义产生和灭亡的必然性，同时又用道德的眼光批判了它的不人道、反人道的性质。

《资本论》是马克思花了40年心血写成的主要著作。在这本伟大著作中马克思以愤怒的心情写道："资本来到世间，从头到脚，每个毛孔都滴着血和肮脏的东西。"[①]资本主义生产"对人、对活劳动的浪费，……大大超过任何别的生产方式，它不仅浪费血和肉，而且也浪费神经和大脑"[②]。又说，在资本主义社会中，"将军或银行家扮演着重要的角色，而人本身则扮演极卑微的角色"[③]。资本家完全不顾工人的死活，在资本主义企业中，"缺乏一切对工人来说能使生产过程合乎人性、舒适或至少可以忍受的设备"[④]。

人们都知道，马克思研究政治经济学的目的，是为了探索一种能够取代资本主义经济形态的更高的社会形态。他把社会主义看成优于资本主义的社会形态，并不仅仅着眼于它能够创造出比资本主义更高的生产力，很重要的一个方面是它将能够第一次提供一种无愧于人的本性和尊严的劳动和经济生活方式。

1848年2月问世的《共产党宣言》是马克思主义诞生的标志。《共产党宣言》运用唯物史观和经济学说科学地指出："代替那存在着阶级和阶级对立的资产阶级旧社会的，将是这样一个联合体，在那里，每个人的自由发展是一切人的自由发展的条件。"[①]马克思在《资本论》

① 《马克思恩格斯全集》第23卷，829页，北京：人民出版社，1972年。
② 《马克思恩格斯全集》第25卷，105页，北京：人民出版社，1974年。
③ 《马克思恩格斯全集》第23卷，57页，北京：人民出版社，1972年。
④ 《马克思恩格斯全集》第25卷，102页，北京：人民出版社，1974年。
① 《马克思恩格斯选集》第1卷，294页，北京：人民出版社，1995年。

中也说，共产主义社会的物质生产是“靠消耗最小的力量，在最无愧于和最适合于他们的人类本性的条件下来进行这种物质变换”[②]。也就是说，共产主义社会是人的自由发展的社会；只有在共产主义社会中，才能完全按照人类的本性来组织社会生产，而且只有这种被人类自觉控制的生产，才能为人类提供合乎人性的生活条件。这也就是马克思于1872年春写的《论土地国有化》一文中所说的：“这就是19世纪的伟大经济运动所追求的人道目标。”[③]

在马克思一生的最后岁月中，他深入地研究了人类的原始社会史，写下了四大本笔记。在笔记中，马克思引用摩尔根的话说：“社会（资本主义社会——引者注）的瓦解，即将成为以财富为唯一的最终目的的那个历程的终结，因为这一历程包含着自我消灭的因素。……这（即更高级的社会制度）将是古代氏族的自由、平等和博爱的复活，但却是在更高级形式上的复活。”[④]

以上所引，无疑都是马克思成熟时期的论述。从这些论述中可以看出，1845年以后的马克思一直到逝世，从来都没有放弃他的共产主义的人道理想。不仅如此，而且是在新的更加成熟的科学理论层次上，现实地、具体地继承和发挥了早年马克思的人道理想。因此，西方有些论者认为后期的马克思忘记了人，或具有所谓“反人道性”的观点都是毫无根据的。在我国，有些论者注意到了马克思主义与人本主义的本质区别，这是必须肯定的。但因此而回避或否认马克思主义人学中涵纳有人道主义的价值理想，否认马克思主义和人道主义都坚持“以人为本”的原则，这也不是实事求是的科学态度，是必须纠正的。

五、马克思主义人学的科学性与价值性的有机统一

如实承认马克思主义人学中涵纳了人本主义的价值理想，那么能否因此而走到另一个极端，而如西方某些论者所认为的马克思主义的核心是“激进的人道主义”，马克思主义关于人的解放的学说是仅仅根

② 《马克思恩格斯全集》第25卷，927页，北京：人民出版社，1974年。

③ 《马克思恩格斯选集》第3卷，130页，北京：人民出版社，1995年。

④ 《马克思恩格斯全集》第45卷，398页，北京：人民出版社，1985年。

据于“伦理的必要性”呢？我认为，不能。马克思主义不同于人本主义，不能把它归结为人本主义或人道主义。

马克思主义与人本主义的区别何在呢？

第一，出发点不同。

马克思主义从人所从事的生产劳动出发，从劳动的历史发展中来引出和展示人道关怀的价值理想。马克思说，“现代工业的无穷无尽的生产力”是“解放劳动的第一个条件”①。恩格斯也说：只有在生产力高度发展的水平上，“社会全体成员的同样的、合乎人所应有的发展，才有可能”②。也才能使“每个人都有充分的闲暇时间从历史上遗留下来的文化——科学、艺术、交际方式等等——中间承受一切真正有价值的东西”，并“把这一切从统治阶级的独占品变成全社会的共同财富和促使它进一步发展”③。

人本主义与马克思主义的出发点不同，它脱离人的生产劳动，脱离社会生产力的发展，从一种抽象的既成的理想人性原则出发来谈论所谓人道关怀，谈论人的自由和发展。这种谈论可能使人激动一时，但终究是不现实的、虚幻的。正如马克思所指出的：“人们每次都不是在他们关于人的理想所决定和所容许的范围之内，而是在现有的生产力所决定和所容许的范围之内取得自由的。”④因此，离开物质基础的人道关怀，只能是口头上的。比如，费尔巴哈曾竭力提倡“爱”的原则。在费尔巴哈看来，只要大家“无限地、饶恕一切的爱着”⑤，随时都可以创造人间奇迹。恩格斯尖锐地指出：“费尔巴哈的道德论是和他的一切前驱者一样的。它是为一切时代、一切民族、一切情况而设计出来的；正因为如此，它在任何时候和任何地方都是不适用的。”又说，费尔巴哈的“爱”的说教“在现实世界面前，是和康德的绝对命令一样软弱无力的”①。

第二，基本原则不同。

---

① 《马克思恩格斯全集》第10卷，134页，北京：人民出版社，1962年。

② 《马克思恩格斯全集》第16卷，271页，北京：人民出版社，1964年。

③ 《马克思恩格斯全集》第18卷，246页，北京：人民出版社，1964年。

④ 《马克思恩格斯全集》第3卷，507页，北京：人民出版社，1960年。

⑤ ［德］费尔巴哈：《费尔巴哈哲学著作选集》上卷，荣震华等译，233页，北京：商务印书馆，1984年。

① 《马克思恩格斯选集》第4卷，240页，北京：人民出版社，1995年。

人本主义把人看成孤立的“社会原子”。在它看来，社会不过是孤立的个人的结合，社会历史被看作某种抽象人性的展示，把个人视为社会旋转的轴心。用现代语言来说，人本主义坚持的是“个人本位”。因此，人本主义所谓的对人的终极关怀，指的不是人类集体，而只是孤立的个人。它总是离开社会的发展来谈论个人的发展和个性的解放。

与人本主义的上述原则不同，马克思主义坚持个人与社会相统一的原则，在这种统一中来研究人的价值理想追求。马克思主义十分重视人的个体的发展和个性的解放，认为人类的历史始终也只是他们的个体发展的历史；又说，共产主义并不消灭人的个性，恰恰相反，它要使每个人“作为个性的个人确立下来”[②]。

那么，怎样才能使个人获得发展和解放呢？马克思主义认为，人作为个体，不是孤立的存在，不是社会的抽象对立物，而是社会存在物。因此，“只有在集体中，个人才能获得全面发展其才能的手段，也就是说，只有在集体中才可能有个人自由”[③]。根据马克思的观点，集体又有两种。一种是建立在生产资料私有制基础上的虚幻的集体。在这种集体中所允许的个人自由是极为有限的。因此，马克思主张，改造私有制社会，改造这个虚幻的共同体，去建立促进个人全面发展的真实的共同体，即以公有制为基础的社会集体。马克思认为，从虚幻的集体到真实的集体的发展，这是历史的必然。他说：“‘人’类的才能的这种发展，虽然在开始时要靠牺牲多数的个人，甚至靠牺牲整个阶级，但最终会克服这种对抗，而同每个个人的发展相一致。”[④]马克思这一伟大预言，在社会主义中国已经得到了初步实现，并日益展现着更为灿烂的前景。这一预言还将要在全世界实现。可见，马克思主义关于从个人与社会相统一的实践出发，在社会发展中求得个人发展的理论，才真正是对人的命运的终极关怀。人本主义把个人发展与社会发展脱离开来，甚至对立起来，不管其主观愿望如何善良，从其实际操作和最终结果来看，从个人出发，追求一己的私利，必然是以侵犯别人的利益为基础，以众人的不自由为代价，终究使个人的发展陷

② 《马克思恩格斯全集》第3卷，87页，北京：人民出版社，1960年。

③ 《马克思恩格斯全集》第3卷，84页，北京：人民出版社，1960年。

④ 《马克思恩格斯全集》第26卷（Ⅱ），124—125页，北京：人民出版社，1973年。

于虚妄。

第三，对如何实现人的解放的主张不同。

人本主义把社会上种种不人道现象的产生说成人性迷失的结果，于是主张通过道德完善、意识自觉去拯救和复归人性，以实现人的解放。

与这种主张相反，马克思主义关于人的解放的学说中所包含的人道理想，是与无产阶级反对资产阶级的斗争，与无产阶级革命和无产阶级专政相联系的。无产阶级革命和专政离不开无产阶级的暴力，于是这就触犯了西方一些论者的“人道主义”感情。他们认为，无产阶级革命和专政是反人道主义的，用今天的时髦语言来说，是违反人权的。他们抽象地反对一切暴力（在口头上），认为“暴力”与“人道”势不两立。暴力就是压制个性，否定自由。马克思主义不是暴力论者，也不是非暴力论者，只是认为，为了消灭压制广大人民的个性和自由的剥削阶级暴力，就必须适当地、有限制地使用无产阶级暴力，从而压制少数人的个性和自由，以保护绝大多数人的个性和自由，并为最终消灭对个人的任何暴力创造条件。在这里，目的和手段是一致的。如果不借助于无产阶级革命和专政，就不能实现人类解放的理想。因此，马克思主义关于无产阶级革命和专政的理论，为实现人类解放的理想指明了一条现实的道路。正如马克思所说：“从工人阶级运动成为现实运动的时刻起，各种幻想的乌托邦消逝了——这不是因为工人阶级放弃了这些乌托邦主义者所追求的目的，而是因为他们找到了实现这一目的的现实手段——取代乌托邦的，是对运动的历史条件的真正理解以及工人阶级战斗组织的力量的日益积聚。”①

因此，马克思恩格斯对那些鼓吹脱离和反对无产阶级革命斗争的人道主义者是持坚决的批判态度的。马克思曾批判坚持“博爱”原则的人道主义者，说“他们自己比任何人都更像资产者”②。对主张用“意识的解放来代替无产阶级的解放”的“温情的人道主义”者也是坚决反对的，说他们“实际上，是最大的保守分子”①。另外，马克思对空想社会主义的人道主义也进行了批判。马克思认为，虽然它们提出

① 《马克思恩格斯选集》第3卷，108页，北京：人民出版社，1995年。

② 《马克思恩格斯选集》第1卷，155页，北京：人民出版社，1995年。

① 《马克思恩格斯全集》第3卷，22页，北京：人民出版社，1960年。

了解放全人类的口号，但它们根本“拒绝一切政治行动，特别是一切革命行动”，只想通过和平途径来达到自己的目的。这样一来，他们关于未来的美好计划，也就“带有纯粹空想的性质”[②]，因而没有多大的实际意义。

现代西方人本主义者虽然其中不少人已经认识到资本主义社会中种种不人道的现象已经发展到极致，并且也进行了某种程度的揭露和批判。但是因为他们并没有能真正认识到产生这种种不人道现象的根源，因而也就找不到根治的办法。他们中有人主张，通过社会文化的改造，净化人的灵魂，使每个人达到精神和道德的完美，从而消除不人道的现象，以实现社会的和谐。其实，这种主张并不新鲜，只是被马克思早已批判过的保守的、伦理的人道主义的旧货色。当然，马克思主义并不轻视道德意识的作用，而只是认为，阶级剥削和压迫等反人道现象的存在不是人性迷失的结果，不是起源于偶然的或意外的个别情况，而是私有制的必然结果，是不可避免的。因此，要消灭阶级剥削和压迫，就必须消灭包括资本主义私有制在内的一切私有制。因此，人的解放问题，并不是像某些空想家所认为的那样，仅仅是依据伦理的必要性，是纯粹道德完善的过程，而主要是生产力的历史发展所促成的消灭现存状况的现实运动。换句话说，马克思主义学说的人道关怀，并不是一种单纯的主观愿望，而是建立在对上述现实运动所作的科学分析的基础上的，是对社会必然性的一种反映。

正是在这个意义上，我们说，马克思主义人学体现了科学性和价值性的有机统一。所谓价值性，即它代表了人的解放和发展的根本利益；所谓科学性，是指它符合人类社会的客观规律。因此，可以说，马克思主义人学是建立在科学基础上的人道理论；或者说，它是体现了人道价值理想的科学理论。因而这一科学理论一旦成功地运用于对现存剥削社会的革命改造，就可以转化为一种巨大的道德感召力，激励人民群众联合和组织起来，为争取自身的解放而斗争，从而把人的解放的理想变成现实。

总之，西方有些论者说马克思主义忘记了人，是人学的空场，或是把马克思主义归结为“激进的人道主义，”这两种观点看似对立，其

② 《马克思恩格斯选集》第1卷，304页，北京：人民出版社，1995年。

实都是从人道主义的视角理解马克思主义，都是用抽象的人性论从外部去否定或从内部去阉割马克思主义的历史唯物主义基础及其科学性。从思想方法来说，都陷于抽象的谈论，各执问题的一个片面，缺乏对马克思主义人学的实际分析。

当然，人的问题是一个古老而常新的哲学问题。马克思主义人学作为科学的人学理论，它没有结束真理，而必将随着人类实践和人类认识的发展，不断得到丰富和深化。

人的发展是检验实践正确性的标准*

一、真理不是判定实践正确性的尺度

人类的实践可以分为两类：一是常规实践，即在一定范围内重复的实践，二是非常规实践，即以探索性、开拓性为主的实践。

对于常规实践来说，在长期反复的实践中，人们已经获得了有关真理性的认识。这种认识对于指导人们继续从事这种实践是有指导作用的。这就是我们通常所说的理论是行动的指南。这里所谓的指南，就是说，真理启示人们，在这个范围内，这样做就可能成功，那样做就可能失败。换句话说也就是，正确的理论指导是进行正确实践的前提。

那么，能否把真理对于实践的指导作用，引申为真理对实践正确性的检验作用呢，不能。相比较而言，真理具有普遍性的品格，实践具有现实性、特殊性的品格。真理只能给正确进行实践指示一个可能的方向，提供一个必要的前提，但它并不是实践正确性的充分前提。因此，不能认为以真理为依据的实践就必然是正确的、成功的。因为，即使是常规实践，也只是一定范围内重复的实践，而不可能是完全的绝对的重复。任何一项实践都涉及多方面的因素。其中某一个或某几个因素发生变化，就可以导致整个实践性质的变化及其结果的不同。也就是说，即使是常规实践，依据某一真理所进行的实践也会多种多样。由此看来，对于常规实践，也不能用真理作为其正确性的检验标准。

对于非常规实践来说，由于这种实践是对未知领域的探索和开

---

* 原刊于《东岳论丛》，1989（4）。

拓，因而对于这种实践的正确性就更不能用既成的真理来检验。因为既成的真理，特别是那些与一定条件相联系的具体的原理，是适用于旧领域的真理，或者如列宁所说的是“昨天的理论”，在已经改变了的历史条件下，它也就失去了效力。因此，如果以这种理论为标准来检验非常规实践的正确性，那么，就必然会束缚实践活动的发展，甚至还会对原本正确的实践做出否定性的错误的结论。

比如，马克思恩格斯在自由资本主义时期，提出了社会主义革命不能在一国首先胜利的结论。这个结论，经过了1848年和1871年两次革命的检验，证明是真理。后来，列宁从帝国主义阶段的实际出发，提出了社会主义革命可以在一国首先胜利的新结论。但列宁的这个新结论，当时还未得到实践的证明，还未被确认为真理。不久，十月革命爆发了。如何衡量十月革命的正确与否呢？如果用既成的真理，即用马克思恩格斯适用于自由资本主义的上述理论为标准，那么只能得出十月革命是不正确的，必然要失败的结论。当年孟什维克竭力反对十月革命，其中一个重要手法，就是利用了上述所谓论据。然而，与孟什维克所希望的完全相反，十月革命作为一次正确的成功的有重大意义的壮举，早已经载入了史册。

由此可见，真理不能作为检验实践正确性的尺度。如果以真理作为检验实践正确性的尺度，就难免陷入唯心主义、形而上学。这样做，不仅束缚了实践的发展，而且也必然束缚了真理本身的发展。

赵景华之所以得出“实践的正确性要靠真理来检验”[①]这一不妥的结论，我以为，其失足之处有二：

一是，他只看到了真理与实践相联系的一面，即只看到了真理是在实践基础上对存在的正确反映，因而具有科学性、绝对性和客观性的一面，而忽视了真理与实践相区别的一面，即真理对存在（包括实践）的正确反映，只是近似中的科学性、相对性中的绝对性、以主观形式表现出来的客观性。真理具有普遍性，而实践是普遍性与现实性的统一；真理具有必然性，而实践是必然性与偶然性的统一。实践的发展对于理论的发展具有依赖性，但更有基础性，理论的发展对于实践的发展具有先导性，但首先具有从属性。理论是灰色的，生活之树

---

① 赵景华：《正确的实践要靠真理来检验》，《东岳论丛》，1989（1）。

常青。正确的实践不是真理的纯粹翻版，因而不能用真理作为实践正确性的对照样本。

二是，他把实践正确性的检验问题仅仅看作一个认识论问题，而不是看作一个价值论问题，一个与人的发展相联系的问题，这就限制了他观察和分析问题的视野，因而也就不能得出科学的结论。

二、人的发展是实践正确性的检验尺度

人的活动包括两个方面：一是认识世界，二是改造世界。为什么要认识世界？是为了获得真理。而获得真理，说到底，是为了改造世界，是为了指导实践。只有正确的认识，才能有正确的行动。认识的正确性最终要由实践的正确性来加以证明，所以实践是检验真理的唯一标准。那么，人为什么要改造世界，要从事实践，说到底是为了满足人的需要，求得人的发展。只有正确的实践，才能有益于人的需要的满足和人的发展。因此，实践的正确性最终要由人的发展来加以衡量。

从事实践，特别是生产劳动实践，这是人与动物的根本区别，也是人类社会存在和发展的现实基础和根本动力。人为了满足自己的需要而劳动，这是一个浅显的真理。人怎样才能通过实践满足自己的需要呢？一是必须使实践沿着实现人自身的价值目标的方向进行；二是必须从实际出发，按照客观规律办事。这就是说，实践的正确性必须通过两个方面表现出来，一是实践活动是否符合客观实际和客观规律；二是实践活动是否符合人的本性、人的利益。这两个方面也就是马克思所说的人的活动的内在尺度和外在尺度。所谓“内在尺度”，就是由人的需要和“本质力量的性质”所规定的尺度。所谓“外在尺度”，就是由实践“对象的性质”所规定的“客体尺度”，它是实践对象所固有的本性、本质和规律的作用和表现，并由此形成实践活动的“客体性内容”。

就实践的内在尺度和外在尺度的关系而言，内在尺度是更为根本的尺度。人作为实践活动的主体，在实践过程中，不是简单地去适应客体，而是要改造客体，使客体统一于主体，服务于主体。换言之，物的尺度只有符合人的内在尺度，它才会成为人的活动的尺度。因

此，物的尺度归根到底要服务于人的内在尺度。

如上所说，人的活动的内在尺度根源于人的需要和人的本质力量的性质。就人的需要与人的本质力量的关系而言，人的本质力量的发展激发了人的需要的发展，为新的需要的满足提供了主体条件，而新的需要的满足，又为人的本质力量的发展提供了条件。人的发展，就其内容来说，既有横向的不断丰富，它包括经济的、政治的、思想的、文化的、道德的等等方面的价值享用，又表现为纵向的不断提高。因此，检验人的实践正确性的最高的和最后的尺度，就是人的发展。换句话说，凡是有利于人的发展的实践，就是正确的；凡是不利于人的发展的实践就是错误的。

为这个最高的和最后的标准所决定，在人类历史的不同时期，在社会生活的不同领域、不同层次上，也就派生了许多具体的标准。比如在我国社会主义初级阶段乃至整个社会主义时期，作为社会行为规则的生产力标准、生产关系标准、四项基本原则的政治标准，意识形态领域的真善美标准，都在各自的领域里发挥着相对独立的作用。当然，从社会结构的角度说，生产力是社会历史的基础。因此，生产关系标准、政治标准、意识形态标准等等，相对于生产力标准，只有从属的意义，生产力才是主要标准。

那么，把生产力标准作为衡量人的实践正确性的主要标准，与把人的发展作为检验人的实践正确性的最高和最后的标准，这两者的关系如何呢?

首先，这两个标准是一致的。因为一切有利于生产力发展的活动，从根本上讲，都是符合人的发展的利益的，都是人的发展所需要的。

其次，从最高和最后的意义上说，又不能用生产力标准取代人的发展这一标准。这是因为：(1）生产力发展只是人的发展的一个方面的表现，虽然是主要的方面。而人的发展所包含的内容更广泛，更丰富，更综合。(2）从目的与手段的关系来看，生产力的发展只是手段，虽然是主要的手段，而人的发展才是目的。也就是说，人们不是为发展生产力而发展生产力，发展生产力归根到底是为了服务于人的自身发展。显然，相对于目的，手段只有从属的意义。

由此推知，生产力标准从属于人的发展这一标准。所以从最高和最后的意义上说，人的发展是实践正确性的检验尺度。

“以人为本”的马克思主义理解*

在党的十六届三中全会上，“以人为本”第一次写进了中国共产党的决议。现在它已成为指导我们各项工作的一个重要原则。以人为本不是马克思主义特有的口号，但以人为本有马克思主义的特定理解。下面就此谈五点看法。

一、中国共产党执政理念的升华

（一）抓发展，促公平

共产党执政干什么？一是抓发展，二是促公平。

不抓发展，经济上不去，国民生活不提高，长期下去，政权会丧失。邓小平的一个巨大功绩，就是从我国社会主义初级阶段的实际出发，抓住了我国现阶段的主要矛盾，即人民日益增长的物质文化需要同落后的社会生产之间的矛盾，明确提出贫穷不是社会主义，我国现阶段必须以经济建设为中心，大力发展生产力。在这一正确思想指导下，我国从1979—2004年国内生产总值年均增长9.4%，应该说，成绩辉煌，举世公认。

但是正反两个方面的经验又告诉我们，经济发展了，如果只是少数人享受发展成果，多数人的生活得不到改善，长久下去，也会丧失政权。就社会主义国家来说不抓发展不行，贫穷不是社会主义。但发展了，社会不公也不是社会主义。

印度人民党之所以在2004年印度总统大选中丧失政权，不是因为它在执政期间经济没有搞好，恰恰相反，这一时期，印度经济有了较

* 原刊于《安徽商贸职业技术学院学报》，2005（4）。

快的发展，国内生产总值年均增长6%以上，是印度经济发展史上较好的时期之一。那么，为什么在大选中又落选了呢？一个重要原因是贫富两极分化依然如故。印度有3.2亿贫困人口，脱贫人口只减少了区区2000多万，也就是说，有3亿人口基本上没有享受到发展所带来的好处。在大选中，大量的贫困人口不投人民党的票，因而它就丧失了执政的合法性。

中国共产党要获得继续执政的合法性基础，要夯实这个基础，就要坚持“以人为本”，要抓发展，促公平。要做好这一工作，其中的关键是要正确处理市场经济与社会保护的关系。

（二）市场经济与社会保护

市场经济，从生产力角度说，是通过市场配置资源的经济，它讲究的是效率优先；从人与人的关系来说，市场经济是竞争经济，讲究的是优胜劣汰。市场的效率原则追求的是资源的最佳配置，追求的是市场主体的利益最大化；市场经济的竞争原则必然导致社会分化，即贫者愈贫，富者愈富。有人讲，市场经济是平等的经济，其实，市场经济所讲的平等，只是市场交易的平等，即等价交换。或者说，只是交易规则的平等，而起点和结果往往是不平等的。所谓起点的不平等，是指不同的人掌握的社会资源和拥有的人力资源不同，通过市场交易，所达到的结果也不同。因此，市场配置虽然可以提高效率，增加社会财富，但无法解决社会不公。要解决社会不公，就要靠社会保护。所谓社会保护，就是国家要制定相应的社会政策，通过社会资源的再分配，增进社会平等。如果说，市场配置青睐的是成功人士、精英群体；而社会保护所关注的则是普通民众和弱势群体。通过社会保护，切实解决他们在生存和发展中的问题。社会保护，一是维护他们的正当权益，二是对他们的困难给予必要的社会救助。

（三）跨越“拉美陷阱”，实现发展的可持续

各国现代化的历史表明，人均国内生产总值在1000美元到8000美元（这是一个不甚准确的、随历史变动的估算）的发展阶段，既可能是经济发展的黄金时期，也可能是社会矛盾的凸显期。在这一时期，如果各种措施有力、得当，社会经济就可以持续发展；反之，就会陷

入“拉美陷阱”。

所谓拉美陷阱，是指拉美一些国家，如墨西哥、阿根廷、巴西等在20世纪80年代经济获得可观发展之后的经济停滞和衰退。这些国家的发展得益于劳动力成本优势，成功实施出口拉动战略。到了20世纪90年代，劳动力成本优势丧失，又没有形成科技创新优势，加之面临西方的贸易保护主义，这些国家的出口受阻。另外，由于贫富两极分化（比如，拉美占30%的穷人仅获得国民收入的7.5%，而占人口10%的富人获得了国民收入的40%），多数民众的消费水平没有提高，导致国内需求不振。这样，经济发展的两个拉动，一是国内消费拉动；二是国外出口拉动，都发挥不了应有的动力作用，经济陷于停顿。加之，没有及时地、正确地处理种种社会矛盾，引发社会动荡，导致政权更迭。20世纪90年代拉美一些国家失去了经济发展的稳定环境，失去了进口与出口的良性互动，以及生产与消费的良性循环，经济出现衰退，被称之为失去了的10年。

十六大报告中指出，21世纪头二十年，对我国来说，是一个必须紧紧抓住并且可以大有作为的重要战略机遇期。这是发展的战略机遇期，也是发展的重大风险期。为了抓住机遇，跨越拉美陷阱，承提起领导中华民族实现伟大复兴的历史重任，我们党提出了以人为本的科学发展观，提出了建设和谐社会的主张，提出了促进人的全面发展的理念。这些都是中国共产党在新的历史条件下，对党的执政规律的认识升华的体现，是对长期执政经验的理论概括和理论创新。

二、“以人为本”与“以人民为本”

在这个问题上有这样两种观点：一种观点认为，以人为本，就是以人民为本；另一种观点认为，提倡以人为本，就不要再提以人民为本。

怎样看待这样两种观点呢？

在我们看来，既不要把二者对立起来，也不要把二者等同起来。

从本质上说，以人为本，就是以人民为本，即以人民利益为本。如果不坚持这一点，就不是马克思主义所理解的以人为本，而是西方人本主义所理解的以人为本。在马克思主义看来，人不是抽象的，而是具体的，人是在一定社会关系中从事实践活动的。人民群众占人口的大多数，人民群众是劳动主体、实践主体，是创造历史和现代化建设的主体。因此，我们党在治理国家和管理社会中，必须把人民群众的利益放在中心地位。这是马克思主义的本质决定了的，是中国共产党的性质决定了的。

但是在承认以人为本与以人民为本在本质上一致的同时，又不能把二者完全等同起来。

至少在下面两种情况下，只能提以人为本，而不能提以人民为本。

一是在人与自然的关系上，在巨大的自然灾难面前，挽救人的生命，保障一切人的安全，借用康德的话说，这是“绝对命令”。2003年春季当“非典”袭来的时候，2004年当印度洋海啸发生的时候，都只能强调对一切人生命的普遍关怀，并由此衍生出对自然生命的全面关怀，要坚持环境保护与生态重建并举，做到人类社会与自然环境的协调发展。也就是说，在对人的生命普遍关怀的意义上，在对自然生命全面关怀的意义上，在环境保护、生态重建的意义上，只能提以人为本，而不能提以人民为本。

二是在人与人的关系中，为了维护人民的利益和社会的秩序，必须对犯罪分子予以打击，要剥夺他们的政治权利和人身自由，这是没有疑义的。但犯人也是人，除对极少数罪大恶极者要施以极刑以外，对绝大多数犯人来说，还必须尊重他们的生命权、生存权、人格权，对他们施以教育、感化、挽救，这也是以人为本。

三、“以人为本”与“以人为目的”

以人为目的，就是一切为了人，为了满足人的生存、发展，为了增进人的自由、幸福。

以人为目的是以人为本的核心内容。这是近代以来西方人本主义和马克思主义人学的共同观点。

正是在这一点上，使近现代人本思想与中国古代人本思想从根本上区别开来。近现代人本思想之人是公民之人，而古代人本思想之人是臣民之人。公民是公民社会的主人，臣民只是皇权社会的工具。在皇权社会中，所谓的以人为本或以民为本，这里的民只是工具意义上的本，其基本的落脚点还是“君本”。老百姓之所以还是“本”，只在于其人数众多，力量巨大，“水可载舟，亦可覆舟”。因此，以民为本，才能统治长久。古代的民本思想反对肆无忌惮地残民、害民，而主张裕民、富民，因而不失为封建社会的人道主义，它为改善劳动人民的生存状况和生活条件，提高劳动人民在社会中的地位，改善封建专制主义所造成的黑暗统治，是有历史意义的。但古代的民本思想之民不是目的意义上的本，君才是目的意义上的本。

近现代人本思想主张人是目的，相对于古代民本思想，它实现了人作为单纯的工具之本到目的之本的根本转变，这是一个巨大的历史进步。

但是，在肯定这一点的同时，也不能把以人为本等同于人是目的。因为从人与人的关系来说，人们之间是互为目的和手段的。也就是说，人既是目的，也是手段。

在马克思主义看来，人的发展、人的幸福、人的自由，既不是上帝的恩赐，不是少数杰出人物对多数人的垂爱，也不是人的固有本性使然，而是人的活动的结果，是人自身充分发挥首创精神和主体能动作用以实现自己的利益。因此，以人为本，是人作为目的和手段的统一，是人人为我，我为人人的统一。如果把自己仅仅视为目的，那么也就必然把他人、社会仅仅视为手段，那就是利己主义、唯我主义。世界上没有免费的午餐，任何人不付出，也就没有回报，由此，把人仅仅视为目的，照此去做，到头来也就是人作为目的的落空。因此，发挥人的主体性、能动性、创造性，为这种发挥创造条件，使人的才能得到充分展示，人的社会价值得到充分实现，这也是以人为本的重要内涵。

总之，以人为本，是以人为根本目的和以人为根本动力的统一。

四、坚持以人为本的理想性与现实性的统一

以人为本是一种价值理想，要实现这一理想就必须以现实为基础。上面我们从主体的角度说明了人是目的和手段的统一，这种统一

在社会生活中的体现，就是人的发展、人的幸福、人的自由的实现，必须以一定的社会条件为基础，不然这些就要落空。这里的条件是多方面的。为了创造这样一个以人为本的社会环境、社会基础，首先就要推翻那些使人成为受屈辱、被奴役、被遗弃和被蔑视的东西的一切关系。为此，就要进行无产阶级革命，要通过革命夺取政权，建立无产阶级专政。并借助无产阶级政权的力量，大力发展生产力，要努力推进物质文明、政治文明、精神文明和生态文明建设，以促进人的日益全面和自由的发展。这是马克思主义所指示的，并通过工人阶级的革命和建设实践反复证明了的一条实现以人为本的正确道路。离开了这一条正确道路，以人为本就会变成一个空洞的口号，一种纯粹的道德诉求，这对广大人民群众来说，是没有多少现实意义的。曾经有人把人道原则与无产阶级革命原则、专政原则对立起来，这是错误的；现在有人把“以人为本”与“大力发展生产力”，“以经济建设为中心”，“发展是执政党国第一要务”等对立来，认为“以人为本”是对“以经济建设为中心”的超越，也是不对的。在现阶段，大力发展生产力，坚持以经济建设为中心，不断增强我国的综合国力，不断改善和提高我国人民的物质文化生活，这就是我国人民的根本利益所在，实现这个根本利益就是实实在在地坚持以人为本。

五、“以人为本”与“人类中心主义”

在人与自然关系上，从存在论的角度说，人不是地球的中心，也不是太阳系的中心，更不是宇宙的中心，人只是地球生物世界数千万个相互依存的物种中的一个成员，是地球生态圈物质循环、能量转化过程中的一个环节。

在价值论上，人类以自己为中心应该是不容置疑的。现在有这样一种观点，认为人类与自然界的生物应该平等相处，各种生物与人一样有自己的生存权利，不然就是违背了生态道德。我们不赞成这样的观点。请问生态道德论者，你们吃鱼吗？吃肉吗？吃菜吗？回答当然是肯定的。因此，这里的关键并不在于人类要以自身为中心（这是必然的），而是不要陷于人类中心主义，不要一味地对自然进行征服、索取，以致破坏。要按自然规律、生态规律办事，这样才是真正体现了

"以人为中心"，真正坚持了"以人为本"。

总之，坚持以人为本的马克思主义理解，就是要坚持"以人为本"的科学性，要坚持其价值性与科学性的统一。是否坚持其科学性，这是马克思主义的"以人为本"与人本主义的"以人为本"的根本区别。

以人为本视域下苏联解体的反思*

苏联作为一个世界性大国和强国的崛起与崩溃，这是20世纪最重大的历史事件之一。苏联从1991年解体到现在已经20多年了。随着各种档案的不断解密，以及史料整理和研究工作的展开，一部苏联兴亡史已基本呈现在人们面前。如何在此基础上，总结出一些带战略性、规律性的经验教训，从中获得启示，以作为推进中国特色社会主义事业不断前进的镜鉴，这是中国共产党人必须认真做好的一项极为重要的工作。

对此，不少论者已分别从大力发展生产力，以经济建设为中心，反对大搞阶级斗争；坚持马克思主义的指导地位，杜绝各种不良社会思潮泛滥；加强党的先进性建设，反对和平演变，防止腐化变质；坚持改革开放，破除僵化封闭的体制等多个方面进行了反思。这是很有必要、很有意义的。但所有这些反思基本上还是囿于社会主义的手段性层面，而尚少达于社会主义的目的性层面。

社会主义的目的就是以人为本。即保障民生、增进人的幸福、促进人的自由和全面发展。这是社会主义区别于以往社会的一个本质特性。能否自觉和充分体现社会主义的这一本质特性，关系到一个社会主义国家的前途命运。我认为，这是苏联解体留给我们的最为深刻的经验教训。下面就此从四个方面来展开具体说明。

一、革命暴力必要性与人道的平衡

社会主义以人为本的要义之一，是尊重人的生命。或者说，以人为本，生命至贵。这是因为生命对每个人只有一次。所谓“来世”只

---

* 原刊于《安徽师范大学学报》(人文社会科学版)，2013 (5)。

是宗教的杜撰，所谓“下辈子”也只是文学的臆想。不仅如此，生命还是人的活动的载体和人的一切价值的基础。或曰“留得青山在，不怕没柴烧”。否则，一切就无从谈起，都会归于空寂。

以往的社会不值得留恋，之所以会被取代，其中一个基本原因：它们都以牺牲人，包括人的生命为代价。在这里，且不谈人会被作为食物吃掉，并沿袭成风的原始社会；也不谈人会作为葬品杀戮，且成为司空见惯的奴隶社会；就拿封建社会来说，广大农民在森严的封建等级的层层压榨和多方盘剥下，在正常年景，尚是艰难度日，若遇旱涝灾害、瘟疫流行，或匪患肆虐，或战祸连绵，则无以为生。在中国封建社会，赤地千里，饿殍遍野的记载，比比皆是，史不绝书。在较为文明的资本主义社会，工人说到底也只是资本家创造利润的工具。在资本家眼中，利润就是一切，工人的生命则无足轻重。

为了打破反动阶级的统治，为了觅得一条活路，于是有了人民群众的抗争、革命。革命是逼上梁山，是铤而走险。革命意味着暴力流血。曾有人主张，要革命，不要留血。其用意可嘉，但终是梦幻。因为反动阶级不愿自动退出历史舞台，而往往首先使用暴力。于是革命阶级无可选择，只能以革命暴力反对反革命暴力，甚至要从肉体上消灭残暴的敌人。其理由在于：这少数人危害着多数人的生命和财产的安全。因此，革命与人道并不相悖。不仅如此，革命还是最大的人道。这也是以往的一切革命，包括无产阶级革命的正当性所在。在当代中国，有人安享革命胜利所带来的好处，却又用抽象的人道眼光去斥责革命的所谓“血腥”，这实在是一种不智之举。

马克思曾说，巴黎公社失败的一个重要原因是对敌人的“仁慈”。公社革命发生时，被枪决的反动分子总共只有区区60多人，可当凡尔赛的反革命猛扑过来的时候，仅巴黎一地就有3万多公社成员人头落地。正是吸取了这一血的教训，列宁在领导俄国十月革命和捍卫新生政权的斗争中，才对反动派的镇压特别果断和坚决。

然而革命暴力使用的界限并非如黑白那样的分明。这里大体有三种情形：一是可杀；二是可杀可不杀；三是不可杀。然而在你死我活的紧急斗争关头，并不总是有时间和条件去加以从容分辨的。于是多杀、错杀的情况难免发生。如同影片《列宁在一九一八》中，列宁对高尔基所说的那样，两个人在打拳击，你能说哪一拳是必要的，哪一拳是不必要的呢？列宁这个比喻生动形象，也很贴切。这里确实有客观上的不得已和无奈，然而尽管如此，对进行革命的无产阶级政党来说，还必须理性保持革命暴力的节制。在这里，不能有半点马虎。否则就会把无产阶级文明的革命暴力混同于野蛮、残暴的暴力。特别是共产党执政以后，在这方面更应依法从事，慎之又慎。

这里的限度有三：一是不能滥施暴力，伤及无辜；二是对放下武器的俘虏不能杀害，而应加以优待，施以感化教育；三是要消灭剥削阶级和剥削制度，但对服从管制的剥削分子则不能消灭，而要给予出路，加以改造，使其自食其力，重新做人。这在中国叫作革命的人道主义。或者说，是实现了革命所要的必要的暴力与人道要求之间的平衡。这一平衡政策的实施，对中国共产党人团结一切可以团结的力量，瓦解、孤立和最终战胜敌人，曾发挥过难以估量的作用。这样做，不仅赢得了广大群众的拥护，而且在国际上也产生了良好的影响。

然而苏联共产党在这方面就做得比较粗糙，比较过激，没有提出相关的理论和采取相应的措施，以至造成了某些历史的失误和难以抹去的污点，这样不仅流失了人心，而且也给人以攻击和妖魔化的口实。这一教训是深刻的。

比如，在十月革命初期，在白军逼近的情况下，当时担任苏联革命军事委员会主席的托洛茨基下令枪杀了早在二月革命中已经退位的沙皇及其家人，这就损害了红色政权的形象。在喀琅施达得事件中，不仅参与者受到追杀和惩罚，还祸及家人，甚至其远亲也受到牵连，被流放和强制劳动。卫国战争前的1940年，苏联把战俘营中的2万多名波兰军人实施枪决，史称“卡廷事件”。这一事件至今为世人所诟病。另外，严重混淆了两类不同性质的矛盾，把党内和人民内部不同观点和策略的分歧，上纲上线，给一些人扣上反动分子、外国代理人、间谍等帽子，进行残酷斗争，无情打击。特别是在20世纪30年代大清洗中，不少党政军干部受到迫害、镇压。尽管这些人中的大多数早在1938年已获平反，且对破坏法制的人进行了惩治，但人死不能复生。由此，所造成的社会伤痛是巨大的。

赫鲁晓夫在苏共二十大的秘密报告正是重新撕开了这份伤痛，加以大肆渲染，作为一个主要证据，来全盘否定斯大林，这从而也就成为苏联日后走向解体的一个历史拐点。自称“二十大之子”的戈尔巴乔夫则进一步打着人道的民主的社会主义旗号，否定苏联社会主义制度，攻击十月革命，使苏联最终走上了一条不归路。

二、民众个人利益与国家利益的兼顾

为了维持生命，就必须有维持生命的基本的生活保障。这是每个人最起码的利益。因此，社会主义以人为本的要义之二，是民生为重。正因为如此，广大人民群众往往也是根据对自己利益，特别是生存性利益的损益来决定其政治态度的。这从而也就要求共产党人必须关心人民群众的个人利益，要使人民群众在这种关心中，在对个人利益的满足中，认识国家的整体利益，并团结起来为国家整体利益而斗争。

在个人利益与国家利益的关系问题上，在中国流行着这样一说：大河有水小河满，大河无水小河干。近一些年又有人另立新说：小河有水大河满，小河无水大河干。其实，这两种说法并不矛盾，而是各有所长，亦各有所短，因而只有综合起来，才能获得完全的真理性。这是因为在正当利益的意义上，社会主义国家利益的追求是民众个人利益得以实现的前提，同时民众个人利益的满足也是国家利益得以实现的基础，它们是相辅相成的关系。当然，此二者并非并列，从总体说，社会主义国家利益的实现要以民众个人利益的实现为导向、为归宿。诚然，民众的个人利益有未来和现实的区别。在革命战争年代，由于条件缺乏，共产党人主要是以未来的个人利益，或曰过上好日子的理想，来激励民众投身革命，而在和平建设时期，随着条件的好转，则主要应以现实的个人利益，或曰看得见的实惠，来激励民众投身建设。这就要求共产党人要适应时代和任务的变化，进行观念和政策的调整。不然就会不得人心，就会失败。

1917年布尔什维克之所以能得到群众的信任和拥护，从而取得十月革命的胜利。其中一个重要原因在于：布尔什维克提出了给人民“和平、土地、面包”的口号。正是这一口号所昭示的理想，使广大群众站到布尔什维克一边，从而激发了他们夺取政权的热情和斗志，并在极度困难的条件下，战胜了14个帝国主义国家的武装干涉和白匪的叛乱，使新生政权顽强地生存了下来。

十月革命首先是城市革命，因而新生政权最急需粮食。于是苏维埃政权从1917年10月开始实施余粮收集制。实际收集的不仅是余粮，有时还包括农民的部分口粮。所谓收集，就是用纸币换取农民的粮食。但由于当时工业品奇缺，因而农民得来的纸币，很难换回自己需要的工业品。但农民还是表示了理解和支持，从而在国内战争期间解决了军队和城市的基本供应。

然而余粮收集制这一政策从1920年起到1921年初遭到了农民的激烈反抗，甚至爆发了几乎遍及全国的50多起大规模农民起义。这是为何？原因在于，战争已经趋于停息，可仍在进行这种收集，甚至过量的收集，特别是那种被农民骂为“骑马的军事匪帮”的强制收集、暴力收集，致使农民特别反感，极为愤怒。这一事实说明，谁如果损害了群众的生存性利益，那么必然会遭到拼死的抵抗。好在列宁及时发现了这一错误并坚决加以改正，即用粮食税制代替余粮收集制。这样才重新赢得了农民的信任和拥护。

列宁由此还总结出一条极为重要的经验教训：要靠与个人利益的结合来建设社会主义。他说，过去“我们曾计划依靠热情……用无产阶级国家直接下命令的办法在一个小农国家里按共产主义原则来调整国家的产品生产和分配”[①]。现实证明，这种漠视个人利益的集体计划是行不通的，为了能够最大限度地提高人民群众参与社会主义建设的热情，要“靠个人利益，靠同个人利益的结合”[②]，因此“必须把国民经济的一切大部门建立在同个人利益的结合上面。”否则，“我们每走一步都吃到苦头。”[③]

然而这种漠视民众个人利益的错误，在斯大林及后斯大林时期，往往在实现国家富强的名义下，一犯再犯，以至不可收拾。

苏联是一个怀有强国梦想，且创造过辉煌历史的伟大国家。20世纪30年代中期，它开始了由传统农业社会向工业社会的跃进。在工业化国家中，除了日本和德国以外，苏联创造了当时最快的工业增长速

① 《列宁全集》第42卷，176页，北京：人民出版社，1986年。

② 《列宁全集》第42卷，176页，北京：人民出版社，1986年。

③ 《列宁选集》第4卷，582页，北京：人民出版社，2012年。

度和持续最久的工业增长时间[1]。它曾发展了处于世界领先地位的科学技术，创造了包括原子能发电站、原子破冰船、人造地球卫星发射、载人宇宙飞船上天等多项轰动全球的世界第一。在二战期间，在持续1418天的卫国战争中，以2660多万人的巨大牺牲，战胜了希特勒300多万机械化部队的进攻，保住了社会主义苏联，为全世界反法西斯战争的胜利作出了英勇卓越的贡献。后来它成为一个综合国力仅次于美国的具有巨大国际影响的世界性强国。

然而苏联的强国梦追求是不可持续的，因为它没有以改善民生为导向。所以，第一，它缺乏民众的支持。苏联的强国梦是以牺牲民众的个人利益为代价的，有时还把损害民众的个人利益作为惩罚手段，逼迫民众去服从国家目标。比如，在农业合作化运动中，对富农采取没收财产、流放等手段，以此来威逼千百万中农无偿交出自己的土地、农具和牲畜，加入集体农庄。第二，它缺少内在动力。因为在以指令计划、行政强制、平均分配为特征的体制下，人民群众的个人利益不能通过积极劳动和按劳分配而获得实现，于是无从激发民众的劳动积极性，旷工、怠工现象普遍发生且日益严重，致使苏联后期的许多经济指标都无法完成。第三，它缺失合理结构。因为苏联的强国梦仅是工业强国梦、军事强国梦，所以其结构畸形。长期以来，苏联优先发展重工业，忽视轻工业和农业，致使人民生活的必需品长期处于短缺状态。据统计，在勃列日涅夫统治时期，苏联85%以上的工业投资用于发展重工业和军事工业，不断增加军事预算。这样做的结果，国家在某些方面是强大了，但人民生活却处于贫困状态。长此以往，必然伤害人民的感情，造成广大民众对苏联党和政府的离心离德。这自然也就成为苏联解体的一个重要原因。

这种情况的发生，主要还在于，苏联共产党在后来一个相当长的时期内，没有摆正党的领导和人民当家作主的关系。

① 《(世界银行）1987年世界发展报告》，44页，北京：中国财政经济出版社，1987年。

三、党的领导与人民当家作主的统一

共产党是代表工人阶级和广大人民利益的政党。之所以要建立共产党，就是因为只有共产党才能领导和组织人民推翻旧社会，建立人民当家作主的新社会，才能保证和发展人民民主，使人民以主人的身份组织社会生产，安排社会生活，促进人的自由和全面发展。但共产党只是保证人民当家作主的工具，它只是领导和组织人民当家作主，而不能代替人民当家作主。或者说，作为社会主义主人的不是党主（共产党），而是民主。因此，社会主义以人为本的要义之三，是民主为要。

需要指出的，这里的领导人民当家作主与代替人民当家作主，其间并非隔着万里长城，如果缺乏理性自觉和相应的制度安排，并得到切实的遵守，那么共产党领导人民当家作主，就可能蜕变为代替人民当家作主，最终导致主仆易位的情形发生。

这里所说的理性自觉，是指共产党人在落后国家领导人民进行革命和建设的过程中，必须积极创造条件从以往的动员型政治走向回应型政治[①]。动员型政治是权威主导的自上而下的政治运作。回应型政治则是以民众诉求为中心的生活与政府互动中的政治治理。或所谓“权为民所用，情为民所系，利为民所谋”。动员型政治的运作，在东方落后国家的革命中是有其产生的必然性的。布尔什维克就是在俄国这样一个东方落后国家领导人民革命的。在俄国，农业小生产占优势，农民占人口的绝大多数。农民的特点一是贫穷，二是分散。因而他们不能代表自己，而希望有一个高高在上的权威施予阳光雨露。在旧俄国这个权威就是沙皇。而在改变他们命运的过程中，新权威取代了旧权威。这里有两个方面，一是如果没有布尔什维克的坚强领导和有力组织，没有自上而下的政治动员，农民仍只能是一盘散沙，所谓改变命运也就无从谈起。二是在这一过程中，布尔什维克及其领袖在农民心目中也就成了高高在上的权威，被视为使他们摆脱苦难的“救星”，并报之以对领导权威的崇拜、感恩和服从。对此，如果不加警惕，就可

① 徐厚：《现代化进程的节点与政治转型》，《新华文摘》，2013（11）。

能使动员型政治的领导权威变成一种“为民作主”或“替民作主”的权威政治。

令人遗憾的是，苏联党和政府从没有意识到要积极创造条件，使既有的动员型政治向回应型政治转化，恰恰相反，而是不断强化国家权力并日益高度集权于中央，由此权力崇拜，特别是对党和国家最高领导者的个人崇拜膨胀起来。人民群众逐渐成为国家机器上的“齿轮”和“螺丝钉”，成为国家权力支配和驱使的客体，党政机关高踞于群众之上，发号施令，以势压人。如果不听使唤则遭排斥打击。在这样的氛围中，民众逐渐习惯于消极被动，盲从上级，懒于思维，结果造成了万马齐喑，失去了自己的辨别力和免疫力。当反社会主义势力妖言惑众时，人民群众也就难免上当受骗，甚至抱欢迎的态度。

要使动员型政治向回应型政治的转变，不仅取决于执政党的上述理性自觉，主要还在于要把这种理性自觉转化为或落实为制度安排。这里的制度安排是指要通过加强民主法治建设，使掌权者按人民的意志行使国家权力，而不是用国家权力来欺压人民，来谋取私利。如果这个问题得不到解决，那么按人民意志行使国家权力就必然会落空，人民主权就会丧失。苏联解体的一个重要教训是长期忽视民主法治建设，以至把在一些特殊情势下采取的一些临时性措施常态化，并在有的方面走向了极端。比如用实际上的委任制代替选举制，用个人专断代替民主集中，民主监督流于形式等。于是这样一个缺失民主法治规范的国家权力，一旦被别有用心的人篡夺，也就必然会给国家和人民造成巨大灾难。

委任制是列宁在十月革命胜利后，为尽快接管地方政权而采取的一项临时措施。虽然后来颁布的党章和宪法都规定党和苏维埃以及实行代表制的人民团体的领导机构均由选举产生，但实际上由于候选人由上级党委指定，且等额选举，所以干部任职乃是形式上的选举制，实质上的委任制。这种变相委任制的长期执行，也就使作为社会主义社会主人的人民被冷落一旁。干部的任用，人民无权过问，于是干部只对上级负责，不对人民负责。为了讨得上级的喜欢，于是党内的弄虚作假、拉帮结派、寻找靠山、歌功颂德、阿谀奉承等不正之风也就盛行起来。一些心术不正的人爬上高位，必然会通过手中握有的授职权，封官许愿、结党营私。随着腐败的不断加深，到勃列日涅夫和戈尔巴乔夫时期，也就逐渐形成了一个凌驾于人民之上的利益集团。

民主集中制是列宁提出并加以实践的苏联党和国家的一项重要制度。然而在苏共十七大以后，随着斯大林个人威望的上升，个人专断逐渐取代了民主集中。一是党的组织和领导人凌驾于宪法、法律之上。其突出的表现是在肃反中，斯大林控制的内务部可以不经司法检察机关同意，而自行捕人，在审讯中使用酷刑，大搞逼供信，造成了不少冤假错案。二是党的领导机关和党的领导人凌驾于全党之上。从1934年1月展开十七大到1953年3月斯大林逝世的将近20年中，总共开了两次代表大会和一次代表会议。许多重大问题都未经党的代表大会讨论并形成决议，而是由少数人或斯大林个人决定。三是党的领导人凌驾于党中央的集体领导之上。在后期，斯大林的个人专断使苏联党和国家事业的发展面临严重危机。在斯大林的后任者中，从赫鲁晓夫、勃列日涅夫到戈尔巴乔夫都十分青睐个人专断。特别是戈尔巴乔夫更是自觉地把这种个人专断机制，作为从内部来破坏苏联社会主义事业的得心应手的工具。1991年8月23日解散苏共的命令，就是戈尔巴乔夫背着苏共中央，以总书记的个人名义下达的。

在个人专断不断强化和干部委任权掌握在上级机关特别是上级领导人手中的时候，苏联的监督机关也只能是单向的向下监督，而缺失更为重要的向上监督。这样党和国家领导人的错误也就不能得到及时纠正，不称职的党和国家领导人也就不能得到及时更换。加以苏联实际上所实行的是最高领导终身制。从斯大林到勃列日涅夫、从安德罗波到契尔年科，都是病死在党和国家最高领导人的职位上。勃列日涅夫在去世前的八九年中是在病中度过的。然而这样一个逐渐丧失正常思维能力和正常行为能力的人却仍然领导着一个大国。其对权力的贪婪和政治体制的腐败可见一斑。苏联的这种“老人政治”，“病人老人治国”的状况给苏联党和国家造成了极其严重的后果，酿成了深刻的政治、经济和社会危机，最后葬送了苏共和苏联的前程。

四、承认社会差别与追求社会公平的一致

社会主义社会消灭了旧社会因剥削阶级存在而造成的阶级对抗、阶级差别。但还存在其他种种客观的和人为的差别。这种差别在公有制前提下主要表现为收入上的差别。这种收入上的差别，如果是因为对社会的贡献不同，那么这种差别的存在是符合社会主义公正原则的，是能得到广大群众理解的，并且对社会的发展也是有利的。这里所说的社会公正也就是人与人之间平等权利与平等义务的统一。这种统一，在收入分配领域的体现也就是坚持社会主义按劳分配原则。

反之，如果这种收入的差别不是来源于对社会的贡献不同，而是因为担任社会公职享有某种特权，或是以权谋利，那么这种收入上的差别与社会公正就是根本对立的，是广大群众所深恶痛绝的。以人为本，公正为尊。离开了社会公正，也就背离了社会主义的首要价值。

在苏联，把担任社会公职与享受特殊待遇联系起来，并作出制度安排，这一做法始于斯大林时期，强化于勃列日涅夫时期。这主要表现在三个方面：一是高档住房；二是特供商店；三是过高的工资和津贴。

在住房方面。苏联党政干部可以免费享受国家提供的“政府公寓”。这种公寓一开始是通过没收剥削阶级的财产而来。在早期，干部住房与普通居民住房差距不大，但后来则逐渐扩大。兴建的国家别墅，档次越来越高，内部设施也更加齐全，它也就成为普通百姓难以企及的世外桃源。在勃列日涅夫时期，一些党政官员除了拥有供应的国家别墅外，还利用权力修建了私人别墅，同时为自己的儿辈、孙辈修建了私人别墅。这种奢华和放肆曾令当时刚调到中央工作的戈尔巴乔夫夫妇为之震惊。但当戈尔巴乔夫当上党和国家最高领导人之后，不仅加以仿效，而且还变本加厉。他开了苏联党和国家领导人为自己新建住宅的新例。他在多处疗养胜地建造专供自己享用的总书记官邸，还花了高达数亿卢布的建筑费在莫斯科列宁山专门建造豪宅。他大肆挥霍人民创造的财富，为家人建造豪华住宅和别墅，用进口材料进行装修，并配以特别高档的家具和设备。

在日用品供应方面。在国内战争的饥饿年代，为了保证党政干部

的体力和健康，在列宁建议下，设立了“疗养食堂”。可是在苏联经济好转后，“疗养食堂”非但没有取消，而且逐渐演变为苏联党政干部享受特殊商品配给的“特供商店”。随着党政机关的不断扩大，配给的面越来越宽，标准也越来越高。在勃列日涅夫时期，这种特供商店“在莫斯科就达100多家”[①]。在这里各种进口商品琳琅满目、应有尽有，高级干部及其家人可以随便进出，任意选购。与之形成鲜明对照的是，广大民众因商品短缺，质量低劣，而极感不便，极为苦恼，不得不排队购物过日子。这必然会使广大人民群众心生不平，怒目而视，这从而也就严重破坏了党群、干群关系。

在工资和津贴方面。列宁时代和斯大林时代的早期，党政干部与普通人民群众的收入差距很小。1932年正式取消了对党员工资进行限制的规定，二战胜利后又开始为高级干部发放“党内津贴袋”，其额度可达正常工资的一倍[②]。到了勃列日涅夫晚年，为了“稳定”干部，不断颁布各种条例、规定，使官僚阶层日益膨胀的利益要求固定化、制度化。据有的材料估计，在勃列日涅夫时期，苏联党政干部和普通人民群众收入的差距达30—44倍之多[③]。因党政干部享有不断扩大的特权及其不断获得制度化，这样也就在苏联党内形成一个既得利益集团。

然而随着贪欲的膨胀，也是其自私的本性使然，这个既得利益集团不满足于收入分配或消费享受上的特权，总是力求在生产资料的占有上享有特权，即总想成为有产者，并希图把自己的特权留给子孙。正是苏共特权阶层主导下的改革，满足了这种需求。这个既得利益集团，利用手中掌握的权力，乘私有化改革之机，化公为私，大量鲸吞公有财产，中饱私囊，一夜暴富。苏联解体后俄罗斯商界精英60%以上是来自苏联的官僚。在1992—1993年的100家俄罗斯最大私人企业的所有者中，原先的党政精英、企业家、银行家及其家族占了62%[④]。不难看出，在苏共党内这个既得利益集团的形成和壮大，是后苏联时期产生的一个新资产阶级的胚胎，是苏共灭亡和苏联解体的一个根本原因。在这里，唐人杜牧的话似乎又一次得到了印证：“呜呼！灭六国

---

① 李慎明主编：《十月革命与社会主义》，9页，北京：社会科学文献出版社，2008年。

② 张祥云，秦正为：《苏联的增量腐败及其当代启示》，《社会科学研究》，2010(6)。

③ 奚广庆：《也谈苏联解体的一个原因》，《当代世界社会主义问题》，2001(2)。

④ 李慎明主编：《居安思危》，300页，北京：社会科学文献出版社，2011年。

者六国也，非秦也。族秦者，秦也，非天下也。”①

总之，一个政权、一个政党，其前途和命运最终取决于人心向背，这是一条历史的规律，工人阶级执政党也不例外。如果执政的工人阶级政党沦为“特权党”“贵族党”，那么它就必然会被人民所抛弃。因此，对于工人阶级执政党来说，只有坚持以人为本，执政为民，把民众的生命、冷暖放在心上，始终保持党和人民的血肉联系。如是，社会主义才是令人可亲的，从而也才能是永葆青春的社会主义。

① 唐·杜牧《阿房宫赋》。

和谐社会建构与人的全面发展*

中共中央《关于构建社会主义和谐社会若干重大问题的决定》在阐述构建社会主义和谐社会要遵循的原则时指出，构建社会主义和谐社会，必须坚持以人为本，要做到发展为了人民、发展依靠人民、发展成果由人民共享，促进人的全面发展。

一、社会和谐与中国特色社会主义

有人把中国封建社会中出现的“治世”或“盛世”视为一种和谐社会①，并进而认为和谐社会是任何社会形态都可以实现的普世价值。这种观点值得商榷。

和谐社会作为一种社会理想，古已有之。中国的“大同世界”，西方的“理想王国”都是这样的和谐社会理想。和谐社会作为一种现实存在，在以往的社会形态中从未出现，在我国社会主义社会中尚待构建。

古代典籍中所谓的“治世”或“盛世”只是古代史家寄托自己社会理想的夸张言辞。和谐社会是以消除阶级对立，或者说，是以社会成员根本利益的一致为前提的。包括封建社会在内的一切剥削阶级社会都是建立在阶级对抗基础上的，阶级斗争充斥于社会生活的各个方面，就是统治阶级内部也不时爆发腥风血雨的争斗。因此，在人剥削人、人压迫人的阶级社会中，并无所谓“和谐社会”可言。中国古代的治世或盛世只是在社会经历长期战争和大的动乱之后，在开明君主领导下，所实现的一种休养生息、一种喘息调整。用哲学的语言来

---

* 原刊于《安庆师范学院学报》(社会科学版)，2009 (4)。

① 李崇富等：《历史唯物主义与构建社会主义和谐社会》，206页，上海：上海人民出版社，2007年。

说，只是通过阶级关系的调整所造成的一种社会稳定。

这里涉及社会稳定与社会和谐的关系问题。社会稳定不等于社会和谐。社会稳定除了因社会和谐所影响的以外，还有三种情形：一是政治高压下导致的社会稳定；二是阶级力量对比处于相持阶段所出现的社会稳定；三是通过阶级关系的调整所造成的社会稳定。以往的“治世”或“盛世”只是阶级矛盾通过调整所表现的一种相对缓和的状态。因此，不能把社会主义和谐社会与以往的“治世”“盛世”所呈现的社会稳定等量齐观。

既然以往的“治世”或“盛世”只是阶级关系调整所造成的一种社会稳定，那么史学家为什么会对它做出如此高的评价呢？这是因为在古代乱世灾年太多，而治世难求。中国封建社会自秦汉以来延续两千多年，被称为治世或盛世的时期屈指可数。其中著名的有西汉的文景之治、东汉的光武中兴、唐朝的贞观之治和开元盛世、明代的仁宣之治、清朝的康雍乾盛世等。在上述每个时期中包含有一个或因不测事件分割为几个和平发展时段。这种和平发展时段，短的只有10年，长的也不过26年。这是因为社会财富一旦增加较多，封建统治者的骄心贪欲也就随之膨胀,以至政局日坏，终成其乱。

资本主义社会相对于封建社会是一个进步的社会，西方发达国家更是以社会成员的普遍福利为目标，采取了一系列缩小贫富差距的措施，这些都是应该肯定的。但是在以私有制为基础的资本主义社会中，资产阶级的利益是首位的，当这种利益受到影响时，资产阶级首先想到的往往是牺牲或限制普遍的福利。因此，在存在阶级压迫和剥削的社会中，和谐社会的理想尽管反映了社会大众向往美好生活的愿望，但这种愿望在根本上是无法实现的。

与旧社会不同，社会主义社会消灭了剥削制度和剥削阶级，这就从根本上消除了社会的阶级对抗性。社会主义社会建立了以公有制和按劳分配为主体的社会经济制度和人民当家作主的民主政治制度，这就从根本上体现和保障了社会广大成员根本利益的一致性，这也就为和谐社会的构建提供了基本前提。不仅如此，构建和谐社会，还是中国特色社会主义的本质要求。因为只有社会和谐，才有社会稳定和发展。因此，社会和谐是国家富强、民族振兴、人民幸福的重要保证。它体现了建设社会主义现代化国家的内在要求，体现了全党全国各族人民的共同愿望。

诚然，肯定社会和谐是中国特色社会主义的本质属性，但并不意味着，只要建立了社会主义基本制度就必然出现一个和谐社会。事实上，人们对社会主义的认识有一个不断深入的过程，社会主义实践也有一个不断完善的过程。仅从制度建设的角度说，构建社会主义和谐社会不仅要通过不断完善社会主义基本制度来体现和保障广大社会成员根本利益的一致，而且关键还在于要随着生产力和社会多样性的发展，通过建立适当的社会主义具体体制和采取相关的政策来促进和保障广大社会成员具体利益的实现和协调。从本质上说，和谐社会就是广大社会成员在根本利益一致前提下具体利益获得多样性协调发展的社会。

社会主义建设的实践证明，阶级剥削和阶级压迫的消灭并不等于社会矛盾的消失，更不等于社会多样性的消亡。社会主义社会依然存在着民族之间、城乡之间、地区之间、社会阶层之间，以及社会成员个人之间的差别，存在人们的具体利益与思想认识的差异和矛盾。而且随着社会现代化和分工的高度发达，社会的多样性和差异性，以及人们的独立性和自主性还会不断发展。于是，面对广大群众在根本利益一致前提下具体利益的多样性发展，怎样去认识和化解各种矛盾，在人们之间建立起和谐的社会关系，就成为巩固和发展社会主义所要解决的一项重大任务。因此，和谐社会重在建构，不建构就不会出现社会主义社会的整体和谐。如果搞不好，矛盾也会激化，社会也会像“文化大革命”那样动乱，那样不和谐。

我们党提出的构建社会主义和谐社会的战略思想，无疑是充分吸取和借鉴了历史上和谐文化的合理因素，但根本的还是建立在对社会主义本质属性清醒认识基础上的理性自觉，是立足于现实，针对中国特色社会主义事业进入全面建设小康阶段出现的一系列新情况、新矛盾、新问题，而形成的具有科学性和前瞻性的战略方针。我们坚信，经过全党全国各族人民的共同努力，人们所期望的那样一个民主法治、公平正义、诚信友爱、充满活力、安定有序、人与自然友好相处的和谐社会理想是一定能够实现的。

总之，和谐社会与社会主义不可分割，脱离社会主义这个前提，就不可能实现真正的社会和谐。同样，脱离和谐社会建设，也不可能有社会主义的巩固发展。和谐社会与社会主义在本质上的一致性集中体现在以人为本这个根本价值取向上。

二、以人为本是构建和谐社会的核心原则

什么是以人为本？为本这个命题在中国古代早就有人提出来了。其中最著名的是中国西汉时期刘向编写、汇集管仲众多思想观点的《管子》一书，其中说："夫霸王之所始也,以人为本。本理则国固,本乱则国危。"意为霸王的事业之所以有良好的开端，是以人民为本的，这个本理顺了，国家才能巩固；这个本搞乱了，国家势必危亡。这表明，管子认为开创霸王的事业靠的是人民，因而主张要爱民、惠民，而不能残民、害民。这种主张对改善劳动人民的生存状况和生活条件，对于节制封建统治阶级的贪欲是有一定进步意义的。但古代人本思想中的人只是皇权社会的臣民之人，并非现代社会的公民之人。臣民只是君主的工具。在皇权社会中，所谓的以人为本，只是工具意义上的"本"，其基本的落脚点还是"君本"，即君主才是目的意义上的"本"。老百姓之所以还是"本"，只在于其人数众多，力量巨大，"水可载舟，亦可覆舟"。因此，只有以民为本，统治阶级才会取财有源，阶级统治才能长治久安。然而封建阶级的本性总是使其利令智昏，伤本自肥，因而最终逃不脱覆灭的命运。

在西方，在推翻封建统治阶级的斗争中，资产阶级也把以人为本作为旗帜，并在这面旗帜上第一次写上"人是人的最高价值"，"人是目的"等字样。应该说，这是历史的一个巨大进步。然而，西方人本思想中的人是抽象的，而非现实的人，即脱离一定社会关系的纯粹的个人。而这样的人是不存在的。在现实的资本主义社会关系中，人们的利益是有差别，甚至是对立的。他们不可能把"人"的利益放在第一位，不可能以所谓"人"为目的，而只是把自己的个别利益（包括私人利益和阶级利益）放在第一位。因此，撇开具体的历史条件，撇开人类的历史发展，抽象地讲"人是人的最高价值"，讲"人是目的"，只能是空洞的说教。因此，近代以来西方学者所提倡的以人为本，在实际操作中，也就蜕化为以个人为本位，为根本目的，这样一来也就必然是以他人和社会为手段。如果把这种利己主义原则贯彻到

底，那么也就使个人最终丧失自己存在和发展的社会环境和条件。这也就是此种人本主义在现代西方社会遭到诟病的一个重要原因。

社会主义以人为本思想无疑是批判继承了以往人本思想中的积极因素，但与之又有着本质区别。这主要表现在以下三个方面：

第一，社会主义“以人为本”坚持人的发展与社会发展的统一。也就是说，不能离开一定的社会条件来谈以人为本。在这里最根本的条件，就是要使人民成为国家和社会的主人。不具备这个根本条件，以人为本只能是一个口号、一个理念，而不可能是现实。换句话说，社会主义社会才为以人为本原则的现实提供了根本条件。这是因为在社会主义社会中，才消除了个人与社会在以往存在的那种对抗性，而具有了根本的一致性。这表现在社会主义社会是一个消灭了阶级剥削和压迫，人民群众当家作主的社会；它是一个能够不断解放和发展生产力，使人民日益增长的物质文化需要不断得到满足的社会；它是一个消除了两极分化，最终达到共同富裕的社会。因此，必须从人与社会的本质一致性，从人与社会的共同发展来理解和坚持社会主义以人为本。

第二，社会主义“以人为本”坚持人民利益与全体社会成员利益的统一。以人为本，从根本上说，就是以人民为本。这是因为人民虽然是一个历史概念，但在社会发展的各个阶段上，人民始终是以占人口大多数的劳动者为主体，人民是人类文明和社会财富的创造者，是推动历史进步的主要动力。因此，我们党在治理国家和管理社会中，必须把人民群众的利益放在中心位置。只有这样，全体社会成员的利益也才能从根本上得到保障。但是又必须看到，在打击敌人，解放人民这个革命战争年代的主要任务完成以后，在以建设为中心，实现共同富裕的新阶段，许多问题所涉及的不仅是人民而是所有的人，比如生态问题、公平问题。因此，坚持从人民利益与全体社会成员利益的统一来理解社会主义以人为本正是适应了我们党所面临的形势和任务的变化，代表了广大群众的心声。

第三，社会主义“以人为本”坚持广大人民群众对于文明成果的共建与共享的统一。社会主义事业是包括社会各阶层在内的全体人民的事业，只有动员广大群众共同参与，才能使理想变成现实，才能为共享提供前提基础，不然共享就会成为水中月、镜中花。同样，广大人民群众只有共享发展成果，才能调动广大人民群众建设社会主义的积极性、创造性、主动性。如果没有共享，人们不能从共建中得到实惠，甚至还要牺牲人民的利益，那么共建就会失去动力。只有以共建保共享，以共享促共建，才能使二者在互为前提、相互依存中获得良性互动。因此，必须从人民群众共建与共享的统一来理解和坚持社会主义以人为本。

"以人为本"作为社会主义的本质要求，因而它也是构建社会主义和谐社会必须遵循的一个核心原则。这个原则之所以处于核心地位，是因为它确立了构建和谐社会的主体、动力、出发点、目的，以及衡量是非得失的最高标准。

首先，构建和谐社会的主体是广大人民群众。坚持以人为本体现了人民群众的主体地位。构建和谐社会涉及方方面面的工作，从大的方面来说，包括个人的身心和谐、人际关系和谐（家庭和谐、邻里和谐、城乡社区和谐等），以及人与自然的和谐。这其中每一个方面的和谐建设，都离不开群众的广泛参与。不然，构建和谐社会就会成为少数人的空忙，成为形式主义的作秀。

其次，广大人民群众作为构建和谐社会的主体，必须坚持以人为本，充分发挥各级社会组织以及各种社会力量在和谐社会建设中的积极性，形成构建和谐人人有责、和谐社会人人共享的生动局面，形成构建和谐社会的强大动力。

再次，要发挥广大人民群众建设和谐社会的积极性，我们党和政府的一切工作就必须坚持从人民的利益出发，一切依靠人民，一切为了人民，全面贯彻尊重劳动、尊重知识、尊重人才、尊重创造的方针，努力形成全体人民各尽其能、各得其所又和谐相处的局面。总之，坚持以人为本，就是要把维护、实现和发展人民的根本利益作为我们党和政府一切工作的目的。

最后，以维护、实现和发展人民群众的根本利益为目的，这就意味着必须把维护好、实现好和发展好人民群众的根本利益作为衡量党和国家一切工作成败得失的最高标准。在构建和谐社会的过程中，以人民群众的根本利益为标准，就是我们所有的政策、措施和工作，都应该正确反映和有利于处理各种利益关系，兼顾不同阶层、不同方面的利益。最大多数人的利益是最紧要和具有决定性的因素，只有以最大多数人民群众的根本利益为最高标准，那么以人为本这一构建社会主义和谐社会的核心原则才能真正落到实处。

三、人的全面发展是和谐社会建设的价值指向

人的全面发展是人的本质力量的全面发展。具体说来，就是人的生活的全面提高和充实，人的能力的充分发挥和发展，人的社会关系的多彩与和谐，人的个性的丰富和完满。人的全面发展就是这四个方面的有机统一①。

对人的全面发展或人的发展的全面性，不能理解为是那种“什么都能干”的全能人意义上的全面发展。这是因为，随着社会分工的扩大和深化，这种全能的人过去和现在都不曾存在过，将来也是不可能存在的。另外，这种全能的人，即使存在，也只是手段意义上的全面性，而非作为目的与手段相统一的人的意义上的全面性。

在马克思主义看来，人的全面发展是指人的发展在人的生理与心理、体力与脑力、理智与情感、生产与消费、创造与享受等关系中，不偏于一面，而要达到二者的统一。达到二者的统一，就是人的发展的全面性。

马克思指出：“任何人的职责、使命、任务就是全面地发展自己的一切能力。”②又说：“人以一种全面的方式，就是说，作为一个完整的人，占有自己的全面的本质”。这种全面的方式，包括“视觉、听觉、嗅觉、味觉、触觉、思维、直观、情感、愿望、活动、爱”③等等。马克思反对把人单纯作为劳动力看待，主张通过这种全面的方式，发展人的诸种能力，包括体力、智力、情感力、意志力、生产能力与享受能力等。

由于体力和智力的发展是人的能力发展的主要内容，也是人的其他能力得以发展的前提和基础，所以，马克思认为，人的全面发展，首先是“体力和智力获得充分的自由的发展和运用”④，并且认为“生

① 陶富源：《终极关怀论——人的哲学之悟》，501-504页，合肥：安徽大学出版社，2004年。
② 《马克思恩格斯全集》第3卷，330页，北京：人民出版社，1960年。
③ 《马克思恩格斯文集》第1卷，189页，北京：人民出版社，2009年。
④ 《马克思恩格斯全集》第3卷，322页，北京：人民出版社，1972年。

产劳动同智育和体育相结合……是造成全面发展的人的惟一方法”①。马克思恩格斯还指出，一些人不应该是片面的生产者，另一些人不应该是片面的享受者，要“结束牺牲一些人的利益来满足另一些人的需要的状况”，要让“所有人共同享受大家创造出来的福利……使全体社会成员的才能得到全面发展”②。

当然，人的全面发展是相对的。随着社会主义事业的不断前进，随着人民物质文化生活水平的不断提高，人的全面发展也会从低层次不断提升到高层次。马克思认为，人的全面发展的最高层次或最高阶段，就是未来的共产主义社会。

我们现在距离人的全面发展的最高阶段还有很长的路程。但这并不妨碍我们瞄准这个目标，从当下做起。这是因为任何高层次都是以低层次为基础，都是从低层次发展来的。就人的全面发展的低层次与高层次的关系来说，人的全面发展的低层次实际是其高层次在现阶段的起步、实现和体现；人的全面发展的高层次则是为当下低层次的发展指明了前进的方向，它是低层次发展基础上的飞跃和升华。对我们今天而言；人的全面发展的低层次可以分为两个阶段：一是维护人民的基本权利，增进民生幸福；二是实现全面建设小康社会的目标，提高全体人民的生活质量。

民生问题是多数人的生计问题。这里的生计不能片面地理解为单纯的谋生，即挣钱“填饱肚子”，而应该全面地理解为它是构筑人的生存和发展的前提和基础。其中包括基本就业、基本营养、基本住房、基本教育、基本保健等五个方面。

解决民主问题是构建和谐社会的切入点，也是构筑人的全面发展的初步基础。构建和谐社会的核心问题是解决利益平衡和利益兼顾问题，维护社会公平正义，而改善民生正是推进社会公平正义、构建和谐社会的基本条件。另外，民生问题的解决着眼于发展，着眼于个人能力的提高。在这个意义上，提高与个人能力相关的基本物品的均等分配，保障教育的普及，提供基本的医疗、就业、养老等社会保障，这就使各阶层民众都能够获得全面发展的最起码条件。因此，必须从构建和谐社会与促进人的全面发展相统一的高度来解

① 《马克思恩格斯全集》第19卷，35页，北京：人民出版社，1972年。
② 《马克思恩格斯选集》第1卷，243页，北京：人民出版社，1995年。

决民生问题。

当然，民生问题的解决只是我国现阶段促进人的全面发展的第一步工作。我们还要在这个基础上，通过努力，进一步提高人民群众的生活质量，为人的全面发展创造更好的环境条件。

生活质量是一个涉及多方面内容的综合性较强的概念。它是社会发展的状况和水平通过人的生活而获得的具体显示。生活质量的提高集中反映了社会进步和发展的程度。虽然由于地域、文化和主体体验等差异，不同地区、不同的人对生活质量的追求不会完全相同，但基本要求还是大体一致的。即拥有一个有利于人健康长寿的自然生态环境；有一个切实尊重和保障合法权益的民主法治环境；有一个人们之间彼此尊重、诚信交往的人际和谐环境；有一个人的素质和能力得到提高和发挥、自我价值得到实现和肯定的良好发展环境；有一个身心协调、健康的心理环境。只有在上述要求得到基本满足的情况下，才可以说达到了较高的生活质量。有了这样的生活质量，也就为人的全面发展在我国现阶段的实现提供了更为坚实的基础。

创造这样的基础就是到2020年构建社会主义和谐社会的目标和主要任务。可以预见，到那时，我国社会主义民主法制将更加完善，城乡、区域的发展将走向均衡；家庭财产将普遍增加，人民将过上更加富裕的生活；基本公共服务体系将更加完备；全民族的素质将明显提高；和谐人际关系将进一步形成；生态环境将明显好转。总之，我们要全面建设的小康社会是一个社会和谐进步与人的全面发展相互统一、良性互动的社会。人们在共建共享中推进社会的和谐进步，也在共建共享中促进人的全面发展。

也谈人的全面发展的过程性*

刘宽亮先生发表了《论人的全面发展理论的过程性意义》（载《哲学动态》2003年第7期，以下简称刘文）一文，读后颇受启发。文中所阐发的“人的全面发展……既有终极性目标，又有过程性和阶段性目标”的观点，我是很赞同的。但是，如何科学地说明人的全面发展的过程性，能否如刘文那样把人的全面发展的过程性理解为人的发展的过程性，从而认为：“人的全面发展在本质上是一个与人俱来的永恒主题”，“人的全面发展的追求，是从刚脱离动物的人的最简单的内涵开始的”。我认为，刘文关于人的全面发展的过程性的理解，是不妥的，是值得商榷的。

人的全面发展与人的发展是两个有区别的概念。与此相联系，人的全面发展的过程性也并不等同于人的发展的过程性。刘文对这两个概念没有加以区别，因而以此为基础所展开的论述，自然不可能是正确的。

人的发展是人随着自己所从事的劳动的发展，从动物中和从束缚自己的社会关系中不断提升，日益获得自由的过程。就人从动物的提升来说，经历了蒙昧、野蛮、文明等三个不断递进的阶段；而就人从束缚自己的社会关系中的提升而言，经历了人的依赖关系中的人、以物的依赖性为基础的独立性的人，以及自由个性的人等三个前后相继、不断上升的阶段。总之，人的发展是与人的劳动发展相伴随的人自身的发展过程。

人的全面发展不同于人的发展。关于人的全面发展，马克思主义经典作家多有论述，概括起来说，人的全面发展是人的发展的高级阶段，是指一切人的本质力量的全面发展。它具体表现为人的生活的全

* 原刊于《探索》，2004（5）。

面提高和充实、人的能力的充分发挥和发展、人的社会关系的多彩与和谐、人的个性的丰富和健全。用马克思的话说，人的全面发展是人超越了以物的依赖性为基础的独立性阶段，而进入自由个性阶段的发展，或者说，是“建立在个人全面发展和他们共同的社会生产能力成为他们的社会财富这一基础上的自由个性”[①]。因此，不能把人的全面发展等同于人的发展。具体说来，人的发展包含有两种不同性质的发展状况，一是人的片面发展，二是人的全面发展。人的依赖关系中的人、以物的依赖性为基础的独立性的人，都是片面发展的人；只有自由个性的人，才是全面发展的人。

人的依赖关系是指在原始社会、奴隶社会和封建社会等自然经济社会中，个人对血缘共同体，或一部分人对另一部人的人身依赖关系。在这样的社会中，低下的生产力，人们“满足于现有需要和重复旧生活方式的状况”[②]，“使人的头脑局限在极小的范围内，成为迷信的驯服工具，成为传统规则的奴隶”[③]。因而在这样的历史阶段上，无论个人还是社会，都不能想象会有自由而充分的发展[④]。

以物的依赖性为基础的独立性的阶段是资本主义社会。与简单再生产的自然经济不同，商品经济是以扩大再生产为基本特征的，它创造出“社会成员对自然界和社会联系本身的普遍占有”[⑤]。即它不仅使人从自然界中获得巨大解放，而且也打破了以往的血缘纽带和等级制度对人的束缚，使人成为有某种独立人格的人。即在商品交换的人与人的关系中，人格平等是首要的前提。但是资本主义商品经济在破除了以往的人的依赖关系的同时，却又使人陷入了对物的依赖关系之中，陷入了被神圣化了的一般等价物的金钱的追逐之中。随着金钱的升值，人被贬值了，金钱成了人的主宰。另外，随着商品生产的日益发达，分工愈加细密，个人像机器上的一个部件，重复同样的动作，从而把“工人变成畸形物，它压抑工人的多种多样的生产志趣和生产才能”[⑥]。总之，在人对物严重依赖的资本主义社会中，人被片面地发

① 《马克思恩格斯全集》第46卷（上），104页，北京：人民出版社，1979年。
② 《马克思恩格斯全集》第46卷（上），393页，北京：人民出版社，1979年。
③ 《马克思恩格斯选集》第1卷，765页，北京：人民出版社，1995年。
④ 《马克思恩格斯全集》第46卷（上），485页，北京：人民出版社，1979年。
⑤ 《马克思恩格斯全集》第46卷（上），393页，北京：人民出版社，1979年。
⑥ 《马克思恩格斯全集》第23卷，399页，北京：人民出版社，1972年。

展了。

正是基于对资本主义社会中人的片面发展的科学分析和深刻批判，马克思恩格斯创立了关于人的全面发展的理论。这个理论标明，实现人的全面发展是马克思主义的根本价值取向，是马克思主义对人类关怀的最高体现。因此，从这个意义上说，马克思主义就是以实现人的全面发展为根本内容的人的解放的学说。在马克思主义看来，人的全面发展不仅是一种良好的愿望，而且是人类发展的必然趋势。这种趋势所指向的共产主义社会就是一个以人的全面发展为基本原则的社会。关于这种趋势的必然性，马克思曾经有一个总体的说明。他说："'人'类的才能的这种发展，虽然在开始时要靠牺牲多数的个人，甚至靠牺牲整个阶级，但最终会克服这种对抗，而同每个个人的发展相一致；因此，个性的比较高度的发展，只有以牺牲个人的历史过程为代价。"①也就是说，经过了以牺牲个人，即个人的片面发展为代价，而获得的类的片面发展的这种对抗，终将会被克服，从而达于类和个人相统一的全面发展，即人的全面发展。

那么，刘文为什么会把人的全面发展与人的发展相等同，而把人的片面发展纳入人的全面发展过程，并作为其发展的一个阶段呢？这是因为刘文只看到人的发展的连续性的一面，即只看到人的片面发展为人的全面发展提供了前提和基础的一面，而忽视了二者在性质上相区别的一面，忽视了人的全面发展是对人的片面发展的克服和超越。殊不知，科学说明这种超越的必然性和现实途径，正是马克思主义关于人的全面发展理论的本质内涵和巨大意义之所在。

怎样才能实现从资本主义社会的人的片面发展到共产主义社会的人的全面发展呢？马克思主义认为，必须在无产阶级领导下，通过人民革命，推翻资产阶级专政，建立无产阶级专政，利用政权的力量，改造资本主义私有制，建立社会主义公有制。社会主义社会是以公有制和由它所决定的按劳分配为主体的社会。在社会主义社会中，人民的根本利益是一致的。因而个人与社会的价值关系同旧社会相比也发生了巨大变化，即从过去的分裂、对抗走向了相互统一、互相促进、共同发展。具体说来，一方面，社会主义社会的总体价值有赖于每个

① 《马克思恩格斯全集》第26卷（Ⅱ），124—125页，北京：人民出版社，1973年。

社会成员的价值创造和增值；另一方面，社会主义社会的发展又为满足广大人民群众日益增长的物质文化需要，为促进人的全面发展提供了不断充实的现实条件。

如果说，无产阶级革命的胜利使人的全面发展获得了基本的政治前提的话，那么，社会主义制度的建立，则为促进人的全面发展提供了制度保障和现实的起点。随着社会主义建设事业的不断发展，社会主义文明程度的不断提高，将会不断展现和开拓人的全面发展的美好前景。

人的全面发展的过程，就是从促进人的全面发展的社会主义社会向实现人的全面发展的共产主义社会过渡的过程。过去在对这个问题的理解上确如刘文所言，曾经存在着这样一种片面性，即把人的全面发展仅仅理解为共产主义的终极目标，而忽视了它的过程性。因而，没有把促进人的全面发展看作社会主义社会的必然要求，这是不对的，是有违于中国共产党关于最高纲领与最低纲领辩证关系理论的。

党的最高纲领是为实现人的全面发展的共产主义理想而奋斗。在革命、建设和改革的各个历史阶段，我们党又有每个阶段的基本纲领，即最低纲领。就二者的关系来说，最低纲领是最高纲领在各个具体阶段的体现和局部实现；最高纲领是最低纲领的最终归宿和整体实现。因此，实现最低纲领既是最高纲领在现阶段的某种实现，又是为实现最高纲领提供基础和创造条件，不然，最高纲领的实现就会落空；另外，以最高纲领的实现为价值取向，也必然会加速和促进最低纲领的实现，不然，就会失去理想动力，甚至还会走偏方向。

从最高纲领和最低纲领的辩证关系来说，促进人的全面发展是社会主义社会的题中应有之义。这是因为社会主义社会是共产主义社会的第一阶段，这一本质决定了社会主义社会要为共产主义社会的实现创造条件，要为人的全面发展创造条件。也就是说，人的全面发展并不是在共产主义社会一蹴而就实现的，它是一个从社会主义社会就开始进行的历史过程，是一个渐变与飞跃、量的积累与质的升华相统一的过程。因此，社会主义是实现人的全面发展的必经阶段。另外，促进人的全面发展也是坚持和发展社会主义的前提和基础。社会主义事业说到底是广大人民群众的事业，人民群众是社会主义建设的主体。在这个意义上说，人的发展越全面、越充分，越能促进社会主义物质文明和精神文明的提高，促进人民生活的改善。另外，社会主义社会的一切工作只有以促进人的全面发展为根本价值取向，也才能激发亿万群众拥护和建设社会主义的积极性。总之，“推进人的全面发展，同推进经济、文化的发展和改善人民物质文化生活，是互为前提和基础的。……社会生产力和经济文化的发展水平是逐步提高、永无止境的历史过程，人的全面发展程度也是逐步提高、永无止境的历史过程。”①

由上可见，社会主义制度的建立是人的全面发展过程的真正开始，人民群众所从事的社会主义实践活动是推动人的全面发展逐步实现的现实力量。刘文把人的全面发展过程的起点延伸至人类的童年时代，这是有违历史真实的，是非历史的观点，是对马克思主义关于人的全面发展理论的误读。另外，把人的全面发展等同于人的发展，也就混淆了人的全面发展与人的片面发展的本质区别，这也就从逻辑上遮蔽了马克思主义关于人的全面发展理论的革命本质和巨大价值，因而是不可取的。

① 江泽民：《在庆祝中国共产党成立80周年大会上的讲话》，44页，北京：人民出版社，2001年。